Rotraud Ries / J. Friedrich Battenberg (Hrsg.)

Hofjuden – Ökonomie und Interkulturalität
Die jüdische Wirtschaftselite im 18. Jahrhundert

Rotraud Ries / J. Friedrich Battenberg (Hrsg.)

Hofjuden – Ökonomie und Interkulturalität
Die jüdische Wirtschaftselite im 18. Jahrhundert

CHRISTIANS VERLAG 2002

Hamburger Beiträge
zur Geschichte der deutschen Juden
Band XXV

Für die Stiftung Institut für die Geschichte
der deutschen Juden, Hamburg,
herausgegeben von Stefanie Schüler-Springorum und Ina Lorenz

Gedruckt mit Unterstützung des Bundesministeriums
für Bildung, Wissenschaft und Kultur in Wien

*Die Abbildung auf dem Schutzumschlag zeigt
eine Familienfeierlichkeit bei der
Hoffaktorin und Kaiserlichen Rätin
Carola Kaulla in Hechingen,
Württemberg (Goldradierung von
Goog, 25 × 33 cm, um 1795,
Stadtarchiv Stuttgart)*

Bibliografische Information Der Deutschen Bibliothek

Die Deutsche Bibliothek verzeichnet diese Publikation in der Deutschen
Nationalbibliografie; detaillierte bibliografische Daten sind im Internet über
http://dnb.ddb.de abrufbar

Schutzumschlag: Schmidt und Weber Konzept-Design, Kiel
ISBN 3-7672-1410-5
Printed in Germany

INHALT

III. JÜDISCHE WIRTSCHAFTSELITE – JÜDISCHE GEMEINDE – JÜDISCHE KULTUR

IV. VÄTER UND SÖHNE, AUFSTEIGER UND NACHFOLGER: WANDEL IN DER GENERATIONENFOLGE

VORWORT

Der Akkulturation der jüdischen Wirtschaftselite der Frühen Neuzeit, vor allem der an den zahlreichen Fürstenhöfen tätigen Hofjuden, war von 1994 bis 1999 ein Forschungsprojekt an der Technischen Universität Darmstadt gewidmet. Es wurde von den beiden Herausgebern durchgeführt und von der Deutschen Forschungsgemeinschaft finanziert. Zu seinem Abschluss fand im September 1999 in der Moses-Mendelssohn-Akademie in Halberstadt eine Konferenz statt, die von Wissenschaftlerinnen und Wissenschaftlern aus Deutschland, Norwegen, den USA und Israel bestritten wurde. Beiden, der DFG wie der Akademie in Halberstadt, sei deshalb für ihre Unterstützung ganz herzlich gedankt, namentlich der Geschäftsführerin der Akademie Jutta Dick und ihrem Team, die sich um Finanzierung, Organisation und Logistik der Tagung verdient gemacht haben.

Das Besondere an dieser Konferenz war neben der angenehmen und anregenden Atmosphäre im ehemaligen Lehrhaus des sächsischen Residenten Berend Lehmann das Zusammentreffen und ergebnisreiche Diskutieren von Forscherinnen und Forschern verschiedener Generationen. Sie widmeten sich gemeinsam der Frage, welche Stellung die Hofjuden zwischen jüdischer und christlicher Gesellschaft einnahmen und wie sie sich kulturell in diesem Spannungsfeld orientierten. Das Spektrum der Referentinnen und Referenten reichte von einer Studentin über Doktorandinnen und Doktoranden, jüngere Wissenschaftlerinnen und Wissenschaftler bis hin zu arrivierten und international angesehenen Professoren. Letztere hatten vor allem die Aufgabe, die neuen, durch die Arbeit des Projekts und des in seinem Umfeld entstandenen Arbeitskreises zustande gekommenen Forschungsergebnisse vor dem Hintergrund ihrer eigenen Forschungen und langjährigen Erfahrungen zu reflektieren und zu diskutieren. Herausgekommen ist eine spannende interdisziplinäre Konfrontation und Kombination neuer Archivstudien, alter und neuer Thesen, Einsichten der allgemeinen wie der jüdischen Geschichte, vielfältiger Perspektiven und neuer Forschungsdesiderate. Die Tagung ist somit als Zwischenbilanz zu verstehen und spiegelt den gegenwärtigen Forschungsstand zur jüdischen Wirtschaftselite wider.

Ihre Ergebnisse finden sich im vorliegenden Band, ohne dass dieser deren genauen Ablauf wiedergibt. Denn eine Publikation hat ihre eigene Logik und

Struktur; nicht alle Beteiligten konnten oder wollten ihren Beitrag zum Druck bringen – weil ihre Stellungnahmen in ähnlicher Form schon an anderer Stelle publiziert worden sind oder weil ihr Beitrag zu sehr den thematischen Rahmen überschritten hätte. Dies wird an gegebener Stelle innerhalb des Bandes genauer ausgeführt. Aus ähnlichen strukturellen und konzeptionellen Gründen wurde auf die Aufnahme der öffentlichen Vorträge von Mordechai Breuer, Julius H. Schoeps und Gabriele von Glasenapp verzichtet, die in der einen oder anderen Form publiziert vorliegen und im Anmerkungsapparat vor allem der Einleitung Erwähnung finden.

Neben der Herausgeberin waren an der Redaktion des Bandes Katja Glock, Charlotte Battenberg und Dieter Blinn beteiligt, das Register erstellte Dagmar Wienrich. Die Betreuung des Bandes beim Verlag lag in den bewährten Händen von Sabine Bayer. Ihnen allen sei ganz herzlich für ihre z. T. unentgeltliche Mitarbeit gedankt. Unser Dank gilt aber auch und vor allem dem Institut für die Geschichte der deutschen Juden in Hamburg mit den beiden Herausgeberinnen Stefanie Schüler-Springorum und Ina Lorenz, die den Band in die Reihe des Instituts aufgenommen und überwiegend aus dessen Mitteln finanziert haben. Einen weiteren Zuschuss stellte dankenswerterweise das Österreichische Bundesministerium für Bildung, Wissenschaft und Kultur in Wien zur Verfügung.

Die Hoffnung der Herausgeber geht dahin, dass der Band Einsichten vermitteln möge nicht nur in Entstehung, Geschichte und Struktur der frühneuzeitlichen Wirtschaftselite, sondern darüber hinaus Sensibilität wecken wird für die Multidimensionalität und Komplexität kultureller Orientierung und kulturellen Wandels, wie sie aktueller nicht sein könnten.

Duisburg/Darmstadt, September 2002

Rotraud Ries *J. Friedrich Battenberg*

I. GRUNDLAGEN

Hofjuden – Funktionsträger des absolutistischen Territorialstaates und Teil der jüdischen Gesellschaft. Eine einführende Positionsbestimmung

Rotraud Ries

In seinem Beitrag „Court Jews in Economics and Politics" im Katalog der New Yorker Hofjuden-Ausstellung schließt der israelische Historiker Michael Graetz:

> The historical significance of court Jewry is not to be found in any creation of wealth that was maintained from one century to the next, nor in the strengthening of Jewish community structures. Court Jews exerted a decisive influence on the secularization and gradual opening up of Jewish society to the outside world. [...] Close contacts with absolute rulers and their civil servants dictated an openness to the outside world, confronting these Jews with the problems of acculturation long before the realization of legal equality. Their activities and mentalities facilitated and accelerated the appearance of those who championed a Jewish Enlightenment movement.[1]

Graetz markiert hier einen Perspektivenwechsel, der sich seit einigen Jahren in der Erforschung der deutsch-jüdischen Geschichte der Frühen Neuzeit und speziell der Hofjuden vollzieht[2] – einen Perspektivenwechsel, den der vorliegende Band aufgreift und vertieft. Er ist dem Zusammenhang zwischen Ökonomie, kulturellem Wandel und der jüdischen Moderne am Beispiel der Oberschicht gewidmet.

Forschungsstand

In dem nach wie vor dürftig bearbeiteten Forschungsfeld „Juden in der Frühen Neuzeit" nehmen die Hofjuden eine prominente Rolle ein.[3] Denn im Verlaufe von 200 Jahren, überwiegend aber seit Ende des 19. Jahrhunderts erschienen mehr als 200 Titel – unter ihnen etwa 60 selbständige Publikationen. Interesse fanden die Hofjuden schwerpunktmäßig in den 20er und frühen 30er Jahren und dann – parallel zum wachsenden Interesse an jüdischer Geschichte insgesamt – mit steigender Tendenz seit den 1980er Jahren.

Drei Themenschwerpunkte lassen sich in der Forschung zeitlich voneinander abgrenzen: Die ältere jüdische biographische Forschung und Familiengeschichte widmete sich bis in die 1930er Jahre hinein mit einem stark genealogischen, glorifizierenden und z. T. auch persönlichen Interesse an den eigenen Vorfahren den großen Männern und berühmten Familien. Frauen kommen als eigenständige Personen nicht vor. Die Mehrzahl dieser Darstellungen konzentriert sich auf die so genannte klassische Zeit der Hofjuden vor der Mitte des 18. Jahrhunderts und auf die Familien, die jüdisch blieben. Auf diese Weise haben sie viele wichtige Informationen zusammengetragen, werden aber verständlicherweise modernen Fragestellungen nicht mehr gerecht. Wertvoll sind diese Studien auch deshalb, weil nur sie in größerem Umfang innerjüdische Quellen berücksichtigen.[4]

In einigen Dissertationen der 20er und 30er Jahre wird das Wirken der Hofjuden als Teil einer territorialen Finanzgeschichte für Bayern, Hessen und Kurköln[5] untersucht. Sie bilden damit den Auftakt zu eher etatistischen Studien, die die Forschung bis etwa 1980 dominiert haben.[6] Ihre Perspektive ist vornehmlich ausgerichtet auf Wirksamkeit und Bedeutung der Hofjuden für den (christlichen) Staat, die Entstehung des Kapitalismus oder, quasi als letztes Zugeständnis an die jüdische Herkunft, ihre Rolle im Emanzipationsprozess. Auf allen drei Gebieten wurde, den historiographischen, wenn nicht ideologischen Prämissen folgend, die Bedeutung der Hofjuden im positiven wie negativen Sinne überschätzt.

Für eine tendenziell antisemitische Richtung dieser etatistischen Perspektive steht v. a. das Werk von Heinrich Schnee,[7] der in jahrzehntelanger, breit angelegter Archivarbeit zumindest für Nord- und Mitteldeutschland die wesentlichen obrigkeitlichen Quellen zusammengetragen hat. In dieser Beziehung, als Quellengrundlage für die wirtschaftliche und gelegentlich diplomatische Tätigkeit der Hofjuden, ist seine Arbeit, die er in einem 6-bändigen Hauptwerk und zahlreichen Einzelaufsätzen publiziert hat, solide; die Art der Darstellung jedoch ist nicht nur positivistisch und redundant, sondern kann auch vielfältige unwissenschaftliche Prämissen und Antisemitismen nicht verbergen. Ganz abgesehen davon entbehrt sie fast jeglicher Systematisierung und Differenzierung.

Den Gegenpol vertritt Selma Stern, die sich seit den 20er Jahren mit den Hofjuden beschäftigt und 1929 ihr Buch über „Jud Süß" vorgelegt hatte. Sie publizierte 1950 die einzige größere systematische Studie zum Thema, geschrieben unter den Bedingungen der Emigration und unmittelbar nach der traumatischen Erfahrung der Shoa.[8] Sie wurde, da auf Englisch publiziert, im Gegensatz zu Schnee in Deutschland wenig rezipiert. Im Vordergrund der Untersuchung stehen, an Beispielen vorgeführt, die verschiedenen Funktionen, in denen die Hofjuden dem Fürstenstaat dienten, doch auch ihre innerjüdische Rolle und Persönlichkeit kommt zur Sprache. Die nach wie vor zentrale Studie Sterns krankt – emigrationsbedingt – an der veralteten Quellenbasis, viele Belege fehlen, und auch sie hat trotz ihres systematischen Zugriffs zeitlich nicht differenziert. Nur in Zusammenhang mit dem absolutistischen Fürstenstaat werden die Hofjuden gedacht, die Perspektive ist auf ihre öffentliche Rolle beschränkt. Außer im funktionalen Sinne bleibt der gesellschaftliche und familiäre Kontext völlig ausgespart.[9]

Seit etwa 1980 beginnt die Forschung sich allmählich von diesen Perspektiven zu lösen. Verstärkt finden nun wieder Biographien der bekanntesten Hofjuden ein breiteres Publikum, die wissenschaftlichen Zugriffe werden pluraler, auch die Person und Familie der Hofjuden spielt wenigstens eine gewisse Rolle. Auf regionaler und lokaler Ebene setzt sich dieser Trend fort, indem hier im Rahmen der stark angewachsenen Forschungsaktivitäten zur jüdischen Geschichte die Biographien von bedeutenden Familien[10] wie von „Provinzgrößen"[11] erarbeitet werden.

Biographien und Familiengeschichten dominieren folglich unter den umfangreicheren, monographischen Arbeiten zur Geschichte der Hofjuden. Sie sind vorrangig bekannteren Personen gewidmet, darunter an erster Stelle der Familie Rothschild und Joseph Süß Oppenheimer („Jud Süß"), also solchen Personen und Familien, die als Extrembeispiele von jeher ein besonderes öffentliches Interesse auf sich gezogen haben. Anspruchsvolle, moderne Biographien auf wissenschaftlichem Niveau wie auch systematische und vergleichende Untersuchungen mit einer an aktuellen historiographischen Diskursen ausgerichteten Fragestellung bleiben allerdings weiterhin Desiderat.[12]

Ansätze hierzu, die ich oben als Perspektivenwandel bezeichnet habe, werden mittlerweile jedoch an verschiedenen Stellen sichtbar: So steht etwa der Katalog- und Aufsatzband der New Yorker Hofjuden-Ausstellung von 1996, aus dem das eingangs aufgeführte Zitat von Graetz stammt, nicht nur für ein erstmals feststellbares internationales Interesse, sondern bietet neben einer stärkeren Berücksichtigung der Frauen auch eine kunst- und kulturgeschichtliche Erweiterung der Perspektive. Michael Graetz hat ferner in seinem Aufsatz einen wichtigen Ansatz zu einem modernen, strukturierenden Überblick über die Geschichte der Hofjuden geboten.[13] Mehr noch als Graetz hat Mordechai Breuer zur gleichen Zeit das Thema „Hofjuden" durch Hinweis auf die Bedeutung derselben für die jüdische Gesellschaft und Kultur der frühen Neuzeit in der jüdischen Historiographie rehabilitiert.[14] Dabei geht er so weit – m. E. zu weit –, die Förderung jüdischer Belange als konstitutiv anzusehen für eine Hofjudendefinition: Nur der zählt als Hofjude, der sich auch für die jüdische Gemeinde einsetzte. Im Rahmen des von der DFG geförderten Hofjuden-Projekts (siehe Vorwort) sind gleichzeitig Studien entstanden, die die Dimension des Hofjude-Seins und seine Folgen aus sozial-, kultur-, mentalitäts- und kriminalitätsgeschichtlicher Perspektive beleuchten, ferner v. a. das Verhältnis zwischen Hofjuden und jüdischer Oberschicht thematisieren.[15] Weitere Publikationen zur jüdischen Oberschicht sorgen für eine wichtige Verbreiterung der Perspektive,[16] während von der Rechts- und Wirtschaftsgeschichte neue strukturelle Aspekte betont werden konnten.[17]

Neben den expliziten Diskursen über wirtschaftliche Macht und innerjüdische Bedeutung spielten die Hofjuden implizit auch eine Rolle in dem schon um 1960 zunächst in Israel geführten Diskurs über die innerjüdische Modernisierung. Er ist in Deutschland lange Zeit kaum rezipiert worden. Dieser kreist um den Charakter des Wandels innerhalb der Judenschaft und um den Zeitpunkt der Öffnung gegenüber der Kultur der christlichen Mehrheitsgesellschaft. Während Asriel Schochat die allmähliche Zunahme von Veränderungsanzeichen seit dem Ende des 17. Jahrhunderts konstatierte und für einen schleichenden Wandel plädierte,[18] interpretierte Jacob Katz[19] diese Neuerungen als Ausnahmen und Äußerlichkeiten und behauptete ihre Integration in das traditionelle jüdische Deutungssystem. Erst um 1750 habe sich, und dann relativ abrupt, wirklicher Wandel vollzogen.

Beide Thesen beruhen im Wesentlichen auf denselben Quellen, die jedoch in ihrem Gewicht und in ihrer Repräsentativität unterschiedlich bewertet werden. Sie gewinnen an Überzeugungskraft und Vereinbarkeit, wenn man ihre Gültigkeit, wie Jacob Toury dies damals vorgeschlagen hat, nicht undifferenziert für die gesamte Judenschaft beansprucht, sondern ganz unterschiedliche Tempi des Wandels in den verschiedenen Schichten der jüdischen Gesellschaft in Rechnung stellt.[20] Die Hofjuden sind als Teil der jüdischen Elite eine gesondert zu untersuchende Gruppe – aber natürlich nicht die einzige. Der vorliegende Band möchte dazu einen Beitrag leisten.

Seine Einleitung ist – neben dem Forschungsüberblick – drei Zielen gewidmet: Sie soll über den bisherigen Forschungsstand hinaus in einer strukturierenden und vergleichenden Perspektive zentrale ökonomische und soziale Grundlagen und Differenzierungsebenen der Geschichte der Hofjuden bieten. Zum anderen geht es um den Zusammenhang zwischen Ökonomie und Kultur, Interkulturalität und Akkulturation, um die mögliche Rolle der Hofjuden als Wegbereiter der Moderne. Und schließlich sollen die Einzelbeiträge (kursiv hervorgehoben) vorgestellt und thematisch verklammert werden, indem ihre Ergebnisse zentral in diese beiden Abschnitte integriert werden.

Ökonomische und soziale Grundlagen

Der *Aufstieg der Hofjuden* vollzog sich aus der jüdischen Oberschicht, die sich durch ein herausragendes Bildungs-, Mobilitäts- und Wirtschaftspotenzial auszeichnete. Sie hatte sich nach der Phase der Vertreibungen seit der Mitte des 16. Jahrhunderts neu formiert. Das überwiegend verwandtschaftlich strukturierte, durch Geschäftsbeziehungen verdichtete Netzwerk dieser Oberschicht bildete den Organisationsvorteil der für den Hof tätigen Juden gegenüber christlichen Konkurrenten. Erste Hofjuden finden sich um 1600 z. B. in Wien, in Kurköln und im kleinen Lippe.[21]

Seine Attraktivität verdankt die Institution der Hofjuden den für das Deutsche Reich spezifischen Bedingungen der Zeit nach dem 30-jährigen Krieg (siehe hierzu den Beitrag von *Goemmel*): einer Vielzahl von absolutistischen Fürstenhöfen mit hohem Repräsentationsbedürfnis; der Aufstellung stehender Heere und einer ganzen Reihe weiträumiger Kriege; gleichzeitig einem noch wenig ergiebigen und ausgereiften Steuersystem, d. h. mangelhaften finanziellen Ressourcen, und organisatorischen Defiziten bei der Heeresversorgung; einer durch den 30-jährigen Krieg auf lange Zeit gelähmten Wirtschaft und zumindest regional stark dezimierten Bevölkerung; merkantilistischen Wirtschaftsvorstellungen, die durch diese Problemlage zur Entfaltung gelangten; schließlich einem teilweise säkularisierten politischen Selbstverständnis, das es möglich machte, für einzelne, wirtschaftlich potente und funktionalisierbare Juden von den gängigen theologischen Bewertungen zu abstrahieren.[22] Das spezifische Zusammentreffen dieser Bedingungen unterscheidet das Deutsche Reich von anderen Ländern Europas, in denen es zwar auch vereinzelt ähnliche Erscheinungen gegeben hat, nicht jedoch Hofjuden in solcher Dichte und in einem institutionalisierten Dienstverhältnis.[23]

Der *Terminus „Hofjuden“* steht als Oberbegriff für diejenigen Juden, die in einem auf Kontinuität angelegten Dienstleistungsverhältnis zu einem höfisch strukturierten Herrschaftszentrum standen.[24] Unter dem Begriff ist eine ganze Reihe verschiedener Tätigkeiten subsumiert, die vom Hof- und Heereslieferanten über den Hofbankier, den Hofjuwelier und den Diplomaten reichen. Zur Hofjuden-Definition gehören weitere, wenn auch fakultative Kriterien: Titel, Privilegien und Vorrechte, eine Immediatbeziehung zum Herrschaftsinhaber, die Einbindung in die überregionale verwandtschaftliche und geschäftliche Vernetzung der jüdischen Oberschicht. Weitere wesentliche, wenn nicht typische Kennzeichen der Hofjuden sind: ihre geschäftliche Vielseitigkeit, Führungsaufgaben in den jüdischen Gemeinden, Wohltätigkeit und Mäzenatentum, das Wirken als *Stadlan* sowie die wachsende soziale und kulturelle Nähe zum nichtjüdischen Umfeld.

Die *wirtschaftliche Rolle* der Hofjuden blieb, wie die aller Juden in den Jahrhunderten zuvor, strukturell eine Lückenbüßerrolle.[25] Diese war jedoch im Zuge des Merkantilismus mit mehr Gewicht belegt und positiv bewertet worden.[26] Sie schuf nicht nur die Voraussetzung zur Entfaltung einer enormen Geschäftstätigkeit mit großen Gewinnspannen und hohem Risiko, sondern ermöglichte zugleich einen intensivierten Kontakt – wenn die „persönliche Chemie" stimmte – zum Herrscher und seinen Beamten. All dies ist in der bisherigen Forschung – jedenfalls für die Zeit bis 1750 – im Detail beschrieben worden.

Wie differenziert jedoch die wirtschaftliche Rolle der Hofjuden vor der Folie der generellen Entwicklungstendenzen in ihrer Abhängigkeit von den lokalen und regionalen ökonomischen Bedingungen zu sehen ist, zeigen mehrere Beiträge dieses Bandes. *Grabherr, Hebell, Blinn, Faassen* und *Waßmuth* gelingt es v. a. anhand der so genannten „Landhofjuden" und z. T. eher beiläufig, die „individuelle Karriere" (*Schmidt*) dieser kleinen Hofjuden in ihrem spezifischen Ambiente aufzuzeigen. So unterschiedliche Rollen wie die der Vermittler zwischen Süddeutschland und Norditalien, der weiblichen Firmenchefin und Kriegslieferantin „aus der territorialen Nische", des Alchimisten und wenig glücklichen Wirtschaftspolitikers, der überterritorial agierenden Teilzeit-Hofjuden und die natürlich auch nachweisbare höfische Orientierung werden vorgestellt.

Auch die eigentliche Wirtschafts-Sektion liefert neue Perspektiven. Denn es geht kaum um die bekannten Aufsteiger der klassischen Hofjudenphase zwischen 1650 und 1750 oder allein um das ökonomische Funktionieren. Stattdessen wird am Beispiel Berlins der ökonomische Wandel in generationenübergreifender Perspektive dargestellt (*Keuck*) sowie für Wien (*Burkhardt*) und für Frankfurt (*Schlick*) der Prozess der ökonomischen Integration der (Hof-)Juden und deren Ausbruch aus dem jüdischen „Wirtschaftsghetto" herausgearbeitet. Es geht also um ökonomische Funktionen jenseits der höfischen Sphäre, mithin um einen weiteren Schritt wirtschaftlicher Entwicklung jenseits und als Konsequenz merkantilistischer Politik, einen Bedeutungsgewinn für die Gesamtwirtschaft und ihren Wandel. Dieser war um die Mitte des 18. Jahrhunderts auch in einer Reichsstadt wie Frankfurt angekommen. Als „exotisches" Vergleichsbeispiel dienen die Amsterdamer Sefarden des 17. Jahrhunderts (*Wallenborn*): Auch sie wurden aus utilitaristischen Motiven als Informanten, Botschafter, Finanziers und Diplomaten „genutzt". Der andere religiös-kulturelle Hintergrund mit seinem höheren Sozialprestige und Selbstbewusstsein ließ hier jedoch auch eine andere Basis für „Geschäftsbeziehungen" entstehen, auf der ohne feste Dienstbeziehungen aufwendige diplomatische Tätigkeit mit einem Potenzial an Ehre, Steuererleichterungen und wirtschaftlichen Beziehungen kompensiert wurde.

Im innerjüdischen Kontext sind die *Hofjuden als Elite* anzusehen, da sie im Unterschied zur Masse der Juden einen großen Einfluss auf die Erhaltung und/oder die Veränderung des gesellschaftlichen Systems besaßen.[27] Dies klingt, wenn auch selten explizit, in vielen Beiträgen des Bandes an: beim Thema höfischer Habitus und individuelle Karriere (*Schmidt*), bei der Diskussion der Führungsfunktionen in den Gemeinden und der Finanzierung von Gemeindeeinrichtungen und Traditionspflege (*Burkhardt, Heimann-Jelinek, Keuck, Cohen, Raspe, Grabherr, Studemund, Waßmuth, Backhaus, Hebell, Faassen, Lowenstein*) und bei der Frage nach dem Einfluss der Hofjuden auf die innerjüdische Modernisierung und die Akkulturation (*Schmidt, Cohen, Grabherr, Battenberg, Lowenstein*). Im gesamtgesellschaftlichen Kontext verengt sich die Eliten-Position der Hofjuden auf die einer für das politische System bedeutenden Wirtschaftselite. Im Gegensatz zu Begriffen wie „Hofjudenschaft", die dies suggerieren, lassen sich die Hofjuden nicht als soziale Gruppe qualifizieren, die als relativ kleines, dauerhaftes Gebilde einen engen sozialen Zusammenhalt mit eigenem Wir-Gefühl, Wertesystem, eigener Struktur, Kultur und intensiver Interaktion, gemeinsamen Zielen und Interessen voraussetzen würde.[28] Vielmehr blieben sie als soziales Gebilde v. a. Teil der jüdischen Oberschicht und auf diese bezogen.

Dies zeigt sich vor allem bei der Frage nach der *Identität der Hofjuden*, die angesichts der individuellen, ökonomischen und politischen Bedingungen und Karriere-Fragilitäten wenig Chancen hatte, eine dauerhafte spezifische Form auszubilden.[29] Zwar lassen sich im Bereich der Berufsidentität – aufbauend auf dem Kaufmanns-Ethos – angesichts der ökonomischen Bedeutung mitunter ein gewachsenes Selbstbewusstsein (siehe dazu *Battenberg, Wertheimer*) ausmachen und ein Ethos, das in besonderer Weise auf den Dienst für den Fürsten ausgerichtet war;[30] beides war jedoch eng an den individuellen Erfolg bei Hofe geknüpft und hatte damit keine Chance auf Dauerhaftigkeit. Weder die religiös-ethnische Identität noch die säkulare kulturelle Identität der Hofjuden unterschied sich grundsätzlich von der der übrigen jüdischen Oberschicht-Angehörigen. Graduelle Unterschiede gab es lediglich in Bezug auf Wirkungs- und Realisierungschancen, die vor allem mit Reichtum und politischem Einfluss zu tun hatten.

Auch die *verwandtschaftliche Vernetzung* der Hofjuden blieb in die Oberschicht eingebunden; nicht adelige Heiratspolitik stand bei der Anknüpfung von Heiratsverbindungen von Hofjuden Pate, sondern der Usus der jüdischen Oberschicht, Partner bzw. Familien von gleichrangigem Vermögen und Sozialprestige zusammenzubringen.[31] Sozialer Status und Reichweite des verwandtschaftlich-geschäftlichen Netzwerkes standen – abhängig von der Zahl der Kinder – in direktem Verhältnis zueinander, umgekehrt dienen sie als Indikator für die Stellung in der jüdischen Gesellschaftshierarchie; geschäftstaktische Überlegungen waren integraler Bestandteil dieses Networking.

Differenzierungsebenen

In der Hauptphase der Geschichte der Hofjuden zwischen dem Dreißigjährigen Krieg und dem Beginn des 19. Jahrhunderts schälen sich vier wichtige *Differenzierungsebenen* heraus, die sowohl für die Strukturen wie für den Wandel von Bedeutung waren: eine quantitativ-ökonomische, eine politisch-geographische, eine innerjüdisch-strukturelle und eine zeitliche.

1. Hofjuden gab es in diesem Zeitraum früher oder später und nicht immer kontinuierlich faktisch an allen Höfen des deutschsprachigen Raumes. Dass zwischen diesen Höfen enorme *Unterschiede bezüglich ihrer Größe und Bedeutung* bestanden, hatte natürlich auch Auswirkungen auf die Bedeutung der jeweiligen Hofjuden. Die kleinsten Hofjuden an den kleinsten Höfen – ohne jede Chance auf größere Prosperität – dürften nicht einmal mehr dem unteren Rand der Oberschicht zuzurechnen sein; ihre Wirtschaftskraft war so begrenzt, dass bei größeren Kreditbedürfnissen benachbarte „große" Hofjuden herangezogen wurden.[32] Ein Aufstieg aus diesem kleinterritorialen Milieu blieb die Ausnahme, konnte jedoch dort stattfinden, wo, wie v. a. in Süddeutschland, lediglich aufgrund von Siedlungsrestriktionen (Hof-)Juden auf ein dörflich-kleinstädtisches Ambiente reduziert worden waren.[33]

Da die kleinen Hofjuden bislang von der Forschung systematisch überhaupt nicht und auch sonst eher selten berücksichtigt wurden, ist ihnen in diesem Band eine eigene Sektion gewidmet. Umgekehrt proportional zur

Forschungssituation, in der kleinere Studien zu kleinen norddeutschen Hofjuden dominieren, werden hier v. a. Beispiele aus Süddeutschland vorgestellt, zu denen auch der Beitrag zu den Hofjuden in Hohenems (*Grabherr*) und im Osten ein Fallbeispiel aus der sächsischen Sekundogenitur Weißenfels zu zählen ist (*Schmidt*).

Ein typisches, wenn auch – da weiblich – sehr markantes Beispiel für den süddeutschen Aufstieg aus ländlichem Milieu ist Madame Kaulla (*Hebell*). Ihr Aufstieg vollzog sich in Etappen über mehrere kleine Höfe und durch Heereslieferungen für die kaiserlichen Armeen. Als Frau in ihren Handlungsmöglichkeiten beschränkt, hat sie – auch von Zeitgenossen durchschaubare – „Tarnungstaktiken" angewandt, um ihr ökonomisches wie auch ihr Handeln für die Judenschaft als von ihrem Bruder oder von ihrer Familie vollzogen zu kaschieren.

Provinzielle Enge scheint das Pfalz-Zweibrücker (*Blinn*) wie das Lipper Beispiel (*Faassen*) zu atmen, starke ökonomische Beschränkungen und geringe kulturelle Wandlungsfähigkeit. Zugleich gibt es jedoch spezifische, dem Nord-Süd-Gefälle geschuldete Differenzen: Im norddeutschen Lippe-Detmold blickte man um 1800 bereits auf eine 200-jährige Geschichte (mit Unterbrechung) der Beziehungen zwischen Fürsten und Hofjuden zurück, diese Beziehung war versachlicht zu einer rationalen Geschäftsbeziehung zwischen Regierungsbeamten und Hofjuden. In Pfalz-Zweibrücken bestimmten dagegen ausschließlich die individuellen Interessen eines Fürsten die Beziehung zu ‚seinem' Hofjuden; und mit dem Tod des Ersteren fiel auch der Stern des Letzteren.

Das Glück der Hohenemser jüdischen Oberschicht war ihre Hofferne, die sie vor ähnlichen Gefahren bewahrte *(Grabherr)*. Ebenso warnt dieses Beispiel davor, zwei Stereotypen zu erliegen: ländlich mit rückständig und akkulturationsfern gleichzusetzen und, frei nach Heinrich Schnee, jedes Zeichen kulturellen Wandels, manifestierte es sich in Barttracht, Kleidung, Buchbesitz, Bildern oder Sprache, als unweigerlichen Beleg für Schritte aus dem Judentum hinaus zu deuten.

Der Fall des Weißenfelser Hofjuden Moses Heynemann, den *Michael Schmidt* vorstellt, vermag dagegen in mancher Beziehung die Grenze zwischen „groß" und „klein" aufzuheben. Aus dem Nichts – oder unserem Nichtwissen! – heraus scheint Heynemann Anfang des 18. Jahrhunderts einen dem ausgeprägten Hofleben am kleinen Weißenfelser Hof angemessenen Habitus an den Tag gelegt zu haben, der dem eines Hofmannes nahe gekommen sein könnte. Es gelang ihm dadurch, das Vertrauen des Fürsten zu erringen. Sein Verhalten, die bikulturelle Erziehung der Kinder durch jüdische und christliche Lehrer (Theologen) wie v. a. die große Hofnähe der

Familie hatte jedoch ihren Preis: Fast alle Kinder ließen sich, z. T. unter dramatischen Umständen, taufen.[34]

2. Neben die *Differenzierung* in „groß" und „klein" tritt, wie bereits angedeutet, die zwischen *Nord* und *Süd*. Der Main bildete die Grenze bzw. markiert in etwa ein Gebiet zwischen Frankfurt und Franken, das man als Schnittmenge oder gemeinsame Mitte zwischen Nord und Süd bezeichnen könnte. Gleich in zweierlei Hinsicht äußerte sich diese geographische Differenz: Zum einen steht sie für Grenzen spezifisch jüdischer Räume, die in einer mittleren Reichweite von Norden wie von Süden diese gemeinsame Mitte umfassten;[35] zum anderen markiert sie Unterschiede in den politisch-ökonomischen Grundbedingungen, die Auswirkungen auf Tätigkeit und Entwicklungsmöglichkeiten von Hofjuden hatten. Denn zwischen dem überwiegend katholischen, von der Habsburgermonarchie dominierten Süden und dem eher protestantischen Norden mit den dominierenden Territorien Brandenburg-Preußen und Hannover deutet sich ein spezifischer Entwicklungsgegensatz an. Während im Norden mehr oder weniger zeitgleich und relativ eigenständig an vielen und selbst an den kleinsten Höfen in der zweiten Hälfte des 17. Jahrhunderts Hofjuden aufstiegen und zumindest funktional kontinuierlich tätig blieben,[36] war deren Wirkungsfeld im Süden zunächst auf den Kaiserhof in Wien und den fränkischen Raum begrenzt. Die fränkischen Hofjuden fungierten dabei v. a. als Zulieferer für die Wiener Hofjuden (vgl. hierzu *Battenberg, Wertheimer*). Auch die weitere Entwicklung im Süden, die v. a. in den 1720er Jahren einsetzte und die folgenden Jahrzehnte durch eine Entwicklungsverzögerung gegenüber dem Norden geprägt war, blieb stark abhängig von den Wiener Hofjuden und ökonomisch auf den Kaiserhof orientiert (*Hebell, Waßmuth*).[37] Sie fand erst um 1800 mit dem Logistik- und Finanzierungsbedarf der napoleonischen Kriege ihren eigenen Höhepunkt. Im Osten des Reiches finden sich Strukturelemente wie im Norden und eine personale Verflechtung in diesen Raum wie auch obligatorische ökonomische Kontakte der bedeutenden Hofjuden nach Wien. Die regionale Vernetzung reichte in benachbarte Räume wie etwa nach Polen und Schlesien. Sachsen weist jedoch darüber hinaus angesichts seiner besonders restriktiven Judenpolitik auch wieder deutliche Parallelen zum süddeutsch-österreichischen Raum auf.[38]

3. Gerade auch an diesen Beispielen erweist sich die Relevanz der v. a. von den äußeren Bedingungen abhängigen *innerjüdischen Strukturelemente* für die Entwicklung in den einzelnen Hofjudenfamilien: Vorhandensein, Größe, Sozialstruktur und religiöse Differenzierung einer jüdischen Gemeinde am Wohnort oder in seiner Nähe. Eine Gemeinde bot sozialen und kulturellen Rückhalt, stellte ein Feld für konkretes Engagement und bot der jeweiligen

Folgegeneration die nötigen Identifikationsangebote. Dies ist z. B. in Halberstadt (*Raspe*), Mannheim (*Waßmuth*) und Frankfurt/Main (*Backhaus*) deutlich nachzuvollziehen. Der gerade für Süddeutschland typische verspätete Handlungsspielraum beim Aufbau institutionalisierter Gemeinden wie z. B. in Wien (*Burkhardt, Heimann*) und Hechingen/Stuttgart (*Hebell*) deutet sich auch in Dresden an, während die krisenhafte Wirkung religiöser Differenzierungsprozesse v. a. an Berlin abgelesen werden kann (*Keuck, Lowenstein*).[39] Und vor dem Ende des 18. Jahrhunderts waren es gerade die Hofjudenkinder an Orten ohne Gemeinde und ohne stabiles jüdisches Ambiente, die sich taufen ließen (*Schmidt*).[40]

4. Die *zeitliche Ebene* in der Geschichte der Hofjuden wird in der Sekundärliteratur zwar selten explizit thematisiert; implizit geht man jedoch von einer deutlichen Zäsur um die Mitte des 18. Jahrhunderts aus. Daraus schließen die einen auf das Ende der sog. „klassischen Hofjudenzeit"; andere sprechen von „Hofjuden neueren Stils" nach 1750[41] – die allerdings nur an den Höfen zu finden sind, wo bereits Hofjuden über einen längeren Zeitraum tätig waren.

Um hier genauer differenzieren zu können, möchte ich dem absoluten Zeitmodell mit seinen modernisierungstheoretischen Implikationen ein weiteres Zeitmodell an die Seite stellen, nämlich das *Generationen-Modell*. Darin wird differenziert zwischen Aufsteigern, also der 1. Generation, und den Nachfolgern, der 2. und 3. Generation. Diese Generationen stellen eine wichtige Differenzierungs- und Vergleichsebene dar, denn es zeigt sich, dass der Unterschied zwischen einem Aufsteiger der 2. Hälfte des 17. Jahrhunderts und einem solchen hundert Jahre später sowohl ökonomisch wie in Bezug auf seine innerjüdische Rolle gar nicht so groß war.[42]

Innerhalb der Sektion zur Generationenfolge sind zwei Beiträge auf die 2./3. Generation fokussiert: Wolf Wertheimer repräsentiert die Generation der Söhne und Enkel noch in der klassischen Phase (*Battenberg*), die Rothschild-Brüder die Söhne-Generation in der 1. Hälfte des 19. Jahrhunderts (*Backhaus*). Mit ihnen ist die eigentliche Phase der Hofjuden also bereits überschritten, mehr noch dann schließlich mit den Nachfahren in der x-ten Generation der Wiener Familie Wertheimer, ebenfalls in der 1. Hälfte und um die Mitte des 19. Jahrhunderts (*Heimann-Jelinek*). Bei ihr stellt sich endgültig die Frage nach der Relevanz und Persistenz des Unterschieds zwischen Hofjuden(-Nachfahren) und dem Rest der jüdischen Oberschicht, die dringend einer weiteren Analyse bedarf, und zugleich zeigt sie die Grenzen der analytischen Schärfe des Generationenmodells, das nicht für mehr als drei Generationen in Folge einen Aussagewert besitzt. Das innerjüdische Engagement dieser Wertheimer-Nachkommen wurde diktiert wie eh und je vom traditionellen Oberschicht-Ethos und von dem in Wien eben immer noch bestehenden Aufbau- und Ausbaubedarf der jüdischen Gemeinde (der andernorts schon Jahrzehnte, wenn nicht weit mehr als hundert Jahre zuvor von den Reichen und Erfolgreichen (Hofjuden) bedient worden war). Schematischen Wandel von Generation zu Generation – wie von Heinrich Schnee konstatiert – hat es also in dieser Form pauschal nicht gegeben.

Einzelfälle mögen Schnee zu seiner These veranlasst haben: So bestätigt *Thekla Keuck*, dass er im Fall der Familie Itzig Recht hatte. Nicht darum geht es jedoch in ihrem Beitrag, sondern um die allmähliche ökonomische Entwicklung von Generation zu Generation und um die Verquickung von individuellem Missgeschick oder mangelndem Weitblick mit ökonomischen Wandlungsprozessen, die um 1800 in Berlin die alten Hofjuden-Familien zu Fall brachte. Es ist eben das Zusammenspiel von ökonomischen, individuellen und politischen Gründen, das Hofjudenkarrieren einer Familie über viele Generationen eigentlich nirgendwo kontinuierlich erlaubt hat. Dies ist ein Phänomen nicht allein der (hof-)jüdischen, sondern generell der Wirtschaftsgeschichte.[43]

Dass auch das Generationenmodell nur eines von mehreren Differenzierungsinstrumentarien und nicht überall zur Entfaltung gekommen ist, beweist schließlich das Mannheimer Beispiel (*Waßmuth*). Eine vergleichsweise kurze Zeit von 58 Jahren, in der die Stadt Residenz war, und eine große, gut ausgestattete jüdische Gemeinde mit einer breiten Oberschicht haben neben individuellen Faktoren auf Seiten der Hofjuden wie der Fürsten keine kontinuierliche Tätigkeit einer Familie über diesen Zeitraum und eine Entwicklung in Generationenschritten hervorgebracht. Andererseits wird am Mannheimer Beispiel der enge Konnex zwischen Hofjuden und jüdischer Oberschicht besonders deutlich.

Kultur der Hofjuden und Verlauf der Akkulturation

Die Beachtung der Chronologie ist auch aus einem anderen Grund wichtig: Bei der Frage nach der Akkulturation geht es um einen im Fortgang der Zeit verankerten kulturellen Wandlungsprozess.[44] Mitte des 17. Jahrhunderts sind nach dem absoluten Zeitmodell gesellschaftlich und politisch andere Rahmenbedingungen gegeben als 100 oder 150 Jahre später im Zeitalter von Aufklärung, Französischer Revolution und Emanzipation. Und nach dem generationellen Zeitmodell vollzog sich innerhalb dieses zeitspezifischen, von Akzelerationen geprägten Rahmens der *Wandel* in den Hofjudenfamilien eben v. a. *zwischen den Generationen*: Die Aufsteiger, v. a. dem geschäftlichen

Aufstieg und der eigenen rechtlichen Absicherung verschrieben, standen als gefestigte Persönlichkeiten in der traditionellen jüdischen Kultur, in der sie aufgewachsen waren. Wenn sie Elemente aus der Kultur des Umfeldes übernahmen – und dies konnte erstaunlich weit gehen[45] –, hatte dies keine wesentlichen Einflüsse auf ihre Identität. Sie widmeten sich der Judenschaft in der Weise, wie es für die Oberschicht üblich war, und wirkten damit v. a. traditionsstabilisierend.

Letzteres belegt besonders eindrucksvoll ein Mann wie Berend Lehmann (1661–1730) (*Raspe*), der mit dem Talmud-Druck, der Klaus-Stiftung und dem Synagogenbau in Halberstadt ein breites Œuvre vorzuweisen hat. Wo allerdings in der Konstruktion seiner Biographie angesichts einer bis heute anhaltenden, ‚traditionserfindenden' Legendenbildung die Grenzen zwischen Dichtung und Wahrheit verlaufen, wird sich wohl nie mehr ganz erhellen lassen. Im Vergleich hierzu fallen Grabinschriften und Memorbucheinträge, sind sie auch noch so überschwänglich gestaltet, fast realistisch aus (*Strehlen*). Sie sind immerhin zeitnah, und ihre vergleichende Analyse gestattet Schlüsse auf gewisse biographische Informationen, auf die in der Erinnerung dem Verstorbenen entgegengebrachte Ehre ebenso wie auf regionale Mentalitätsunterschiede; zugleich erlaubt sie, die innerjüdischen Rollen und Wahrnehmungen der Hofjuden zu differenzieren.

Die zweite Generation in den Hofjudenfamilien, die Nachfolger, knüpfte an die erreichte ökonomische Position und das vorhandene Kapital der Väter oder Schwiegerväter an und erweiterte auf dieser Basis ihren Handlungsspielraum im jüdischen wie im nichtjüdischen Kontext – vorausgesetzt, auch ihr war ökonomischer Erfolg beschieden (vgl. *Battenberg*, *Wertheimer*). Die Nachfolger waren als Kinder, Schwiegerkinder und z. T. sehr junge Mitarbeiter in der wichtigen Phase ihrer Sozialisation und Persönlichkeitsbildung den immanenten Botschaften der Aufsteiger und – wenn auch nicht überall – dem Einfluss des residenzstädtisch-kultivierten Umfeldes ausgesetzt.[46] Viele der von ihnen ergriffenen kulturellen Optionen zeigen – abhängig von der absoluten Zeit und vom Umfeld – deutliche Zeichen von Individualität.[47] Anknüpfungspunkt war und blieb jedoch auch für sie die traditionelle Oberschicht-Ethik, die seit der 2. Hälfte des 18. Jahrhunderts durch Rezeption der Haskala und Kontakte mit Maskilim ggf. modernisiert wurde (vgl. *Grabherr*). Ein komplettes Ausscheren aus der jüdischen Kultur und Gesellschaft kam für „amtierende" Hofjuden schon aus ökonomischen Gründen vor dem Ende des 18. Jahrhunderts nicht infrage – sie hätten sich ihr wirtschaftliches Netzwerk zerstört. Und auch im 19. Jahrhundert hielt sich die Zahl der Konvertiten in der kurzen Spanne bis zum endgültigen Auslaufen der Hofjuden-Ära in Grenzen.[48]

Kulturell verunsichert präsentierten sich dagegen etwa seit den 1720er Jahren vereinzelt und seit dem letzten Viertel des 18. Jahrhunderts gehäuft Nicht-Hofjuden der 2. und weiterer Generationen, wirtschaftliche Versager, Pechvögel, gescheiterte Söhne großer Väter, ausgeschaltete Konkurrenten und – last, but not least – Töchter.[49] Manche von ihnen gerieten angesichts fehlender ökonomischer Perspektiven, hoch geschraubter gesellschaftlicher und rechtlicher Erwartungen, verschwimmender gesellschaftlicher und religiöser Grenzmarkierungen, religiöser Sinnsuche, eines fehlenden jüdischen Ambientes und ausstehender innerjüdischer Reformen und Identitätsangebote als junge Erwachsene in eine Identitätskrise und suchten den Ausweg in der Taufe.[50] Voraussetzung dafür war jedoch eine wenigstens mittlere Bedeutung des Vaters, verbunden mit entsprechendem Vermögen, sowie der Aufstieg des ersten bedeutenden Hofjuden der Familie vor 1780.

Die Chronologie der Geschichte der Hofjuden weist hinsichtlich der kulturellen Orientierung also eine wachsende Pluralität, eine zunehmende Gleichzeitigkeit des Ungleichzeitigen auf. Vor 1750 gehörten (fast) alle Hofjuden zu den Aufsteigern oder ihrem Umfeld; trotz der skizzierten divergenten äußeren und individuellen Bedingungen bieten sie ein relativ einheitliches, im Rückblick „traditionell" genanntes Bild, das die Charakterisierung der „klassischen Phase" der Hofjuden, wenn nicht der Hofjuden insgesamt geprägt hat.[51] Im Laufe des 18. Jahrhunderts und besonders nach 1750 wandelten sich jedoch nicht nur die äußeren politischen, wirtschaftlichen und kulturellen Bedingungen, sondern nun gab es in einem ganz neuen Pluralismus Aufsteiger, Nachfolger und mehr oder weniger freiwillige Aussteiger nebeneinander, zusätzlich hatten die politische und ökonomische Differenz zwischen Nord und Süd sowie die strukturellen Unterschiede der jeweiligen Umgebung ihre kulturellen Konsequenzen. Im Vergleich zur 1. Hälfte des 18. Jahrhunderts wuchs, wie *Lowenstein* konstatiert, die Zahl der Modernisten, kulturelle Pluralität und Individualität dominierten das Bild und nahmen der jeweils folgenden Generation einen verbindlichen Orientierungsrahmen. Auf diese Weise wurde gerade in manchen Hofjudenfamilien besonders früh das Experimentierfeld der jüdischen Moderne eröffnet.[52]

Damit ist die Frage nach *Räumen* und *Feldern* des kulturellen Wandels angesprochen. Zunächst: Akkulturation ist kein Automatismus und keine Einbahnstraße (zur Taufe). Vielmehr ist sie ein mehr oder weniger intensiver Austausch von Handlungsoptionen oder -repertoires, der überall da stattfindet, wo Kulturen miteinander leben und nicht hermetisch voneinander abgeriegelt sind.[53] Und das waren, gegen Jacob Katz, noch nicht einmal die Juden der Frühen Neuzeit.[54] Die Intensität von Akkulturationsvorgängen kann jedoch sehr unterschiedlich sein, sich von einer minimalen gemeinsamen

Verständigungsebene bei bewusster Abgrenzung bis zur völligen Assimilation steigern, somit integrierende wie segregierende/segmentierende Akzente tragen (*Klein*).[55]

Als zentrales Feld hofjüdischer Akkulturation, wenn nicht als Zeichen religiöser Indifferenz wird immer wieder das luxuriöse Leben der Hofjuden genannt, ihre Sachkultur, die sich eng an die Wertvorstellungen der christlichen Eliten anlehnte. Sie ist jedoch zunächst lediglich Ausdruck ökonomischer Leistungsfähigkeit und belegt in ihrer Ausformung, dass in der Oberschicht der Gesamtgesellschaft alltagskulturelle Optionen zur Verfügung standen, die ganz selbstverständlich auch von Juden genutzt wurden. Sie wurden weit gehend in das jüdische Traditionssystem integriert bzw. dienten als neue Formen für traditionelle Inhalte, wie *Heimann* am Beispiel der Darstellung religiöser Themen in modernem Gewand zeigt. Langfristig fungierten sie dort als Vehikel für die Ausbildung neuer Werte, die in die gesamte Judenschaft ausstrahlten: ästhetisches Bewusstsein, Stolz auf Besitz und zeitgemäße kulturelle Werte, Stolz auf angesehene und reiche Führungsfiguren (*Cohen*).[56] Zugleich machte die parallele Nutzung des gleichen Symbolsystems durch reiche Hofjuden und die christliche Oberschicht Erstere allmählich gesellschaftlich akzeptabel und verhalf ihnen zu einem gewissen Sozialkapital in der Gesamtgesellschaft. Und schließlich konnten daraus persönliche Kontakte entstehen.

Welch entscheidende Bedeutung die Reputation und Selbstpräsentation hatten, geht aus dem Vergleich mit den Sefarden hervor (*Studemund*, *Wallenborn*), ebenso wie die Tatsache, dass jüdische Traditionspflege und Teilhabe an nichtjüdischer Kultur sich keineswegs ausschlossen. So verbanden nicht nur die Hamburger Sefarden eine Kultur iberischer Attitüden und Kleidung mit der Förderung jüdischer Kultur und Gelehrsamkeit, sie hatten zugleich interessierten Anteil an den „Wissenschaftsmoden" der Zeit wie Alchimie und Astrologie.

Auch in der Familie Wertheimer haben 150 Jahre Reichtum nicht automatisch das Jude-Sein infrage gestellt, sondern verpflichteten zur Stiftung und Förderung der Belange der jüdischen Gemeinde. Dies veranlasst *Felicitas Heimann-Jelinek* zu einer Warnung vor jeglicher Kategorisierung. Sie sieht die Hofjuden ausschließlich den generellen Wandlungsprozessen der Gesellschaft und den üblichen Generationenkonflikten unterworfen. Die Beobachtungen *Burkhardts* zu weiteren Wiener Familien zielen – wenn auch abgeschwächt und vorläufig – in die gleiche Richtung.

Auf dem Feld der traditionellen Hochkultur,[57] der Rezeption von und der Partizipation an Literatur, Theater, Musik und Kunst, konnten die Hofjuden und die jüdische Oberschicht die größte Akzeptanz unter den Mitgliedern der territorialen Funktionseliten und den Eliten der entstehenden bürgerlichen Gesellschaft erringen. Hier konnte eine konfliktarme Annäherung stattfinden, die durch die relative Nähe jüdischer kultureller Werte zu denen des entstehenden bürgerlichen Zeitalters erleichtert wurde. Bildung und Reichtum ebneten den Hofjuden den Weg in die adelige oder meist eher großbürgerliche Nach-Hofjuden-Ära, ob dieser nun durch einen weniger freiwilligen Abgang beschritten wurde wie bei den Itzigs (*Keuck*), durch den Abzug des Hofes wie in Mannheim (*Waßmuth*) oder durch bewusste ökonomische Modernisierung mit dem Übergang in Bankiers- und Industriellen-Kreise wie in Wien (*Burkhardt*).

Akkulturation auf dem Feld der (luxuriösen) Sachkultur erforderte nicht wirklich persönliche Nähe zwischen Hofjuden und christlicher Gesellschaft, sondern ebnete dieser höchstens den Weg. Und zwar nicht nur innerhalb der Oberschicht, sondern auch zu den von den Juden in Anspruch genommenen Handwerkern (vgl. *Cohen*). Anders verhielt sich dies beim Lebensstil oder Habitus: Nur eine durch langfristige persönliche Kontakte – eventuell verstärkt durch Lektüre entsprechender Bücher – zustande gekommene Nähe zum Lebensstil der christlichen Oberschicht, zu ihren Wertvorstellungen, zu höfischer Etikette, Denkweisen, politischen und Bildungsvorstellungen, mithin enge Kontakte, Präsenz und Kommunikation erlaubte diese Annäherung. *Michael Schmidt* hat gezeigt, welch unterschiedliche Habitus-Typen als Ergebnis solcher Akkulturationsprozesse entstehen konnten. Und *Richard Cohen* beschreibt das Leben der Hofjuden als Zwischending zwischen traditionellen Mustern jüdischen Lebens und Manifestationen barocken Hofstils und führt dies aus am Beispiel von Sammlung und Patronage als zentralen Aspekten höfischer Selbstrepräsentation, die sich aufgrund ihrer partiellen Affinität zum Oberschicht-Ethos der Juden zu einer Übernahme durch die Hofjuden besonders eigneten. Auch hier fand also eine Integration in das Traditionssystem statt und erleichterte gleichzeitig dessen Erweiterung.

Luxuriöse Sachkultur und neuer Habitus sind Begleiterscheinungen und Folgewirkungen eines Wandlungsprozesses innerhalb der jüdischen Oberschicht, der primär auf dem Feld der Kommunikation vermittelt wurde.[58] In einem vorher nicht gekannten Ausmaß entstand ein Kommunikationsraum für (potenzielle) Hofjuden, fürstliche Beamte und den Fürsten, z. T. auch für Angehörige der Hofgesellschaft, in dem über die reinen, nur zu Beginn ausschließlich utilitaristisch motivierten Geschäftskontakte hinaus Politik gemacht, merkantilistische Projekte entwickelt und beraten sowie individuelle soziale Beziehungen und selbst Freundschaften geschlossen – und eben auch kulturelle Vorstellungen transportiert wurden (siehe z. B. *Blinn, Hebell*).[59] Auch für die Aufsteiger der Spätphase (2. Hälfte des 18. Jahrhunderts), ihre

Handlungsspielräume und Lebensentwürfe blieb die Erweiterung der Kommunikationsspielräume von zentraler Bedeutung.

War der Wandel auf dem Gebiet der (Hoch-)Kultur v. a. individueller oder halb öffentlicher Natur, wenig konkurrenzgefährdet und deshalb in geringerem Ausmaß obrigkeitlich normiert, so zeigt sich auf dem Feld der ökonomischen und politischen Kommunikation, dass trotz aller ‚Lockerungen' dem Akkulturationsprozess der Hofjuden deutliche Grenzen gesetzt waren: in Form konservativer Wirtschaftsvorstellungen und vielfach artikulierter Konkurrenzängste ebenso wie rigider christlicher Normen, die jegliche politische Macht von Juden über Christen unterbinden sollten. So wurde der politische Aktionsradius von Hofjuden auf jüdische Interessenpolitik und diplomatische Aktionen von deutlich finanziellem Charakter so wie auf die Umsetzung einzelner ökonomischer Projekte nach dem Goodwill-Prinzip beschränkt.[60] Politisches Denken, Planen und Handeln von (Hof-)Juden durfte und sollte nicht vorkommen und stieß mehr noch als ökonomischer Expansionswille auf erbitterten Widerstand „konkurrierender" politischer Kräfte (vgl. *Blinn*).[61]

Hofjuden als Wegbereiter der Moderne?

Die bloße Beschreibung des kulturellen Wandels sagt noch nichts aus über seine Relevanz und Bedeutung für die Judenschaft oder sogar die Gesamtgesellschaft. Begrifflich gilt es dabei zu unterscheiden zwischen einer aktiven Rolle als Wegbereiter oder Vorreiter und einer akzidentellen, beiläufigen, nicht intendierten, die sich als Folge des Handelns einstellte. Zum anderen gilt es zu differenzieren zwischen der Moderne insgesamt (1) und der jüdischen Moderne (2).

1. Von ihrer Funktion her waren die Hofjuden fester Bestandteil des absolutistischen, vormodernen Systems. Nicht zuletzt deshalb hörten sie in dieser Funktion mit dem Untergang des Alten Reiches auf zu existieren. Ihr Interesse an einer staatlich-politischen Modernisierung als Teil der gesamtgesellschaftlichen Moderne musste folglich gering, das an der Aufrechterhaltung des Status quo mit seinen zahlreichen Privilegien für sie selbst hoch sein.[62]

Anders auf dem Feld der Wirtschaft, wo gerade von Juden Erfindungsreichtum und Modernisierungsfähigkeit angesichts restriktiver, z. T. willkürlicher äußerer Bedingungen gefordert waren. In mehreren Beiträgen wird dies ebenso deutlich wie der Versuch von Hofjuden, hier aktiv modernisierende Rollen zu übernehmen. Es waren eben gerade die (zukünftigen) Hofjuden, die diese besondere Herausforderung annahmen und dadurch eine hohe individuelle Leistungsfähigkeit demonstrierten. Ihre tatkräftige, pragmatische Individualität hatte etwas Modernes, auch wenn sie zunächst als Ausnahme eingebunden blieb in das absolutistische ständische System. Ausnahmen können jedoch, wie bereits für Luxus und Lebensstil gezeigt, eine eigene Dynamik entfalten, sowohl für ihre Träger wie auch für deren Umgebung. Trotz aller Abhängigkeit von traditionellen Normen und fürstlicher Willkür konnten die Hofjuden weit mehr als andere Juden zuvor Beispiele bieten für den Erfolg des modernen individuellen Leistungsprinzips (vgl. *Schmidt*), der ihnen zusammen mit einem elitenangemessenen Lebensstil tendenziell erlaubte, ihren sozialen Rang jenseits des Jude-Seins neu zu definieren. Es gelang ihnen also in gewissem Maße, die Transzendierung des ständischen Systems vorabzubilden.

Eine aktive Rolle haben einzelne Hofjuden schließlich im Übergang zur ökonomischen Moderne gespielt: vielleicht nur z. T. als Vorreiter, sicher aber neben und zusammen mit christlichen Unternehmern und Bankiers als Wegbereiter eines neuen ökonomischen Zeitalters. Besonders die bedeutenden späten Hofjuden in Frankfurt, Stuttgart oder Wien (*Backhaus, Hebell, Burkhardt*) haben hier einen wichtigen Beitrag geleistet.[63]

2. Auch im innerjüdischen Bereich ist das ökonomische Handeln der Hofjuden und ihre ökonomische Expansion wirksam geworden: Zum einen erlangten sie als Arbeitgeber und Auftraggeber für viele andere Juden eine zentrale Bedeutung, die ihnen zu mehr Macht und Einfluss verhalf als je zuvor.[64] In ihren Kontoren und Firmen bot sich ihnen damit die ‚Bühne' zur Demonstration der Effektivität modernen Wirtschaftens und des individuellen Leistungsprinzips. Zum anderen wurde die Verbreiterung des ökonomischen Handlungsspektrums flankiert von einer weit reichenden Privilegierung innerhalb des absolutistischen Systems, die als individuelle Protoemanzipation (siehe *Schmidt*) die Entwicklungen zu Beginn der jüdischen Moderne vorwegnahm. Parallel hierzu bildete mancher Hofjude früher als andere Teile der jüdischen Gesellschaft einen an nichtjüdischen Eliten orientierten Habitus aus, der das entstehende (Groß-)Bürgertum, in dem viele Hofjuden später aufgingen, mit seinen kulturellen Werten präfigurierte.[65] Gerade weil es noch keine Modelle für eine Akkulturation aschkenasischer Juden gab – das sefardische Modell fußte auf anderen konfessionellen und historischen Voraussetzungen und war nicht übertragbar –, hatten die kulturellen Wandlungsprozesse der Hofjuden und ihrer Familien einen hohen experimentellen Charakter und zeitigten bei manchen Nachkommen eine sehr intensive Suche nach dem individuellen Lebenssinn.[66]

Ihre aus der ökonomischen Karriere entwickelte Individualität und die Nähe zum christlichen Staat und seinen Repräsentanten stellte den Hofjuden ein Reservoir für Lebensstil und Handlungsmuster zur Verfügung, das nicht zwangsläufig mit der jüdischen Tradition kollidieren musste, auf jeden Fall aber zu mehr als individuell wirksamen Veränderungen führte. Dazu verhalf ihnen ihre Elitenstellung innerhalb der jüdischen Gesellschaft, in der sie tragende und führende, finanziell und politisch bedeutende Positionen innehatten. Unabhängig von ihrer Einstellung zu Tradition und Moderne verfügten sie dadurch immer über einen vergleichsweise großen Einfluss innerhalb der Gemeinden (vgl. *Lowenstein*).

Am Beispiel Hohenems wird dies demonstriert: Die Veränderungen, die dort stattfanden, sind alle im Umkreis der Hofjuden angesiedelt (*Grabherr*). Auf eine unspektakuläre Art und Weise beginnt also die innerjüdische Moderne im Umfeld der Hofjuden: Auf ökonomischem wie rechtlich-gesellschaftlichem Gebiet erweisen sich Hofjuden zumindest im chronologischen Sinne als Vorreiter, rezipierten in einer nicht unbedingt auf Wirkung zielenden Weise Entwicklungen ihrer nichtjüdischen Umgebung auf pragmatische Art und Weise. Und hierzu gehörte eben auch die Aufklärung, die besonders in ihrer pädagogischen Zielrichtung von Hofjuden aufgegriffen wurde und Einzelne dazu veranlasste, sich nun wirklich aktiv als Wegbereiter der jüdischen Moderne zu engagieren.

Dieser Prozess setzte zeitlich parallel zur entstehenden Berliner Haskala ein und lässt sich an einer wachsenden Zahl von Stiftungen nachweisen, die Hofjuden explizit zugunsten der Bildung unbemittelter Knaben einrichteten. Diese sollte zunächst in der traditionellen Form erfolgen, bevor sich in einer zweiten Phase dann das säkulare Bildungsanliegen der Haskala programmatisch bemerkbar machte.[67]

Zwar gehörten Hofjuden als engagierte Kaufleute und Bankiers nicht zu den autonomen Denkern der Haskala, sie traten jedoch prominent als ihre Rezipienten und Förderer in Erscheinung: Wie eh und je unterstützten sie den Druck gelehrter Werke, z. T. auch ohne allzu sehr Rücksicht zu nehmen auf deren geistesgeschichtliche Ausrichtung (s. *Keuck*). Vor allem aber engagierten sie Maskilim als Privatlehrer für ihre Kinder, um diesen eine säkulare Bildung zukommen zu lassen. Im Umfeld der Hofjuden entstand folglich ein Milieu, in dem maskilische Lehrer und Buchhalter, die neuen Intellektuellen der aufziehenden jüdischen Moderne, ihren Lebensunterhalt verdienen, sich autodidaktisch weiterbilden und ihre „modernen" Kenntnisse an ihre Schüler weitergeben konnten (vgl. *Grabherr*). Und mehr noch: Manch einer dieser Maskilim fand bei seinem Brotherren ein offenes Ohr für die Erziehungsanliegen der Haskala, die Gründung von Schulen, an denen Kinder, die nicht aus der Oberschicht kamen, am Schulunterricht mit Bildung in säkularen Fächern teilnehmen konnten. Fünf von acht der zwischen 1778 und 1809 gegründeten Schulen mit säkularem Curriculum – bezeichnenderweise alle nördlich des Mains gelegen – verdanken ihre Entstehung der effektiven Kooperation zwischen Maskilim und Hofjuden, und bei einer weiteren war ebenfalls ein Hofjude beteiligt. Dieser, nämlich Israel Jacobson, gehört zudem zu den beiden einzigen Männern im hofjüdischen Milieu, die aktiv politisch und publizistisch für eine Modernisierung des Judentums eintraten (siehe den Beitrag von *Lowenstein*).[68] Mutet die Zahl der „modernen" Schulen und ihrer Schüler auch gering an, so darf ihre aufklärerische, modernisierende Wirkung, die sie in Schneeballmanier entfalteten, langfristig nicht unterschätzt werden.[69]

Welche Rolle die Frauen in den Hofjudenfamilien, die Gattinnen und die Töchter in diesem Modernisierungsprozess spielten, ist bislang noch kaum untersucht worden und wird vorerst überhaupt nur in der Berliner Oberschicht greifbar. Ihre Akkulturation vollzog sich, da sie qua Geschlecht weder eine öffentliche noch eine selbstbestimmte Rolle in der Gesamtgesellschaft wie in der jüdischen Gemeinschaft innehatten, überwiegend im privaten oder bestenfalls im halb öffentlichen Bereich der Salons; das wesentliche Kriterium für ihre Zugehörigkeit zur modernisierungsbereiten Oberschicht war – anders als bei den Männern mit ihren geschäftlichen Kontakten zum Hof – nicht die Hofjudentätigkeit, sondern allein der Reichtum. Ihr Veränderungspotenzial, das sich wesentlich den lokalen Impulsen einer aufgeklärten Gesellschaft verdankte, entfaltete seine Dynamik folglich ebenfalls v. a. im privaten Bereich, sprengte in einigen Fällen durch Konversionen Ehe und Familie auseinander. Dass es neben dem Verbleib in der Tradition auch andere Wege gab, belegt Amalia Herz Beer, die zusammen mit ihrem Mann von 1815 bis zu ihrem Verbot 1823 die Reformgottesdienste in ihrem Hause in Berlin mit hohem Kostenaufwand bestritt und wohl selber an deren musikalischer Ausgestaltung beteiligt war. Wie sie trugen viele andere Gattinnen und Töchter der Wirtschaftselite wesentlich zur Finanzierung der Freischule bei.[70] Die Pluralität weiblicher Modernisierungsentwürfe gilt es insgesamt allerdings erst noch auszuloten.

Zum Schluss möchte ich mich noch einmal von der Halberstädter Tagungsrealität inspirieren lassen, dem ehemaligen Lehrhaus Berend Lehmanns, der heutigen Moses-Mendelssohn-Akademie, aus deren Garten Hühner und Hähne Vorträge und Diskussionen lauthals begleiteten. *Deborah Hertz* hat sie in ihrem Beitrag als Reinkarnationen von Selma Stern, Hannah Arendt, Asriel Schochat und Heinrich Schnee zu Wort kommen lassen. Sie provozieren die Frage nach dem Primat von Henne oder Ei: Was gab letztlich den Ausschlag für Akkulturation, Modernität und deren Wirkung auf die Judenschaft? Hofnähe, Staatsnähe, Reichtum, Bildung oder Einfluss in den Gemeinden? Hier gehen die Analysen der in diesem Band versammelten Autorinnen und Autoren auseinander, und trotz der vorgelegten Erkenntnisse und des hier präsentierten Resümees bleiben wichtige Fragen für die weitere Forschung – die gestellten und die ungestellten. Erstere werden uns auch in Zukunft weiter beschäftigen; und Letztere werden wir vielleicht eines Tages überrascht und protestierend hören, wenn wir als geflügelte oder andere Reinkarnationen der nächsten Generation bei ihrem wissenschaftlichen Tun und Tagen über die Schulter schauen.

Anmerkungen

1 Michael Graetz, Court Jews in Economics and Politics, in: Vivian B. Mann/Richard I. Cohen (eds.), *From Court Jews to the Rothschilds. Art, Patronage and Power, 1600–1800*, Munich/ New York 1996, S. 27–43, hier S. 43.

2 Das Forschungsprojekt, zu dessen Abschluss die Tagung stattfand, deren Ergebnisse hier präsentiert werden, war genau diesen Fragestellungen gewidmet, nämlich ob und inwieweit die jüdischen Wirtschaftseliten, allen voran die Hofjuden, durch ihre relativ frühen und intensiven Kontakte mit der christlichen Hofgesellschaft hier eine Vorreiterrolle eingenommen haben. Es gehörte zu einem von der Deutschen Forschungsgemeinschaft geförderten kommunikationstheoretisch strukturierten Gesamtprojekt „Wandlungsprozesse im Judentum durch die Aufklärung. Interaktionen, Strukturen, Manifestationen", vgl. Arno Herzig/Hans Otto Horch/Robert Jütte (Hgg.), *Judentum und Aufklärung. Jüdisches Selbstverständnis in der bürgerlichen Öffentlichkeit*, Göttingen 2002.

3 Vgl. Stefan Rohrbacher, Jüdische Geschichte, in: Michael Brenner/Stefan Rohrbacher (Hgg.), *Wissenschaft vom Judentum. Annäherungen nach dem Holocaust*, Göttingen 2000, S. 164–176, hier S. 174; J. Friedrich Battenberg, *Die Juden in Deutschland vom 16. bis zum Ende des 18. Jahrhunderts*, München 2001 (Enzyklopädie Deutscher Geschichte 60), zum Forschungsstand S. 107 ff., 139 ff., 147 ff.

4 Meir Wiener, Liepmann Cohen und seine Söhne, Kammeragenten zu Hannover, in: *Monatsschrift für Geschichte und Wissenschaft des Judentums* 13 (1864), S. 161–184; David Kaufmann, *Samson Wertheimer, der Oberhoffactor und Landesrabbiner (1658–1724) und seine Kinder*, Wien 1888 (Zur Geschichte jüdischer Familien 1); Max Freudenthal, *Aus der Heimat Mendelssohns. Moses Benjamin Wulff und seine Familie, die Nachkommen des Moses Isserles*, Berlin 1900; David Kaufmann/Max Freudenthal, *Die Familie Gomperz*, Frankfurt a. M. 1907; Gutman Rülf, Alexander David, braunschweigischer Kammeragent von 1707–1765, in: *Braunschweigisches Magazin* 1907 (1907), S. 25–33, wieder abgedr. in: *Brunsvicensia Judaica*, Braunschweig 1966, S. 9–22; Moritz Berliner, *Stammbaum der Samsonschen Familie*. Bearb. im Auftrag des Samsonschen Legatenfonds, 3. Aufl., Hannover 1912; Max Grunwald, *Samuel Oppenheimer und sein Kreis. Ein Kapitel aus der Finanzgeschichte Österreichs*, Wien/Leipzig 1913 (Quellen und Forschungen zur Geschichte der Juden in Deutsch-Österreich 5); Christian Wilhelm Berghoeffer, *Meyer Amschel Rothschild, der Gründer des Rothschildschen Bankhauses*, Frankfurt/M. 1922; Paul R. Hirsch (Hg.), Drei kurpfälzische Hoffaktoren. Aus den Erinnerungen von Julius Lehmann Mayer, in: *Mannheimer Geschichtsblätter* 23, H. 1

(1922), S. 7–13; H. 2, Sp. 35–42; JOSEF MEISL, Behrend Lehmann und der sächsische Hof, in: *Jahrbuch der Jüdischen Literarischen Gesellschaft* 16 (1924), S. 227–252; CURT ELWENSPOEK, *Jud Süß Oppenheimer. Der große Finanzier und galante Abenteurer des 18. Jahrhunderts. Erste Darstellung auf Grund sämtlicher Akten, Dokumente, Überlieferungen*, Stuttgart 1926; EGON CAESAR CONTE CORTI, *Das Haus Rothschild, 2 Bde, 1: Der Aufstieg des Hauses Rothschild 1770–1830; 2: Das Haus Rothschild in der Zeit seiner Blüte, 1830–1871. Mit einem Ausblick in die neueste Zeit*, Leipzig 1927–1928; JACOB R. MARCUS, *Israel Jacobson. The founder of the reform movement in Judaism*, Cincinnatti 1928, Neudr. 1972; JOSEPH PRYS, *Die Familie von Hirsch auf Gereuth. Erste quellenmäßige Darstellung ihrer Geschichte*, München 1931; OSWALD LASSALLY, Israel Aaron, Hoffaktor des Großen Kurfürsten und Begründer der Berliner Gemeinde, in: *Monatsschrift für Geschichte und Wissenschaft des Judentums* 79 (NF 43), H. 1 (1935), S. 20–31.

5 PAUL SUNDHEIMER, *Die jüdische Hochfinanz und der bayerische Staat im 18. Jahrhundert*, Phil. Diss., München 1924, unter gleichem Titel gedruckt in: *Finanzarchiv* 41 (1924), S. 1–44, 259–308; LUDWIG HÜMMERT, *Die finanziellen Beziehungen jüdischer Bankiers und Heereslieferanten zum bayrischen Staat in der ersten Hälfte des 19. Jahrhunderts*, Diss., München 1927; GEORG HOFFMANN, *Die Juden im Erzstift Köln im 18. Jahrhundert mit besonderer Berücksichtigung ihrer Stellung in der Hoffinanz*, Staatswirt. Diss., Aachen o. J. [1928]; JOSEF SAUER, *Finanzgeschäfte der Landgrafen von Hessen-Kassel. Ein Beitrag zur Geschichte des kurhessischen Haus- und Staatsschatzes und zur Entwicklungsgeschichte des Hauses Rothschild*, Fulda 1930.

6 SELMA STERN, *Jud Süss. Ein Beitrag zur deutschen und zur jüdischen Geschichte*, Berlin 1929, Neuausg. München 1973 (Veröffentlichungen der Akademie für die Wissenschaft des Judentums, Hist. Sektion 6); HANNAH ARENDT, Privileged Jews, in: *Jewish Social Studies* 8 (1946), S. 3–30; FRITZ REDLICH, Jewish Enterprise und Prussian Coinage in the Eighteenth Century, in: *Explorations in Entrepreneurial History* 2 (1950 [1951]), S. 161–181; SELMA STERN, *The Court Jew. A Contribution to the History of the Period of Absolutism in Central Europe*, Philadelphia 1950; jetzt in deutscher Übersetzung: *Der Hofjude im Zeitalter des Absolutismus. Ein Beitrag zur europäischen Geschichte im 17. und 18. Jahrhundert*. Aus dem Englischen übertragen, kommentiert und hg. v. MARINA SASSENBERG, Tübingen 2001 (Schriftenreihe wissenschaftlicher Abhandlungen des Leo-Baeck-Instituts 64); HEINRICH SCHNEE, *Die Hoffinanz und der moderne Staat. Geschichte und System der Hoffaktoren an deutschen Fürstenhöfen im Zeitalter des Absolutismus. Nach archivalischen Quellen, Bd. 1–6*, Berlin 1953–1967, *1: Die Institution des Hoffaktorentums in Brandenburg-Preußen*, 1953; *2: Die Institution des Hoffaktorentums in Hannover und Braunschweig, Sachsen und Anhalt, Mecklenburg, Hessen-Kassel und Hanau*, 1954; *3: Die Institution des Hoffaktorentums in den geistlichen Staaten Norddeutschlands, an kleinen norddeutschen Fürstenhöfen, im System des absoluten Fürstenstaates*, 1955; *4: Hoffaktoren an süddeutschen Fürstenhöfen nebst Studien zur Geschichte des Hoffaktorentums in Deutschland*, 1963; *5: Quellen zur Geschichte der Hoffaktoren in Deutschland*, 1965; *6: Studien zur Wirtschafts-, Finanz- und Gesellschaftsgeschichte rheinisch-westfälischer Kirchenfürsten im letzten Jahrhundert des alten Reiches*, 1967; HERMANN KELLENBENZ, Diego und Manoel Teixeira und ihre Hamburger Unternehmen, in: *Vierteljahrschrift für Sozial- und Wirtschaftsgeschichte* 42 (1955), S. 289–352; FRANCIS L. CARSTEN, The Court Jews. A Prelude to Emancipation, in: *Leo Baeck Institute Year Book* 3 (1958), S. 140–156; HERMANN KELLENBENZ, *Sephardim an der unteren Elbe. Ihre wirtschaftliche und politische Bedeutung vom Ende des 16. bis zum Beginn des 18. Jahrhunderts*, Wiesbaden 1958 (Vierteljahrschrift für Sozial- und Wirtschaftsgeschichte, Beih. 40); PETER BAUMGART, Absoluter Staat und Judenemanzipation in Brandenburg-Preußen, in: *Jahrbuch für die Geschichte Mittel- und Ostdeutschlands* 13/14 (1965), S. 60–87; HUGO RACHEL/PAUL WALLICH, *Berliner Großkaufleute und Kapitalisten, Bde 1–3,*

Bd. 2: Die Zeit des Merkantilismus 1648–1806; Bd. 3: Übergangszeit zum Hochkapitalismus 1806–1856, neu hg., ergänzt u. bibliogr. erweitert v. JOHANNES SCHULTZE/HENRY C. WALLICH/GERD HEINRICH, Berlin 1967 (Veröffentlichungen des Vereins für Geschichte der Mark Brandenburg 33–34, ND 2–3); PIERRE SAVILLE, *Le Juif de Cour. Histoire du Résident royal Berend Lehman (1661–1730)*, Paris 1970; KAROLINE CAUER, *Oberhofbankier und Hofbaurat. Aus der Berliner Bankgeschichte des XVIII. Jahrhunderts*, Frankfurt a. M. [1972] (Institut für bankhistorische Forschung e. V., Schriftenreihe 1).

7 SCHNEE, *Hoffinanz* (wie Anm. 6); die zahlreichen Einzelaufsätze, die z. T. präziser sind als die jeweiligen Teile in der 6-bändigen Ausgabe, hier einzeln aufzulisten, würde den Rahmen dieses Beitrages sprengen.

8 STERN, *Court Jew* (wie Anm. 6); zu beiden die Rezension von CARSTEN, Court Jews (wie Anm. 6).

9 Die soeben erfolgte Publikation dieser Studie in deutscher Übersetzung, zu der aus dem Hofjuden-Projekt wesentliche Teile der Bibliographie beigesteuert wurden, bleibt vor diesem Hintergrund in ihrem Sinn zweifelhaft, vgl. STERN, *Der Hofjude* (wie Anm. 6).

10 DOLF MICHAELIS, The Ephraim Family (2: and their Descendants), (T. 1–2), in: *Leo Baeck Institute Year Book* 21 (1976), S. 201–228; 24 (1979), S. 225–246; BERND SCHEDLITZ, *Leffmann Behrens. Untersuchungen zum Hofjudentum im Zeitalter des Absolutismus*, Hildesheim 1984 (Quellen und Darstellungen zur Geschichte Niedersachsens 97); ERIKA BOSL, Die Familie von Hirsch-Gereuth im 18. und 19. Jahrhundert, Bankiers, in: MANFRED TREML/WOLF WEIGAND (Hgg.), *Geschichte und Kultur der Juden in Bayern, Bd. 2: Lebensläufe*, unter Mitarbeit von EVAMARIA BROCKHOFF, München 1988 (Veröffentlichungen zur Bayerischen Geschichte und Kultur 18), S. 63–70; FRANZISKA JUNGMANN-STADLER, Drei Generationen Seligmann-von Eichthal in München, „allda etablierte Banquiers", in: ebd., S. 53–58, 70; MICHAEL STÜRMER/GABRIELE TEICHMANN/WILHELM TREUE, *Wägen und Wagen. Sal. Oppenheim jr. & Cie. Geschichte einer Bank und einer Familie*, München/Zürich 1989; BARBARA GERBER, *Jud Süß. Aufstieg und Fall im frühen 18. Jahrhundert. Ein Beitrag zur historischen Antisemitismus- und Rezeptionsforschung*, Hamburg 1990 (Hamburger Beiträge zur Geschichte der deutschen Juden 16); FELICITAS HEIMANN-JELINEK, Österreichisches Judentum zur Zeit des Barock, in: KURT SCHUBERT (Hg.), *Die Österreichischen Hofjuden und ihre Zeit*, Eisenstadt 1991 (Studia Judaica Austriaca 12), S. 8–62; STEVEN M. LOWENSTEIN, Jewish Upper Crust and Berlin Jewish Enlightenment: The Family of Daniel Itzig, in: FRANCES MALINO/DAVID SORKIN (eds.), *From East and West. Jews in a Changing Europe, 1750–1870*, Oxford 1991, S. 182–201; GEORG HEUBERGER (Hg.), *Die Rothschilds, [Bd. 1–2], [1:] Eine europäische Familie; [2:] Beiträge zur Geschichte einer europäischen Familie.* (Begleitbuch und Essayband zur Ausstellung „Die Rothschilds – Eine europäische Familie" im Jüdischen Museum der Stadt Frankfurt am Main, 11. Oktober 1994–27. Februar 1995), Sigmaringen 1994; GERHARD STEINER, *Drei preußische Könige und ein Jude. Erkundungen über Benjamin Veitel Ephraim und seine Welt*, Berlin 1994 (Schriften der Stiftung „Neue Synagoge Berlin – Centrum Judaicum"); AMOS ELON, *Der erste Rothschild. Biographie eines Frankfurter Juden*, Reinbek 1998; NIALL FERGUSON, *The world's banker. The History of the House of Rothschild*, London 1998; HELLMUT G. HAASIS, *Joseph Süß Oppenheimer, genannt Jud Süß. Finanzier, Freidenker, Justizopfer*, Reinbek 1998; ROTRAUD RIES, Perspectives from below and within: Court Jews, their children, and everyday life [betr. Alexander David], Vortrag auf dem Historians Workshop: Alltagsgeschichte of European Jews in the Early Modern Period, Ben Gurion University, Beersheva, 10.-12. September 2000, Druckfassung in Vorbereitung.

11 Hans Schulze, Beiträge zur Geschichte der jüdischen Gemeinde in Wolfenbüttel, T. 1–2, 1: Die wirtschaftliche und bürgerliche Stellung der Schutzjuden; 2: Nachrichten über die Samsonschule, die Synagoge, den jüdischen Friedhof und den Samsonschen Legatenfonds. – Herz Samson in Braunschweig (1738 bis 1794). – Anhang: Zwei vertauschte Gumpel-Bilder?, in: *Braunschweigisches Jahrbuch* 48 (1967), S. 23–61; 49 (1968), S. 61–85; Margit Ksoll, Abraham Rost, Hoffaktor, in: Treml/Weigand, Geschichte und Kultur der Juden in Bayern (wie Anm. 10), S. 49–52; Claudia Prestel, Jüdische Hoffaktoren in Bayern, in: Manfred Treml/Josef Kirmeier (Hgg.), *Geschichte und Kultur der Juden in Bayern, (Bd. 1): Aufsätze*, unter Mitarbeit von Evamaria Brockhoff, München u. a. 1988, S. 199–207; Georg Eggersglüss, Hofjuden und Landrabbiner in Aurich und die Anfänge der Auricher Judengemeinde (ca. 1635–1808), in: Herbert Reyer/Martin Tielke (Hgg.), *Frisia Judaica. Beiträge zur Geschichte der Juden in Ostfriesland*, 3. durchges. u. erw. Aufl., Aurich 1991 (Abhandlungen und Vorträge zur Geschichte Ostfrieslands 67), S. 113–125; Brigitte Streich, Der Hoffaktor Isaac Jacob Gans (1723/34–1798). Ein Celler Jude am Ende des Ancien Régime, in: *Juden in Celle. Biographische Skizzen aus drei Jahrhunderten*, hg. v. der Stadt Celle, Schriftleitung: Mijndert Bertram und Brigitte Streich, Celle 1996 (Celler Beiträge zur Landes- und Kulturgeschichte, Schriftenreihe des Stadtarchivs und des Bomann-Museums 26), S. 67–87; Elisabeth Hanschmidt, Jakob Löb Eltzbacher in Neuenkirchen. Bankier und Wechselier der Fürsten von Kaunitz-Rietberg, in: *Die Juden der Grafschaft Rietberg. Beiträge zur Synagogengemeinde Neuenkirchen*. Hg.: Heimatverein Neuenkirchen und Stadt Rietberg. Mit Beiträgen von Manfred Beine u. a., Rietberg 1997, S. 50–69; Sabine Ullmann, Zwischen Fürstenhöfen und Gemeinde: Die jüdische Hoffaktorenfamilie Ulmann in Pfersee während des 18. Jahrhunderts, in: *Zeitschrift des Historischen Vereins für Schwaben* 90 (1997), S. 159–185; Klaus Pohlmann, *Der jüdische Hoffaktor Samuel Goldschmidt aus Frankfurt und seine Familie in Lemgo (1670–1750)*, Detmold 1998 (Panu Derech – Schriften der Gesellschaft für Christlich-Jüdische Zusammenarbeit in Lippe 15); Birgit Klein/Rotraud Ries, Zu Struktur und Funktion der jüdischen Oberschicht in Bonn und ihren Beziehungen zum kurfürstlichen Hof, in: Frank Günter Zehnder (Hg.), *Eine Gesellschaft zwischen Tradition und Wandel. Alltag und Umwelt im Rheinland des 18. Jahrhunderts*, Köln 1999 (Der Riss im Himmel. Clemens August und seine Epoche, Bd. 3), S. 289–315.

12 Michael Schmidt weist in seinem Beitrag in diesem Band auf eine Reihe von Themenfeldern hin, die bislang völlig vernachlässigt wurden und zu den Herausforderungen der weiteren Forschung zu zählen wären: die Hofjuden als Teil des Hofes sowie buchwissenschaftliche Analysen ihrer Bibliotheken. Zu diesen Desideraten fügt Deborah Hertz (ebd.) die Erforschung der Frauen, der Hofjüdinnen, hinzu. Rein quantitativ gesehen blieb die Rolle von Hofjüdinnen zwar eher marginal; gleichwohl verdienen die Frauen – als Gattinnen wie als Hofjüdinnen – wie überhaupt die Familien der Hofjuden verstärkte Aufmerksamkeit. Sowohl die ökonomische Rolle von Hofjüdinnen wie die „private" und gesellschaftliche der Hofjuden-Gattinnen gilt es unter geschlechtergeschichtlichen Perspektiven auszuloten.
Einige neuere und neueste Überblicksdarstellungen fassen ohne neue Fragestellung Bekanntes zusammen: Friedrich Battenberg, Die jüdische Wirtschaftselite der Hoffaktoren und Residenten im Zeitalter des Merkantilismus – ein europaweites System?, in: *Aschkenas* 9 (1999), S. 31–66; Julius H. Schoeps, Skrupellose Geschäftemacher oder Unternehmer modernen Stils? Rolle und Funktion der Hofjuden im 17. und 18. Jahrhundert, in: Freddy Raphael (Hg.), *„... das Flüstern eines leisen Wehens ...". Beiträge zur Kultur und Lebenswelt europäischer Juden. Festschrift für Utz Jeggle*, Konstanz 2001, S. 43–54; J. Friedrich Battenberg, Fürstliche Ansiedlungs-

politik und Landjudenschaft im 17./18. Jahrhundert. Merkantilistische Politik und Juden im Bereich von Sachsen-Anhalt, in: *Aschkenas* 11 (2001), S. 59–85.

13 VIVIAN B. MANN/RICHARD I. COHEN (eds.), *From Court Jews to the Rothschilds. Art, Patronage and Power, 1600–1800*, Munich/New York 1996; darin bes. GRAETZ, Court Jews in Economics and Politics (wie Anm. 1), S. 27–43; DEBORAH HERTZ, The Despised Queen of Berlin Jewry, or the Life and Times of Esther Liebmann, S. 67–77; RICHARD I. COHEN/VIVIAN B. MANN, Melding Worlds: Court Jews and the Arts of the Baroque, S. 97–131; die übrigen Fallstudien fassen Bekanntes zusammen und setzen nur punktuell neue Akzente.

14 MORDECHAI BREUER, Frühe Neuzeit und Beginn der Moderne, in: DERS./MICHAEL GRAETZ, *Deutsch-Jüdische Geschichte in der Neuzeit, Bd. 1: Tradition und Aufklärung, 1600–1780*, München 1996, S. 83–247, hier S. 106 ff.; in seinem öffentlichen Vortrag auf der Halberstädter Tagung hat Breuer seine Position noch einmal betont.

15 ROTRAUD RIES, Hofjudenfamilien unter dem Einfluß von Akkulturation und Assimilation, in: SABINE HÖDL/MARTHA KEIL (Hgg.), *Die jüdische Familie in Geschichte und Gegenwart*, Berlin/Bodenheim 1999, S. 79–105; DIES., Identity Crises within the Families of 18th Century Court Jews, in: *Jewish Studies* 39 (1999), S. 11*-22*; DIES., Identitätsfindungen ohne Modell. Wege der Neuorientierung in Hofjuden-Familien, in: *Aschkenas* 9 (1999), S. 353–370; DIES., Bilder und Konstruktionen über einen Grenzgänger. Der Prozeß gegen den Ansbacher Hofjuden Elkan Fränkel 1712, in: MARK HÄBERLEIN/MARTIN ZÜRN (Hgg.), *Minderheiten, Obrigkeit und Gesellschaft in der frühen Neuzeit. Integrations- und Abgrenzungsprozesse im süddeutschen Raum*, St. Katharinen 2001, S. 317–338; DIES., Bridging the Gaps: Reflections on the Trial of a Court Jew and a Modern Concept of Jewish History in Germany, in: *Zutot* 1 (2002), S. 138–150; DIES., Perspectives from below and within (wie Anm. 10).

16 MONIKA RICHARZ (Hg.), *Die Hamburger Kauffrau Glikl – Jüdische Existenz in der frühen Neuzeit*, Hamburg 2001 (Hamburger Beiträge zur Geschichte der deutschen Juden 24); DAVID SORKIN, The Port Jew: Notes toward a Social Type, in: *Journal of Jewish Studies* 50, 1 (1999), S. 87–97.

17 FRIEDRICH BATTENBERG, Hofjuden in Residenzstädten der Frühen Neuzeit, in: FERDINAND OPPL/FRITZ MAYRHOFER (Hgg.), *Juden in der Stadt*, Linz/Donau 1999 (Beiträge zur Geschichte der Städte Mitteleuropas 15), S. 297–325; BARBARA STAUDINGER, „Auß sonderbaren khayserlichen gnaden". Die Privilegien der Wiener Hofjuden im 16. und 17. Jahrhundert, in: *Frühneuzeit-Info* 12,1 (2001), S. 21–39; B(ENJAMIN) W. DE VRIES, *Of Mettle and Metal. From Court Jews to world-wide Industrialists*, Amsterdam 2000.

18 ASRIEL SCHOCHAT, *Der Ursprung der jüdischen Aufklärung in Deutschland* (Orig. hebr. Jerusalem 1960). Aus dem Hebräischen von Wolfgang Jeremias, mit einem Vorwort von Michael Graetz, Frankfurt/Main 2000 (Campus Judaica 14).

19 Siehe bes. JACOB KATZ, *Aus dem Ghetto in die bürgerliche Gesellschaft. Jüdische Emanzipation 1770–1870*, Frankfurt a. M. 1986, S. 45 ff.

20 JACOB TOURY, Neue hebräische Veröffentlichungen zur Geschichte der Juden im deutschen Lebenskreise, in: *Bulletin des Leo-Baeck-Instituts* 4 (1961), S. 55–73, hier S. 68 ff.

21 STAUDINGER, „Auß sonderbaren gnaden" (wie Anm. 17); demnächst BIRGIT KLEIN, *Zwischen Staatsraison und jüdischer Tradition*, Hildesheim/New York 2002 (im Druck); KLAUS POHLMANN, *Juden in Lippe in Mittelalter und Früher Neuzeit. Zwischen Pogrom und Vertreibung 1350–1614*, Detmold 1995 (Panu Derech – Bereitet den Weg 13), bes. S. 197 ff.; zur jüdischen Oberschicht im 16. Jahrhundert ROTRAUD RIES, Status und Lebensstil – Jüdische Familien der sozialen Oberschicht zur Zeit Glikls, in: RICHARZ, *Hamburger Kauffrau Glikl* (wie Anm. 16), S. 280–306, hier S. 289 ff.; DIES., Eine alte Herausforderung unter neuen Bedingungen: Zur Rolle der Ober-

schicht der Judenschaft im 16. und 17. Jahrhundert, in: SABINE HÖDL/BARBARA STAUDINGER (Hgg.), *Hofjuden – Landjuden – Betteljuden. Jüdisches Leben in der Frühen Neuzeit*, Wien 2003 (in Vorbereitung); STEFAN ROHRBACHER, Medinat Schwaben. Jüdisches Leben in einer süddeutschen Landschaft in der Frühneuzeit, in: ROLF KIESSLING (Hg.), *Judengemeinden in Schwaben im Kontext des Alten Reiches*, Berlin 1995 (Colloquia Augustana 2), S. 80–109, hier S. 84 ff.; zum 17. Jahrhundert RICHARZ, *Hamburger Kauffrau Glikl* (wie Anm. 16); zum 18. Jahrhundert KLEIN/RIES, Zu Struktur und Funktion (wie Anm. 11); SABINE ULLMANN, *Nachbarschaft und Konkurrenz. Juden und Christen in Dörfern der Markgrafschaft Burgau 1650 bis 1750*, Göttingen 1999 (Veröffentlichungen des Max-Planck-Instituts für Geschichte 151), bes. S. 177 ff., 328 ff., 366 ff.

22 JONATHAN I. ISRAEL, *European Jewry in the Age of Mercantilism 1550–1750*, 2. Aufl., Oxford 1989, S. 35 ff., 53 ff.; GRAETZ, Court Jews in Economics (wie Anm. 1), S. 27 ff.

23 BATTENBERG, Jüdische Wirtschaftselite (wie Anm. 12), S. 62 f.; GERSHON DAVID HUNDERT, Was there an East European Analogue to Court Jews?, in: ANDRZEJ K. PALUCH (ed.), *The Jews in Poland*, vol. 1, Cracow 1992, S. 67–75; GRAETZ, Court Jews in Economics (wie Anm. 1), S. 29.

24 Die hier wie auch in weiteren Aufsätzen zitierte Definition entstand in den Diskussionen eines Arbeitskreises im Umfeld des Hofjuden-Projekts.

25 ROTRAUD RIES, Potentials and Limits of Jewish Economic History: Northern Germany in the 15th and 16th Centuries, in: *Il ruolo economico delle Minoranze in Europa, Secc. XIII-XVIII*, a cura di SIMONETTA CAVACIOCCHI, Prato 2000 (Istituto internazionale di storia economica „F. Datini" Prato, Serie II: Atti delle „Settimane di Studi" e altri Convegni 31), S. 195–207, hier S. 195.

26 ISRAEL, *European Jewry* (wie Anm. 22), S. 56 f.

27 Vgl. die vorzüglichen Definitionen bei WOLFGANG FELBER, *Eliteforschung in der Bundesrepublik Deutschland. Analyse, Kritik, Alternativen*, Stuttgart 1986 (Studienskripten zur Soziologie 129), bes. S. 44 f.; zur Rolle der Eliten im Übergang zur Moderne: ANJA VICTORINE HARTMANN, Kontinuitäten oder revolutionärer Bruch? Eliten im Übergang vom Ancien Régime zur Moderne. Eine Standortbestimmung, in: *Zeitschrift für historische Forschung* 25 (1998), S. 389–420.

28 Vgl. FELBER, *Eliteforschung* (wie Anm. 27), S. 24; anders BATTENBERG, *Juden in Deutschland* (wie Anm. 3), S. 43; BATTENBERG, Jüdische Wirtschaftselite (wie Anm. 12), S. 34.

29 Vgl. hierzu ausführlicher RIES, Identitätsfindungen (wie Anm. 15), S. 361, 369.

30 Siehe SCHOCHAT, *Ursprung der jüdischen Aufklärung* (wie Anm. 18), S. 114.

31 Vgl. JACOB KATZ, Family, Kinship and Marriage among Ashkenazim in the Sixteenth to Eighteenth Centuries, in: *Jewish Journal of Sociology* 1 (1959), S. 4–22, hier S. 8 f.; RIES, Status und Lebensstil (wie Anm. 21), S. 283 ff., 293; KLEIN/RIES, Struktur und Funktion (wie Anm. 11), S. 292.

32 Vgl. die Kategorisierung bei GRAETZ, Court Jews in Economics (wie Anm. 1), S. 37.

33 Neben der Familie Kaulla (s. *Hebell* in diesem Band) v. a. die Familie Seligmann aus Leimen bei Heidelberg und die Familie Hirsch aus (Gau-)Königshofen, siehe JUNGMANN-STADLER, Drei Generationen Seligmann-von Eichthal (wie Anm. 10); PRYS, *Familie von Hirsch auf Gereuth* (wie Anm. 4).

34 GOTTFRIED SELIG, *Geschichte des Lebens und der Bekehrung Gottfried Seligs, LECT. PUBL., seiner drey Schwestern und einiger nahen Anverwandten, welche sämmtlich das Judenthum verlassen, und treue Bekenner Jesu geworden sind. Von ihm selbst aufrichtig beschrieben*, 3 Teile, Leipzig 1775–1779, hier T. 1, S. 53 ff.

35 Siehe RIES, Status und Lebensstil (wie Anm. 21), S. 294; zur linguistischen Entsprechung dieses Phänomens s. ERIKA TIMM, *Graphische und phonische Struktur des West-*

jiddischen unter besonderer Berücksichtigung der Zeit um 1600, Tübingen 1987 (Hermaea. Germanistische Forschungen NF 52), S. 448; zur zentralen Rolle Frankfurts im Hofjuden-Netzwerk s. GRAETZ, Court Jews in Economics (wie Anm. 1), S. 37 f.

36 Siehe v. a. SCHNEE, *Hoffinanz* (wie Anm. 6), Bde I-III, und die weitere/neuere Literatur in Anm. 10 und 11.

37 Vgl. auch ULLMANN, Zwischen Fürstenhöfen und Gemeinde (wie Anm. 11), S. 169 ff.

38 Siehe vorläufig nur SCHNEE, *Hoffinanz* (wie Anm. 6), II, S. 169 ff.; EMIL LEHMANN, Der polnische Resident Berend Lehmann, der Stammvater der israelitischen Religionsgemeinde zu Dresden, Mskr. v. 1885, in: DERS., *Gesammelte Schriften*, Berlin 1899, S. 116–153; JOSEF MEISL, Behrend Lehmann und der sächsische Hof, in: *Jahrbuch der Jüdischen Literarischen Gesellschaft* 16 (1924), S. 227–252. Die Beobachtungen stützen sich ferner auf erste eigene Recherchen im Sächsischen Hauptstaatsarchiv in Dresden.

39 STEVEN M. LOWENSTEIN, *The Berlin Jewish Community. Enlightenment, Family and Crisis, 1770–1830*, New York/Oxford 1994 (Studies in Jewish History), S. 70 ff.

40 Dieses Modell einer kompletten Assimilation habe ich an anderer Stelle als Vakuum-Modell bezeichnet, siehe ROTRAUD RIES, Hofjuden als Vorreiter? Bedingungen und Kommunikationen, Gewinn und Verlust auf dem Weg in die Moderne, in: HERZIG/HORCH/JÜTTE, *Judentum und Aufklärung* (wie Anm. 2), S. 30–65, hier S. 42 ff.; DIES., Identity Crises (wie Anm. 15), S. 16* ff.; SCHNEE, *Hoffinanz* (wie Anm. 6), II, S. 202 f.; SELIG, *Geschichte* (wie Anm. 34).

41 BREUER, Frühe Neuzeit (wie Anm. 14), S. 107 ff., ohne auf die Periodisierung einzugehen; JACOB TOURY, Der Eintritt der Juden ins deutsche Bürgertum, in: HANS LIEBESCHÜTZ/ARNOLD PAUCKER (Hgg.), *Das Judentum in der deutschen Umwelt, 1800–1850*, Tübingen 1977, S. 139–242, hier S. 154 ff.; SHULAMIT VOLKOV, *Die Juden in Deutschland 1780–1918*, München 1994 (Enzyklopädie Deutscher Geschichte 16), S. 8 ff.; von einer Zäsur spricht BATTENBERG, Juden in Deutschland (wie Anm. 3), S. 44.

42 Das hier verwandte Generationenmodell greift von dem, was Battenberg in seiner Einleitung zu Abschnitt IV. dieses Bandes ausgeführt hat, nur den zweiten Aspekt auf: Es bezieht sich nicht auf eine Gruppe etwa gleichaltriger Menschen, sondern auf Generationen innerhalb einer Familie, d. h. die Väter-Generation, die Söhne-Generation, die Enkel-Generation unabhängig von der absoluten Chronologie.

43 Zum Kontext des Problems der Unbeständigkeit von wirtschaftlichem Erfolg siehe die interessante Analyse von HANSJÖRG SIEGENTHALER, *Regelvertrauen, Prosperität und Krisen. Die Ungleichmäßigkeit wirtschaftlicher und sozialer Entwicklung als Ergebnis individuellen Handelns und sozialen Lernens*, Tübingen 1993; die leistungsfähige Struktur, die die Hofjudenfamilien in ihrem Aufstieg und Erfolg begünstigt hat, findet sich – abgesehen vom Herkunftsmilieu – genauso bei den Unternehmern der frühen Industrialisierung, vgl. JÜRGEN KOCKA, Familie, Unternehmer und Kapitalismus. An Beispielen aus der frühen deutschen Industrialisierung, in: HEINZ REIF (Hg.), *Die Familie in der Geschichte*, Göttingen 1982, S. 163–186.

44 Dem liegt ein Kulturbegriff zugrunde, wie ihn Heide Wunder in ihrem Überblick formuliert hat: „Verständnis von Kultur als Lebensstil, Lebensweise, Alltag, in denen kulturelle Muster gelebt, wiederholt und verändert werden", „Kultur […] als Prozeß", HEIDE WUNDER, Kulturgeschichte, Mentalitätengeschichte, Historische Anthropologie, in: RICHARD VAN DÜLMEN (Hg.), *Das Fischer Lexikon Geschichte*, Frankfurt a. M. 1990, S. 65–86, hier S. 67.

45 Vgl. RIES, Perspectives from below and within (wie Anm. 10).

46 Siehe RIES, Hofjuden als Vorreiter (wie Anm. 40), S. 36 ff.

47 Vgl. JÜRGEN SCHLUMBOHM, ‚Traditionale' Kollektivität und ‚moderne' Individualität: einige Fragen und Thesen für eine historische Sozialisationsforschung. Kleines Bür-

gertum und gehobenes Bürgertum in Deutschland um 1800 als Beispiel, in: RUDOLF VIERHAUS (Hg.), *Bürger und Bürgerlichkeit im Zeitalter der Aufklärung*, Heidelberg 1981 (Wolfenbütteler Studien zur Aufklärung 7), S. 265–320; siehe auch RICHARD VAN DÜLMEN (Hg.), *Entdeckung des Ich. Die Geschichte der Individualisierung vom Mittelalter bis zur Gegenwart*, Köln 2001; RICHARD VAN DÜLMEN, *Die Entdeckung des Individuums, 1500–1800*, Frankfurt a. M. 1997 (Europäische Geschichte).

48 So z. B. Elias Meyer Michael David und Philipp Salomon Michael David, Kammeragenten in Hannover 1801 und 1805, SCHNEE, *Hoffinanz* (wie Anm. 6), II, S. 76 und 79; und der Schwiegervater des Letzteren, Aaron Elias Seligmann/Baron von Eichthal, der 1814 nobilitiert wurde und sich 1819, wenige Jahre vor seinem Tod taufen ließ, ebd. IV, S. 230.

49 Siehe bes. die Töchter der Berliner Großkaufleute, DEBORAH HERTZ, Emancipation through Intermarriage in Old Berlin, in: JUDITH BASKIN (Hg.), *Jewish Women in Historical Perspective*, Detroit 1991, S. 182–201, hier S. 187 ff.; DEBORAH HERTZ, *Die jüdischen Salons im alten Berlin*, Frankfurt a. M. 1991, S. 13 ff., 223 ff., 266 f., 334 Abb. 15; LOWENSTEIN, *Berlin Jewish Community* (wie Anm. 39), S. 69 ff., 89 ff.; zu Söhnen RIES, Identity Crises (wie Anm. 15), S. 17* ff.; DIES., Hofjudenfamilien (wie Anm. 15), S. 92 ff.

50 RIES, Identitätsfindungen (wie Anm. 15), S. 364 ff.

51 Vgl. BREUER, Frühe Neuzeit (wie Anm. 14), S. 107 ff.

52 RIES, Hofjuden als Vorreiter (wie Anm. 40), S. 62 ff.

53 Siehe GADI ALGAZI, Kulturkult und die Rekonstruktion von Handlungsrepertoires, in: *L'Homme. Z. F. G.* 11,1 (2000), S. 105–119, hier S. 113, der Kultur als „heterogenes und offenes System von Handlungsoptionen" definiert, „als Gesamtheit der vorhandenen Repertoires [...] für das Handeln sozialer Akteure". Zum Kulturkontakt siehe URS BITTERLI, *Alte Welt – neue Welt. Formen des europäisch-überseeischen Kulturkontakts vom 15. bis zum 18. Jahrhundert*, München 1986; JÜRGEN OSTERHAMMEL, Transkulturell vergleichende Geschichtswissenschaft, in: HEINZ-GERHARD HAUPT/JÜRGEN KOCKA (Hgg.), *Geschichte und Vergleich. Ansätze und Ergebnisse international vergleichender Geschichtsschreibung*, Frankfurt/New York 1996, S. 271–313.

54 KATZ, *Aus dem Ghetto* (wie Anm. 19), S. 31 ff.

55 Bei der von Klein (in diesem Band) zitierten Definition von Akkulturation (kognitiv, strukturell, sozial und identifikatorisch) fehlt allerdings die Ebene der Sachkultur.

56 Zur rabbinischen Kritik an diesem Stolz siehe SCHOCHAT, *Ursprung der jüdischen Aufklärung* (wie Anm. 18), S. 63 ff.

57 WUNDER, Kulturgeschichte, Mentalitätengeschichte, Historische Anthropologie (wie Anm. 44), S. 67.

58 RIES, Hofjuden als Vorreiter (wie Anm. 40), S. 33 ff., 48.

59 HANSCHMIDT, Jakob Löb Eltzbacher (wie Anm. 11), bes. S. 66 f.; RIES, Hofjuden als Vorreiter (wie Anm. 40), S. 49 ff.; MICHAEL BROCKE/MARTINA STREHLEN, Der jüdische Friedhof in Rietberg-Neuenkirchen, in: *Die Juden der Grafschaft Rietberg* (wie Anm. 11), S. 114.

60 Prominent hier v. a. Wolf Wertheimer, s. BAROUH MEVORAH, The Imperial Court-Jew Wolf Wertheimer as Diplomatic Mediator (during the War of the Austrian Succession), in: *Scripta Hierosolymitana* 23 (1972), S. 184–213; effektive jüdische Interessenpolitik zeigt DERS., Die Interventionsbestrebungen in Europa zur Verhinderung der Vertreibung der Juden aus Böhmen und Mähren, 1744–1745, in: *Jahrbuch des Instituts für deutsche Geschichte, Tel Aviv* 9 (1980), S. 15–81; zuletzt MICHAEL GRAETZ, Judentum und Moderne. Die Rolle des aufsteigenden Bürgertums im Politisierungsprozeß der Juden, in: KARL E. GRÖZINGER (Hg.), *Judentum im deutschen Sprachraum*, Frankfurt a. M. 1991 (Edition Suhrkamp NF 613), S. 259–279, hier S. 267 f.

61 Ries, Bilder und Konstruktionen (wie Anm. 15), bes. S. 333 f.; Haasis, *Joseph Süß Oppenheimer* (wie Anm. 10).

62 Graetz, Court Jews in Economics (wie Anm. 1), S. 41; Battenberg, *Juden in Deutschland* (wie Anm. 3), S. 112.

63 Sie repräsentieren den Übergang von der Hofjuden-Elite zur ökonomischen Elite des 19. Jahrhunderts, siehe Werner Eugen Mosse, *The German-Jewish Economic Élite 1820–1935. A Socio-Cultural Profile*, Oxford 1989, bes. S. 11 f.

64 Hierzu fehlen bislang leider systematische Forschungen, mehr als sporadische Auflistungen von Bediensteten oder Faktoren finden sich nicht. Dabei wäre die Untersuchung der Rolle der Hofjuden als Arbeitgeber für Juden und Christen und – im weiteren Sinne – als Wirtschaftsmotoren im ökonomischen wie im sozial-kulturellen Sinne ein lohnendes Unterfangen.

65 Toury, *Eintritt der Juden* (wie Anm. 41), S. 165 ff.; Shulamit Volkov, Die Verbürgerlichung der Juden in Deutschland. Eigenart und Paradigma, in: Jürgen Kocka (Hg.), *Bürgertum im 19. Jahrhundert. Deutschland im europäischen Vergleich. Eine Auswahl, Bd. III: Verbürgerlichung, Recht und Politik*, Göttingen 1995 (Kleine Vandenhoeck-Reihe 1575), S. 105–133, hier S. 109, 113 ff.; zur kulturellen Konstruktion des Bürgertums siehe Jürgen Kocka, Bürgertum und Bürgerlichkeit als Probleme der deutschen Geschichte vom späten 18. zum frühen 20. Jahrhundert, in: ders. (Hg.), *Bürger und Bürgerlichkeit im 19. Jahrhundert*, Göttingen 1987 (Sammlung Vandenhoeck), S. 21–63, hier S. 42 ff.

66 Siehe v. a. Ries, Hofjuden als Vorreiter (wie Anm. 40), S. 36 ff.; dies., Identitätsfindungen (wie Anm. 15), S. 363 ff.

67 Siehe Ries, Hofjuden als Vorreiter (wie Anm. 40), S. 52 ff.

68 Marcus, *Israel Jacobson* (wie Anm. 4), S. 39 ff.; Michael A. Meyer, *Antwort auf die Moderne. Geschichte der Reformbewegung im Judentum*, Wien/Köln/Weimar 2000, S. 58 ff.

69 Simone Lässig, Bildung als „kulturelles Kapital“? Jüdische Schulprojekte in der Frühphase der Emanzipation, in: Andreas Gotzmann/Rainer Liedtke/Till van Rahden (Hgg.), *Juden, Bürger, Deutsche. Zur Geschichte von Vielfalt und Differenz 1800–1933*, Tübingen 2001 (Schriftenreihe wissenschaftlicher Abhandlungen des Leo-Baeck-Instituts 63), S. 263–298, bes. S. 282 ff.; Ries, Hofjuden als Vorreiter (wie Anm. 40), S. 54 f.; vgl. jetzt auch Ingrid Lohmann/Uta Lohmann, Die jüdische Freischule in Berlin im Spiegel ihrer Programmschriften (1803–1826), in: Herzig/Horch/Jütte, *Judentum und Aufklärung* (wie Anm. 2), S. 66–90, hier S. 66 f.

70 Siehe Ries, Identitätsfindungen (wie Anm. 15), S. 366 f.; dies., Hofjudenfamilien (wie Anm. 15), S. 94 ff.; Deborah Hertz, Ihr offenes Haus – Amalie Beer und die Berliner Reform, in: *Kalonymos* 2, H. 1, 1999, S. 1–4; Lohmann/Lohmann, Freischule (wie Anm. 69), S. 77.

Interkulturalität, Akkulturation oder Protoemanzipation? Hofjuden und höfischer Habitus

Michael Schmidt

Für Stefan Rohrbacher

Vorbemerkung

Der hier vorgelegte Text wurde ursprünglich als kurzer Kommentar konzipiert, dann auf Wunsch der Herausgeber zu einem Aufsatz ausgearbeitet. Dabei musste die argumentativ knappe, thesenhafte Struktur des Kommentars beibehalten werden.

Mein Artikel verfolgt die These, dass der Habitus der Hofjuden des 17. und 18. Jahrhunderts als eine – individuelle – Emanzipation vor der – sozialen – Emanzipation verstanden werden kann, wobei diese Protoemanzipation nicht – wie seit dem ausgehenden 18. Jahrhundert – auf rechtlichen Regelungen, sondern auf frühneuzeitlichen Konzepten einer geselligen und ästhetischen Individualität basiert: Um sich in der höfischen Gesellschaft behaupten zu können, mussten Hofjuden sich an Idealen des Hofes und des Hofmannes orientieren. Die Quellen zeigen, dass – einzelne – Hofjuden einschlägige Schriften besessen haben; sie zeigen aber auch, dass jüdische Hoffaktoren sich im Alltag an entsprechenden Verhaltensnormen orientiert haben, die sie vermutlich durch ihre Alltagserfahrung erwarben.

Im ersten Abschnitt verweise ich durch einige Bemerkungen zum Forschungsstand sowohl im Bereich der Hofjuden-Historiographie wie im Bereich der Erforschung der höfischen Gesellschaft, die gewiss nicht mit der mittlerweile klassischen Studie von Norbert Elias[1] einsetzte, ihr aber wohl doch eine anhaltende Forschungskonjunktur verdankt, auf das Defizit eines Forschungsberichtes zum Thema Hofjuden. Dass beide Themen von der dezidiert bürgerlichen Geschichtsschreibung des 19. Jahrhunderts vernachlässigt worden sind, hängt vermutlich mit der Tatsache zusammen, dass nicht nur die Geschichte der Juden, sondern auch die der Höfe von negativen Stereotypen umstellt war. Die Literaturgeschichte der – cum grano salis: bürgerlichen – Hofkritik reicht bis in die Frührenaissance zurück.[2] Darüber hinaus waren die politische Widerständigkeit und der erfolgreiche kulturelle Regionalismus der höfischen Gesellschaft im Alten Reich den – historisch und literarisch legitimierten – deutschen nationalstaatlichen Bestrebungen gerade im 19. Jahrhundert suspekt.

Im folgenden Abschnitt diskutiere ich kritisch einige Begriffe (Interkulturalität, Assimilation, Akkulturation, Emanzipation) aus einer sprachpragmatischen Perspektive des Zweitkulturenerwerbs in der Absicht, die individual-emanzipatorische Problematik des sozialemanzipatorischen Prozesses herauszustellen. Phänomene wie Interkulturalität und Emanzipation sind vor allem schwierig zu erbringende individuelle Leistungen, die bislang freilich primär im Zusammenhang eines hypostasierten Kollektivsubjekts „Die Juden" diskutiert wurden. Der soziolinguistische Zweitkulturenerwerb verweist auf Probleme einer Interkulturalität, denen jüdische Menschen auch der Vormoderne im Alltag begegnet sein müssen, wenngleich Historiker diese Perspektive bislang kaum an ihre Quellen herangetragen haben.

Diese beiden Abschnitte sind nicht etwa als methodologische Einleitung zur abschließenden kleinen Fallstudie zu verstehen, vielmehr hat auch Letztere den Charakter einer thesenhaften Annäherung an das Thema Hofjuden und höfischer Habitus. Die hier ausgewertete Quelle, die Autobiographie des zum Christentum konvertierten Sohnes eines sächsischen Hofjuden, erlaubt Aussagen zum – individual-emanzipatorischen – Aufstieg eines Hausierers zum Hoffaktor und zum Alltagshabitus dieses Mannes innerhalb der höfischen Gesellschaft. Soweit ich sehe, ist auch dieser letztere Aspekt eines jüdischen Alltags innerhalb höfischer Strukturen bislang nicht nur nicht untersucht, sondern nicht einmal als Problem thematisiert worden.[3]

Forschungsstand

Die gravierenden Unterschiede zwischen natur- und kulturwissenschaftlicher Forschung und Begriffsbildung einmal dreist ignorierend, ließe sich mit einer Unterscheidung des polnisch-jüdischen Mediziners und Wissenschaftstheoretikers Ludwik Fleck[4] behaupten, dass die Erforschung des deutschen Hofjudentums bislang noch nicht den Charakter einer Handbuchwissenschaft hat. Sie verharrt vielmehr weiterhin in der Rolle einer durch ein Denkkollektiv – nämlich die Wissenschaft vom Judentum – betriebenen Aufsatz- und Monographienwissenschaft, deren Ergebnisse und Erkenntnisse von der allgemeinen Geschichtswissenschaft, die dem Gegenstand ihrerseits wenig Aufmerksamkeit widmet, bislang weitestgehend ignoriert werden. Dieser Sachverhalt macht die Beschäftigung mit dem Thema ungemein spannend.

Dies aufzuzeigen wäre die Aufgabe eines bislang noch ausstehenden ausführlicheren Forschungsberichtes, den die folgenden knappen Thesen zur Forschungsgeschichte gewiss nicht ersetzen können.[5] Die Beschäftigung mit dem Thema setzte im Kaiserreich außerhalb der institutionalisierten Historiographie als jüdische Familiengeschichte und jüdische Lokal- bzw. Regionalgeschichte ein, das Erkenntnisinteresse war vor allem legitimatorischer Natur und galt nicht nur der Selbstvergewisserung einer jüdischen Tradition in Deutschland als einer Erfolgsgeschichte, sondern auch dem Nachweis der jüdischen Rolle bei der Herausbildung eines modernen deutschen Staates.[6] Dieses Konstrukt war auch noch ein Leitmotiv Selma Sterns, deren Lebensarbeit mit ihrer großen Edition preußischer Akten, mit der „Jud Süss"-Biographie von 1929 und mit der „Court Jews"-Monographie von 1950 nicht zuletzt den Hofjuden galt.[7] Ihre Pionierleistung in der Darstellung der sozioökonomischen Verbindungen zwischen Juden und dem preußischen Staat bzw. dessen bürokratischen Eliten hat die virtuose amerikanische Historikerin Natalie Zemon Davis unlängst mit den – historiographisch freilich sehr viel einflussreicheren – Arbeiten Hans Rosenbergs zum Verhältnis von preußischer Bürokratie und Junkertum verglichen.[8] Während Sterns Arbeiten in institutioneller Anbindung an die Berliner Hochschule des Judentums und – seit der Emigration – an entsprechenden amerikanischen Forschungsinstitutionen entstanden, verstand Heinrich Schnee, der seit dem Zweiten Weltkrieg zahlreiche Aufsätze und Monographien zur Hoffinanz vorlegte, sich – nach 1945 – ausdrücklich als christlicher Historiker. Schnee hatte auf diesem Gebiet in der westdeutschen Nachkriegshistoriographie eine Art Monopolstellung, seine Prägung durch die NS-Ideologie ist ebenso wenig zu verkennen wie seine intellektuelle Abhängigkeit von Selma Stern, die er zu widerlegen sucht. Wenn man von einer eindrucksvollen wirtschaftshistorischen Studie[9] absieht, sind seither vor allem regionalhistorische Arbeiten[10] und Studien zu einzelnen Hofjuden[11] entstanden. Hinzuweisen ist in diesem knappen Überblick schließlich auf einige neuere Ausstellungskataloge[12]. Diese neue wissenschaftliche Textsorte beginnt offenbar in ihrem zumeist implizit an geschichtsphilosophischen Positionen Walter Benjamins[13] orientierten, interdisziplinären, universalistischen und offenen „Passagen"-Zugriff auf analytisch kommentierte Bild- und Textquellen nicht nur die alten und erfahrungsgemäß rasch veraltenden systematischen – und damit wissenschaftlich geschlossenen – Handbücher abzulösen, überdies vermittelt sie ein entsprechendes Wissen über die engeren Fachgrenzen hinaus einer interessierten Öffentlichkeit.

Das geringe Interesse der allgemeinen, nicht von der Traditionslinie der Wissenschaft vom Judentum inspirierten Geschichtswissenschaft ließe sich an den inzwischen zahlreichen, häufig regional ausgerichteten Arbeiten zur Geschichte der höfischen Gesellschaft in Deutschland aufzeigen, die Hofjuden regelmäßig zu ignorieren scheinen. Die zunächst faszinierte[14], später teilweise kritische Orientierung dieser Arbeiten an Norbert Elias' epochaler

Monographie[15] führte offenbar dazu, dass die Hofjuden, die doch gerade im territorial zersplitterten zentraleuropäischen Raum in der Frühen Neuzeit eine ungleich wichtigere Position als in den politisch und ökonomisch stärker zentralisierten west- und nordeuropäischen Regionen einnahmen[16], meist schlichtweg übersehen, jedenfalls aber marginalisiert wurden. Indessen haben sich auch die biographischen Arbeiten zu einzelnen Hofjuden nicht eben um deren Verortung im System der Hofgesellschaft bemüht. Der hofjüdische Habitus zeichnet sich überdies nicht vor dem Hintergrund der – inzwischen gut erforschten – gelehrten zeremonialwissenschaftlichen Werke[17] ab, sondern wurde wohl eher in einem frühen Massenmedium[18] festgeschrieben: in den unlängst endlich systematisch bearbeiteten Hof- bzw. Hof- und Staatskalendern nämlich, die bislang für 73 Territorien des Alten Reiches mit 90 Publikationen, die sich auf etwa 3000 bibliographische Einheiten hochrechnen lassen, nachgewiesen wurden.[19] Erst diese Kalender lassen erkennen, wer für die Zeitgenossen als Hoffaktor gegolten hat.

Da die Höfe im – dem zeitgenössischen Urteil des Staatsrechtlers Samuel Pufendorf zufolge – „irregulären und einem Monstrum ähnlichen Körper“[20] des Alten Reiches eine proteische Institution[21] darstellten, wäre mit einer gewiss arbeitsaufwendigen Sichtung dieser Kalender und Handbücher für die Frage der Hofjuden wohl nicht viel mehr gewonnen, als dass man erführe, wer in den erwähnten 73 Territorien faktisch als Hofjude bezeichnet worden ist. Indessen war die Gruppe der jüdischen Financiers, die die Funktion von Hoffaktoren ausübten, sicher ungleich größer. Hoffaktor war offenbar keine soziale Rolle innerhalb eines kodifizierten Laufbahnengefüges, sondern eine offene, durch individuelles Engagement veränderbare Struktur, die in ungezählten Alltagshandlungen Ereignis wurde. Indem die Hoffaktoren auf die variablen Herausforderungen einer großen Anzahl typologisch unterscheidbarer und jeweils unterschiedlich organisierter Höfe reagierten, antizipierte der Habitus der Hofjuden zugleich die moderne, individuelle Karriere.

In der von Norbert Elias geprägten Forschungstradition gerieten vor allem die – nach französischem Vorbild – auf die Person des jeweiligen Herrschers fixierten Höfe in den historiographischen Blick, womit leicht übersehen wird, dass diese Höfe ihrerseits Zentren figurativer Strukturen darstellten, in denen „Nebenhöfe“, „die sich um die Gattinnen, Witwen oder zweitgeborenen Prinzen fürstlicher Häuser gruppierten“[22], ebenso eine Rolle spielten wie die „große[n] Häuser“ der „Adlige[n] von hohem Rang und hoher Hofstellung“.[23] Aber auch der „eingesessene Landadel“[24] und die Reichsritterschaft orientierten sich in ihrem Habitus am Konzept des „hausväterlichen Hofes“.[25] Der Finanzierungsbedarf dieser Gruppen führte im 17. und 18. Jahrhundert zu einer zunehmenden Umgehung des territorialherrschaftlichen Schutzjuden-Privilegs, mit der sich auch der kleine Adel seine, wie man von der Funktion der Finanzierung her wohl sagen darf, Hofjuden schuf.

Da die Hofjuden die erste markante Gruppe[26] waren, die säkulares nichtjüdisches Wissen in erheblichem Umfang erwarb, ist zu bedauern, dass die florierenden historiographischen Disziplinen der Buch- und der Bildungsforschung[27] dem jüdischen Wissen gerade in der Frühen Neuzeit bislang wenig Aufmerksamkeit widmen.

Seit 1929 liegt ein Katalog der Frankfurter Bibliothek des Stuttgarter Hofjuden Oppenheimer gedruckt vor,[28] der heute sehr viel genauer bibliographisch und buchwissenschaftlich bearbeitet werden könnte, als dies seinerzeit möglich war. Er erlaubt die Vermutung, dass Oppenheimers Politik auf einer gründlichen politischen, juristischen und ökonomischen Kenntnis basiert. In seiner Vielseitigkeit korrespondiert dieser Bücherschatz der Interessenlage eines Hofmannes,

> dem [...] keine spezifische Kompetenz mit entsprechender Kunstlehre zugeordnet werden kann, [sondern der] vielmehr [...] alle für einen Aristokraten denkbaren Professionen, z. B. die des Diplomaten, des Moralphilosophen, des Literaten, des Heerführers usw., bis zu einem gewissen Grad beherrschen und sie alle seiner Selbstvorführung bei Hof einordnen [muß], ohne je zum Spezialisten gestempelt zu werden.[29]

Wissenssoziologisch offensichtlich an diesem Verhaltensideal orientiert, ohne es indessen voll abzudecken, finden sich in Oppenheimers Bibliothek u. a. frühaufklärerische philosophische (u. a. Thomasius), juristische (u. a. Thomasius, Moser), zeremonialwissenschaftliche (von Rohr) Schriften und Hausväterliteratur (Florinus) sowie barocke Belletristik, Werke mithin, die inzwischen teilweise eine gründliche monographische Darstellung im Rahmen der Erforschung des 18. Jahrhunderts und insbesondere der höfischen Gesellschaft erfahren haben. Dieses alte Bücherverzeichnis ist also auch ein Stück bislang unbeachtet gebliebener Rezeptionsgeschichte der Epoche. Auffallend und vielleicht bezeichnend ist der vergleichsweise geringe Anteil lateinischer Titel in dieser Bibliothek, die eben nicht die Büchersammlung eines gelehrten „Spezialisten" war. ‚Moderne' Fremdsprachen dagegen sind durch je ein französisches und italienisches Sprachlehrwerk vertreten. Diese Quelle belegt meine These von der Rezeption höfischer Literatur durch Hofjuden also ebenso wie meine Vermutungen über die alltagspraktischen Probleme der Interkulturalität.

Begriffe

Der wissenschaftsmodische Ausdruck *Interkulturalität* erscheint eher geeignet, mit dem so bezeichneten Sachverhalt verbundene Probleme zu verdecken, als sie zu klären. Anekdotisch kann man sich dieser Problemlage vielleicht durch den Hinweis auf die Schwierigkeiten annähern, den deutsche, aus deutschsprachigen Ländern geflohene Juden, die so genannten Jeckes, mit der Anpassung an die Lebensverhältnisse in Palästina bzw. Israel gehabt haben sollen. Man kann in diesem Zusammenhang aber auch auf Erfahrungen und Ergebnisse aus dem Bereich der in unserem Zeitalter der Migrationen zunehmend wichtigeren second culture acquisition verweisen[30], die erkennen lassen, dass Interkulturalität zunächst und vor allem eine schwierige individuelle Leistung ist,[31] die erst in einer systematischen oder historischen Perspektive als Prozess erscheint. Man kann sich nun zwar vorstellen, dass Juden in der Frühen Neuzeit Sprache und Kultur ihrer Umgebung in einem gewissen Grade unmittelbar in der Nachbarschaft und gleichsam learning by doing kennen lernten und erlernten. Doch wäre hier nicht nur das häufig konfliktreiche Verhältnis innerhalb deutsch-jüdischer Nachbarschaften zu berücksichtigen. Als ehemals urbane Gruppe war das frühneuzeitliche Landjudentum[32] weiterhin einem anderen, nämlich einem an Schriftlichkeit und Lektüre in der *Schul* orientierten Konzept von Bildung ausgerichtet, im Gegensatz zu der in ihrer großen Mehrzahl analphabetischen christlichen Landbevölkerung. Überdies wäre hier die Komplexität von Sprache und Kultur zu berücksichtigen, die in der Umwelt der Juden gewiss nicht nur einfach deutsch waren: Die beliebte Phrase vom deutschen Sprach- und Kulturkreis ist ein Konstrukt des 19. Jahrhunderts,[33] das die Vielfalt von Dia- und Soziolekten in der Frühen Neuzeit verkennt. In sprachwissenschaftlicher Hinsicht wäre im Blick auf die Deutschkenntnisse der jüdischen Bevölkerung überdies zu unterscheiden zwischen einer sprachlichen Kompetenz im Hinblick auf einfache, im unmittelbaren Kontext der besprochenen Dinge gelegene Sachverhalte und einer mehr analytischen, auf das Verstehen abstrakterer Sachverhalte zielenden sprachlichen Kompetenz, wie sie etwa auch im kaufmännischen Bereich auftritt. Ein Deutsch, auf dem ein Hausierhandel zu betreiben war, konnte wohl in der Nachbarschaft erlernt werden. Hofjuden indessen mussten, um in ihrer Funktion tätig und erfolgreich sein zu können, eine umfassende nichtjüdische Bildung erwerben. Tatsächlich könnte die langwierige Auseinandersetzung um die Sprache der Geschäftsbücher jüdischer Händler – Deutsch, wie die Obrigkeiten in ihren Wuchergesetzgebungen verlangten, oder Judendeutsch in hebräischen Lettern, wie es vielleicht nicht nur der Tradition, sondern auch der faktischen Kompetenz vieler jüdischer Kaufleute noch im 18. und frühen 19. Jahrhundert entsprochen haben mag – ein Ausdruck des hier formulierten Problems sein. Entsprechend kann man vermuten, dass der Ausdruck Interkulturalität im Zusammenhang mit den im deutschen Sprachraum lebenden Juden der Hoffaktorenzeit, also zwischen etwa 1650 und etwa 1800, allenfalls einen Sachverhalt bezeichnen kann, der einer weiteren Differenzierung bedarf. Das Gros der deutschen Juden wird als monokulturell jüdisch zu bezeichnen sein, wenngleich es sicher weitestgehend in der Lage war, sich mit der Umgebung im Alltag sprachlich zu verständigen. Eine kleine Gruppe, die indessen sicher nicht mit den Hofjuden identisch war, hat zweifellos über transkulturelle Verstehens- und Verständigungsmöglichkeiten verfügt, insbesondere auch im Bereich der Schriftsprachlichkeit, die im 18. Jahrhundert generell noch weit gehend als eine Ausnahmekompetenz anzusehen ist.

In gegenwärtigen wissenschaftlichen Zusammenhängen, insbesondere im Bereich der angewandten Sprachwissenschaften, meint Interkulturalität, dass Menschen ein intellektuelles Verstehen und darauf basierend Toleranz gegenüber anderen Kulturen entwickeln, wohlgemerkt im Rahmen ihrer eigenen Sprache und Kultur. Fraglich und jedenfalls umstritten ist dagegen, ob Erwachsene überhaupt in der Lage sind, sich kognitiv wie Angehörige einer anderen Kultur zu verhalten, also zu lernen, die Welt mit kulturell anderen Augen zu sehen und zu konstruieren. Unbestritten ist dagegen das Vermögen zu lernen, in einer neuen Kultur zu funktionieren, ohne die eigene Kultur und die eigene Weltsicht zu kompromittieren, ein Vermögen, das gelegentlich, vor allem in den systematischen und synchronen Zusammenhängen der Fremdsprachenerwerbsforschung, als Akkulturation bezeichnet wird.

Davon zu unterscheiden ist ein historischer, ursprünglich wohl anthropologisch-ethnologischer Begriff von Akkulturation, mit dem heute keineswegs nur im Bereich jüdischer Forschung gearbeitet wird. So unterscheidet der amerikanische Historiker David Stewart[34] in einer dem Verhältnis von Roussillon und Frankreich in der Frühen Neuzeit gewidmeten Studie politische *Assimilation* von *Akkulturation*, wobei Erstere die Akzeptanz eines Individuums oder einer Institution als legitime Quelle politischer Autorität durch eine Gruppe oder eine Gemeinschaft meint, während Akkulturation die Adaption einer neuen kulturellen Identität durch eine Gruppe bezeichnet.

Im Blick auf die deutsch-jüdische Geschichte wäre von politischer Assimilation – in einer Weise, die den Begriff aus den biologischen Konnotationen löst, die ihm jedenfalls im Deutschen anhaften – seit dem mittelalterlichen Kammerknechtschaftskonzept zu sprechen: Juden akzeptierten die Autorität der deutschen Kaiser, wie sie später, in der langen Agonie des Alten Reiches, die Autorität der jeweiligen Territorialherrschaften akzeptierten.

Und diese Autorität war keineswegs nur politisch erzwungen, sondern wurde offenbar kulturell getragen von Bestimmungen des Talmud zur Regelung jüdischen Lebens unter fremdem Gesetz.[35] Eine jüdische Akkulturation setzte im historischen Raum Deutschland wohl erst im so genannten Zeitalter der Emanzipation ein, vermutlich mit der Protoemanzipation der Hofjuden, deren historische Rolle es wohl auch war, in einer anderen Kultur zu funktionieren, ohne die eigene Identität oder Weltsicht zu verleugnen: Hofjuden waren Juden, wie sie, wie etwa Oppenheimer in Stuttgart, teils unter extremen Bedingungen bewiesen. Dass damit aber der Prozess einer Akkulturation im Sinne einer Adaption einer neuen kulturellen Identität eingeleitet war, bewiesen Konversionen zum Christentum in der zweiten und dritten Generation dieser Gruppe.

Tatsächlich schließen sich die systematische und die historische Definition von Akkulturation unter dem Gesichtspunkt des historischen Prozesses keineswegs aus, insofern der kompromisslosen Selbstbehauptung einer ersten Generation die Adaption eines fremden kulturellen Konzeptes durch Nachkommen folgen kann. Dies als Anpassung der Juden an die deutsche Kultur aufzufassen wäre naiv und eine Fortschreibung des durchaus polemischen Konzeptes einer deutschen Kulturnation im 19. Jahrhundert. Von einer Verbürgerlichung der Juden im 19. Jahrhundert kann man sprechen, insofern die jüdische Akkulturation einer mentalen Verbürgerlichung der deutschen Gesellschaft, an der Juden einen erheblichen Anteil hatten, historisch parallel lief. Voraussetzung dieser Leistung waren gewiss nicht nur die unbestreitbaren Erfahrungen von Juden in dem zur Zeit der industriellen Revolution immer wichtiger werdenden sekundären und tertiären Sektor, also im Handel und in den Dienstleistungen. Bislang kaum beachtet wurde der Zusammenhang mit der so genannten Leserevolution in Deutschland um 1800.[36] Da traf eine jüdische Kultur, in der Analphabetismus eine geringe und Schriftlichkeit traditionell eine wichtige Rolle spielten, auf eine Umweltkultur, die sich eben der Schriftlichkeit als Breitenphänomen öffnete und das Analphabetentum zu beseitigen unternahm. Ironisch pointiert könnte man, den dominanten europäischen Trend ignorierend, in diesem Zusammenhang von einer strukturellen, nicht unbedingt inhaltlichen Anpassung der deutschen Kultur an die Kultur der Juden sprechen.

Nach dem Vorbild der rechtlichen Gleichstellung der katholischen Bevölkerung Englands bezeichnet man die rechtliche Gleichstellung der Juden in Deutschland als *Emanzipation* und nimmt als ihr endliches Datum die entsprechenden gesetzlichen Regelungen der Verfassung des Norddeutschen Bundes bzw. der Reichsverfassung an. Das sind fragile Daten, wenn man berücksichtigt, dass weder der Norddeutsche Bund noch das Kaiserreich ein

Frauenwahlrecht, geschweige denn eine gesetzliche Gleichberechtigung von Frauen kannten. Diese Emanzipation war also gleichsam eine Emanzipation ohne Emanzipation.

Das emphatische Konzept von Emanzipation gilt als eine Errungenschaft des bürgerlichen Zeitalters. Insofern kann man von einem Zeitalter der jüdischen Emanzipation in Deutschland zwischen etwa 1750 und 1870 sprechen, das dann in der formalen rechtlichen Gleichstellung der jüdischen Männer kumulierte. Nun lässt sich eine gewisse Emanzipationsfeindlichkeit der bürgerlichen Gesellschaft im Umgang mit Juden etwa oder auch im Bereich einer repressiven Sexualmoral des biedermeierlich-viktorianischen Zeitalters ebenso wenig übersehen wie die Tatsache, dass etwa adlige, aber auch nicht wenige jüdische Frauen des vorbürgerlichen Zeitalters viel freier in der Lage waren, sich ihres Verstandes ohne männliche Anleitung zu bedienen, als die habituell bürgerlichen Frauen oder die verbürgerlichten Adligen des 19. Jahrhunderts. Auch die Hofjuden sind im Vergleich zu vielen anderen Gruppen der vorbürgerlichen Gesellschaft als ausgesprochen privilegiert und damit als protoemanzipiert anzusehen. Sie waren eine durch einen besonderen Status definierte Teilgruppe der höfischen Gesellschaft.

Die europäische Adelsgesellschaft hatte seit der Renaissance kommunikativ-ästhetische Konzepte von *Individualität* entwickelt. Dies ermöglicht es, von einer Protoemanzipation oder Emanzipation vor der bürgerlichen Emanzipation in den Schranken eines Standesprivilegs zu sprechen, geprägt von ästhetischer Individualität, von spielerischem Selbstbewusstsein und individueller Selbstverwirklichung im Verhältnis zu den gesellschaftlichen Normen im Rahmen von Geselligkeit.

In einer berühmten und frühen Formulierung dieses Konzeptes, dem 1528 erschienenen und während der Frühen Neuzeit oft nachgedruckten und in zahlreiche europäische Sprachen übersetzten „Cortegiano", schildert Baldassare Castiglione in der Form eines dialektischen Dialoges das „Bild eines adligen Amateurs, eines Dilettanten",[37] dessen individuelle Freiheit auf Urbanität, also einer Kombination von Witz und Geselligkeit, basiert, die eine unabhängige oder wenigstens tendenziell unabhängige Position innerhalb der Etikette der höfischen Gesellschaft anstrebt, wie sie Elias und in seinem Gefolge zahlreiche andere Historiker beschrieben haben. Der Hofmann unterscheidet sich also seinem Anspruch nach vom Höfling, der im Rahmen der höfischen Gesellschaft auf die Position innerhalb der Etikette und auf die Person des dem Anspruch nach absolute Macht verkörpernden Herrschers orientiert ist. Wenngleich eine Marginalisierung des Hofmann-Konzeptes zugunsten des Höfling-Konzeptes im Zeitalter des Absolutismus wahrscheinlich ist, hat der „Cortegiano" doch überlebt, insofern diese und ähnliche Vorstellungen in das schließlich zu nichtadligen Gruppen hin offene Ideal des englischen Gentleman eingeflossen sind, ein Verhaltensentwurf, der in Deutschland bekanntlich ohne Parallele blieb.

Es könnte immerhin sein, dass ein Konzept wie Akkulturation ein viel zu grobes Raster ist, um das Verhalten eines Menschen im Hinblick auf eine andere Kultur zu beschreiben. Der Begriff ist offenbar vom Dilemma des modernen Kulturbegriffes geprägt, der, wie die Inflation der Kulturbegriffe zeigt, offenbar nicht auf den Begriff zu bringen ist, obwohl Kultur in ihren Einzelheiten intuitiv und deskriptiv durchaus erfassbar erscheint. Vor diesem Hintergrund ließe sich Akkulturation als eine kognitive Selektion beschreiben. In einer Situation des Kontaktes mit einer fremden Kultur orientiert sich ein Individuum offenbar nicht an dieser als einer ideellen Gesamtheit, die ihm, etwa in Form einer so genannten Nationalkultur, doch nur als amorphe und diffuse Masse entgegentreten kann. Es trifft vielmehr eine Wahl und orientiert sich an einem komplexen Konzept innerhalb dieser Kultur, das ihm eine Orientierung und ein Funktionieren in der kulturellen Fremde ermöglicht.

Dieses komplexe Konzept könnte man mit einem Begriff aus der Kultursoziologie Pierre Bourdieus auch als einen Habitus bezeichnen, also einen abgegrenzten – überdies als kulturell neutral erscheinenden – Korpus von Dispositionen, Klassifikationskategorien und produktiven Schemata, die innerhalb der Geschichte von Kollektiven ausgebildet und vor allem durch pädagogische Praktiken der Familie eingeschrieben werden, wobei die Familienerziehung effektiv, aber gleichsam gedankenlos und nichtreflektiv funktioniert. Dem einmal angenommenen Habitus unterliegen alles spätere Lernen und alle spätere soziale Erfahrung, die er zugleich auch bedingt.[38]

Das ist ein rigider Begriff, der auf den ersten Blick einer Akkulturation und eigentlich auch einem sozialen Wandel wenig Chancen einräumt. Indessen scheint das nicht ungewöhnliche Phänomen eines sozialen Aufstiegs zu beweisen, dass es möglich ist, von einem Habitus aus die Ausdrucksformen eines anderen anzunehmen, wobei der Spott, mit dem Aufsteiger gewöhnlich von allen Seiten aus bedacht werden, auf die Schwierigkeiten dieses Prozesses hinweist. Man könnte diese Erscheinung mit einem Ausdruck des amerikanischen Philosophen Charles Sanders Peirce als *habit taking,* als die Annahme einer pragmatischen und komplexen Verhaltensweise bezeichnen. In der folgenden Generation kann der neue Habitus dann bereits unmittelbar auf dem Wege der Familienerziehung erlernt werden, aus einer individuellen Akkulturation, die kompromisslos auf der eigenen Identität und Weltsicht beharrt, wird dann der Transformationprozess einer historischen Akkulturation, die die Akzeptanz einer neuen Kultur beinhalten kann: Aufgrund ihrer jüdischen Familienerziehung blieben Hofjuden der ersten Generation Juden, die Erziehung der Kinder war dann schon am neuen Habitus im Rahmen oder wenigstens doch am Rande der Hofgesellschaft orientiert.

Der Übergang vom Juden zum Hofjuden bedeutete nicht den Übergang von einer jüdischen Kultur in eine deutsche Kultur. Vielmehr beharrte das Gros der Hofjuden offensichtlich auf seiner Jüdischheit und versuchte, aus seiner relativ privilegierten Stellung heraus zur Verbesserung der oft schlimmen Situation anderer Juden beizutragen. Hofjuden versuchten, innerhalb der höfischen Kultur ihrer Zeit, die eben nicht deutsch, sondern ihrer Struktur nach europäisch und ihrem unmittelbaren Vorbild nach französisch geprägt war, zu funktionieren. Europäisch orientiert war die Gruppe der deutschen Hofjuden, die in ihrem Umfang die politische Zersplitterung Deutschlands reflektiert, aber auch, unmittelbar oder vermittelt, in ihren geschäftlichen Beziehungen, wobei zu berücksichtigen ist, dass die europäischen Juden noch nicht Minderheiten in Nationalstaaten waren, sondern so etwas wie eine jüdische Gesellschaft ohne Staat in Europa bildeten und vor allem in Regionen lebten, in denen die staatliche Organisation – im Vergleich zu Westeuropa – noch weniger weit fortgeschritten war.

Fallstudie

In der Situation nach dem Dreißigjährigen Kriege standen Juden, die Hofjuden wurden, verschiedene Leitbilder – um den schwierigen Plural von Habitus im Deutschen zu umgehen – zur Wahl.

Eine dieser Orientierungsmöglichkeiten war sicher der Habitus des bürgerlichen Kaufmanns, der offensichtlich dem Halberstädter Faktor Berend Lehmann als Leitbild diente. Als hauptsächlich für Preußen und vor allem für Sachsen tätiger Hofjude ohne Hof – Halberstadt war keine Residenzstadt, wohl aber aufgrund der Vertreibung der Wiener Judenheit seinerzeit eine große und bedeutende jüdische Gemeinde – kultivierte er eine bürgerliche Erscheinungsweise, indem er auf allzu prächtige Kleidung verzichtete und äußerlich als Jude erkennbar blieb. Gleichsam die Legende vom Absolutismus demontierend, wurde er nie dauerhaft an einer fürstlichen Residenz sesshaft, da die die absolutistische Pracht demonstrativ zur Schau stellenden sächsischen Potentaten in dieser Frage an Widerständen bürgerlicher Juristen und Theologen scheiterten, denen es gelang, die Ansiedlung von Juden im Kernlande der Reformation weit gehend zu verhindern. Seinen bekanntesten Erfolg, die Erlangung der Krone des Wahlkönigreichs Polen für den sächsischen Fürsten und gegen die Interessen des Sonnenkönigs, soll Lehmann seinem Verhandlungsgeschick gegenüber den einflussreichen bürgerlichen Bankiers Danzigs verdankt haben.[39]

Als Berater eines Fürsten, der ursprünglich Berufsmilitär war und der die Ausdrucksformen absolutistischer Herrschaft am Wiener Hof, dem offensichtlich in hohem Maße vom Kapital jüdischer Hoffaktoren[40] abhängigen, wohl prächtigsten und mächtigsten Beispiel von Absolutismus im mitteleuropäischen Raum, erlernt hatte, der überdies als konvertierter Katholik das Misstrauen der protestantischen Landstände herausforderte, verkörperte der für die Traditionen und Belange der käufmännischen und bürokratischen Eliten Württembergs wohl wenig sensible Stuttgarter Hoffaktor Joseph Oppenheimer den Typus des auf die Person des Herrschers fixierten Höflings, der nach dem Tode seines Fürsten antiabsolutistischen Widersachern zum Opfer fiel.[41]

Am bereits oben etwas ausführlicher charakterisierten Habitus des Hofmannes orientierte sich ein Hofjude, über dessen Schicksal wir bislang vor allem aus der unter dem Taufnamen Gottfried Selig[42] publizierten Konvertitenautobiographie[43] seines Sohnes informiert sind. Diese einzigartige semiautobiographische Quelle macht das Werden wie das Dilemma eines Hoffaktoren als Akkulturation idealtypisch rekonstruierbar. Dass es dem Sohn, der sich in seinen späteren Jahren publizistisch als eine Art interkultureller Vermittler zwischen Judentum und Christentum betätigte und als Lektor für Hebräisch an der Universität Leipzig wirkte, trotz einer dem Anspruch nach kompromisslosen Bindung an eine christliche Identität und an ein christliches Weltbild und trotz des massiven *habit taking* in Form einer Taufe nie gelang, sich aus seiner jüdischen Familienerziehung zu lösen, zeigt sich gerade auch an der unpolemischen Gerechtigkeit, mit der er die Geschichte seines Vaters erzählt.

Dieser – Moses Heynemann, über dessen Herkunft aus dem Westfälischen nichts weiter bekannt ist – fungierte seit etwa 1702 als Hofjude der kurzlebigen, von 1656–1746 bestehenden sächsischen Sekundogenitur Weißenfels. In seiner Jugend hatte er sich, wie so viele deutsche Juden vor und nach ihm, als Hausierer durchs Leben zu schlagen. Ein erster wirtschaftlicher Erfolg wird ihm, toposhaft als Belohnung für eine gute Tat, zuteil. Nachdem er einen christlichen Schankwirt gezwungen hatte, „zehen oder zwölf arme und ganz zerlumpte Juden mit ihren Weibern und Kindern“ (I,14) gegen einen verfallenen Kredit zu speisen, erwarb er auf einer Bauernhochzeit, wo er seine bescheidenen Waren feilbot, einen Posten Altmetall, der sich später als Silber erwies. Dieser Glücksfall ermöglichte ihm ein umfangreiches Geschäft mit dem Fürstabt von Corvey, wobei das aufgearbeitete Silber gegen Getreidelieferungen vermakelt wurde.[44] Während eines Besuchs der Leipziger Ostermesse 1701 oder 1702 erfuhr er, dass der Weißenfelser Herzog „beschlossen habe, den Sommer über einige kostbare Festins und ausgesuchte Lustbarkeiten für viele fürstliche, gräfliche und andere vornehme Herrschaften [...] zu veranstalten". (I,22) Heynemann versah sich daraufhin mit „vielen vorzüglich kostbaren Galanteriewaaren [...] nach der neuesten Mode" (I,22 f.) und reiste nach Weißenfels, wo ihm sein erlesenes Angebot einen Vorteil vor anderen Kaufleuten einbrachte. Eine ganz gewöhnliche Geschichte[45] also: Ein jüdischer Händler nimmt ein gewisses Risiko[46] auf sich, indem er ein Großteil seines Kapitals in Waren investiert, um sie auf einem zeitlich wie örtlich begrenzten Markt anzubieten.

Dieses riskant-rationale kaufmännische Kalkül führte zu einer Konfrontation mit einer anderen Kultur, der heiteren, aristokratischen Geselligkeit des Rokoko, wo hinsichtlich der Sprache wie der Verhaltensnormen andere Regeln herrschten als beispielsweise auf zeitgenössischen Bauernhochzeiten. Der Herzog erlaubte sich einen Scherz mit Heynemann, indem er seinen Gästen und seinem Gefolge in französischer Sprache vorschlug, „alle Waaren, die er in seiner Bude hat[te], aus[zu]spielen"(I,23), also zu verlosen:

> Dieser Vorschlag ward sogleich für genehm gehalten, deswegen musste ein herzogl. Bedienter alle Waaren aufschreiben und die dazu gehörigen Loose einrichten. Alles dieses geschahe, ohne dass mein Vater befragt wurde, wie hoch eins oder das andere davon zu stehen käme? [Absatz] Als der Bediente fertig war, so fing man an, die Loose zu ziehen, und jeder nahm aus der Bude, was ihm durchs Loos zugefallen war. Auf diese Weise ward die Bude gar bald ausgeleeret, wobey die ganze hohe Gesellschaft ungemein lachte und scherzte; nach geendigtem Geschäfte aber dem ausgeplünderten Kaufmann eine satyrische Verbeugung machte und sich entfernte. (I, 23 f.)

Dieses Spiel hat ein antijüdisches Klischee[47] zur Folie, die adlige Geselligkeit erwartet offensichtlich, dass der „ausgeplünderte [...]" jüdische Händler klagt und jammert. Um diese Verhaltensweise zu provozieren, bedient sie sich einer Verhaltensrollenverkehrung: Der Fürst, auf den doch dem Dogma von den Ausdrucksformen absolutistischer Herrschaft zufolge die Etikette ausgerichtet ist, fokussiert die Aufmerksamkeit seines Gefolges auf den jüdischen Händler, und er erhebt ihn damit symbolisch in die eigene Position. Heynemann verhält sich nicht entsprechend der an ihn herangetragenen Erwartungen, er ignoriert die Herausforderung eines drohenden Bankrotts und bleibt „gelassen". Leider ist aus der Quelle nicht zu entscheiden, ob Heynemann der französischen Konversation (er „überhörte") der Hofgesellschaft folgen kann oder ob er sich habituell (er „war viel zu klug") angemessen verhält: „Mein Vater blieb bey diesem Verfahren ganz gelassen, überhörte alle

Vexirereyen und bezeigte sich ganz vergnügt. Er war viel zu klug, als dass ihm nur einmal hätte eingefallen sollen, dass man ihm seine Sachen nicht gut thun würde." (I,24)[48]

Diese Gelassenheit Heynemanns korrespondiert dem hofmännischen Ideal der „Sprezzatura".[49] Indem sie den „Eindruck [erweckt], man handele ‚aus dem Augenblick'" heraus oder spontan, verweist sie auf eine in der Auseinandersetzung der Renaissance mit der antiken Rhetorik herausgebildete Verhaltensweise, die „Jacob Burckhard ‚Selbstbewusstsein' und Erving Goffman ‚Präsentation des Selbst' nannten".[50] Es ist nun kaum anzunehmen, dass Heynemann den „Cortegiano" oder die zeremonialwissenschaftlichen Abhandlungen seiner Zeit kannte, wie sie freilich in Oppenheimers Frankfurter Bibliothek standen. Eine mögliche Hypothese wäre daher anzunehmen, dass Heynemann das Ideal eines angemessenen Verhaltens, wie es in seinem Verhalten den Betteljudenfamilien gegenüber zutage tritt, seiner jüdischen Erziehung verdankte, während er die höfische Variante dieses Ideals im Umgang mit dem Fürstabt von Corvey erfasste. Jedenfalls beherrschte er die höfische „rhetorische Strategie [... als] das entscheidende Instrument in den Händen der Hofleute, mit der sie um ihren Erfolg kämpfen".[51]

In einem jedenfalls impliziten Bezug auf den „Archetext"[52] des „Cortegiano" ist sein angemessenes Verhalten erfolgreich. Heynemann gelang so die Qualifikation für ein Hofamt, für den Hoffaktor galt wie für jeden anderen Hofmann: „Ausschlaggebend für seine Professionalität als Hofmann sind demnach nicht so sehr seine persönlichen Eigenschaften, Fähigkeiten und Tugenden als vielmehr deren Vermittlungsmodus im höfischen Milieu."[53] Nachdem er ihn sechs Tage lang im Ungewissen belassen hatte, lässt ihn der Weißenfelser Herzog ausbezahlen. Verhandelt, und zwar stillschweigend verhandelt, wird also nicht nur über das ökonomische Kapital des jüdischen Händlers, sondern auch über das symbolische Kapital der Ehre[54] des Fürsten. Knapp eine Woche lang hat der Hausierer also die Möglichkeit, die Ehre des Fürsten durch Mahnungen oder Proteste in Zweifel zu ziehen. Nicht real, wohl aber spielerisch und symbolisch, behandelt der Herzog den Handelsjuden als seinesgleichen. Ausgehandelt wurde so ein spezifischer Modus der „Abhängigkeit vom Prinzen, ohne jedoch gänzlich dessen Kreatur zu sein"[55], wie dies die bürgerliche Hofkritik unterstellt. Und Heynemann spielte mit: „Dem Herzoge gefiel dieses Verhalten sehr wohl", betont der Sohn (I, 24). Der Hausierer wurde zum fürstlichen Reisebegleiter, später zum „Chatouiller" (I, 25) oder Einkäufer, der für den aus der Schatulle bestrittenen persönlichen Aufwand des Fürsten zuständig war, schließlich zum Hoffaktor ernannt.

Diese Position ermöglichte ihm, ein stattliches Haus in Weißenfels zu beziehen, vor dem aus Anlass eines antijüdischen Aufruhrs eine Wache der gewiss bescheidenen herzoglichen Garde aufzog. Es gelang ihm, den rituellen Erfordernissen gemäß, eine kleine jüdische Gemeinde anzusiedeln, die freilich nach Auflösung der Sekundogenitur umgehend wieder vertrieben wurde. Da die Fürsten in diesem Punkt oft einen anderen, großzügigeren Standpunkt vertraten als die bürgerlichen Eliten und der Mob, deutet sich die Möglichkeit an, die Frage im Diskurs des höfischen Zeremoniells zu verorten: Offensichtlich war die höfische Gesellschaft bereit, auch dem jüdischen Hofmann ein standesgemäßes Gefolge – aus jüdischen Dienern und gegebenenfalls einem Rabbiner bestehend – zuzugestehen, wie man dem Hoffaktor eine repräsentative Unterkunft ermöglichte. Heynemann jedenfalls beschäftigte zur Erziehung seiner Kinder – er hatte eine junge Frau aus der hannoverschen Hofjudendynastie Behrens/Cohen geheiratet – einen aus Polen stammenden Rabbiner, der unfreiwillig den erwähnten Aufruhr auslöste. Nichts deutet also darauf hin, dass dieser Hoffaktor bereit gewesen wäre, seine jüdische Identität zu kompromittieren. Da es indessen auch galt, die Kinder im Sinne des neuen Habitus zu erziehen, engagierte er einen Kandidaten der Theologie als Hofmeister und Lehrer für nichtjüdisches Wissen. Faktisch führte dies indessen nicht zu einer Erweiterung des höfisch-urbanen Horizontes der Kinder, sondern zu einer Erziehung zur „Blödigkeit", wie das 18. Jahrhundert die „Indisponiertheit im gesellschaftlichen Umgang"[56] noch bezeichnete. In einer Zeit der auch religiösen Empfindsamkeit musste Heynemann die Flucht und die Taufe mehrerer seiner Kinder erleben, die er trotz aller Anstrengungen nicht verhindern konnte.

Der Sohn Selig versuchte dann eine Generation später die Akkulturation in einen anderen Habitus, den des hoch spezialisierten bürgerlichen Gelehrten. In seiner individuellen Emanzipation ungleich weniger erfolgreich als der Vater, brachte er es, nach vielen Querelen, schließlich zur bescheidenen Position eines Lektors, der durch im Subskriptionsverfahren vertriebene Schriften ein Zubrot verdiente. In seiner Identität als Konvertit ständig durch eine Hermeneutik des Misstrauens bedroht, schrieb er schließlich eine längst vergessene Autobiographie, in der er seine interkulturelle Weltsicht darlegte.

Als Leitbild individueller jüdischer Emanzipation hat der höfische Habitus das Zeitalter der Hofjuden überlebt. Eine späte, überdies metaphorische Resonanz des „Cortegiano"[57] findet sich noch in Stefan Zweigs posthum 1944 erschienener Autobiographie „Die Welt von Gestern".

Anmerkungen

1 Vgl. NORBERT ELIAS, *Die höfische Gesellschaft. Untersuchungen zur Soziologie des Königtums und der höfischen Aristokratie. Mit einer Einleitung: Soziologie und Geschichtswissenschaft*, Neuwied/Berlin 1969 (Soziologische Texte 54).

2 Vgl. HELMUT KIESEL, *„Bei Hof, bei Höll". Untersuchungen zur literarischen Hofkritik von Sebastian Brant bis Friedrich Schiller*, Tübingen 1979 (Studien zur deutschen Literatur 60). Hofsatiren finden sich auch noch in der romantischen und postromantischen Literatur, etwa in Romanen E. T. A. Hoffmanns (*Kater Murr*) und K. L. Immermanns (*Die Epigonen, Münchhausen*).

3 Demnächst jedoch ROTRAUD RIES, Perspectives from below and within: Court Jews, their children, and everyday life. Vortrag auf dem Historians Workshop: Alltagsgeschichte of European Jews in the Early Modern Period, Ben Gurion University, Beersheva, 10.–12. September 2000, Druckfassung in Vorbereitung.

4 Vgl. LUDWIK FLECK, *Entstehung und Entwicklung einer wissenschaftlichen Tatsache. Einführung in die Lehre vom Denkstil und Denkkollektiv.* Mit einer Einleitung hg. von LOTHAR SCHÄFER/THOMAS SCHNELLE, Frankfurt/Main 1980 (stw 312), S. 146 ff.

5 Siehe dazu auch ROTRAUD RIES, Hofjuden: Funktionsträger des Territorialstaates und Teil der jüdischen Gesellschaft. Eine einführende Positionsbestimmung, in diesem Band.

6 Vgl. z. B. EMIL LEHMANN, Der polnische Resident Berend Lehmann, der Stammvater der israelitischen Religionsgemeinde zu Dresden. Von seinem Ur-Ur-Urenkel Emil Lehmann (1885), in: DERS., *Gesammelte Schriften*, Dresden 1909, S. 91–134.

7 Vgl. MICHAEL SCHMIDT, Selma Stern (1890–1981). Exzentrische Bahnen, in: BARBARA HAHN (Hg.), *Frauen in den Kulturwissenschaften von Lou Andreas-Salomé bis Hannah Arendt*, München 1994, S. 204–218 und S. 345–347.

8 Vgl. NATALIE ZEMON DAVIS, Riches and Dangers. Glikl bas Judah Leib on Court Jews, in: VIVIAN B. MANN/RICHARD I. COHEN (eds.), *From Court Jews to the Rothschilds. Art, Patronage, and Power, 1600–1800*, München/New York 1996, S. 45–58, hier S. 45.

9 Vgl. JONATHAN I. ISRAEL, *European Jewry in the Age of Mercantilism, 1550–1750*, Oxford 1985.

10 Vgl. HERMANN KELLENBENZ, *Sephardim an der unteren Elbe. Ihre wirtschaftliche und politische Bedeutung vom Ende des 16. bis zum Beginn des 18. Jahrhunderts*, Wiesbaden 1958.

11 Vgl. u. a. PIERRE SAVILLE, *Le Juif de cour. Histoire du résident royal Berend Lehmann (1661–1730)*, Paris 1970; BERND SCHEDLITZ, *Leffmann Behrens. Untersuchungen zum Hofjudentum im Zeitalter des Absolutismus*, Hildesheim 1984 (Quellen und Darstellungen zur Geschichte Niedersachsens 97); BARBARA GERBER, *Jud Süss. Ein Beitrag zur historischen Antisemitismus- und Rezeptionsforschung*, Hamburg 1990.

12 Vgl. KURT SCHUBERT (Hg.), *Die österreichischen Hofjuden und ihre Zeit*, Eisenstadt 1991 (Studia Judaica Austriaca 12); MANN/COHEN, *From Court Jews* (wie Anm. 8).

13 Vgl. MICHAEL P. STEINBERG (ed.), *Walter Benjamin and the Demands of History*, Ithaca/London 1996.

14 Vgl. z. B. HUBERT CH. EHALT, *Ausdrucksformen absolutistischer Herrschaft. Der Wiener Hof im 17. und 18. Jahrhundert*, Wien 1980 (Sozial- und wirtschaftshistorische Studien 14).

15 ELIAS, *Die höfische Gesellschaft* (wie Anm. 1).

16 Vgl. RUDOLF VIERHAUS, Hof und höfische Gesellschaft in Deutschland im 17. und 18. Jahrhundert, in: KLAUS BOHNEN (Hg.), *Kultur und Gesellschaft in Deutschland von der Reformation bis zur Gegenwart. Eine Vortragsreihe*, Kopenhagen/München 1981 (Text & Kontext, Sonderreihe 11), S. 36–56.

17 Vgl. Volker Bauer, *Hofökonomie. Der Diskurs über den Fürstenhof in Zeremonialwissenschaft, Hausväterliteratur und Kameralismus*, Wien/Köln/Weimar 1997 (Frühneuzeitstudien, N. F. 1); und Milos Vec, *Zeremonialwissenschaft im Fürstenstaat. Studien zur juristischen und politischen Theorie absolutistischer Herrschaftsrepräsentation*, Frankfurt a. M. 1998 (Ius Commune. Veröffentlichungen des Max-Planck-Instituts für Europäische Rechtsgeschichte, Sonderhefte. Studien zur europäischen Rechtsgeschichte 106).

18 Vgl. zum publikationshistorischen Kontext: Volker Bauer, Vom Hofkalender zum Staatshandbuch. Entwicklung einer Gattung im Deutschen Reich im 18. Jahrhundert, in: *Simpliciana. Schriften der Grimmelshausen-Gesellschaft* 16 (1994), S. 187–209.

19 Vgl. Volker Bauer, *Repertorien territorialer Amtskalender und Amtshandbücher im Alten Reich. Adreß-, Hof-, Staatskalender und Staatshandbücher des 18. Jahrhunderts. Bd. 1: Nord- und Mitteldeutschland*, Frankfurt a. M. 1997 (Ius Commune. Veröffentlichungen des Max-Planck-Instituts für Europäische Rechtsgeschichte Frankfurt a. M., Sonderhefte. Studien zur Europäischen Rechtsgeschichte 103), S. 4.

20 Samuel Pufendorf, *Die Verfassung des Deutschen Reiches*, Übersetzung, Anmerkung und Nachwort von Horst Denzer, Stuttgart 1976 (Reclams Universalbibliothek 966), S. 106.

21 Vgl. Robert John Weston Evans, The Court: A Protean Institution and an Elusive Subjekt, in: Ronald G. Asch/Adolf M. Birke (eds.), *Princes, Patronage and the Nobility. The Court at the Beginning of the Modern Age c. 1450–1650*, London 1991 (Studies of the German Historical Institute London), S. 481–491.

22 Volker Bauer, *Die höfische Gesellschaft in Deutschland von der Mitte des 17. bis zum Ausgang des 18. Jahrhunderts. Versuch einer Typologie*, Tübingen 1993 (Frühe Neuzeit 12), S. 75 f.

23 Vierhaus, Hof und höfische Gesellschaft (wie Anm. 16), S. 46.

24 Ebd.

25 Vgl. Bauer, *Die höfische Gesellschaft* (wie Anm. 22), S. 66 ff.

26 Was die Aneignung säkularenWissens und besonders Wissenschafts-Wissens durch Juden seit der Frühen Neuzeit betrifft, ist hier indessen auf die Gruppe der Ärzte hinzuweisen. Nachdem Padua für Jahrhunderte die wohl einzige für jüdische Medizinstudenten offene Universität gewesen war, lassen sich seit dem frühen 18. Jahrhundert Immatrikulationen jüdischer Studenten für das Fach Medizin an Universitäten des Alten Reiches nachweisen; vgl. Nicoline Hortzitz, Der „Judenarzt". Zur Diskriminierung eines Berufsstandes in der Frühen Neuzeit, in: *Aschkenas* 3 (1993), S. 85–112; Robert Jütte, Zur Funktion und sozialen Stellung jüdischer „gelehrter" Ärzte im spätmittelalterlichen und frühneuzeitlichen Deutschland, in: Christoph Schwinges (Hg.), *Gelehrte im Reich. Zur Sozial- und Wirkungsgeschichte akademischer Eliten des 14. bis 16. Jahrhunderts*, Berlin 1996 (Zeitschrift für historische Forschung, Beiheft 18), S. 159–179; Wolfgang Treue, Zwischen jüdischer Tradition und christlicher Universität. Die Akademisierung der jüdischen Ärzteschaft in Frankfurt am Main in der Frühen Neuzeit, in: *Würzburger medizinhistorische Forschungen* 17 (1998), S. 375–397; ders., Lebensbedingungen jüdischer Ärzte in Frankfurt am Main während des Spätmittelalters und der Frühen Neuzeit, in: Medizin in Geschichte und Gegenwart 17 (1998), S. 9–55.

27 Vgl. die anregende Studie von Robert Bonfil, Reading in the Jewish Communities of Western Europe in the Middle Ages, in: Guglielmo Cavallo/Roger Chartier (eds.), *A History of Reading in the West*, o. O. 1999, S. 149–178.

28 Selma Stern, *Jud Süss. Ein Beitrag zur deutschen und zur jüdischen Geschichte*, 2. Aufl., München 1973, S. 298 ff.

29 Manfred Hinz, *Rhetorische Strategien des Hofmannes. Studien zu den italienischen*

Hofmannstraktaten des 16. und 17. Jahrhunderts, Stuttgart 1992 (Romanistische Studien 6), S. 30.

30 Vgl. JAMES P. LANTOLF, Second culture acquisition: Cognitive considerations, in: ELI HINKEL (ed.), *Culture in Second Language Teaching and Learning*, o. O. 1999, S. 28–46.

31 Einer rezenten Studie zufolge blieben von 112 deutschen Oberstufenschülern, die drei Jahre Französisch lernten und währenddessen eine Zeit lang in Frankreich verbrachten, ein Drittel monokulturell, eine schmale Minderheit erlangte ein gewisses interkulturelles Verständnis, und nur sechs Schüler, gut fünf Prozent der untersuchten Gruppe, erreichten ein Niveau, das sich als transkulturell bezeichnen lässt und einen gewissen Grad an Identifikation mit der fremden Kultur einschließt; vgl. HAGEN KORDES, Intercultural learning at school: Limits and possibilities, in: DIETER BUTTJES/MICHAEL BYRAM (eds.), *Mediating Languages and Cultures. Towards an Intercultural Theory of Foreign Language Education*, Clevedon/Philadelphia 1991, S. 287–305, hier S. 288.

32 Vgl. MONIKA RICHARZ/REINHARD RÜRUP (Hgg.), *Jüdisches Leben auf dem Lande. Studien zur deutsch-jüdischen Geschichte*, Tübingen 1997 (Schriftenreihe wissenschaftlicher Abhandlungen des Leo-Baeck-Instituts 56), insbesondere die Beiträge der Sektion II, S. 9–78.

33 Vgl. GEORG BOLLENBECK, *Bildung und Kultur. Glanz und Elend eines deutschen Deutungsmusters*, Frankfurt a. M. 1994.

34 DAVID STEWART, *Assimilation and Acculturation in Seventeenth-Century Europe. Roussillon and France, 1659–1715*, Westport/Conn./London 1997 (Contributions to the Study of World History 57), S. XV f.

35 Da ich nicht nur als Historiker, sondern vor allem als Talmudist ein Dilettant – wohlverstanden im neuhumanistischen Sinne des Wortes – und überdies der Ansicht bin, dass Dilettantismus den Charme der Kulturwissenschaft als deren eigentliche Methode ausmacht, verweise ich für diese These auf HARRY KEMELMAN, *Eines Tages geht der Rabbi*, Reinbek 1985, S. 95. In diesem amerikanischen Kriminalroman erklärt der Rabbi, als Detektiv ein sehr erfolgreicher Dilettant, dem irischen Polizeichef: „Nein, denn es gibt ein übergeordnetes Gesetz im Talmud, *dina malchuta dina*, in dem festgelegt ist, dass die gesetzlichen Bestimmungen des Landes, in dem wir leben, Vorrang haben."

36 Vgl. REINHARD WITTMANN, Was there a Reading Revolution at the End of the Eighteenth Century? in: CAVALLO/CHARTIER (eds.), *History of Reading* (wie Anm. 27), S. 284–312.

37 PETER BURKE, *Die Geschicke des „Hofmann". Zur Wirkung eines Renaissance-Breviers über angemessenes Verhalten*, Berlin 1996, S. 54.

38 Vgl. RICHARD JENKINS, *Pierre Bourdieu*, London 1992, S. 79 f.

39 Vgl. SAVILLE, *Le Juif de Cour* (wie Anm. 11); MICHAEL SCHMIDT, Hofjude ohne Hof. Issachar Baermann-ben-Jehuda ha-Levi, sonst Berend Lehmann genannt, Hoffaktor in Halberstadt (1661–1730), in: JUTTA DICK/MARINA SASSENBERG (Hgg.), *Wegweiser durch das jüdische Sachsen-Anhalt*, Potsdam 1998 (Beiträge zur Geschichte und Kultur der Juden in Brandenburg, Mecklenburg-Vorpommern, Sachsen-Anhalt, Sachsen und Thüringen 3), S. 198–211, und den Beitrag von LUCIA RASPE in diesem Band.

40 Vgl. den Beitrag von J. FRIEDRICH BATTENBERG, Ein Hofjude im Schatten seines Vaters. Wolf Wertheimer zwischen Wittelsbach und Habsburg, in diesem Band.

41 Vgl. STERN, *Jud Süss* (wie Anm. 28); und GERBER, *Jud Süss* (wie Anm. 11).

42 *Geschichte des Lebens und der Bekehrung Gottfried Seligs, Lect. Pvbl., seiner drey Schwestern und einiger nahen Anverwandten, welche sämmtlich das Judenthum verlassen, und treue Bekenner Jesu geworden sind. Von ihm selbst aufrichtig beschrieben*, 3 Tle., Leipzig

1775–1779. Zitate daraus im laufenden Text in Klammern (Bd., S.). – Teile dieser Autobiographie sind in einer von mir angeregten Auswahledition von Konvertitenbiographien des 18. Jahrhunderts (JOHANNES GRAF (Hg.), *Judaeus conversus. Christlich-jüdische Konvertitenautobiographien des 18. Jahrhunderts*, Frankfurt a.M. u.a. 1997) abgedruckt worden, die aufgrund einer hausbackenen Kommentierung und einer teils absurd fehlerhaften Textgestaltung für wissenschaftliche Zwecke unbrauchbar und jedenfalls nicht zitierfähig ist.

43 Vgl. MICHAEL SCHMIDT, Katz und Maus. Kafkas „Kleine Fabel" und die Resonanz der frühneuzeitlichen Konvertitenbiographik, in: *German Life and Letters, New Series* 49 (1996), S. 205–216.

44 Allerdings scheint sich in den Corveyer Quellen keine Spur dieser Transaktion erhalten zu haben, vgl. JÖRG DEVENTER, *Das Abseits als sicherer Ort? Jüdische Minderheit und christliche Gesellschaft im Alten Reich am Beispiel der Fürstabtei Corvey (1550–1807)*, Paderborn 1996 (Forschungen zur Regionalgeschichte 21), S. 138. Vgl. indessen auch KARL THIELE, *Beiträge zur Geschichte der Reichsabtei Corvey und der Stadt Höxter*, Höxter 1928, S. 151 f.

45 Vgl. MICHAEL SCHMIDT, Handel und Wandel. Über jüdische Hausierer und die Verbreitung der Taschenuhr im frühen 19. Jahrhundert, in: *Zeitschrift für Volkskunde* 83 (1987), S. 229–250.

46 Zur Theorie und zur Sozialgeschichte des Risikos vgl. MARY DOUGLAS, *Risk and Blame. Essays in Cultural Theory*, London/New York 1992.

47 Vgl. die Schilderung einer sehr ähnlichen Episode bei GIACOMO CASANOVA, *Memoiren*, Bd. 4, Hamburg 1960, S. 11.

48 Statt „Vexirereyen" liest GRAF (wie Anm. 42, hier S. 155) „Verirereyen" und kommentiert die eigene Fehllesung als „nicht nachgewiesenes Nomen, wohl als Neologismus abgeleitet von „veriren"; wahrscheinlich in der Bedeutung: „Versuch, jmd. auf den falschen Weg zu führen".

49 Vgl. HINZ, *Rhetorische Strategien* (wie Anm. 29), S. 110 ff.

50 BURKE, *Geschicke des „Hofmann"* (wie Anm. 37), S. 43 f.

51 HINZ, *Rhetorische Strategien* (wie Anm. 29), S. 31.

52 Ebd., S. 30.

53 Ebd., S. 51.

54 Zum Begriff vgl. in Anlehnung an Pierre Bourdieu den Handwerkshistoriker ANDREAS GRIESSINGER, *Das symbolische Kapital der Ehre. Streikbewegungen und kollektives Bewußtsein deutscher Handwerksgesellen im 18. Jahrhundert*, Frankfurt a. M./Berlin/Wien 1981.

55 HINZ, *Rhetorische Strategien* (wie Anm. 29), S. 51.

56 Vgl. GEORG STANITZEK, *Blödigkeit. Beschreibungen des Individuums im 18. Jahrhundert*, Tübingen 1989 (Hermea, N. F. 60), S. 64.

57 STEFAN ZWEIG, *Die Welt von Gestern. Erinnerungen eines Europäers*, Frankfurt a. M./Wien 1992, S. 32.

Hofjuden und Wirtschaft im Merkantilismus

Rainer Gömmel

I.

Zu Beginn des 17. Jahrhunderts setzte sich in Europa bis Ende des 18. Jahrhunderts eine einheitliche Grundströmung der theoretischen und praktischen Wirtschaftspolitik durch, die unter dem Begriff „Merkantilismus“ zusammengefasst wird. Diese Wirtschaftspolitik stand unter einem bestimmten Leitmotiv, nämlich die wirtschaftlichen Kräfte eines Landes im Dienst einer sich ausweitenden politischen und militärischen Macht in Gestalt des absolutistischen Staates zu mobilisieren.[1] Aus der Gleichsetzung von wirtschaftlichem Reichtum mit politischer Macht und wegen der allgemein verbreiteten Annahme, dass die Reichtümer der Erde, insbesondere Rohstoffe und Edelmetallvorräte, nahezu konstant seien, ergab sich zwangsläufig eine gleiche, vorrangig wirtschaftspolitische Zielsetzung: Über den Außenhandel sollte möglichst viel Edelmetall und Geld in das eigene Land gelangen. Insofern war es notwendig, solche Wirtschaftszweige zu entwickeln, die ihre Produkte auf den internationalen Märkten mit Gewinn absetzen konnten.

Unterschiedliche Ausprägungen und Akzente der praktischen Wirtschaftspolitik ergaben sich aufgrund des jeweiligen Entwicklungsstandes sowie der Wirtschaftsstruktur eines Landes. Es ist nahe liegend, dass im 17. Jahrhundert die relativ entwickelte Wirtschaft Englands, die eher an das Spätmittelalter erinnernde Wirtschaft Frankreichs und die durch den Dreißigjährigen Krieg zerstörte deutsche Wirtschaft mit verschiedenen Maßnahmen verbessert werden sollten. So versuchte Frankreich in der Ära Ludwigs XIV. durch Jean Baptiste Colbert mithilfe extrem hoher Importzölle und einer speziellen Gewerbeförderungspolitik den gewünschten Handelsüberschuss zu erzielen,[2] während in Deutschland, je nach Ausmaß der Kriegsverluste, die Bevölkerungspolitik im Vordergrund stand, daneben die Handels- und Zollpolitik, die Ordnungs-, Gewerbe- und Geldpolitik. Auch hier hing die Rangfolge der Maßnahmen vom Zustand des jeweiligen Territoriums ab, was auch in den höchst unterschiedlichen Steuersystemen sichtbar wird.

Insofern mussten die Experten aus dem Kreis der höheren Staatsdiener für den Wiederaufbau nach dem Dreißigjährigen Krieg möglichst universelle Kenntnisse im Bereich der Wirtschaft, der Verwaltung, der Rechtsprechung sowie der Finanzen und Finanzverwaltung besitzen. Für jene Experten, zumeist Mitglieder des „Kammerkollegiums" der fürstlichen Verwaltung, wurde die Bezeichnung Kameralist populär.[3] Die bekanntesten deutschen Kameralisten waren zweifellos Johann Joachim Becher (1635–1682), der dem Bevölkerungswachstum und der Binnennachfrage („consumtio interna") höchste Priorität einräumte, sowie Johann Gottlob Heinrich von Justi (1717–1771), der erstmals die Lehren des Kameralismus systematisierte.[4] Wie geschätzt und dringend gesucht damalige Wirtschaftsexperten waren, zeigt das Beispiel des erwähnten Becher. Er diente zunächst dem Kurfürsten von Mainz, dann nacheinander dem kurpfälzischen und dem bayerischen Kurfürsten, um schließlich in Wien Kaiser Leopold I. zu beraten. In jedem Fall hatte er die vorrangige Aufgabe, durch eine Erhöhung der Staatseinnahmen den Reichtum des Staates und damit die Macht des Territorialherrn zu steigern, der sich mit dem wachsenden Dualismus zwischen Reich und Ländern immer mehr als absolutistischer Fürst fühlte.

Sichtbare Zentren dieser absolutistischen Staaten im 17. und 18. Jahrhundert waren die fürstlichen Residenzen mit ihren mehr oder weniger glanzvollen Höfen, die immer deutlicher die bisherigen reichsstädtischen Zentren ablösten.[5] Zum Kapitalbedarf aufgrund der Zerstörungen durch den Dreißigjährigen Krieg kam nun die kostspielige Manifestation barocker Lebensfülle hinzu. Die Geldbeschaffung für Residenzbauten und Hofhaltung wurde zu einem zentralen Problem. Weitere, enorme Finanzmittel wurden seit der zweiten Hälfte des 17. Jahrhunderts durch eine Reihe von Kriegen notwendig. Erwähnt seien die Eroberungskriege Ludwigs XIV. von Frankreich, der Pfälzer Krieg (1688–1697), der Spanische Erbfolgekrieg (1701–1714), der Nordische Krieg (1700–1721), die Türkenkriege seit den 1660er Jahren, der Schlesische Krieg (1740/42 und 1744/45) und der Siebenjährige Krieg (1756–1763). Dies führte in den größeren Territorien zum allmählichen Aufbau eines stehenden Heeres mit dem entsprechenden Finanzbedarf. Als Beispiel sei Brandenburg-Preußen genannt. Dort erhöhte König Friedrich Wilhelm I. (1713–1740) die Zahl seiner Soldaten von 40 000 auf 80 000 Mann, für deren Unterhaltungskosten eine relativ kleine Bevölkerung von knapp 2,5 Millionen Menschen aufkommen musste.[6] Auch wenn die Personalkosten niedrig gehalten werden konnten, weil die Regimenter nur während der Exerziermonate zusammengehalten und die übrige Zeit die Rekruten auf den Feldern ihrer Heimatdörfer eingesetzt wurden, so war ein wachsender Bedarf an Waffen, Munition und Uniformen nötig. Aus der Sicht des Fürsten spielte es zunächst keine Rolle, ob diese Erzeugnisse im Inland produziert werden konnten oder ob sie importiert werden mussten. In jedem Fall brauchte der Fürst Geld, um sie zu kaufen.

Aus all den genannten Gründen entwickelte sich vor allem nach dem Dreißigjährigen Krieg durch die politisch-ökonomischen Bedürfnisse des absolutistischen Fürstenstaates in Deutschland ein eigenartiges staatswirtschaftliches System. Um das große Ziel, nämlich die Mobilisierung der wirtschaftlichen Kräfte bei gleichzeitiger Entfaltung eines prunkvollen Hofes, zu erreichen, entwickelte der Berater des Fürsten eine speziell auf das Land zugeschnittene kameralistische Politik. Diese musste zwangsläufig auf eine Verbesserung der Einnahmen durch eine systematische Entwicklung der verschiedenen Quellen ausgerichtet sein.[7] Vor allem die langfristig angelegten Projekte, z. B. aus dem Bereich der Siedlungspolitik, der Infrastruktur, dem Heeres- und Bauwesen, waren kostspielig. Allein für die Entwässerung des Oderbruchs wendete Friedrich der Große zwischen 1746 und 1763 etwa 600 000 Taler auf, und nach dem Siebenjährigen Krieg wurde die Landgewinnung durch die Urbarmachung des Warthebruchs fortgesetzt.[8] Auch wenn es im Zuge des Ausbaus des absolutistischen Fürstenstaates gegen den Widerstand der Stände, insbesondere gegen Adel und Landadel, allmählich gelang, die traditionellen Einnahmen aus Domänen und Forsten, Zöllen und anderen indirekten Abgaben (z. B. Akzisen), direkten Steuern (insbesondere Grundsteuern) sowie staatlichen Unternehmen und Regalien deutlich zu erhöhen, so blieb vor allem kurz- und mittelfristig oft eine erhebliche Deckungslücke im Staatshaushalt. Der Fürst brauchte Kredite. Die Höhe dieser Neuverschuldung lag im Durchschnitt der Länder gegen Ende des 18. Jahrhunderts bei etwa 3 v. H. der Gesamteinnahmen.[9] Es gab aber auch Länder, in denen zeitweise bis zu 20 v. H. der jährlichen Ausgaben mithilfe von Krediten finanziert wurden, so z. B. Österreich und Bayern.[10]

Die Beschaffung der Kredite stellte vor allem unmittelbar nach dem Dreißigjährigen Krieg ein erhebliches Problem dar; denn der auch vorher noch unvollkommene Kapitalmarkt war völlig zerrüttet. Die wenigen großen kapitalkräftigen Handelsunternehmen, die gleichzeitig auch das Bankgeschäft mit Privaten und mit Vorliebe mit den Fürstenhäusern betrieben hatten, waren entweder bankrott, z. B. die Welser, oder durch Verluste stark eingeschränkt. Diese Verluste entstanden auch durch die hohe Verschuldung der einstmals reichen Gewerbe- und Handelsstädte, die entweder zu freiwilligem Kapitalverzicht oder Sondersteuern und -abgaben bei den Gläubigern führte.[11] In diese Geld- und Kapitallücke bei wachsendem Bedarf an Finanzmitteln stießen fast zwangsläufig jene Personen, die im weiteren Verlauf des 17. und im 18. Jahrhundert das Hoffaktorentum bildeten. Der Hoffaktor oder Hofjude wurde in allen großen und kleinen deutschen Territorialstaaten zu einer Institution.[12]

Die Staatswirtschaft im Zeitalter des Absolutismus wird also in hohem

Maße durch zwei Personen charakterisiert: zum einen durch den Kameralisten als Wirtschaftspolitiker und Planer, zum anderen durch den Hoffaktor als ökonomisch sinnvolle und notwendige Ergänzung, der für die ganze oder teilweise Finanzierung von Projekten zuständig war. Daneben spielte der Hoffaktor eine wichtige Rolle bei direkten Geschäften mit dem Fürsten. Insofern ist es keineswegs Zufall, als im Jahre 1660 der später berühmte Kameralist Johann Joachim Becher in der zerstörten Kurpfalz Berater des Kurfürsten Karl Ludwig wurde und gleichzeitig der spätere kaiserliche Oberhoffaktor Samuel Oppenheimer als Heeres- und Hoflieferant die Versorgung der Hofhaltung und des neu aufzubauenden Heeres organisieren sollte. Bezeichnenderweise war Becher von 1670–1676 Kommerzialrat und Berater des Kaisers Leopold I. in Wien, gefolgt von seinem Schwager Philipp Wilhelm von Hornigk, einem ebenfalls bekannten Kameralisten, während Samuel Oppenheimer von 1673–1679 als kaiserlicher Heereslieferant fungierte und ab 1679 in Wien als Hoffaktor wirkte.[13] Insofern stellt sich die Frage, warum Hoffaktor und Hofjude mit Recht als Synonym betrachtet werden.

II.

Wie bereits erwähnt, waren die traditionellen früheren Finanziers durch den Dreißigjährigen Krieg weder in der Lage noch bereit, Kredit an die Fürsten zu geben. Diese Möglichkeit eröffnete sich zunächst und vor allem den bisherigen Heereslieferanten. Herausragendes Beispiel ist Wallensteins jüdischer Hoffaktor Jakob Bassevi, der dessen zweites Generalat finanzierte.[14] Damalige und spätere jüdische Heereslieferanten wuchsen immer mehr im Verlauf des 17. und 18. Jahrhunderts in die Rolle des Hofjuden, wozu auch der erwähnte Samuel Oppenheimer ein anschauliches Beispiel liefert.

Ebenso nahe liegend war es, dass vermögende jüdische Händler und Geldverleiher in einem oftmals eher feindlichen Umfeld das Schicksal ihres Geld- und Handelsgeschäftes an den fürstlichen Finanzbedarf banden.[15] Eine von Anfang an besonders enge Beziehung ergab sich zwischen den jüdischen Hauptlieferanten von Silber an die deutschen Münzstätten und deren Landesherrn, insbesondere dann, wenn durch Münzmanipulationen geringerwertige Münzen ausgegeben wurden und der Herrscher sich auf diese Weise bequem Geldmittel beschaffte, der Zorn der getäuschten Bevölkerung aber gleichwohl auf den Münzentrepreneur, den „Münzjuden“, gerichtet wurde. Ein christlicher Unternehmer hatte viel leichter die Möglichkeit, solche Geschäfte abzulehnen. Münzlieferungen gehörten damals sicher zu den gewinnbringendsten, gleichzeitig aber auch in jeder Hinsicht risikoreichsten Unternehmungen, zu denen fast ausschließlich Juden bereit waren.[16]

Aus den vielen kleineren und größeren Lieferungen jüdischer Händler von Tieren, Nahrungs- und Genussmitteln, Schmuck, Pelzen und anderen Luxusartikeln für die wachsende Nachfrage an barocken Höfen entwickelte sich zwangsläufig ein enges persönliches Verhältnis zum Herrscher und zu hohen Beamten sowie eine ständige Ausdehnung des finanziellen Engagements für ganz unterschiedliche Zwecke: Sakral- und Profanbauten, Fürstenhochzeiten, Bestechungsgelder für die Rangerhöhung von Fürsten, die Abwicklung von Subsidiengeschäften usw. Ein anschauliches Beispiel für Beginn und Ablauf von Kreditgeschäften liefert die Finanzierung der 1722 erfolgten Vermählung des Sohnes (Karl Albrecht) des bayerischen Kurfürsten Max Emanuel mit der Kaisertochter Maria Amalia. Der Kurfürst verhandelte zunächst mit den christlichen Bankiers Ruffini in München sowie Rauner und Münch in Augsburg.[17] Deren Gelder reichten jedoch nicht für den auf 800 000 Gulden geschätzten Bedarf, sodass zunächst mit dem Wiener Juden Marx Schlesinger und schließlich mit dem Sulzbacher Hoffaktor Noe Samuel Isaak verhandelt wurde. Die Schuldurkunde lautete über 950 000 Gulden, wobei Isaak 650 000 Gulden in bar, für 150 000 Gulden Juwelen und für weitere 150 000 Gulden Waren der Hofkämmerei und -schneiderei sowie der Tapeziererei lieferte. Da die bayerischen Staatsschulden bereits weit über 20 Millionen Gulden lagen, verpfändete der Kurfürst sämtliche Einkünfte und Gefälle, die Isaak im Falle einer Vertragsverletzung durch den Hof nach eigenem Ermessen einziehen und behalten durfte. In den folgenden zwei Jahren folgten weitere Kredite Isaaks, u. a. an den Kurfürsten persönlich über 70 000 Gulden, an den Kronprinzen über 17 000 Gulden, an das Hofzahlamt über 150 000 Gulden, an die Salzämter Stadtamhof (bei Regensburg) und Ingolstadt über insgesamt 100 000 Gulden. Bis 1727 waren mit Zinsen und sonstigen Kosten über 3,3 Millionen Gulden an Schulden des Staates aufgelaufen, wobei ein erheblicher Teil von Isaak an andere Hoffaktoren, u. a. an Wolf Wertheimer, abgetreten worden war.[18] Im späteren langwierigen Rechtsstreit zwischen Staat und Hoffaktor erkannte 1728 die staatliche Schuldenwerkskommission nur knapp 1 Million Gulden an, und 1762 (!) forderte der Fiskus von den Erben Isaaks fast 3,5 Millionen Gulden „Rückzahlung". Am Ende erhielten die Erben nichts, und der Staat verzichtete auf seine „Forderungen".[19]

Aus diesem und anderen Beispielen wird auch verständlich, dass aufgrund enger und vielfältiger Geschäftsbeziehungen zwischen Fürst und Hoffaktor Letzterer häufig einen festen Platz am Hof einnahm, er also fester Bestandteil der Hofämter und des Hofpersonals wurde.[20] Dieser „immediate", persönliche Kontakt zum Fürsten ließ den Hofjuden oft zum gefragten, vertrauten

Berater werden, gewissermaßen zu einem weiteren Kameralisten und im Falle von Joseph Süß Oppenheimer am Hof des Herzogs Karl Alexander von Württemberg zum obersten wirtschaftspolitischen Berater. Da er mit seiner Reformpolitik viele Interessen der Stände tangierte, wurde er unmittelbar nach dem Tod des Herzogs auf Betreiben seiner Feinde verhaftet und öffentlich hingerichtet. Weiterhin wird klar, dass wegen der oft außerordentlich hohen Kreditbeträge die Kapitalkraft des einzelnen Hofjuden überfordert war bzw. er sich selbst refinanzieren oder nach heutigem Verständnis ein Konsortium bilden musste. Das war meistens, nicht zuletzt wegen weit verzweigter verwandtschaftlicher Beziehungen zwischen Hofjuden,[21] wenig problematisch. Diese Art von länderübergreifendem Netzwerk würde heute mit dem Begriff „Globalisierung" als Ausdruck eines wachsenden Kapitalmarktes bedacht.

Damit soll abschließend die grundsätzliche, volkswirtschaftliche Bedeutung des Hofjuden gewürdigt werden. Zunächst ist sein Entstehen in der „klassischen" Form des 17. und 18. Jahrhunderts ohne die Herausbildung des ganz spezifischen deutschen absolutistischen Fürstenstaates nicht vorstellbar. Dieser Staat war wiederum relativ souveräner Bestandteil des Heiligen Römischen Reiches Deutscher Nation, das Ende des 18. Jahrhunderts aus 314 Staaten bzw. Territorien bestand. Und jedes Territorium hatte entweder einen oder mehrere eigene Hofjuden oder hatte zumindest geschäftliche Beziehungen zu andernorts residierenden. Die Geld- und Kapitalnachfrage des Staates, lange Zeit einschließlich des fürstlichen Hofes, fand, neben christlichen Bankiers, vor allem bei den kapitalkräftigeren Hofjuden ein ausreichendes Angebot. Indiz dafür ist ein während des 18. Jahrhunderts langfristig relativ konstanter Zinssatz von 5 % und 4 % für Wechselkredite. Auffällige Schwankungen nach oben gab es vor allem in Kriegszeiten.[22] Die politische Struktur des Deutschen Reiches und die daraus resultierende Wirtschaftspolitik haben sich im 17. und 18. Jahrhundert mit der Institution des Hofjuden ihr adäquates Finanzierungsinstrument geschaffen.

Anmerkungen

1 Vgl. Fritz Blaich, *Die Epoche des Merkantilismus*, Wiesbaden 1973, S. 80.

2 Vgl. Rainer Gömmel/Rainer Klump, *Merkantilisten und Physiokraten in Frankreich*, Darmstadt 1994, S. 54 f. – Colbert gestaltete die französische Wirtschafts- und Finanzpolitik maßgeblich von 1661–1683.

3 Vgl. Rainer Gömmel, *Die Entwicklung der Wirtschaft im Zeitalter des Merkantilismus 1620–1800*, München 1998 (Enzyklopädie deutscher Geschichte 46), S. 42.

4 Vgl. Michael North, Von der atlantischen Handelsexpansion bis zu den Agrarrefor-

men (1450–1815), in: DERS. (Hg.), *Deutsche Wirtschaftsgeschichte. Ein Jahrtausend im Überblick*, München 2000, S. 107–181, hier S. 176.

5 Vgl. HERMANN KELLENBENZ, *Deutsche Wirtschaftsgeschichte, Bd. I: Von den Anfängen bis zum Ende des 18. Jahrhunderts*, München 1977, S. 297.

6 BLAICH, *Merkantilismus* (wie Anm. 1), S. 170.

7 Vgl. FRIEDRICH-WILHELM HENNING, *Handbuch der Wirtschafts- und Sozialgeschichte Deutschlands, Band 1: Deutsche Wirtschafts- und Sozialgeschichte im Mittelalter und in der frühen Neuzeit*, Paderborn u. a. 1991, S. 905.

8 Vgl. BLAICH, *Merkantilismus* (wie Anm. 1), S. 172.

9 Ausführlich dazu KARL BORCHARD, *Staatsverbrauch und öffentliche Investitionen in Deutschland 1780–1850*, Göttingen 1968, S. 17 ff.

10 Vgl. FRIEDRICH-WILHELM HENNING, *Das vorindustrielle Deutschland 800 bis 1800*, Paderborn 1974, S. 281.

11 Vgl. GÖMMEL, *Merkantilismus* (wie Anm. 3), S. 11 f.

12 Vgl. MORDECHAI BREUER, Frühe Neuzeit und Beginn der Moderne, in: DERS./ MICHAEL GRAETZ, *Deutsch-Jüdische Geschichte in der Neuzeit*, hg. von MICHAEL A. MEYER, Bd. 1: *Tradition und Aufklärung 1600–1780*, München 1996, S. 85–247, hier S. 107.

13 Vgl. FRIEDRICH BATTENBERG, Die jüdische Wirtschaftselite der Hoffaktoren und Residenten im Zeitalter des Merkantilismus – ein europaweites System?, in: *Aschkenas* 9 (1999), S. 31–66, hier S. 57 f.

14 Vgl. HEINRICH SCHNEE, *Das Hoffaktorentum in der deutschen Geschichte*, Göttingen 1960 (Historisch-politische Hefte der Ranke-Gesellschaft 14), S. 5.

15 Vgl. NORTH, Handelsexpansion (wie Anm. 4), S. 161.

16 Vgl. BREUER, Frühe Neuzeit (wie Anm. 12), S. 112.

17 Zu Rauner und Münch vgl. PETER FASSL, *Konfession, Wirtschaft und Politik. Von der Reichsstadt zur Industriestadt, Augsburg 1750–1850*, Sigmaringen 1988 (Abhandlungen zur Geschichte der Stadt Augsburg), S. 34 f.

18 Eine ausführliche Darstellung zu diesen Geschäften bei HEINRICH SCHNEE, *Die Hoffinanz und der moderne Staat. Geschichte und System der Hoffaktoren an deutschen Fürstenhöfen im Zeitalter des Absolutismus*, Bd. 4: *Hoffaktoren an süddeutschen Fürstenhöfen nebst Studien zur Geschichte des Hoffaktorentums in Deutschland*, Berlin 1963, S. 188 ff.

19 Vgl. ebd., S. 190.

20 Ausführlich dazu RAINER A. MÜLLER, *Der Fürstenhof in der Frühen Neuzeit*, München 1995 (Enzyklopädie deutscher Geschichte 33), S. 19–24.

21 Vgl. z. B. BREUER, Frühe Neuzeit (wie Anm. 12), S. 112 f.

22 Vgl. KELLENBENZ, *Wirtschaftsgeschichte* (wie Anm. 5), S. 367.

II. FUNKTION UND WANDEL DER JÜDISCHEN WIRTSCHAFTSELITE IN ZENTRALEUROPÄISCHEN METROPOLEN

Einführung

Wilhelm Kreutz

Die folgenden Beiträge zu den in Diensten spanischer oder portugiesischer Monarchen stehenden sefardischen Residenten Amsterdams (Hiltrud Wallenborn), den jüdischen Wechselmaklern Frankfurts am Main (Gabriela Schlick), zum ökonomischen Verhalten der Berliner Hofjudenfamilie Itzig (Thekla Keuck) sowie der Rolle der Wiener Hofbankiers, allen voran der Familie Arnstein-Eskeles, bei der ökonomischen Modernisierung der Habsburgermonarchie (Natalie Burkhardt) umspannen einen Zeitraum von nahezu zweihundert Jahren. Sie analysieren die Funktion der jüdischen Wirtschaftselite so unterschiedlicher Städte wie des niederländischen Handelszentrums, des reichsstädtischen Messe- und Börsenplatzes sowie der Residenzen Preußens und Österreichs, deren ökonomische Entwicklung bis zum Ende des 18. Jahrhunderts hinter ihrer politischen Bedeutung zurückblieb. Wenngleich die historischen, sozialen und wirtschaftlichen Rahmenbedingungen damit gravierende Unterschiede aufweisen, lassen die Motive für die Ernennung einzelner kapitalkräftiger Juden zu Residenten, Wechselmaklern oder Hoffaktoren doch zugleich so deutliche Gemeinsamkeiten erkennen, dass über die Besonderheiten des jeweiligen geschichtlichen Einzelfalls hinaus allgemeinere Aussagen zu ihrer Funktion im politischen und wirtschaftlichen System des ausgehenden 17. und 18. Jahrhunderts möglich werden.

Alle Beiträge unterstreichen die strukturellen Defizite des frühneuzeitlichen Herrschaftsapparats und der frühneuzeitlichen Diplomatie, die unzureichenden Kommunikationsstrukturen, die Rückständigkeit des europäischen Bankwesens sowie nicht zuletzt die in Ausnahme- und Kriegszeiten in die Höhe schnellenden Kreditbedürfnisse von absolutistischen Herrschern oder Stadtobrigkeiten, die sie dazu bewogen, ihre antijüdischen Ressentiments auf dem Altar der ökonomischen Nützlichkeitserwägungen zu opfern. So erfolgte die – sowohl in den iberischen Monarchien als auch in der sefardischen Gemeinde Amsterdams keineswegs unumstrittene – Privilegierung der aus dem spanisch-portugiesischen Machtbereich geflohenen und offen zum Judentum zurückgekehrten jüdischen Großkaufleute zu Residenten beider Staaten vor dem Hintergrund der konfliktreichen Auseinandersetzungen zwischen Spanien und Portugal auf der einen sowie den Niederlanden auf der anderen Seite. Den Residenten mit ihren europaweiten Familien- und Handelsbeziehungen oblag nicht allein der regelmäßige Bargeldtransfer zwischen der Iberischen Halbinsel und Nordwesteuropa, die Finanzierung der Diplomaten oder die Bereitstellung von Krediten für Waffeneinkäufe, sondern sie fungierten in Zeiten, in denen die offiziellen diplomatischen Kontakte ruhten, zugleich als Handlungsbevollmächtigte sowie als außen- und wirtschaftspolitische Informanten der portugiesischen wie der spanischen Krone. In ähnlicher Weise berief der Rat Frankfurts den ersten jüdischen Wechselmakler, Salomon Säckel, 1742 während des kriegsbedingten Aufenthalts von Kaiser Karl VII. in der Reichsstadt, denn die damit verbundenen außergewöhnlichen politischen und finanziellen Belastungen zwangen die Stadtobrigkeit zur Mobilisierung aller finanziellen Ressourcen. Hinzu kam, dass der kontinuierliche Niedergang der Messen eine Verstärkung der Börsenaktivitäten erforderte, sollte Frankfurt nicht noch weiter hinter Finanzzentren wie Amsterdam oder Hamburg zurückfallen, zu deren Börsen längst jüdische Kaufleute Zugang hatten.

In diesem Zusammenhang erübrigt es sich, die wirtschaftliche Rückständigkeit und das unterentwickelte Finanz- beziehungsweise Bankwesen der preußischen oder der habsburgischen Monarchie en détail zu analysieren, die in Berlin wie in Wien dem kleinen Kreis einzelner Hoffaktorenfamilien den Weg ebneten. Ebenso wenig muss in diesem Kontext an die seit dem preußischen Überfall auf Schlesien nicht mehr abreißende Kette von Kriegen, die schließlich in den nahezu zweieinhalb Jahrzehnte andauernden Revolutions- und Expansionskriegen Napoleons ihren traurigen Höhepunkt fand, erinnert werden, die den ökonomischen Aufstieg der europäischen Hofjudenfamilien beschleunigte. Konnten etwa die Mitglieder der Familie Itzig als preußische Heereslieferanten, Münzpächter und Finanziers des Siebenjährigen Kriegs reüssieren, erwiesen sich die Arnsteins bei der Finanzierung des Tiroler Aufstands, dem Transfer englischer Subsidiengelder oder der österreichischen Kontributionszahlungen an Frankreich als unverzichtbare Stützen der habsburgischen Monarchie.

Bemerkenswerter als diese von der Forschung längst herausgestellten wirtschaftlichen und außenpolitischen Voraussetzungen für Hofjudenkarrieren im Zeitalter von Absolutismus und Merkantilismus ist die – gerade im Vergleich mit den sefardischen Residenten Amsterdams oder den jüdischen Wechselmaklern Frankfurts – ins Auge fallende große persönliche Abhängigkeit der Hofjuden vom Wohlwollen der einzelnen Monarchen, die das Beispiel der Familie Itzig ebenso exemplarisch widerspiegelt wie das unkalkulierbare Risiko der Kriegslieferanten, das neben exorbitanten Gewinnen auch dramatische Bankrotte einschloss. Die spanisch-portugiesischen Residenten waren demgegenüber als Einwohner Amsterdams dem Herrschaftsbereich der iberischen Herrscher entzogen, sie agierten als ‚ausländische' Handlungsbevollmächtigte und waren zudem als Großhandelskaufleute – auch ohne die zweifellos prestigeträchtige und gewinnbringende Nobilitierung – ökonomisch gesichert. Ebenso stellte die Aufnahme in den Kreis der Frankfurter Wechselmakler nicht nur die Privilegierung wirtschaftlich Erfolgreicher dar, sondern sie bedeutete zugleich die Aufnahme in einen Stand ‚bürgerlicher Nahrung', der sich wesentlich vom unsicheren sozialen Status der Hofjuden unterschied.

Vor diesem Hintergrund kommt – neben dem Bemühen um rechtliche Garantien für die eigene Familie – dem Engagement von Hofjudenfamilien bei der Finanzierung und Leitung erster Manufakturen besondere Bedeutung zu, weil es sie aus dem Abhängigkeitsverhältnis von Monarch und Hof löste und sie in die städtische oder territoriale Wirtschaft einband, wie die Beispiele der preußischen und der österreichischen Metropole belegen. Denn ihr im Laufe der zweiten Hälfte des 18. Jahrhunderts und zu Beginn des 19. Jahrhunderts zunehmendes wirtschaftliches Gewicht, vor allem die rapide Zunahme von Gewerben, weist beiden Hauptstadtregionen für die ökonomische Gesamtentwicklung jener Epoche Modellcharakter zu. Gewiss, das gewerbliche Engagement sowohl der Itzigs als auch des Bankhauses Arnstein und Eskeles verblieb zunächst im engen Rahmen sowohl ihrer exklusiven Beziehungen zu Monarch und Hofgesellschaft als auch der merkantilistischen Wirtschaftsordnung. Doch neben dem Beitrag zur ökonomischen Modernisierung der hohenzollerischen wie der habsburgischen Monarchie, den dieser schrittweise Übergang von der Finanzierung des Staatskredits zu jenem der heimischen Wirtschaft markierte, darf die Erweiterung des persönlichen wie wirtschaftlichen Aktionsradius der vormaligen Hoffaktorenfamilien keineswegs unterschätzt werden. Rechnet man hinzu, dass neben den protoindustriellen Aktivitäten die am Ende der Napoleonischen Ära nicht allein an den Börsen Frankfurts, Berlins oder Wiens gehandelten Staatsanleihen den vormaligen Hoffaktoren neue wirtschaftliche Entfaltungsmöglichkeiten erschlossen, gewinnt der Wandel ihrer ökonomischen Funktion Kontur. All dies ermöglichte ihren Aufstieg zu europaweit agierenden Bankiers mit Industriebeteiligung und sicherte ihren Platz im sich entfaltenden kapitalistischen Wirtschaftssystem.

Da die folgenden Ausführungen die ökonomischen Funktionen und ihren Wandel in den Mittelpunkt ihrer Argumentation rücken, können sie die Frage nach der Bedeutung der Residenten oder Hoffaktoren für den Emanzipationsprozess der zentraleuropäischen Juden oder jene nach den Gemeinsamkeiten des kulturellen Selbstverständnisses der jüdischen Wirtschaftselite nur ansatzweise beantworten, zumal der Zeitraum von rund zweihundert Jahren, den die vorgestellten Fallbeispiele thematisieren, generelle Aussagen zu Verhaltensmustern oder Lebensstilen kaum zulässt. Festzuhalten ist zum einen indes, dass das Engagement der Amsterdamer Sefarden – wie Hiltrud Wallenborn prägnant herausarbeitet – gerade ihrer Anhänglichkeit an die ‚alte Heimat' entsprang, die sie hatten verlassen müssen, und Hand in Hand ging mit einem ‚rückwärts gewandten', iberisch geprägten kulturellen Selbstverständnis, das die Residenten von vielen ihrer Amsterdamer Glaubensgenossen trennte. Demgegenüber zeichneten sich zum anderen die Angehörigen der um die Wende vom 18. zum 19. Jahrhundert lebenden Generation der vorgestellten Wiener und Berliner Familien als Vorreiter des Akkulturationsprozesses aus. Doch dies darf keinesfalls überbewertet werden, kam der kleinen Gemeinde Wiens doch ebenso wie jener Berlins im gesamten Akkulturationsprozess eine Ausnahmestellung zu. Deshalb darf auch der von Thekla Keuck skizzierte Weg der Nachfahren der Familie Itzig ins preußisch-deutsche Kulturbürgertum – trotz seines exemplarischen Charakters – nicht vorschnell generalisiert werden. Nicht zu übersehen ist allerdings, dass ungeachtet aller persönlichen Privilegien die Diskrepanz zwischen ökonomischer Stellung und sozialem Status der Hofjuden bis ins frühe 19. Jahrhundert beträchtlich blieb und trotz des Engagements der Angehörigen der Wirtschaftselite sich die rechtlichen Ausnahmebedingungen für die jüdische Minderheit in den vorgestellten deutschen Metropolen oder Territorien bis zum Ende des Alten Reiches nur schrittweise oder – wie in Preußen und Frankfurt – gar nicht verbesserten. Hier leiteten erst die vom revolutionären Frankreich ausgehenden Impulse und besonders die Expansion des Napoleonischen Kaiserreichs einen – vorübergehenden – Wandel ein, der Jahrzehnte später in die vollständige Emanzipation der preußisch-deutschen und österreichischen Juden mündete.

Wiener Hofbankiers und ökonomische Modernisierung

Natalie Burkhardt

> Nun gestehen Sie, Herr Baron, daß Sie dem Hause Thomson & French mißtrauen! [...] Aber auch diesen Fall habe ich vorgesehen und, obgleich nicht sehr geschäftstüchtig, habe ich doch meine Vorsichtsmaßregeln getroffen. Hier habe ich noch zwei andere [Empfehlungsbriefe], ähnlich dem, den Sie erhalten haben; der eine ist von Arnstein und Eskeles in Wien auf Baron von Rothschild, der andere von Baring in London auf Lafitte.[1]

Als Alexandré Dumas 1846 den Roman „Der Graf von Monte Christo" schrieb, konnte er davon ausgehen, dass seine Leser das ehemals jüdische Bankhaus Arnstein & Eskeles kannten, und seinem Helden die zitierten Worte in den Mund legen. Es war zu dieser Zeit eines der größten und ältesten Bankhäuser in Wien. Am Beispiel dieses Bankhauses Arnstein & Eskeles soll im Folgenden in einem Überblick der Weg der Wiener Hofbankiers von der Position der Hofjuden zum modernen Handels- und Bankhaus mit Industriebeteiligungen aufgezeigt und der Frage nachgegangen werden, ob diese Entwicklung als Modernisierung im Sinne Hans-Ulrich Wehlers bezeichnet werden kann: „... unter Modernisierung [wird] in der Wirtschaft die Durchsetzung des Kapitalismus bis zum Industriekapitalismus verstanden; im Hinblick auf die Sozialschichtung die damit zusammenhängende Durchsetzung marktbedingter Klassen bis hin zu großen, politisch handlungsfähigen sozialen Klassen; im Hinblick auf die politische Herrschaft die Durchsetzung des bürokratischen Anstaltsstaates."[2]

Der Untersuchung liegt die Arbeitsthese zugrunde, dass die jüdischen (Hof-)Bankiers im Zeitraum von 1748 bis 1848 einem Prozess der Modernisierung ihrer Lebensbedingungen unterworfen waren, der durch gesetzliche und wirtschaftliche Veränderungen angestoßen wurde und dessen Auswirkungen ihre wirtschaftlichen und gesellschaftlichen Grundlagen erfassten.

Wien und Österreich während des Zeitraumes 1740–1820

Zwischen 1740 und 1848 entwickelten sich besonders die österreichischen Erblande von einem Agrar- zu einem zumindest protoindustriellen Staat mit den typischen Kennzeichen der Steigerung der nichtagrarischen Produktion, dem Anstieg der nichtagrarischen Bevölkerung und der Zunahme der Nebenbeschäftigung von landwirtschaftlichen Arbeitskräften außerhalb des Agrarsektors.[3] Die Stadt Wien und ihre Umgebung entwickelte sich sogar zu einem industriellen Zentrum, vor allem der Textilindustrie. Dies war das Ergebnis einer systematischen Förderung der Industrie durch den Staat, welche vor allem durch den Abbau von Privilegien und die Liberalisierung der Gesetze und Vorschriften bestimmt wurde. Von beiden Tendenzen profitierten die Juden in starkem Maße, da ihre Tätigkeiten vor 1740 u. a. von den Zunftrechten beschränkt worden waren. Gleichzeitig fand im politischen Bereich eine Entwicklung statt, welche die Rationalisierung, Zentralisierung und Bürokratisierung des Staates zum Ziel hatte. Im Rahmen dieser Tendenzen ist der Abbau von Sonderrechten zu sehen, worunter auch die Sonderstellung der Juden fiel.

Die Zeit Maria Theresias

Als Maria Theresia 1740 den Thron des Habsburgerreiches bestieg, übernahm sie ein Reich, das kurz vor dem finanziellen Kollaps stand und von Preußen bedroht wurde. Spätestens der Erbfolgekrieg gegen Preußen zeigte die eklatanten Schwächen des Habsburgerreiches, wie den Verwaltungswirrwarr und das altmodische Heer. Die beginnenden Reformen hatten das Ziel, das bisher zersplitterte Habsburgerreich in einen zentralistischen Staat zu verwandeln.[4] Sie betrafen die Verwaltung, das Heer, das Steuerwesen und die Wirtschaft. Im Bereich der Verwaltung wurden die Behörden zu Ländergruppen zusammengeführt und die Schwächung der Landstände durch eine Ausweitung der Verwaltung auf mittlerer und unterer Ebene erreicht.[5] Maria Theresias Anstrengungen im wirtschaftlichen Bereich konzentrierten sich mithilfe des Staatskommissars von Haugnitz und ihres Mannes Franz Stephan auf die Sanierung der durch die verschiedenen Kriege der Habsburger zerrütteten Staatsfinanzen. Die Kriege gegen Preußen verzögerten ein Herangehen an die finanziellen Probleme und verschärften sie gleichzeitig durch die erneuten Kriegsbeiträge. Bis 1775 gelang es jedoch der Monarchin, Ordnung im Schuldenwesen zu schaffen,[6] die Kommerzialverwaltung z. B. durch die Gründung des Kommerzialdirectoriums neu zu organisieren[7] und – ganz im Sinne der merkantilistischen Wirtschaftstheorie – neu gegründete Unternehmen, z. B. durch die Bereitstellung von Grund und die Erteilung von Privilegien, zu fördern. Seit den sechziger Jahren verfolgte die Monarchin – wahrscheinlich unter dem Einfluss ihres Sohnes Joseph – dabei die Linie der Physiokraten, die einem freien Markt den Vorzug gaben. Dieser Wechsel wurde gefördert durch den Verlust des industrialisierten Schlesien am Ende des Erbfolgekrieges.[8] Trotz dieser in der Tradition der aufgeklärten Monarchen stehenden Reformen konnte sich die tief gläubige Monarchin nicht dazu überwinden, den religiösen Minderheiten, und hier besonders den Juden, gesetzlich einen weiteren Spielraum einzuräumen. Ihre Politik wurde jedoch z. T. konterkariert durch die liberalere Haltung der Beamten der Hofkammer, während zugleich verstärkte Kontakte zwischen den Religionen auf eine beginnende Säkularisierung der Gesellschaft hinweisen.

Bei Regierungsantritt Maria Theresias waren die meisten Juden in Wien als klassische Hofjuden tätig und beileibe keine ‚Durchschnittsjuden', sondern überwiegend sehr wohlhabend.[9] Der Titel des Hofjuden/Hofagenten blieb bis 1780 wegen der damit verbundenen Privilegien – etwa der Erlaubnis, Waffen[10] zu tragen – sehr wichtig und wurde immer wieder erneuert. Ab 1780 wurde der Titel nur noch an auswärtige Juden vergeben, da für die Wiener Juden durch das Toleranzedikt die Notwendigkeit der Hofjudentitel entfiel. Die Hofjuden belieferten den Hof mit Luxuswaren, tätigten Heereslieferungen,[11] vermittelten Kredite und übernahmen u. a. auch die Tabakpachtung.[12] Die erste Judenordnung von Maria Theresia stammte aus dem Jahre 1753 und hatte den vorherigen Zustand festgeschrieben, nach dem Juden nur mit Juwelen, Wechseln und Geld handeln durften; ausgenommen hiervon waren die Hoflieferungen.[13] Dass sich die Juden an diese Ordnung nicht immer hielten, zeigen Einzelverordnungen der folgenden Jahre wie 1754 das Verbot des Schafwollhandels und 1759 das Verbot des Reliquienhandels.[14]

Der schon vorgestellte Wechsel der Wirtschaftspolitik in der Regierung wirkte sich auch auf die Position der Juden aus. 1755 begann die interne Diskussion in der Hofkammer, ob den Juden der Handel mit inländischen Produkten erlaubt werden sollte;[15] 1763 erging schließlich ein entsprechendes Gesetz.[16] Einen Rückschlag, wenn auch nur auf dem Papier, stellte die zweite Judenordnung unter Maria Theresia von 1764 dar: Die wirtschaftlichen Tätigkeiten der Juden wurden wieder auf den Handel mit Geld, Wechseln und Juwelen beschränkt und alte Vorschriften wie die Kleiderordnungen erneuert. Die rechtliche Situation der Juden besserte sich jedoch, da ihnen nun ein dauerhafter Aufenthalt gegen einen entsprechenden Geldbetrag zugebilligt wurde.[17] Weiterhin vertrat die Hofkammer die liberalere Linie. So mussten die Juden nur noch die einfache Schuldensteuer zahlen.[18] Ab 1765 durften sie mit speziellen ausländischen Waren, u. a. Zucker, Kaffee und Farbstoffen, handeln.[19] 1770 wurde den Juden zunächst der Besuch der Wiener Jahrmärkte durch die Hofkammer erlaubt, 1771 aber wieder durch die Hofkanzlei verboten.[20] Der Anstoß zu solchen Verboten ging oftmals von nichtjüdischen Konkurrenten aus, welche den Juden unlautere, weil effektivere und vielleicht ‚modernere' Geschäftsmethoden vorwarfen: So kauften sie die Schafwolle direkt bei den Händlern, um sie mit größerem Gewinn in Wien weiterzuverkaufen,[21] ebenso kannten sie schon eine Art von Werbung, welche darin bestand, potenzielle Kunden direkt anzusprechen.

Der Wunsch der Juden nach dem Recht auf Bezahlung in Obligationen (Bankozettel) weist auf ein weiteres Betätigungsfeld hin: den Obligationshandel.[22] Als 1771 die Wiener Börse gegründet wurde, gehörten die Juden von der ersten Stunde an zu ihren Teilnehmern. Die schon vorher im Illegalen getätigten Geschäfte erhielten eine offizielle Plattform, auf der die Juden ohne Einschränkung ihre Geschäfte abschließen konnten. Insgesamt erweiterten sich die Tätigkeitsfelder der Juden etwas, und ihre Position wurde sicherer. Ihr Hauptbetätigungsfeld blieb aber, so belegen es die Nachlässe, der Handel mit Staatspapieren und Juwelen und die Hof- und Heereslieferungen.

Die Juden Wiens hatten schon vor dem Regierungsantritt von Maria Theresia Lebensformen ihrer christlichen Umwelt angenommen.[23] Diese allerdings nur äußerliche Angleichung in Kleidung und Lebensstil war den Wiener Hofjuden so wichtig, dass sie sie in ihren Patenten bestätigen ließen.[24] Doch nicht nur in ihrer Kleidung passten sich die Juden ihrer nichtjüdischen Umwelt an, wie ein Zitat auf dem Jahre 1778 zeigt:

> [...] so wird es offenbar außer Zweifel gesetzet, daß jüdische Purschen wieder alle sonstige Gewohnheit in bordirter und sonsten von den Christen gar nicht unterscheidende Kleidung, [...] mit Haarzopf und Haarbeidel und einige sogar mit Seitengewehr öffentlich herumgehen, auch in einem gantz unkennbaren Aufzug meisten mit und unter christlichen jungen Leuten auf öfentlichen Orten in Gesellschaft und Umgang sich befinden.[25]

Das Zitat macht deutlich, dass sich das Selbstbewusstsein der jüdischen Elite gesteigert hatte. Dies wird deutlich an Symbolen des Reichtums wie dem Degen oder auch der Drohung mit dem Abzug nach Holland, die A. I. Arnstein 1764 ausstieß, falls er in ein geplantes Ghetto einziehen müsste. Die äußerliche Anpassung der Hofjuden hatte nichts mit religiöser Indifferenz zu tun. Dies belegen die Gründung der *Chewra Kaddischa*, an der alle namhaften Hofjudenfamilien beteiligt waren, darunter auch die Arnsteins, und fromme Stiftungen in den Testamenten. Sie kamen Lehrhäusern in anderen Orten, Gelehrten oder der Ausbildung von Kindern[26] zugute, so z. B. eine Stiftung über 1000 Gulden des Rabbiners Raphael Sinzheim an die Frankfurter Klaus von Oppenheimer.[27]

Die wirtschaftliche Unabhängigkeit? – Die Toleranzedikte Josephs II.

Als Joseph II. im Jahre 1780 die Nachfolge seiner Mutter antrat, beschleunigte sich das Tempo der Zentralisierung, des Abbaus von Privilegien und der Vormachtstellung der katholischen Kirche sowie der eingeleiteten Trennung von Justiz und Verwaltung. Die Ideen der Aufklärung drangen in das Habsburgerreich ein. Gegen Ende der Regierungszeit Josephs II. zählen der Krieg gegen die Türkei (1788–1791) und der Ausbruch der Französischen Revolution zu den außenpolitischen Ereignissen mit schweren ökonomischen Folgen und finanziellen Schwierigkeiten für den Staat.[28] So musste Josephs Bruder Leopold II. im Jahr 1790 innen- und außenpolitisch ein schweres Erbe übernehmen. In seiner kurzen Regierungszeit (1790–1792) gelang es ihm, den Konflikt mit Preußen beizulegen und den Krieg mit der Türkei zu beenden. Innenpolitisch revidierte er einige Maßnahmen, gab insbesondere den Ständen einige Rechte zurück.[29]

Einen zentralen Stellenwert in der Wirtschaftspolitik Josephs II. nahm die protektionistische Zollpolitik ein.[30] Im Zollpatent vom 27. August 1784 wurden für Waren, von denen ein ausreichendes Inlandsangebot angenommen wurde, die Zölle bedeutend erhöht und eine Zollstempelung eingeführt. Inländische Industrie und Manufakturen konnten sich nun entfalten, zumal nach Aufhebung der Klöster[31] preiswerter Grund und Boden zur Verfügung standen. Unmittelbare Eingriffe in den Wirtschaftsprozess lehnte Joseph II. ab; er suchte lediglich alle Hindernisse einer selbstständigen konkurrenzorientierten Entwicklung zu beseitigen.[32] So wurde der Zunftzwang, welcher schon unter Maria Theresia gemildert worden war, unter Joseph II. für das Textil- und Metallgewerbe aufgehoben.[33] Auch die Förderung von Minderheiten durch Toleranzedikte war wirtschaftspolitisch motiviert. Josephs Bruder und Nachfolger Leopold knüpfte auch in den wirtschaftspolitischen Fragen an die Ideen seines Vorgängers an, obwohl er vor allem in politischen Fragen oftmals Josephs II. Politik zurücknahm, indem er alte Rechte wiederherstellte.

Für die Juden im Habsburgerreich war das herausragende Ereignis der Regierungszeit Josephs II. die Erlassung der Toleranzedikte zwischen 1781 und 1784. Aufgrund der unterschiedlichen Gesetzeslage in den verschiedenen Teilen des Habsburgerreiches und der differierenden Ziele des Kaisers musste für jedes Gebiet ein eigenes Toleranzedikt ausgefertigt werden. Für Wien und Niederösterreich geschah dies am 2. Januar 1782. Die Wiener Juden begrüßten das Edikt, auch wenn die Reaktion von Benedikt Arnstein, einem Mitglied der Hofjudenfamilie Arnstein, etwas pathetisch ausgefallen ist: „Lesen Sie nur mein Vater! Lesen Sie, und Sie werden gewiß anders sprechen; Sie ist nicht mehr die barbarische Zeit, wo Vorurtheile regierten, nun herrscht Joseph der Große [...].“[34]

Das Toleranzedikt sollte die Juden für den Staat ‚nützlich‘ machen, aber keinesfalls ihre Zahl in Wien erhöhen.[35] Es kann vereinfacht in vier Themenbereiche unterteilt werden: 1) die Regelung des Aufenthaltes der Juden in Wien, 2) die Regelung der wirtschaftlichen Grundlagen, 3) der Gedanke, die Juden durch Erziehung zu ‚nützlichen‘ Bürgern zu machen, und 4) die Abschaffung sozialer Restriktionen.

Wie aus der Präambel des Toleranzediktes klar hervorgeht, war es keineswegs das Ziel des Kaisers, die Anzahl der Juden zu erhöhen. Dem dienten die Regelungen über den Aufenthalt der Juden in Wien. Sie mussten weiterhin um die Toleranz bitten, welche sich nur auf das Familienoberhaupt beschränkte, und die Toleranzgebühr bezahlen. Die Verbote, eine Gemeinde zu bilden oder eine Synagoge zu bauen,[36] blieben weiter bestehen. Auch wenn es nicht erwähnt wird, scheint der Gedanke noch eine Rolle gespielt zu haben, dass der Aufenthalt der Juden in Wien nicht dauerhaft sein sollte.

Den Schwerpunkt des Ediktes bilden die im Folgenden vorgestellten wirtschaftlichen Maßnahmen. Es wurde den Juden gegen Schutzsteuer nun erlaubt, alle Handlungen zu treiben, alle Gewerbe zu lernen und auszuüben, allerdings ohne Bürger- und Meisterrecht, und Fabriken anzulegen. Der letztgenannte Punkt blieb allerdings Makulatur, weil es den Juden zunächst nicht erlaubt wurde, Boden zu erwerben. Für die reichen Juden Wiens dürften die Artikel 13 und 15 am wichtigsten gewesen sein: In ihnen wurde die Betätigung in allen nichtbürgerlichen Handlungen, der Eintritt ins Großhandlungsgremium und die Absicherung von Krediten durch Realitäten [Häuser, Lohn- und Gehaltszahlungen] und Güter geregelt, ferner durften sie nun eine unbegrenzte Zahl an jüdischen Dienstboten anstellen.[37] Die gesetzlichen Veränderungen sicherten die geschäftliche Position der Juden. Das Toleranzedikt wurde in den folgenden Jahren noch ergänzt, indem Juden der Ankauf von öffentlichen Gebäuden,[38] der aber in Wien und Niederösterreich im Einzelfall nie genehmigt werden sollte, und der Besuch von allen Jahrmärkten erlaubt wurde.[39]

Neben die wirtschaftliche ‚Nützlichkeit‘ trat der Gedanke, die Juden durch Erziehung zu nützlichen Bürgern zu machen. Um die Juden „durch bessere Unterrichtung und Aufklärung ihrer Jugend und durch Verwendung auf Wissenschaft, Künste und Handwerk dem Staate nützlicher und brauchbarer zu machen",[40] wurde ihnen die Gründung einer jüdischen Normalschule oder der Besuch einer christlichen Normalschule,[41] der Besuch der höheren Schulen oder die Erlernung von Handwerken gestattet[42] und der Gebrauch der deutschen Sprache vorgeschrieben.[43]

Soziale Restriktionen fielen mit der Erlaubnis, überall in der Stadt zu wohnen,[44] sonn- und feiertags morgens spazieren zu gehen und unbeschränkt Vergnügungsstätten besuchen zu dürfen, sowie der Rücknahme des Bartzwanges. Für das gesellschaftliche Ansehen besonders wichtig war die Erlaubnis für Großhändler und ihre Söhne, einen Degen tragen zu dürfen und damit ihren gesellschaftlichen Status öffentlich darzustellen.[45]

Nach den bisherigen Forschungen wurden die neuen wirtschaftlichen Freiheiten genutzt. Dazu waren die Juden faktisch auch gezwungen, da sie ihre ergiebigen Tabak- und Leibmautmonopole verloren hatten. Folgt man den Akten der österreichischen Camerale, so ist ein deutlicher Wandel feststellbar. Beschäftigten sich die Akten vor 1782 fast ausschließlich mit jüdischen Angelegenheiten, z. B. Leibmaut, so geht es nun um Post- und Taxgebühren und vor allem um Pfändung von Gehältern von Beamten.[46] Letzteres ist eine Folge dessen, dass die Juden nun Sicherheiten für ihre Kredite nehmen durften. Eine weitere Konsequenz des Toleranzediktes war der von christlichen Großhändlern kritisch beäugte Eintritt von Juden ins Großhandelsgremium, der allerdings bestimmten Bedingungen unterlag. Am 21. März 1782 wurde Adam Isaak Arnsteiner und am 4. Oktober 1786 David Wertheimer[47] in das Gremium aufgenommen. Die Kontakte, die hierdurch entstanden, führten zum ersten offiziellen christlich-jüdischen Konsortium der Häuser Fries und Arnstein, das 1791 dem Kriegsheer Fleisch lieferte.[48] Nach der Familienliste von 1789, in der auch die Berufe aufgeführt sind, blieb die jüdische Elite jedoch im Handels- und Kreditbereich tätig, sei es als Großhändler, Wechsler oder Juwelenhändler. Neu ist die größere Vielfalt an Handelsbereichen: So kamen der Woll-, der Papier-, der Pottasche- und der Seidenwarenhandel[49] hinzu. 1790 ließ die Regierung durch den Beamten Pernitz die Auswirkungen des Toleranzediktes untersuchen. Er kam zu der Einschätzung, dass die jüdische Elite für den Staat ‚nützlich' sei, bezog diese ‚Nützlichkeit' jedoch allein auf die Fabriken. N. A. Arnstein habe etwa mehrere Fabriken mit Geldvorschüssen unterstützt und an der Verbesserung der Produkte mitgewirkt.[50] Unter Leopold II. wurden die beruflichen Möglichkeiten durch die Erlaubnis zum Ausstellen von Wechselbriefen und die Zulassung zum Advokaten[51] erweitert.

Am äußeren Erscheinungsbild der Juden änderte das Toleranzedikt wenig, weil z. T. schon vorhandene Entwicklungen etwa durch den Wegfall von Kleidervorschriften nur legalisiert wurden, an die sich die reichen Wiener Juden aufgrund ihrer Privilegien ohnehin nicht hatten halten müssen.[52] Doch scheint das Toleranzedikt zusammen mit den Gedanken der Aufklärung zu einer Steigerung des Selbstbewusstseins der Juden geführt zu haben. Sie traten nun deutlich für ihre Rechte ein und scheuten sich nicht davor, Forderungen zu stellen. So verlangte der Hofjude Nathan A. Arnstein vom Magistrat, das Wort „Jud" aus den Schreiben an ihn zu entfernen und ihn mit „Herr" anzusprechen.[53] Auch die *Chewra Kaddischa* erhielt eine offiziellere Form, indem sie ihre Beschlüsse und Handlungen öffentlich machte, wie das 1. Protokoll der Bevollmächtigten vom 14. März 1784 zeigt.[54] Sprecher der Judenschaft Wiens blieben zunächst ihre reichsten Repräsentanten. Zwar baten die Juden schon am 26. November 1788[55] im Rahmen des Streites um die Renovierung des jüdischen Spitals um die Erlaubnis zur Wahl eines Vorstandes. Doch erst am 17. Juni 1792 gab auch die Regierung der Notwendigkeit eines solchen Schrittes nach und erlaubte den Wiener Juden die Wahl eines dreiköpfigen Gremiums aus ihren Reihen.[56] Die ersten bekannten Vertreter sind allesamt Nachkommen von Hofjuden: Salomon Herz, Bernhard Eskeles und Max von Hönigshof.[57]

Und welche Rolle spielten die Wiener Juden bei der Diskussion um die jüdische Aufklärung? Sicherlich keine aktive, doch sie unterstützten die Aufklärer, indem sie sie als Hauslehrer anstellten.[58] Auch in den Testamenten und Stiftungen kann eine entscheidende Veränderung festgestellt werden. Der größte Teil der Zuwendungen ging zwar weiterhin an jüdische Institutionen, doch wurden auch christliche Institutionen wie das Armenspital bedacht. Ein typisches Beispiel dafür ist das Testament von Adam I. Arnstein aus dem Jahre 1785, welcher neben 11 000 Gulden für jüdische Gelehrte und Kinder noch 1000 Gulden an das christliche Armeninstitut spendete.[59]

Integration und Gleichstellung – die jüdische Elite Wiens ab 1792

Schon bald nach dem Regierungsantritt von Franz I. am 1. März 1792 kam es nach aggressiven französischen Noten zur Kriegserklärung der Pariser Nationalversammlung an Wien.[60] Der Kampf gegen die Französische Revolution und gegen Napoleon bestimmte die Regierungspolitik von Franz I. Die Kriegsanstrengungen verschlangen enorme Summen, welche das finanziell schon angeschlagene Österreich nur schwer zur Verfügung stellen konnte. Durch die Friedensschlüsse von Campo Formio am 17. Oktober 1797 und von Schönbrunn am 14. Mai 1809 verlor Österreich große Gebiete und musste 1809 enorme Kontributionen leisten (85 Millionen Francs = 34 Millionen Gulden). Nach dem Wiener Kongress wurden Teile der zuvor verlorenen Territorien in Italien, wie Triest, wieder der Herrschaft Österreichs unterstellt, welches daneben noch Tirol, Salzburg, das Inn- und Hausruckviertel, die Lombardei und Venedig erhielt. Im Inneren wurde ein Polizeistaat aufgebaut, der der Abwehr der Ideen der Französischen Revolution dienen sollte.

Auf dem ökonomischen Sektor spielte die Finanzierung des Krieges, die damit verbundene Hyperinflation und die beginnende Industrialisierung eine wichtige Rolle. Die Gewerbepolitik der Zeit war widersprüchlich, da sie einerseits auf liberale Wachstumspolitik und andererseits – hier trafen sich die Intentionen der höchsten Hofstellen mit denen der Gewerbetreibenden – auf Erhaltung bzw. Wiederherstellung zünftischer Beschränkungen hinzielte.[61] Die österreichische Wirtschaft erlebte seit dem letzten Jahrzehnt des 18. Jahrhunderts eine industrielle Wachstumsphase, allerdings mit Unterbrechungen. Der Krieg und die Kontinentalsperre sorgten für eine binnenländische Nachfrage, die eine Industrialisierungs- und Gründungswelle einleitete. Als 1811 der Staatsbankrott erklärt wurde, konnte zwar die zuvor eingetretene Hyperinflation gestoppt werden, aber es kam zu einem Absatzeinbruch.[62] Die folgenden Jahre bis 1815 waren wieder von einem Konjunkturaufschwung geprägt. 1816 löste das Zusammentreffen der überhitzten Kriegskonjunktur mit einer katastrophalen Ernte mit Hungersnot und der Währungskrise einen totalen Kollaps aus. Die nachfolgende Depression dauerte bis 1825/26. Anschließend folgte eine bis 1844 andauernde Wachstumsphase.[63]

Die am häufigsten vertretene Meinung in der Literatur über die Situation der Juden in Wien unter den Regierungen von Franz I. und Ferdinand I. geht davon aus, dass sich deren Situation erheblich verschlechterte. Begründet wird diese Ansicht aber nur mit der Gründung des „Judenamtes", welches z. B. laut Peter Baumgart den Assimilationstendenzen entgegenwirkte,[64] und mit dessen Aufgabe, fremde Juden während ihres Aufenthaltes in Wien zu kontrollieren, um deren dauerhaften Aufenthalt zu verhindern. Übersehen wird dabei, dass das „Judenamt" nur die auswärtigen und armen Juden kontrollierte, während sich die Situation für die reichen Wiener Juden sogar verbesserte. Dies galt zwar weniger für ihre rechtliche Stellung, doch ihr wirtschaftlicher und gesellschaftlicher Einfluss nahm durch den weiteren Abbau ihrer Sonderstellung zu. Die wichtigsten Änderungen waren die Übertragung der Großhandlungsbefugnis auf Witwen und Söhne[65] (30. April 1811) und die Erlaubnis, für Fabriken Grund erwerben zu können[66] (18. Dezember 1817). Der Amtsantritt von ‚judenfreundlichen' Beamten in entscheidenden Positionen – wie der des Judenkommissärs – ermöglichte es den Juden zudem, Fortschritte auf kultisch-religiösem Gebiet zu erzielen.

Weit entscheidender als die Gesetze waren die durch die napoleonischen Kriege ausgelösten ökonomischen Veränderungen. In den ersten Kriegsjahren traten die reichen Juden noch als Kriegslieferanten und Händler mit Kreditgeschäft auf, vollzogen dann aber wohl im Laufe des Krieges eine Wandlung vom Händler zum Bankier mit einem dem heutigen Bankgeschäft ähnlichen Aufgabenfeld. Das Bankgeschäft zerfiel in drei Teilbereiche: Geschäfte mit Privat- und Geschäftsleuten, Geschäfte mit dem Staat und, etwas später, Investitionen in Manufakturen.

Das Geschäft mit vermögenden Privatkunden und mit Geschäftsleuten – bislang in der Forschung weit gehend negiert – umfasste die Kreditvergabe, Ausstellung und Annahme von Wechseln, Bezahlung von Rechnungen, eine Art von Kontoführung[67] und Vermögensverwaltung.[68] So tätigten Arnstein und Eskeles 1802 Geschäfte im Wert von 20 000 Gulden für den Grafen Stadion.[69] Ebenso fertigten sie in großem Umfang Wechsel für Privatkunden und Händler aus, welche allein für das Haus Bethmann 1815 den Wert von 45 984 Gulden aufweisen.[70] Ähnliche Aussagen gelten auch für andere jüdische Häuser.[71]

Am bekanntesten waren bislang die Kreditgeschäfte im Auftrag des Staates, die im großen Rahmen 1797 einsetzten. Sie wurden allerdings zunächst nur vom Bankhaus Arnstein und Eskeles getätigt, das in den Folgejahren verschiedene Arten von Wechsel- und Kreditgeschäften abwickelte. So wurden Kredite für allgemeine Ausgaben gegen Sicherheiten, z. B. die englischen Subsidien, zur Verfügung gestellt. Des Weiteren wurden Kreditbriefe für spezielle Aufgaben wie die Gefangenenauslösung[72] und die Unterstützung des Tiroler Aufstandes[73] ausgefertigt. Die Transferierung von Kapitalien aus fremden Ländern wie die der englischen Subsidien gehörte ebenfalls zum Aufgabengebiet der Bank.[74] Sie wurde im Verbund mit drei christlichen Häusern übernommen, vermutlich um eine höhere Sicherheit zu erreichen. Um die englische Unterstützung zu kaschieren, hatten die Bankhäuser in ihrem Namen Konten in Hamburg eröffnet, über welche dann die Gelder liefen.[75] Auch die Kurspflege der Bankozettel wurde mithilfe der Bankhäuser gesteuert. So schloss die Regierung unter größter Behutsamkeit mit den Wiener Bankhäusern ein Abkommen, in dem festgelegt wurde, dass diese zur Stützung der Kurse der Bankozettel 1 ½ Millionen Gulden in Geld und Wechseln verkaufen sollten.[76]

Die wichtigste Aufgabe in dem in Rede stehenden Zeitraum dürfte aber die Zahlung der Kontributionen an Frankreich gewesen sein, die mithilfe von Arnstein & Eskeles finanziert und abgewickelt wurden. Die Kontributionen wurden trotz der hohen Summe von 34 Millionen Gulden innerhalb von nur sechs Jahren bezahlt. Dies konnte nur erreicht werden, indem vier Wiener

Bankhäuser die Garantie für eine Silberlottoanleihe stellten[77] und deren Vertrieb übernahmen. Des Weiteren wurde Bernhard Eskeles vom Staat nach Frankreich geschickt, um dort einen Zahlungsaufschub zu erreichen.[78] Als Belohnung für ihre Bereitschaft, dem Staat in vielen Bereichen zu Diensten zu sein, wurden N. A. Arnstein[79] und B. Eskeles[80] von der Regierung geadelt und erhielten das seltene Privileg der Besitzfähigkeit,[81] welches im Gegensatz zu entsprechenden Anordnungen unter Joseph II. auch umgesetzt werden konnte.

Als dritter Bereich soll die Finanzierung von Manufakturen durch jüdische Bankhäuser vorgestellt werden. Als erstes Bankhaus stieg Arnstein und Eskeles 1802 in die Himberger Zitz- und Kattunfabrik ein.[82] Die anderen jüdischen Bankhäuser hatten zu dieser Zeit anscheinend noch nicht die finanzielle Grundlage, um Engagements dieser Größenordnung einzugehen. Die ab 1816 folgende Depression ließ dann die Gründung oder Übernahme einer Manufaktur als unrentabel erscheinen. Als sich die österreichische Wirtschaft ab 1825 wieder zu erholen begann, investierten die Juden vor allem in zwei Bereiche: in die Verarbeitung von Baumwolle und die Herstellung von Zucker. So besaßen Arnstein und Eskeles außer der Himberger Manufaktur noch zwei Kolonialzuckerraffinerien in Graz und Laibach, M. L. Biedermann eine Baumwollspinnerei in Haslau und eine Tuchfabrik in Teltsch, die Familie Leidesdorfer eine Papiermühle und später eine Rübenzuckerfabrik. Die Juden betätigten sich damit in den dynamischsten Zweigen der österreichischen Wirtschaft.[83] Ihr Einstieg erfolgte zu einem Zeitpunkt, als die österreichische Industrie ihren ersten längeren Aufschwung erlebte, und verlief bezeichnenderweise zeitgleich mit und nicht vor oder nach dem der christlichen Kaufleute.

Die Tendenz zu einer Stärkung des Selbstbewusstseins der Juden und zu intensivierten Kontakten zu Nichtjuden, die schon für die Regierungszeiten von Maria Theresia und Joseph II. festgestellt werden konnte, setzte sich im betrachteten Zeitabschnitt fort. Dies wurde gefördert durch die Säkularisierung und Verbürgerlichung der nichtjüdischen wie der jüdischen Gesellschaft. Es entstanden, aufbauend auf geschäftlichen Kontakten, private Treffpunkte, wie etwa die Wiener Salons. Die Intensität dieser Kontakte ist bisher nur schwer abzuschätzen, sie konnte aber von losen geschäftlichen Verbindungen bis zu engen Freundschaften reichen. Besonders die Kontakte zu einer neuen Generation von Beamten mit aufgeklärtem Gedankengut, etwa dem Judenkommissär La Roze, ermöglichte es den reichen Juden, endlich auch ihre kultisch-religiösen Ziele erfolgreich anzugehen. Hierbei standen der Wunsch nach einem Bethaus und die vorsichtige Reform des jüdischen Ritus im Mittelpunkt. Auf einer Feier zu Ehren von Elias Hirschfeld,

Arzt des jüdischen Spitals, regte der Geehrte am 17. Februar 1810 eine Sammlung für eine jüdische Siechenanstalt an. Viel mehr als erwartet kam zusammen und wurde von den Gemeindevorstehern zur Errichtung eines Bethauses, eines Frauenbades und einer Schule genutzt.[84] Die namhaftesten Spenden dazu leisteten die ehemaligen Hofjudenfamilien Arnstein, Eskeles, Herz und Leidesdorf. Die Eröffnung des Bethauses „Dempfingerhof" fand am 4. September 1812 mit einer deutschen Predigt statt.[85] Dies weist auf erste Reformerfolge hin; der alte Ritus wurde jedoch zunächst beibehalten. Die meisten Tolerierten scheinen mit dieser Linie einverstanden gewesen zu sein, denn schon im Sommer 1817 baten die Vertreter die Regierung, den Betsaal vergrößern zu dürfen, um allen Tolerierten und ihren Frauen einen Platz anbieten zu können.[86] Parallel hierzu gibt es auch Hinweise, dass sich die Juden sehr stark dem nichtjüdischen Umfeld akkulturierten. Der Wunsch, den neuen Kultus von Hamburg und Berlin einzuführen, wurde damit begründet, dass die Juden „in der Kultur fortschreiten, und sich in Sprache, Kenntnissen, Sitten und Betragen ihren christlichen Mitbewohnern nähern"[87] und dabei „das Studium der hebräischen Sprache, des Talmuds u. dgl. als für das praktische Leben entbehrlich hintangesetzt und vernachlässigt"[88] werden könne. An der nun folgenden Auseinandersetzung innerhalb der Judenschaft wie mit der Hofkanzlei beteiligten sich die ehemaligen Hofjuden mit unterschiedlicher Intensität, die nicht zuletzt von der Größe des Geschäftes abhängig war. Die meisten Wiener Juden sind dem Judentum treu geblieben, auch wenn besonders die reichen Juden die Riten anscheinend nicht mehr streng einhielten; zwar gab es auch Konversionen unter ihnen, aber nicht in einem Maße wie in Berlin.

Schlussbetrachtung

Wie aufgezeigt, war die Situation der Juden am Anfang des betrachteten Zeitraumes durch eine restriktive Gesetzgebung bestimmt. Die ersten Lockerungen, vor allem im wirtschaftlichen Bereich, fanden unter Maria Theresia statt. Doch auch ohne Einfluss der Regierung kam es bereits zu ersten gesellschaftlichen Veränderungen. Das Toleranzedikt Josephs II. beschleunigte die Entwicklung in allen Bereichen. Unter Franz I. hatten die Kriege gegen Frankreich einen maßgeblichen Einfluss auf die Entwicklung des Habsburgerreiches und damit auch auf die Geschicke der Juden. Denn obwohl der Kaiser persönlich judenfeindlich war, mussten seine pragmatischeren Regierungsangehörigen den Juden Zugeständnisse machen, weil sie sie ökonomisch brauchten. Zusätzlich sorgte der enorme Material- und Geldbedarf der

Kriege für eine Auflösung der alten Wirtschaftsstrukturen und für den Aufstieg von neuen Klassen wie dem Großbürgertum, die die neuen wirtschaftlichen Entwicklungen trugen.

Nach der in der Einleitung dargestellten Definition wird unter der Modernisierung in der Wirtschaft die Durchsetzung des Kapitalismus bis hin zum Industriekapitalismus verstanden. Diese Durchsetzung des Kapitalismus zeigt sich für die Juden durch den Abbau der alten Beschränkungen, die ihnen nur den Geld- und Juwelenhandel erlaubt hatten. Die durch die Hinwendung zum Kapitalismus nach und nach entstehende Gewerbefreiheit wurde von den Juden genutzt, indem sie zuerst ins Börsengeschäft und anschließend in den Großhandel einstiegen. Mit den napoleonischen Kriegen kam dann die Wende vom Handels- zum Bankgeschäft mit dem langsamen Aufbau eines Aufgabenfeldes, das dem der heutigen Banken ähnelt. Seit 1801 ist mit dem entstehenden Massenbedarf der erste Einstieg von Juden ins Manufakturwesen zu beobachten, der sich aber erst in den zwanziger Jahren des 19. Jahrhunderts verdichtete. Es kann somit zu Recht von einer ökonomischen Modernisierung gesprochen werden. Diese wurde von zwei Tendenzen bestimmt: a) dem allgemeinen Abbau der Sonderstellung von Minderheiten, im Speziellen von Juden im Habsburgerreich, und b) der Modernisierung der Wirtschaft insgesamt, besonders durch die Entstehung neuer Geschäftsfelder wie z. B. der Börse und die Gründung von Manufakturen. Mit der ökonomischen Modernisierung verbunden war die Veränderung der Sozialschichtung durch den Umbau des alten Ständestaates in eine Klassengesellschaft. Auch von dieser Modernisierung profitierten die Juden, indem sie sich ihrer nichtjüdischen Umwelt anpassten und zusammen mit nichtjüdischen Großhändlern die neue soziale Schicht des Großbürgertums bildeten.

Die Juden in Wien durchliefen in dem betrachteten Zeitraum einen Prozess, der vor allem als ökonomische Modernisierung bezeichnet werden kann. Dieser fand in den dreißiger Jahren des 19. Jahrhunderts insofern einen Abschluss, als es danach keine spezielle jüdische ökonomische Modernisierung mehr gab, sondern die Juden in die normalen Wirtschaftsprozesse völlig integriert waren.

Anmerkungen

1 Alexandre Dumas (père), *Der Graf von Monte Christo*, Stuttgart 1897, Bd. 3, S. 71.
2 Hans-Ulrich Wehler, *Deutsche Gesellschaftsgeschichte. Vom Feudalismus des Alten Reiches bis zur Defensiven Modernisierung der Reformära 1700 bis 1815*, Bd. 1, 2. Aufl., München 1989, S. 14.
3 David F. Good, *Der wirtschaftliche Aufstieg des Habsburgerreiches 1750–1848*, Wien 1986.
4 Helmut Reinalter, Staat und Bürgertum im aufgeklärten Absolutismus Österreichs, in: ders. (Hg.), *Staat und Bürgertum im 18. und 19. Jahrhundert*, Frankfurt a. M. 1996, S. 64.
5 Oskar Lehner, *Österreichische Verfassungs- und Verwaltungsgeschichte. Mit Grundzügen der Wirtschafts- und Sozialgeschichte*, Linz 1992, S. 137.
6 Detaillierte Ausführungen bei Adolf Beer, Die Staatsschulden und die Ordnung des Staatshaushaltes unter Maria Theresia, in: *Allgemeines österreichisches Archiv* 82 (1895), S. 4–139.
7 Günther Chaloupek, Die Ära des Merkantilismus, in: ders./Peter Eigner/Michael Wagner, *Wien. Wirtschaftsgeschichte 1740–1918, Teil 1: Industrie*, Wien 1991 (Geschichte der Stadt Wien 4), S. 53.
8 Good, *Der wirtschaftliche Aufstieg* (wie Anm. 3), S. 33.
9 Josef Karniel, *Die Toleranzpolitik Kaiser Josephs II.*, Gerlingen 1985, S. 249.
10 Haupt-, Hof- und Staatsarchiv Wien (HHStA), Hofjudenpatente, Patent von Adam Mayer Arnsteiner (1764).
11 Wiener Hofkammer (HKA), Aufstellung Kontrakte und Reverse 1771–1851, darin sehr viele Nachweise.
12 Erste Nachricht in: HKA, Österreichische Camerale 22. Dez. 1764, Fasc. 12.
13 A[lfred] F[rancis] Pribram, *Urkunden und Akten zur Geschichte der Juden in Wien, Erste Abtheilung, Allgemeiner Teil 1526–1847 (1849)*, Bd. 1–2, Wien/Leipzig 1918 (Quellen und Forschungen zur Geschichte der Juden in Deutsch-Österreich 8), hier I, S. 343.
14 HKA, Kommerz 1753, r. Nr. 168; Pribram, *Urkunden und Akten zur Geschichte* (wie Anm. 13), I, S. 355.
15 HKA, Kommerz 1755, r. Nr. 168.
16 HKA, Kommerz 1763, r. Nr. 168.
17 Pribram, *Urkunden und Akten zur Geschichte* (wie Anm. 13), I, S. 374 f.
18 Ebd., S. 383.
19 HKA, Kommerz 1765, r. Nr. 168.
20 HKA, Kommerz 1771, r. Nr. 168.
21 HKA, Kommerz 1773, r. Nr. 168.
22 HKA, Camerale 1766.
23 Pribram, *Urkunden und Akten zur Geschichte* (wie Anm. 13), I, S. 432.
24 HHStA, Hofjudenpatente, z. B. Patent Arnstein 1766.
25 Pribram, *Urkunden und Akten zur Geschichte* (wie Anm. 13), I, S. 432.
26 I[srael] Taglicht, *Nachlässe der Wiener Juden im 17. und 18. Jahrhundert*, Wien 1917, S. 297–302.
27 Ebd., S. 275 f., dort ebenso die Stiftung von Berend Eskeles über 50 000 Gulden für Gelehrte und Studenten, S. 278 f.; Raphael Sinzheim, Schwiegersohn von Isaac Arnsteiner, starb am 24. Nov. 1752 in Wien.
28 Erich Zöllner, *Geschichte Österreichs. Von den Anfängen bis zur Gegenwart*, 6. Aufl., München 1978, S. 320.
29 Ebd., S. 326 f.

30 Chaloupek, Die Ära des Merkantilismus (wie Anm. 7), S. 60.
31 Ebd.
32 Gustav Otruba, Die Wirtschaftspolitik Maria Theresias und Josephs II., in: Herbert Matis (Hg.), *Von der Glückseligkeit des Staates*, Berlin 1981, S. 87.
33 Zöllner, *Geschichte Österreichs* (wie Anm. 28), S. 364.
34 Arenhof, *Einige jüdische Familienscenen bey Erblickung des Patents über die Freyheiten welche die Juden in den kaiserlichen Staaten erhalten haben*, Wien 1782, S. 7.
35 Pribram, *Urkunden und Akten zur Geschichte* (wie Anm. 13), S. 494.
36 Ebd., S. 496–497.
37 Ebd., S. 497–498.
38 Ebd., S. 552.
39 Ebd., S. 520.
40 Ebd., S. 496.
41 Ebd., S. 496.
42 Ebd., S. 497.
43 Ebd., S. 498.
44 Ebd., S. 498.
45 Ebd., S. 502.
46 HKA, Österreichische Camerale ab 1782.
47 A. I. Arnsteiner, HKA, Kommerzakten, r. Nr. 168, 21. März 1782; D. Wertheimer, HKA, Kommerzakten, r. Nr. 168, 4. Okt. 1782.
48 HKA, Camerale Fasz. 7, 31. Okt. 1791.
49 Pribram, *Urkunden und Akten zur Geschichte* (wie Anm. 13), I, S. 608.
50 Ebd., S. 597.
51 Ebd., II, S. 9.
52 HHStA, Hofjudenprivilegien, Privileg Arnstein, 1766.
53 Niederösterreichisches Landesarchiv, H-Normalien, 14. Feb. 1786.
54 Saul Chajes, Das erste Protokoll der Bevollmächtigten der Wiener Juden, in: *Die Wahrheit* Jg. XLII, Nr. 11–12, Wien 1926, S. 18–20.
55 Siegmund Husserl, *Die Gründung des Stadt-Tempels der israelitischen Kultusgemeinde Wien*, Wien 1906, S. 20.
56 Ebd.
57 Central Archives for the History of the Jewish People, Akten der jüdischen Gemeinde Wiens, HM 345.
58 So Peter Beer bei Arnsteins, siehe Kopel Blum, *Aufklärung und Reform bei den Wiener Juden*, ungedr. Diss., Wien 1935, S. 53.
59 Taglicht, *Die Nachlässe der Wiener Juden* (wie Anm. 26), S. 297–302.
60 Zöllner, *Die Geschichte Österreichs* (wie Anm. 28), S. 330.
61 Roman Sandgruber, *Ökonomie und Politik. Österreichische Wirtschaftsgeschichte vom Mittelalter bis zur Gegenwart*, Wien 1995, S. 173.
62 Ebd., S. 177.
63 Ebd., S. 178.
64 Peter Baumgart, Die Stellung der jüdischen Minorität im Staat des aufgeklärten Absolutismus, in: *Kairos* NF 22 (1980), S. 236–245.
65 Pribram, *Urkunden und Akten zur Geschichte* (wie Anm. 13), II, S. 196.
66 HKA, Kommerz, r. Nr. 169, Dez. 1817.
67 HHStA, Nachlass Graf Stadion.
68 HKA, Kredithofkommission, Wertheimstein, Okt. 1799, Fasz. 6.
69 HHStA, Nachlass Graf Stadion.
70 Frankfurter Stadtarchiv, Nachlass Bethmann, Hauptbuch 1815.
71 Frankfurter Stadtarchiv, Nachlass Bethmann, Biedermann Hauptbuch 1826.

72 HKA, Kredithofkommission Mai 1806, Fasz. 4.
73 HKA, Geheime Kredithofkommission, Fasz. J/3 (Tyroler Unterstützung).
74 Z. B. HKA, Kredithofkommission, Fasz. 1/D, Juni 1802.
75 HKA, Kredithofkommission, Fasz. 4, r. Nr. 362, März 1807.
76 Josef K. Mayr, *Wien im Zeitalter Napoleons*, Wien 1940, S. 53; HKA, Geheime Kredithofkommission, Fasz. F/3, Juli 1808.
77 Gesamter Vorgang in: HKA, Geheime Kredithofkommission, r. Nr. 270.
78 HKA, Geheime Kredithofkommission, Fasz. J/9, August 1810.
79 Allgemeines Verwaltungsarchiv Wien (AVA), Adelsakten, Arnstein, N. A., Großhändler, Frhrstd. „Wohlgeborenen" Wien 14. Apr. 1798 (E).
80 AVA, Adelsakten, Eskeles, Bernhard, Gesellschafter des Frh. v. Arnstein, Adstd. „Edler von", Wien 6. Nov. 1797 (E).
81 N. A. Arnstein: N.Ö. Landesarchiv, N.Ö. Regierung, H-Indices, 1801; B. Eskeles: HKA, Geheime Kredithofkommission, Fasz. J/9, 13. März 1810.
82 N.Ö. Landesarchiv, N.Ö. Regierung, H-Indices 1802, Akte 13 323.
83 Zahlen in Good, *Der wirtschaftliche Aufstieg des Habsburgerreiches* (wie Anm. 3), S. 50 f.
84 Pribram, *Urkunden und Akten zur Geschichte* (wie Anm. 13), II, S. 190.
85 Husserl, *Die Gründung des Stadt-Tempels* (wie Anm. 55), S. 72.
86 Ebd., S. 78.
87 Ebd., S. 80.
88 Ebd., S. 81.

Kontinuität und Wandel im ökonomischen Verhalten preußischer Hofjuden – Die Familie Itzig in Berlin

Thekla Keuck

Zu Beginn des 18. Jahrhunderts kam Itzig ben Daniel Jafe, mit dem die Geschichte der hier interessierenden Familie beginnt, nach Berlin.[1] Er fand eine Stadt vor, die zwar 1701 zur Residenz des neuen Königreichs Preußen aufgestiegen war, aber im europäischen Bewusstsein nach wie vor kaum eine Rolle spielte. So widmete beispielsweise die Pariser Encyclopédie der Stadt gerade einmal vier Zeilen,[2] während Handelszentren wie Leipzig, Hamburg oder Frankfurt am Main mit jeweils einer Spalte gewürdigt wurden. Berlin war nicht nur kein Wirtschaftszentrum, es fehlten auch das alte Stadtbürgertum und seit dem Regierungsantritt Friedrich Wilhelms I. (reg. 1713–1740) eine traditionelle Hofhaltung. Erst infolge politischer Maßnahmen unter der Herrschaft Friedrichs II. (reg. 1740–1786) erfuhr die Stadt einen massiven Modernisierungsschub und erlangte seit Mitte des 18. Jahrhunderts als Knotenpunkt des Ost-West-Handels, als Standort einer florierenden Seiden- und Baumwollindustrie und als Garnisonsstadt eine erhebliche ökonomische Bedeutung.[3] Außerdem wurde Berlin zum Mittelpunkt der deutschen Aufklärung.[4] Die Stadt übte also auf viele eine enorme Anziehungskraft aus.[5]

Parallel zum Aufstieg Berlins zu einer zentraleuropäischen Metropole vollzog sich der wirtschaftliche Aufschwung der Familie Itzig.[6] Daniel Itzig, der am Ende des 18. Jahrhunderts an der Spitze der in Berlin lebenden Juden[7] stand, kam aus einer „well-to-do but not elite family".[8] Der Sprung in die schmale jüdische Oberschicht Berlins, die im Wesentlichen aus Hofjuden bestand, gelang ihm während des Siebenjährigen Krieges als Münzjude Friedrichs II.[9] Als Hofjuden gehörte die Familie Itzig nun zu einer strategisch wichtigen Wirtschaftselite,[10] deren dynamisierende Wirkung gerade für die wirtschaftliche Entwicklung Berlins außerordentlich hoch zu veranschlagen ist.

Hofjuden, definiert als Juden, „welche in einem auf Kontinuität angelegten Dienstverhältnis zu einem höfisch-strukturierten Herrschaftszentrum stehen",[11] konnten aber in Preußen nicht auf ein institutionalisiertes Herrschaftszentrum fokussiert sein, wie zum Beispiel die Juden in Wien auf den Kaiserhof. In Preußen stand nämlich anstelle des Hofes die Armee als innenpolitisches Integrationsinstrument.[12] Entscheidend für die Integration der verschiedenen Bevölkerungsgruppen in das absolutistische Preußen war allein das für einen feudalistischen Staat typische personalisierte Treueverhältnis zwischen Herrscher und Untergebenen.[13] Dies galt in besonderer Weise für die gerade im friderizianischen Preußen stark ausgeprägte Loyalitätsbeziehung zwischen dem Herrscher und ‚seinen' Hofjuden.

Die Familiengeschichte beginnt mit Itzig ben Daniel Jafe, der um 1679 in Grätz in Großpolen geboren wurde.[14] Wie es ihm gelang, das Niederlassungsrecht für Berlin zu erwerben, ist nicht genau bekannt. Möglicherweise hatte er sich als Heereslieferant im Großen Nordischen Krieg bewährt. 1714, als Friedrich Wilhelm I. die *Confirmatio Privilegii der hiesigen Judenschafft* [15] erließ, verfügte er bereits über ein Vermögen von mindestens 10 000 Talern, die die Voraussetzung für die Verleihung eines Schutzpatents waren. Die so privilegierten Juden wurden in die *Liste der vergleiteten Juden* aufgenommen, auf der Itzig ben Daniel Jafe als Isaac Daniel an fünfzigster Stelle vermerkt ist.[16] Seit 1717 war er regelmäßiger Besucher der Leipziger Messen.[17] In den Akten taucht er außerdem als Rosstäuscher, als Pferdehändler, auf, der sich Verdienste um die Aufstellung des Zietenschen Husarenregiments erwarb. Friedrich Wilhelm I. beauftragte ihn, die nötigen Pferde für das Regiment in Polen und Ungarn einzukaufen. Als Belohnung für diesen Dienst verlieh er Itzig ben Daniel Jafe am 14. Oktober 1727 ein Generalprivileg, das ihm die Ansetzung aller Kinder ohne besondere Abgaben erlaubte.[18] Bedenkt man, dass das Aufenthaltsrecht der Eltern gemäß den Bestimmungen des Edikts von 1714 nur auf einen Nachkommen übertragen werden durfte, so muss Itzig ben Daniel Jafe beim Ausbau der Armee Friedrich Wilhelms I. eine wichtige Rolle gespielt haben. Denn der ‚Soldatenkönig' wich nur in Einzelfällen mit Rücksicht auf seine im Dienste der Heeresverstärkung durchgeführten Reformen von seiner ansonsten restriktiven Judenpolitik ab. Als Pferdehändler aber kam Itzig ben Daniel Jafe für die Belieferung der Kavallerie erhebliche Bedeutung zu. Als er 1741 starb, hinterließ er seinen Söhnen zwar kein erhebliches Vermögen, hatte aber dafür gesorgt, dass sie als vergleitete Juden das Niederlassungsrecht für Berlin besaßen.[19]

Daniel Itzig[20], 1723 als sechstes Kind von Itzig ben Daniel Jafe und Kela Eschwege (gest. 1779) in Berlin geboren[21], besuchte in den Jahren 1745 bis 1750 als Agent des Berliner Wechslers und Bankiers Jakob Samuel Hirsch (1695–1750)[22] die Leipziger Messen.[23] Da dieser ihn mit dem Wechselgeschäft vertraut machte, können die fünf Jahre bei ihm als Daniel Itzigs ‚Lehrjahre' gelten. 1752 wird sein Name zum ersten Mal im Zusammenhang mit Münzgeschäften erwähnt.[24] Gemeinsam mit seinem späteren Partner Hertz Moses Gumpertz (1716–1758)[25] und seinem Schwager Moses Isaac Fliess (1707–1776)[26] belieferte Daniel Itzig die neu eröffnete Stettiner Münze mit Silber.

Am 6. Oktober 1755 wurde diesen drei Münzjuden die Pacht der sechs noch in Betrieb verbliebenen preußischen Münzstätten – nämlich Königsberg, Breslau, Berlin, Magdeburg, Kleve und Aurich – übertragen.[27] Als Hertz Moses Gumpertz 1758 starb, entschlossen sich Daniel Itzig und Veitel Heine Ephraim (1703–1775),[28] bisher erbitterte Konkurrenten um die Vorreiterrolle im Münzpachtgeschäft, zur Zusammenarbeit. Seit Anfang 1759 bis zum Ende des Siebenjährigen Krieges 1763 waren sie die alleinigen Pächter aller preußischen und sächsischen Münzen.[29]

Vermutlich auf Veranlassung Friedrichs II., in jedem Fall aber mit seinem Wissen, führten seine Generalmünzentrepreneurs umfangreiche Münzmanipulationen durch.[30] Während des Siebenjährigen Krieges wurden aus einer Kölner Mark 60 bis 70 Taler Silber geschlagen, statt 14 Talern, wie es dem Graumannschen Münzfuß entsprochen hätte. Den dabei entstehenden Gewinn, den so genannten Schlagschatz, verwendete Friedrich II. zur Finanzierung des Krieges.[31] 1761 verlangten Daniel Itzig und Veitel Heine Ephraim mit dem Hinweis, sie hätten bereits 12 Millionen Taler Schlagschatz gezahlt, die „Rechte christlicher Banquiers und Kaufleute".[32] Dass Friedrich II. dieser Forderung entsprach, zeigt, wie sehr er auf die Gewinne aus den Münzverschlechterungen angewiesen war. Nach Reinhold Kosers Berechnungen deckten die Münzmanipulationen 20,5 Prozent der Kriegskosten.[33] Der Reingewinn der beiden Münzjuden betrug jeweils eine Million Taler.[34] Dafür hatten sie aber auch das alleinige Risiko bei der Silberbeschaffung zu tragen und wurden als Einzige von der Öffentlichkeit für die Münzverschlechterungen und die damit einhergehende Inflation verantwortlich gemacht.

Daniel Itzig legte seine Gewinne, den Wünschen Friedrichs II. Rechnung tragend, in Industrieunternehmungen an. So kaufte er 1763 das Eisenwerk Sorge und Voigtsfelde im Harz, investierte in eine Ölmühle in der Nähe von Berlin[35] sowie in eine Metall-Schnallen-Fabrik in Wriezen und übernahm außerdem 1772 eine vom König angelegte Fabrik für englisches Leder auf dem Tornow bei Potsdam.[36] Vor allem aber blieb Daniel auch nach dem Ende des Siebenjährigen Krieges weiter im Münzgeschäft tätig. Bereits 1764 erhielt er eine Konzession für eine Affinerie in Berlin, Magdeburg und Königsberg, um nun das Kriegsgeld wieder von dem erhöhten Kupferzusatz zu trennen.[37] Besonders durch die Nachprägung russischer und polnischer Münzen sowie die Prägung preußischer Scheidemünzen, mit denen der Bayerische Erbfolgekrieg 1778/79 zum Teil finanziert wurde, erwies er dem König erneut seine Dienste.

Von 1771 bis zum Tod Friedrichs II. im Jahre 1786 war Daniel Itzig dann alleiniger Großlieferant der preußischen Münzen.[38] Es scheint, als habe sich auch sein persönliches Verhältnis zum Monarchen gegen Ende der Regierungszeit Friedrichs II. verbessert. So schickte Daniel ihm 1785 spanische Weintrauben, die „als ein Merkmahl seiner treuen Devotion gnädigst angenommen“[39] wurden. Den größten Triumph erlebte Daniel Itzig allerdings erst unter dem Nachfolger des ‚alten Fritz‘, unter Friedrich Wilhelm II. (reg. 1786–1797), der ihm und seinen Nachkommen am 2. Mai 1791 mit dem Naturalisationspatent die „mit allen Christlichen Bürgern gleichen Rechte verlieh“.[40] Damit erhielten die Itzigs als einzige Juden in Preußen zwanzig Jahre vor dem so genannten Emanzipationsedikt vom 11. März 1812 das allgemeine Bürgerrecht.

Den Antrag für das Naturalisationspatent[41] hatte der Oberhofbankier und Hofbaurat Isaac Daniel Itzig[42] gestellt. 1750 in Berlin als ältester Sohn von Daniel Itzig und Mirjam Wulff (1727–1788)[43] geboren, knüpfte er schon früh an die Münzgeschäfte seines Vaters an. Bereits 1776 wurde er zum „Kronprinzlichen Oberhof-Jouvelier und Banquier“ ernannt[44] und avancierte 1786 beim Regierungsantritt Friedrich Wilhelms II. zum Hofbankier.[45] Der König ernannte ihn 1789, als mit dem Bau der Chaussee von Berlin nach Potsdam begonnen wurde, zum Wegebau-Inspektor.[46] Diese zahlreichen Ämter- und Titelverleihungen zeigen die enge Immediatbeziehung, die zwischen Friedrich Wilhelm II. und Isaac Daniel Itzig bestand. Auch die zusammen mit seinem sechs Jahre jüngeren Bruder Benjamin Daniel Itzig[47] durchgeführten Geschäfte versprachen eine erfolgreiche Fortsetzung der Familiengeschichte. Die Brüder, die 1773 die Firma „Itzig & Co.“ gegründet hatten, betätigten sich vor allem im Leibrenten- und Transportgeschäft und als Armeelieferanten. Als solche erhielten sie 1794 den Verproviantierungsauftrag für die nach der Zweiten Teilung Polens in Südpreußen stehende preußische Armee. Anfang 1796 machten sie sehr gute Geschäfte mit neumärkischem Getreide. Das große Los aber schien „Itzig & Co.“ mit dem Liefervertrag für die Sambre- und Maas-Armee gezogen zu haben: Nach dem Abschluss des Friedens von Basel 1795 erhielt die Firma den Zuschlag für die Belieferung dieser Armee mit Korn, Pferden, Holz und Schnaps. Isaac und Benjamin glaubten, sich dadurch das Monopol für alle preußischen Lieferungen an Frankreich gesichert zu haben. Sie lieferten innerhalb kürzester Zeit 8 833 Pferde[48] – und das war ihr Ruin, da die französische Regierung ihrer Zahlungsverpflichtung von 680 000 Talern nicht nachkam. Die Firma „Itzig & Co.“ musste am 13. März 1796 ihre Insolvenz erklären, und obwohl die beiden Inhaber mit ihrem gesamten Privatvermögen hafteten, war der Konkurs unabwendbar.[49]

Isaac Daniel Itzig verlor trotz des rapiden wirtschaftlichen Niedergangs nicht sein öffentliches Ansehen. Der Zusammenbruch wurde allgemein eher als Unglück denn als Verschulden der Firma angesehen. So wurde auch kein

Abb. 1: Isaac Daniel Itzig als junger Mann, Porträt von 1777

Strafverfahren gegen die beiden Bankrotteure eingeleitet. Isaac behielt zunächst sogar einen Teil seiner öffentlichen Ämter, und den Posten des Direktors der Jüdischen Freischule[50] hatte er bis zu seinem Tod im Jahre 1806 inne.

Sein Bruder hingegen zog sich nach dem wirtschaftlichen Zusammenbruch der Firma „Itzig & Co." völlig aus dem öffentlichen Leben zurück. 1804 verlegte er seinen Wohnsitz von Berlin nach Frankfurt an der Oder, wo er bis zu seinem Tod 1833 als Rentier im Hause seines Schwiegersohns Simon Hirsch Mendel[51] lebte.

Auch die Geschäfte von Jacob Daniel Itzig (1764–1838),[52] dem jüngsten der fünf Brüder, standen unter keinem guten Stern. Er arbeitete als Bankier, musste sich aber von seinem Vater mehrfach Geld leihen, um seine Gläubiger zufrieden stellen zu können. 1805 und 1811 saß er in Schuldhaft auf der Hausvogtei, 1811 wegen Veruntreuung von Staatspapieren. Nach seiner Freilassung war er nicht mehr geschäftlich tätig.[53]

Uneingeschränkt erfolgreich waren in der dritten Generation nur Moses und Elias Daniel Itzig. Moses (1753–1783),[54] der zweitälteste Sohn von Daniel Itzig, war wie Jacob Bankier, allerdings mit weitaus mehr Erfolg. Die Gewinne aus dem Kreditgeschäft investierte er in Seidenfabriken, die er zusammen mit seinem Onkel Isaak Benjamin Wulff (1731–1801)[55] 1772 in Berlin und Potsdam und 1777 auf ausdrücklichen Wunsch Friedrichs II. in Bernau eröffnet hatte.[56] Bei der Bewertung von Moses Daniel Itzig muss man allerdings seinen frühen Tod im Jahre 1783 berücksichtigen. Denn immerhin sind seine in wirtschaftlicher Hinsicht glückloseren Brüder alle drei erst um die Jahrhundertwende in finanzielle Schwierigkeiten geraten.

Elias (1755–1818)[57] war der einzige der fünf Söhne von Daniel Itzig, der 1799 beim Tod des Vaters die freie Verfügung über sein Erbteil erhalten konnte. Die anderen mussten auf den Zinsfuß, d. h. den Genuss der Zinsen, beschränkt werden und ihren Besitzanteil ihren Kindern übertragen, um so das Erbe dem Zugriff der Gläubiger zu entziehen. Elias Daniel Itzig erbte die bereits erwähnte väterliche Fabrik für englisches Leder auf dem Tornow bei Potsdam, in die er nach einer dreijährigen Lehrzeit bei dem Berliner Wachsfabrikanten und Juwelenhändler Samuel Liepmann Loewen (1747–1827)[58] eingestiegen war. 1799 leitete er die Fabrik bereits seit mehr als zehn Jahren. Er betrieb sie auch weiterhin äußerst erfolgreich bis zu seinem Tod 1818.[59]

Somit war Elias Daniel Itzig der einzige der fünf Itzig-Brüder, der auch nach dem Zusammenbruch des friderizianischen Preußens wirtschaftliche Erfolge erzielen konnte. Er hatte sich nach seiner Lehrzeit vom Geldgeschäft ab- und dem Manufakturwesen zugewandt, das ihm zukunftssicherer erschien. Anders als seine Brüder stand er von Anfang an außerhalb des typisch feudalistischen Geflechts „vertikaler persönlicher Abhängigkeitsbeziehungen".[60] Er hatte weder zu Friedrich Wilhelm II. noch zu dessen Nachfolger ein besonders enges Verhältnis. Im Gegensatz zu seinen Brüdern war er auch nicht Teil des Itzig-Wulffschen Verwandtschaftsnetzes. Während Benjamin und Jacob wie ihr Vater in die Wulff-Familie einheirateten[61] und Moses zumindest geschäftlich eng mit seinem Onkel Isaak Benjamin Wulff verbunden war, hatte Elias sich durch die Heirat mit Mirjam Leffmann (1759–1827)[62] und seine berufliche Selbstständigkeit frühzeitig aus den überkommenen Familienstrukturen befreit. Außerdem erwarb er sich als Potsdamer Stadtrat[63] und Mitglied im Brüderverein[64] einiges Ansehen. Daneben unterhielt er enge Beziehungen zu Berliner Literatur- und Gelehrtenkreisen.[65] Elias Daniel Itzig gelang es, sich einen Platz in der bürgerlichen Gesellschaft zu sichern. Dasselbe gilt für seine Schwestern, die als Salondamen zu einiger Berühmtheit kamen,[66] ebenso wie für Familienmitglieder der vierten Generation.[67]

Beim Vergleich der wirtschaftlichen Aktivitäten der einzelnen Familienmitglieder stellt man fest, dass die Itzigs ausschließlich in drei Bereichen tätig waren, nämlich als Heereslieferanten (Itzig ben Daniel Jafe und seine Enkel Isaac und Benjamin), im Geldgeschäft (Daniel Itzig und seine Söhne Isaac und Moses) und im Manufakturwesen (Daniel Itzig und in der dritten Generation Moses und Elias). Man kann also im ökonomischen Verhalten preußischer Hofjuden über Generationen hinweg gewisse Kontinuitäten feststellen. Die wechselnden Erfolgsaussichten hingen zu einem wesentlichen Teil von der jeweiligen politischen Situation und von den Prioritäten der Herrscher ab.

Die wichtigste Kontinuitätslinie, die das wirtschaftliche Verhalten der Itzigs prägte, bestand in ihrem engen Verhältnis zum preußischen Königshaus, in der Beziehung zwischen Itzig ben Daniel Jafe und Friedrich Wilhelm I., jener zwischen Daniel Itzig und Friedrich II. sowie in dem Verhältnis Isaac Daniel Itzigs zu Friedrich Wilhelm II. Alle drei Itzigs standen jeweils ‚ihrem' König für die Dauer seiner Regierung uneingeschränkt zur Verfügung. Trotz dieser grundsätzlichen Übereinstimmung muss die Struktur der drei Beziehungen unterschiedlich gewichtet werden. Itzig ben Daniel Jafe strebte danach, das Niederlassungsrecht zu erwerben, zunächst nur für sich, dann auch für seine Kinder. Friedrich Wilhelm I. betrachtete ihn jedoch letztlich nur als einen von vielen Untergebenen, die er, wenn sie ihm bei der Durchsetzung seiner Reformen gute Dienste geleistet hatten, entsprechend belohnte.[68] Daniel Itzig ging es darum, die Stellung der Familie in wirtschaftlicher und rechtlicher Hinsicht zu festigen. Als Münzjude machte er sich in Kriegszeiten Friedrich II. unentbehrlich, und obwohl dieser mehrmals versuchte, sich von ihm zu trennen, erwiesen sich die gegenseitigen Abhängigkeiten als zu stark.[69] Als Isaac Daniel Itzig die Zusammenarbeit mit Friedrich Wilhelm II. noch während dessen Kronprinzenzeit begann, bestand über die herausragende gesellschaftliche Position der Familie Itzig kein Zweifel mehr. Bald erfolgte auch die rechtliche Gleichstellung durch die Verleihung des Naturalisationspatents. Der König war Isaac vor allem deshalb verpflichtet, weil dieser die Regulierung seiner Schulden übernommen hatte. Auffälligstes Merkmal des Abhängigkeitsverhältnisses ist die Gleichzeitigkeit des Bankrotts des Oberhofbankiers mit dem Tod Friedrich Wilhelms II. Isaac Daniel Itzig gelang es dann nicht mehr, das Vertrauen des neuen Herrschers, Friedrich Wilhelms III. (reg. 1797–1840), mit den von seinem Großvater über seinen Vater auf ihn tradierten, althergebrachten Verhaltensnormen zu gewinnen. Trotz des Regierungswechsels und des wirtschaftlichen Niedergangs teilte die Familie Itzig jedoch nicht das Schicksal so mancher Hofjudenfamilien vor ihr, nämlich Abstieg in die Bedeutungslosigkeit, Armut und Verweisung des Landes.[70]

Kurz nach dem wirtschaftlichen Zusammenbruch der Firma „Itzig & Co.“ ging das Alte Preußen unter. Mit den veränderten politischen Verhältnissen entfielen die Sonderprivilegien. Seit dem Emanzipationsedikt vom 11. März 1812[71] entwickelte sich die rechtliche Stellung der Juden in Berlin unabhängig von ihrer wirtschaftlichen Situation. Künftig hing der gesellschaftliche Aufstieg und Niedergang des einzelnen Juden nicht länger von seinem persönlichen Verhältnis zum Herrscher, der sich daraus ergebenden Gewährung von Sonderrechten und seinen wirtschaftlichen Erfolgen ab. Der Werdegang von Elias Daniel Itzig ist hierfür ein Beispiel.

Abschließend bleibt festzuhalten, dass es den Itzigs trotz des in der dritten Generation für Hofjudenfamilien so charakteristischen wirtschaftlichen Niedergangs gelang, einen Elitenwechsel zu vollziehen. In der Gesellschaft, die sich nach dem Zusammenbruch des Alten Preußens zu Beginn des 19. Jahrhunderts neu konstituierte, gehörten sie zwar nicht länger zur Wirtschaftselite, aber es gelang ihnen – gerade auch aufgrund der veränderten politischen Verhältnisse –, sich als Mitglieder der Bildungselite einen Platz in der bürgerlichen Gesellschaft zu sichern.[72] Ihr Startkapital war diesmal ihr Bildungspotenzial. Der Erwerb säkularer Bildung und die Annahme des bürgerlichen Bildungsideals, ermöglicht durch den als Hofjuden erworbenen Reichtum, markieren eine wichtige Verbindungslinie zwischen Hofjuden- und Bildungsbürgertum. Aufgrund dieses spezifischen sozialen und kulturellen Profils spielten die Itzigs auch im 19. Jahrhundert eine wichtige Rolle im gesellschaftlichen Leben Berlins.

Anmerkungen

1 Zur Stadtgeschichte Berlins: HELGA SCHULTZ, *Berlin 1650–1800. Sozialgeschichte einer Residenz*, Berlin 1987; WOLFGANG RIBBE (Hg.), *Geschichte Berlins*, 2 Bde., München 1987.

2 „BERLIN, (Géog.) ville d'Allemagne, capitale de l'électorat de Brandenbourg, & résidence du roi de Prusse, sur la Sprée qui tombe dans l'Elbe, & qui communique à l'Oder par un canal, dont l'entrée est à Francfort." In: *Encyclopédie, ou dictionnaire raisonné des sciences, des arts et des métiers, par une société de gens de lettres*, mis en ordre & publié par M. DIDEROT, de L' Académie Royale des Sciences & des Belles-Lettres de Prusse; & quant à la Partie Mathématique, par M. D'ALEMBERT, de l'Académie Royale des Sciences de Paris, de celle de Prusse, & de la Société Royale de Londres, Bd. II, Paris 1751, S. 209.

3 Vgl. KLAUS GERTEIS, *Die deutschen Städte in der Frühen Neuzeit. Zur Vorgeschichte der „bürgerlichen Welt"*, Darmstadt 1986; STEFI JERSCH-WENZEL, *Juden und „Franzosen" in der Wirtschaft des Raumes Berlin/Brandenburg zur Zeit des Merkantilismus*, Berlin 1978 (Einzelveröffentlichungen der Historischen Kommission zu Berlin 23: Publikationen zur Geschichte der Industrialisierung); KARL HEINRICH KAUFHOLD, Der preußische Merkantilismus und die Berliner Unternehmer, in: *Berlin und seine Wirtschaft. Ein Weg aus der Geschichte in die Zukunft – Lehren und Erkenntnisse*, Berlin/New York 1987, S. 19–40; ROLF STRAUBEL, *Kaufleute und Manufakturunternehmer. Eine empirische Untersuchung über die sozialen Träger von Handel und Großgewerbe in den mittleren preußischen Provinzen (1763 bis 1815)*, Stuttgart 1995 (Vierteljahrschrift für Sozial- und Wirtschaftsgeschichte, Beih. 122).

4 Vgl. MARTIN FONTIUS, Berlin, in: WERNER SCHNEIDERS (Hg.), *Lexikon der Aufklärung. Deutschland und Europa*, München 1995, S. 57/58.

5 Bereits in den ersten zehn Jahren der Regierungszeit Friedrichs II. erhöhte sich die Gesamtbevölkerung Berlins um 25,8 %, von 90 000 auf 113 289 Einwohner. 1790 lag die Zahl der Einwohner bei 150 803, damit war sie seit 1740 um 68 % gestiegen. Vgl. BRIGITTE SCHEIGER, Juden in Berlin, in: STEFI JERSCH-WENZEL/BARBARA JOHN (Hgg.), *Von Zuwanderern zu Einheimischen. Hugenotten, Juden, Böhmen, Polen in Berlin*, Berlin 1990, S. 153–488, hier S. 194, Tab. II/1: Entwicklung der Gesamtbevölkerung und der jüdischen Bevölkerungsgruppe (1700–1744) 1750–1811.

6 Vgl. FRIEDRICH WILHELM EULER, Bankherren und Großbankleiter nach Herkunft und Heiratskreis, in: HANNS HUBERT HOFMANN (Hg.), *Bankherren und Bankiers. Büdinger Vorträge 1976*, Limburg 1978 (Deutsche Führungsschichten in der Neuzeit 10), S. 85–144; JACOB JACOBSON (Hg.), *Die Judenbürgerbücher der Stadt Berlin 1809–1851. Mit Ergänzungen für die Jahre 1791–1809*, Berlin 1962 (Veröffentlichungen der Berliner Historischen Kommission 4, Quellenwerke 1); STEVEN M. LOWENSTEIN, Jewish Upper Crust and Berlin Jewish Enlightenment: The Family of Daniel Itzig, in: FRANCES MALINO/DAVID SORKIN (eds.), *From East and West. Jews in a Changing Europe, 1750–1817*, Oxford 1990, S. 182–201; HUGO RACHEL/PAUL WALLICH, *Berliner Großkaufleute und Kapitalisten, Bd. 2: Die Zeit des Merkantilismus 1648–1806*, Berlin 1938, Nachdr. Berlin 1967, S. 354–380; HEINRICH SCHNEE, *Die Hoffinanz und der moderne Staat. Geschichte und System der Hoffaktoren an deutschen Fürstenhöfen im Zeitalter des Absolutismus, Bd. 1: Die Institution des Hoffaktorentums in Brandenburg-Preußen*, Berlin 1953, S. 169–176.

7 Zur Geschichte der Juden in Berlin: MARIANNE AWERBUCH/STEFI JERSCH-WENZEL (Hgg.), *Bild und Selbstbild der Juden Berlins zwischen Aufklärung und Romantik. Beiträge zu einer Tagung*, Berlin 1992 (Einzelveröffentlichungen der Historischen Kommission zu Berlin 75); LUDWIG GEIGER, *Geschichte der Juden in Berlin. Festschrift zur*

zweiten Säkular-Feier. Anmerkungen, Ausführungen, urkundliche Beilagen und zwei Nachträge (1871–1890), Berlin 1871, Nachdr. Berlin 1988; STEVEN M. LOWENSTEIN, *The Berlin Jewish Community: Enlightenment, Family, and Crisis, 1770–1830*, New York/Oxford 1994 (Studies in Jewish History); REINHARD RÜRUP (Hg.), *Jüdische Geschichte in Berlin. Essays und Studien*, Berlin 1995.

8 LOWENSTEIN, *Berlin Jewish Community* (wie Anm. 7), S. 26.

9 Vgl. dazu die umfangreichen Materialsammlungen von Friedrich von Schrötter und Selma Stern: FRIEDRICH VON SCHRÖTTER, *Das Preußische Münzwesen im 18. Jahrhundert. Münzgeschichtlicher Teil*, Bd. 2–4, Berlin 1908–1913 (Acta Borussica. Denkmäler der Preußischen Staatsverwaltung im 18. Jahrhundert. Münzwesen); SELMA STERN, *Der preußische Staat und die Juden. 3. Teil: Die Zeit Friedrichs des Großen*, Abt. 1 u. 2–I/II, Tübingen 1971 (Schriftenreihe wissenschaftlicher Abhandlungen des Leo-Baeck-Instituts 24).

10 Zu Definitionen des Elitenbegriffs: ANJA VICTORINE HARTMANN, Kontinuitäten oder revolutionärer Bruch? Eliten im Übergang vom Ancien Regime zur Moderne. Eine Standortbestimmung, in: *Zeitschrift für Historische Forschung* 25 (1998), S. 389–420.

11 Auf diese Definition hat man sich im Darmstädter Arbeitskreis „Hofjuden" verständigt. Der Arbeitskreis entstand 1997 an der TU Darmstadt unter der wissenschaftlichen Leitung von Prof. Dr. J. Friedrich Battenberg und Dr. Rotraud Ries in Kooperation mit dem DFG-Projekt „Die Rolle der Hofjuden im Akkulturationsprozess der Juden des deutschsprachigen Raumes". – Zu Hofjuden allgemein: FRIEDRICH BATTENBERG, Hofjuden in Residenzstädten der frühen Neuzeit, in: FRITZ MAYRHOFER/FERDINAND OPLL (Hgg.), *Juden in der Stadt*, Linz/Donau 1999 (Beiträge zur Geschichte der Städte Mitteleuropas 25), S. 297–325; MORDECHAI BREUER, Die Hofjuden, in: DERS./MICHAEL GRAETZ, Deutsch-Jüdische Geschichte in der Neuzeit, hg. v. MICHAEL A. MEYER, Bd. 1: Tradition und Aufklärung 1600–1780, München 1996, S. 106–125; FRANCIS LUDWIG CARSTEN, The Court Jews. A Prelude to Emancipation, in: *Leo Baeck Institute Year Book* 3 (1958), S. 140–156; JONATHAN IRVINE ISRAEL, *European Jewry in the Age of Mercantilism 1550–1750*, Oxford 1985; VIVIAN B. MANN/RICHARD I. COHEN (eds.), *From Court Jews to the Rothschilds. Art, Patronage, and Power, 1600–1800,* Munich/New York 1996; ROTRAUD RIES, Hofjuden: Funktionsträger des absolutistischen Territorialstaates und Teil der jüdischen Gesellschaft. Eine einführende Positionsbestimmung, in diesem Band; DIES., Hofjuden als Vorreiter? Bedingungen und Kommunikationen, Gewinn und Verlust auf dem Weg in die Moderne, in: ARNO HERZIG/HANS OTTO HORCH/ROBERT JÜTTE (Hgg.), *Judentum und Aufklärung. Jüdisches Selbstverständnis in der bürgerlichen Öffentlichkeit*, Göttingen 2002, S. 30–65; HEINRICH SCHNEE: *Die Hoffinanz und der moderne Staat. Geschichte und System der Hoffaktoren an deutschen Fürstenhöfen im Zeitalter des Absolutismus*, 6 Bde., Berlin 1953–1967; SELMA STERN, *The Court Jew. A Contribution to the History of the Period of Absolutism in Central Europe*, Philadelphia 1950.

12 Vgl. JOHANNES KUNISCH, Hofkultur und höfische Gesellschaft in Brandenburg-Preußen im Zeitalter des Absolutismus, in: AUGUST BUCK u. a. (Hgg.), *Europäische Hofkultur im 16. und 17. Jahrhundert*, Bd. 3, Hamburg 1981 (Wolfenbütteler Arbeiten zur Barockforschung 10), S. 735–744. Zum frühneuzeitlichen Hof außerdem: VOLKER BAUER, *Die höfische Gesellschaft in Deutschland von der Mitte des 17. bis zum Ausgang des 18. Jahrhunderts. Versuch einer Typologie*, Tübingen 1993; NORBERT ELIAS, *Die höfische Gesellschaft. Untersuchungen zur Soziologie des Königtums und der höfischen Aristokratie,* Darmstadt/Neuwied 1969; JÜRGEN VON KRUEDENER, *Die Rolle des Hofes im Absolutismus*, Stuttgart 1973 (Forschungen zur Sozial- und Wirtschaftsgeschichte 19); RUDOLF VIERHAUS, Höfe und höfische Gesellschaft in Deutschland im 17. und 18. Jahrhundert, in: ERNST HINRICHS (Hg.), *Absolutismus*, Frankfurt a. M. 1986, S. 116–

137. – Es fällt übrigens auf, dass in den genannten Untersuchungen das Phänomen des Hofjudentums keine Berücksichtigung findet.

13 Vgl. HANS-ULRICH WEHLER, *Deutsche Gesellschaftsgeschichte. Bd. 1: Vom Feudalismus des Alten Reiches bis zur Defensiven Modernisierung der Reformära 1700–1815*, München 1987.

14 Vgl. JACOB JACOBSON, *Jüdische Trauungen in Berlin 1759–1813. Mit Ergänzungen für die Jahre 1723–1759*, Berlin 1968 (Veröffentlichungen der Historischen Kommission zu Berlin 28, Quellenwerke 4), S. 40.

15 *Confirmatio Privilegii der hiesigen Judenschafft. Vom 20. May 1714*, abgedr. in: ISMAR FREUND, *Die Emanzipation der Juden in Preußen unter besonderer Berücksichtigung des Gesetzes vom 11. März 1812. Ein Beitrag zur Rechtsgeschichte der Juden in Preußen*, Bd. 2, Berlin 1912, Nr. 2, S. 6–15.

16 Ebd., S. 14.

17 MAX FREUDENTHAL, *Leipziger Messgäste. Die jüdischen Besucher der Leipziger Messen in den Jahren 1675 bis 1764*, Frankfurt a. M. 1928 (Schriften der Gesellschaft zur Förderung der Wissenschaft des Judentums 29), S. 35.

18 Vgl. STERN, *Preußische Staat und die Juden* (wie Anm. 9), III/1, S. 100, 236.

19 Ebd., III/2–1, Nr. 57, S. 185.

20 Vgl. JACOBSON, *Trauungen* (wie Anm. 14), S. 157–159. Die wichtigsten biographischen Angaben zu Daniel Itzig finden sich auch in folgenden Lexika: *Neue Deutsche Biographie* X, Berlin 1974, S. 205/206; *Encyclopaedia Judaica. Das Judentum in Geschichte und Gegenwart* VIII, Berlin 1931, Sp. 712/713; *Encyclopaedia Judaica* IX, Jerusalem 1971, Sp. 1150–1152; *The Jewish Encyclopedia* VII, New York/London o.J. [1904], S. 12; *The Universal Jewish Encyclopedia* V, New York 1948, S. 640/641; *Deutsche Biographische Enzyklopädie* V, Darmstadt 1997, S. 267; *Jüdisches Lexikon* III, Berlin 1929, Sp. 99/100.

21 Itzig ben Daniel Jafe und Kela Eschwege hatten insgesamt neun Kinder: Vogel (1712–1758), Moses (geb. 1715), Jacob (1717–1737), Bela (gest. 1793), Hanne (1722–1797), Daniel (1723–1799), Meyer (1726–1806), Rechel (1731–1789) und Pesse (1736–1808); vgl. Leo Baeck Institute, Archives, New Yok, AR 4191 Itzig Family Collection, A I-2.

22 Vgl. JACOBSON, *Trauungen* (wie Anm. 14), S. 77.

23 Vgl. FREUDENTHAL, *Leipziger Messgäste* (wie Anm. 17), S. 38.

24 Vgl. RACHEL/WALLICH, *Berliner Großkaufleute* (wie Anm. 6), Bd. 2, S. 354.

25 Vgl. JACOBSON, *Trauungen* (wie Anm. 14), S. 7; RACHEL/WALLICH, *Berliner Großkaufleute* (wie Anm. 6), Bd. 2, S. 58–62, 295–299; SCHNEE, *Hoffinanz* (wie Anm. 6), Bd. 1, S. 91, 119/120, 123–126, 153.

26 Moses Isaac Fliess hatte Bela Itzig, eine Schwester von Daniel Itzig, geheiratet. – Zu Moses Isaac Fliess: JACOBSON, *Trauungen* (wie Anm. 14), S. 90/91, 212/213; RACHEL/WALLICH, *Berliner Großkaufleute* (wie Anm. 6), Bd. 2, S. 299–303, 308, 381–385, 530; SCHNEE, *Hoffinanz* (wie Anm. 6), Bd. 1, S. 122, 132/133.

27 Central Archives for the History of the Jewish People (CAHJP), Jerusalem, P/17/364 Nachlass Stern, Schreiben von Friedrich II. an die Domänen-Kammern, Potsdam, 14. Oktober 1755. Vgl. dazu auch REINHOLD KOSER, Die preußischen Finanzen im Siebenjährigen Krieg, in: *Forschungen zur Brandenburgischen und Preußischen Geschichte* 13 (1900), S. 153–217, 329–375, hier S. 340; RACHEL/WALLICH, *Berliner Großkaufleute* (wie Anm. 6), Bd. 2, S. 355/356.

28 Vgl. *Encyclopaedia Judaica* VI, Jerusalem 1971, Sp. 811/812; JACOBSON, *Trauungen* (wie Anm. 14), S. 9–11; *Jüdisches Lexikon* I, Berlin 1927, Sp. 428/429; RACHEL/WALLICH, *Berliner Grosskaufleute* (wie Anm. 6), Bd. 2, S. 220, 273/74, 285–334, 454–460, 470, 489, 498, 530; SCHNEE, *Hoffinanz* (wie Anm. 6), Bd. 1, S. 121–131, 145–157. – Auch zwischen den Familien Itzig und Ephraim bestanden enge verwandtschaftliche Be-

ziehungen. Zwei Enkel von Veitel Heine Ephraim, Kinder seines ältesten Sohnes Ephraim Veitel Ephraim (1729–1803), heirateten Kinder von Daniel Itzig. Henne Veitel Ephraim (gest. 1776) wurde 1773 die erste Frau von Isaac Daniel Itzig (1750–1806). Seine Schwester Rebecca (1763–1843) heiratete 1784 Hennes Bruder, David Veitel Ephraim (1762–1835).

29 Sachsen war direkt zu Beginn des Siebenjährigen Krieges von Preußen besetzt worden, und so unterstanden auch die Münzstätten in Leipzig und Dresden dem preußischen König. – Zur Tätigkeit von Veitel Heine Ephraim und Daniel Itzig als Münzentrepreneurs: Koser, Preußische Finanzen (wie Anm. 27), S. 345–359; Rachel/Wallich, *Berliner Großkaufleute* (wie Anm. 6), Bd. 2, S. 299–320; Stern, *Preußische Staat und die Juden* (wie Anm. 9), III/2–1, Nr. 198, S. 317; Nr. 201, S. 318; Nr. 202, S. 318/319; Nr. 206, S. 321; Nr. 207, S. 322; Nr. 209, S. 323; Nr. 210, S. 323; Nr. 212, S. 325/326; Nr. 213, S. 326; Nr. 214, S. 326; Nr. 215, S. 326/327; Nr. 216, S. 328; Nr. 217, S. 328/329; Nr. 218, S. 329; Nr. 222, S. 330; Nr. 231, S. 344; Nr. 232, S. 345; Nr. 250, S. 370; Nr. 255, S. 375/376; Nr. 258, S. 377; Nr. 259, S. 377; Nr. 260, S. 377/378; Nr. 264, S. 380; Nr. 265, S. 380.

30 Vgl. Peter Blastenbrei, Der König und das Geld. Studien zur Finanzpolitik Friedrichs II. von Preußen, in: *Forschungen zur Brandenburgischen und Preußischen Geschichte* N.F. 6 (1996), S. 55–82, hier S. 75.

31 Zur Finanzierung des Siebenjährigen Krieges: Koser, Preußische Finanzen (wie Anm. 27); Wilhelm Treue, Die Wirtschaft im Siebenjährigen Kriege und im „Retablissement", in: Otto Büsch (Hg.), *Handbuch der preußischen Geschichte, Bd. 2: Das 19. Jahrhundert und Große Themen der Geschichte Preußens*, Berlin/New York 1992, S. 483–494, hier S. 484; Wolfgang Reinhard, Kriegsstaat – Steuerstaat – Machtstaat, in: Ronald G. Asch/Heinz Duchhardt (Hgg.), *Der Absolutismus – ein Mythos? Strukturwandel monarchischer Herrschaft in West- und Mitteleuropa (ca. 1550–1700)*, Köln/Weimar/Wien 1996 (Münstersche Historische Forschungen 9), S. 277–310, hier S. 301.

32 Koser, Preußische Finanzen (wie Anm. 27), S. 347, Anm. 3. – Das *General-Schutz- und Handlungsprivilegium* wurde Veitel Heine Ephraim und Daniel Itzig am 9. März 1761 verliehen. Es ist zum Teil abgedr. in: Schnee, *Hoffinanz* (wie Anm. 11), Bd. 5, Nr. 14, S. 25.

33 Vgl. Koser, Preußische Finanzen (wie Anm. 27), S. 359.

34 Vgl. Treue, Wirtschaft im Siebenjährigen Krieg (wie Anm. 31), S. 484.

35 Vgl. Stern, *Preußische Staat und die Juden* (wie Anm. 9), III/2–1, Nr. 279, S. 387/388.

36 Vgl. Erika Herzfeld, *Preußische Manufakturen. Großgewerbliche Fertigung von Porzellan, Seide, Gobelins, Uhren, Tapeten, Waffen, Papier u. a. im 17. und 18. Jahrhundert in und um Berlin*, Berlin 1994, S. 188–190.

37 Vgl. Stern, *Preußische Staat und die Juden* (wie Anm. 9), III/2–1, Nr. 286, S. 391/392.

38 Vgl. Rachel/Wallich, *Berliner Großkaufleute* (wie Anm. 6), Bd. 2, S. 362–364.

39 Schreiben von Friedrich II. an Daniel Itzig, Potsdam, 19. Oktober 1785, abgedr. in: Johann David Erdmann Preuss, *Friedrich der Große. Eine Lebensgeschichte*, Bd. 4, Berlin 1834, Urkundenbuch, S. 305/306.

40 Das Naturalisationspatent für Daniel Itzig und „seine ehelichen Descendenten beyderley Geschlechts" vom 2. Mai 1791 ist abgedr. in: Karoline Cauer, *Oberhofbankier und Hofbaurat. Aus der Berliner Bankgeschichte des 18. Jahrhunderts*, Frankfurt a. M. 1972 (Institut für bankhistorische Forschung e.V., Schriftenreihe 1), S. 96–98; Geiger, *Geschichte der Juden in Berlin*, Anmerkungen (wie Anm. 7), S. 147–150; Schnee, *Hoffinanz* (wie Anm. 11), Bd. 5, Nr. 21, S. 30–33.

41 LBI Archives N.Y., AR 4191 Itzig Family Collection, B I-5, Gesuch von Isaac Daniel Itzig „wegen einem Naturalisations Patent für meinen Vater und seine ehelichen De-

scendenten“, Berlin, 8. November 1790, abgedr. in: Cauer, *Oberhofbankier und Hofbaurat* (wie Anm. 40), S. 95.

42 Vgl. *The Universal Jewish Encyclopedia* V, New York 1948, S. 641; *Deutsche Biographische Enzyklopädie* V, Darmstadt 1997, S. 267; Jacobson, *Trauungen* (wie Anm. 14), S. 207–209, 293, 408. – Isaac Daniel Itzig ist der bekannteste der fünf Söhne von Daniel Itzig. Zu ihm liegt eine Biographie vor: Cauer, *Oberhofbankier und Hofbaurat* (wie Anm. 40).

43 Mirjam Wulff stammte aus einer angesehenen Hoffaktorenfamilie in Dessau, die stolz darauf war, ihre Abstammung bis auf den berühmten Rabbiner Moses Isserles zurückführen zu können. Vgl. Max Freudenthal, *Aus der Heimat Mendelssohns. Moses Benjamin Wulff und seine Familie, die Nachkommen des Moses Isserles*, Berlin 1900. – Mirjam Wulff und Daniel Itzig hatten 15 Kinder, fünf Söhne und zehn Töchter: Hanne (1748–1801), Bela (1749–1824), Isaac Daniel (1750–1806), Blümchen (1752–1815), Moses Daniel (1753–1783), Vögelchen (Fanny) (1754–1818), Elias Daniel (1755–1818), Zippora (Cäcilie) (1760–1836), Benjamin Daniel (1756–1833), Sara (1761–1854), Rebecca (1763–1843), Jacob Daniel (1764–1838), Recha (1766–1841), Jüttche (Henriette) (1767–1818), Lea (1768–1794); vgl. LBI Archives N.Y., AR 4191 Itzig Family Collection, A I-2.

44 LBI Archives N.Y., AR 4191 Itzig Family Collection, B I-1, *Patent als OberhofFactor, Krieges- und Cammer-Agent, Oberhof-Jouvelier und Banquier, für den bisherigen Banquier und Jouvelier Isaac Daniel Itzig*, Potsdam, 16. Februar 1776, abgedr. in: Cauer, *Oberhofbankier und Hofbaurat* (wie Anm. 40), S. 92.

45 Vgl. Rachel/Wallich, *Berliner Großkaufleute* (wie Anm. 6), Bd. 2, S. 370/371; Schnee, *Hoffinanz* (wie Anm. 6), Bd. 1, S. 171–174.

46 LBI Archives N.Y., AR 4191 Itzig Family Collection, B I-4, Patent für Isaac Daniel Itzig als „Inspectoris bey dem Chaussée Bau zwischen Berlin und Potsdam“, Berlin, 8. Dezember 1789, abgedr. in: Cauer, *Oberhofbankier und Hofbaurat* (wie Anm. 40), S. 94.

47 Vgl. Jacobson, *Trauungen* (wie Anm. 14), S. 262.

48 Bericht des Kammergerichts über die „Itzigsche Forderung an den Französischen Staat“, Berlin, 28. Januar 1811, abgedr. in: Cauer, *Oberhofbankier und Hofbaurat* (wie Anm. 40), S. 101–103.

49 Vgl. Rachel/Wallich, *Berliner Großkaufleute* (wie Anm. 6), Bd. 2, S. 372–375.

50 Zur Jüdischen Freischule: Peter Dietrich/Uta Lohmann, Die jüdische Freischule in Berlin zwischen 1778 und 1825, in: Ingrid Lohmann/Wolfram Weisse (Hgg.), *Dialog zwischen den Kulturen. Erziehungshistorische und religionspädagogische Gesichtspunkte interkultureller Bildung*, Münster/New York 1994, S. 37–47; Michael A. Meyer, *Von Moses Mendelssohn zu Leopold Zunz. Jüdische Identität in Deutschland 1749–1824*, München 1994, S. 67, 226; Immanuel Heinrich Ritter, *Geschichte der jüdischen Reformation, Bd. 2: David Friedländer. Sein Leben und sein Wirken im Zusammenhange mit den gleichzeitigen Culturverhältnissen und Reformbestrebungen im Judenthum*, Berlin 1861, S. 36–46.

51 Vgl. Jacobson, *Trauungen* (wie Anm. 14), S. 460. – Simon Hirsch Mendel (gest. 1853) hatte am 4. Januar 1804 Lea Itzig (geb. 1781), die älteste Tochter von Benjamin Daniel Itzig, geheiratet.

52 Vgl. Jacobson, *Trauungen* (wie Anm. 14), S. 300.

53 Vgl. Rachel/Wallich, *Berliner Großkaufleute* (wie Anm. 6), Bd. 2, S. 377; Schnee, *Hoffinanz* (wie Anm. 6), Bd. 1, S. 174.

54 Vgl. Jacobson, *Trauungen* (wie Anm. 14), S. 274/275. – Zur Lehrzeit von Elias Daniel Itzig bei Samuel Liepmann Loewen: LBI Archives N.Y., ME 762 Samuel Liepmann Loewen Collection, „Lebenslauf von Samuel Liepmann Loewen, von ihm selbst auf gutes Pergamentpapier im 77. Lebensjahre geschrieben“, S. 6/7.

55 Vgl. JACOBSON, *Trauungen* (wie Anm. 14), S. 245; RACHEL/WALLICH, *Berliner Großkaufleute* (wie Anm. 6), Bd. 2, S. 279/80, 337/38, 362, 459, 531; SCHNEE, *Hoffinanz* (wie Anm. 6), Bd. 1, S. 176/177.

56 Vgl. FREUDENTHAL, *Aus der Heimat Mendelssohns* (wie Anm. 43), S. 141; RACHEL/WALLICH, *Berliner Großkaufleute* (wie Anm. 6), Bd. 2, S. 376; SCHNEE, *Hoffinanz* (wie Anm. 6), Bd. 1, S. 174, 177.

57 Vgl. JACOBSON, *Trauungen* (wie Anm. 14), S. 240/241.

58 Vgl. ebd., S. 376/377.

59 Vgl. RACHEL/WALLICH, *Berliner Großkaufleute* (wie Anm. 6), Bd. 2, S. 361/362, 376/377; SCHNEE, *Hoffinanz* (wie Anm. 6), Bd. 1, S. 170, 174.

60 WEHLER, *Deutsche Gesellschaftsgeschichte* (wie Anm. 13), Bd. 1, S. 41.

61 Mirjam Wulff, die Frau von Daniel Itzig, war die Schwester von Isaak Benjamin Wulff. Seine Neffen Isaac, Benjamin und Jacob wurden mit seinen Töchtern Edel, Zippora und Sara verheiratet: Isaac Daniel Itzig und seine Cousine Edel Wulff (1764–1851) heirateten 1783, nachdem Isaacs erste Frau Henne Veitel Ephraim 1776 gestorben war. Bereits 1780 hatten Benjamin Daniel Itzig und Zippora Wulff (1760–1831) geheiratet. Fünf Jahre später, 1785, folgten Jacob Daniel Itzig und Sara Wulff (1766–1850); vgl. LBI Archives N.Y., AR 4191 Itzig Family Collection, A I-2.

62 Mirjam Leffmann war eine Tochter des Berliner Bankiers Herz Abraham Leffmann (gest. 1775), der als Vorsteher des Brautausstattungs- und Armen-Unterstützungsvereins in der Jüdischen Gemeinde Berlin eine wichtige Rolle spielte; vgl. JACOBSON, *Trauungen* (wie Anm. 14), S. 230, 241.

63 JACOBSON, *Judenbürgerbücher* (wie Anm. 6), S. 51/52 (Nr. 3*).

64 CAHJP, P/17/624 Nachlass Stern, Verzeichnis der Mitglieder des Brüdervereins, 1815. – Der Brüderverein war nach dem Vorbild der Gesellschaft der Freunde 1814 in Berlin von wohlhabenden jüdischen Kaufleuten gegründet worden, vgl. LOWENSTEIN, *Berlin Jewish Community* (wie Anm. 7), S. 64, 172.

65 Wilhelm Erman beschreibt in der Biographie seines Großvaters, des Physikers Paul Erman, das gesellschaftliche Leben im Haus seines Urgroßvaters Elias Daniel Itzig: WILHELM ERMAN, *Paul Erman. Ein Berliner Gelehrtenleben 1764–1851*, Berlin 1927 (Schriften des Vereins für die Geschichte Berlins 53), S. 70–76.

66 Fanny von Arnstein, Cäcilie von Eskeles, Sara Levy und Rebecca Ephraim prägten mit ihren Salons das gesellschaftliche Leben Wiens bzw. Berlins; vgl. DEBORAH HERTZ, *Die jüdischen Salons im alten Berlin 1780–1806*, Frankfurt a. M. 1991; HILDE SPIEL, *Fanny von Arnstein oder Die Emanzipation. Ein Frauenleben an der Zeitenwende 1758–1818*, Frankfurt a. M. 1962; PETRA WILHELMY, *Der Berliner Salon im 19. Jahrhundert (1780–1914)*, Berlin/New York 1989 (Veröffentlichungen der Historischen Kommission zu Berlin 73).

67 Genannt seien hier nur die Salonnière Lea Mendelssohn Bartholdy (1777–1842) und ihr Bruder Jacob Levin Bartholdy (1779–1825), Generalkonsul in Rom, der preußische Offizier Benjamin Albert Friedrich Itzig (geb. 1791), der Tabaksmakler und Münzsammler Benoni Friedländer (1773–1858) und der Bankier Moses Friedländer (1774–1840), der Kriminaldirektor Julius Eduard Hitzig (1780–1849), ein enger Freund von Adelbert von Chamisso, E.T.A. Hoffmann und Zacharias Werner, der in den 1820er Jahren im literarischen Leben Berlins eine große Rolle spielte; außerdem noch Isaak Ephraim (geb. 1786), ebenfalls Generalkonsul wie sein Cousin Jacob Levin Bartholdy, sowie der Rittergutsbesitzer Moritz Oppenheim (1793–1861) und sein Bruder, der Bankier Daniel Oppenheim (geb. 1800).

68 Friedrich Wilhelm I. verlieh Juden in Anerkennung der ihm geleisteten Dienste Generalprivilegien, die es ihnen erlaubten, alle ihre Kinder anzusetzen. Inhaber eines solchen Generalprivilegs wurden neben Itzig ben Daniel Jafe der Samtfabrikant

David Hirsch (1670–1740), der Garnison- und Hofagent Meyer David Riess (1688–1752), der Hofjude Marcus Magnus (gest. 1736), David Riess (1662–1727), der Seidenfabrikant Samuel Bendix (1670–1742) und Wulff Levin; vgl. STERN, *Preußische Staat und die Juden* (wie Anm. 9), III/2–1, Nr. 57, S. 185–189.

69 Vgl. GEIGER, *Geschichte der Juden in Berlin*, Anmerkungen (wie Anm. 7), S. 140/141; RACHEL/WALLICH, *Berliner Großkaufleute* (wie Anm. 6), Bd. 2, S. 320, 354–356.

70 Vgl. dazu MICHAEL GRAETZ, Court Jews in Economics and Politics, in: MANN/COHEN, *From Court Jews to the Rothschilds* (wie Anm. 11), S. 27–43.

71 *Edikt betreffend die bürgerlichen Verhältnisse der Juden in dem Preußischen Staate* vom 11. März 1812, abgedr. in: ERNST RUDOLF HUBER (Hg.), *Dokumente zur deutschen Verfassungsgeschichte, Bd. 1: 1803–1850*, Stuttgart 1961, S. 45–47.

72 Zum Verbürgerlichungsprozess der Juden: MICHAEL GRAETZ, Judentum und Moderne: Die Rolle des aufsteigenden Bürgertums im Politisierungsprozeß der Juden, in: KARL E. GRÖZINGER (Hg.), *Judentum im deutschen Sprachraum*, Frankfurt a. M. 1991, S. 259–279; JACOB TOURY, Der Eintritt der Juden ins deutsche Bürgertum, in: HANS LIEBESCHÜTZ/ARNOLD PAUCKER (Hgg.), *Das Judentum in der deutschen Umwelt 1800–1850. Studien zur Frühgeschichte der Emanzipation*, Tübingen 1977 (Schriftenreihe wissenschaftlicher Abhandlungen des Leo-Baeck-Instituts 35), S. 139–242; SHULAMIT VOLKOV, Die Verbürgerlichung der Juden in Deutschland. Eigenart und Paradigma, in: JÜRGEN KOCKA (Hg.), *Bürgertum im 19. Jahrhundert. Deutschland im europäischen Vergleich. Eine Auswahl*, Bd. 3, Göttingen 1995, S. 105–133.

Jüdische Wechselmakler am Börsenplatz Frankfurt am Main und die Wirtschaftspolitik des reichsstädtischen Rates[1]

Gabriela Schlick

Zu den wichtigsten Zielen absolutistischer Territorialherren zählten im 17. und 18. Jahrhundert die Steigerung der Staatseinkünfte – unter anderem durch die Ausschöpfung fiskalischer Ressourcen – und die Förderung der wirtschaftlichen Entwicklung des Landes. In diesem Zusammenhang sah der frühmoderne Staat in der jüdischen Bevölkerung ein ganz besonders nützliches Objekt seiner wirtschaftlichen Ambitionen.[2] Um ihrer Steuerkraft willen wurden jüdische Familien aufgenommen und jüdische Gemeinden geduldet, während zugleich die wirtschaftliche Elite dieser Minderheit als ‚Hoffaktoren' oder ‚Hofjuden' ihre direkte Einbeziehung in die wirtschaftlichen und fiskalischen Interessen der jeweiligen Herrscher erlebte. Die Beziehungen zwischen den absolutistischen Territorialherren und einigen herausragenden jüdischen Handelsleuten hatten im 18. Jahrhundert längst eine „neuartige Qualität" erlangt. Der jüdische Hoffaktor war „zu einer festen Einrichtung" geworden, „mit vielfältigen Aufgabenbereichen, die vom Heereslieferanten über den Münzfaktor zum Hofbankier und bis zum politischen Agenten reichen konnten".[3]

Jüdische Dienstleister gab es jedoch nicht nur an den Fürstenhöfen. Bereits zur gleichen Zeit traten sie auch in Städten ohne Residenzen auf, vor allem in bedeutenden Handelsstädten. Dies ist bisher von der Forschung kaum wahrgenommen worden.[4]

Frankfurt a. M. gehörte zu den Städten, die im 18. Jahrhundert die Dienste jüdischer Handelsleute in Anspruch nahmen. Der Rat der Messe-, Börsen- und Handelsmetropole nutzte die Kenntnisse und Fähigkeiten einiger der lokalen jüdischen Wirtschaftselite angehörender Personen in den verschiedensten Bereichen. Während die meisten jüdischen Dienstleister mehr oder weniger namenlos blieben und ihre Dienste eine Episode darstellten[5], tritt eine Gruppe auch in den reichsstädtischen Akten besonders hervor: die vom Rat bestellten und geschworenen jüdischen Makler.

Erstmals traten sie offiziell im Bereich der Warenvermittlung in der 2. Hälfte des 17. Jahrhunderts auf, und ab den 1740er Jahren auch in der Vermittlung von Geld- und Wechselgeschäften. Zunächst blieb ihre Maklertätigkeit auf die Zeiten der Messen beschränkt, wurde jedoch später auf den Börsenhandel ausgeweitet. Infolge einer Verschiebung auf dem Frankfurter

Markt gewann im Bereich des Wechselhandels die maklerische Tätigkeit von Juden zunehmend an Bedeutung. Auch wenn die jüdischen Wechselmakler auf den ersten Blick vielleicht nicht so schillernd erscheinen wie die Hoffaktoren und aus diesem Grund von der Forschung bisher kaum beachtet wurden, lohnt sich dennoch eine nähere Betrachtung dieser Gruppe.

Die jüdischen Wechselmakler in der Reichsstadt und die Hoffaktoren in den Fürstentümern haben mindestens zwei Eigenschaften gemeinsam: Sie rekrutierten sich aus einer lokalen jüdischen Wirtschaftselite[6] und standen im weitesten Sinne im Dienste der jeweiligen Obrigkeit. Inwieweit darüber hinaus weitere Parallelen zwischen den Dienstleistern in der Stadt und denen an Fürstenhöfen bestanden, kann sich nur über die Klärung der folgenden Fragen zeigen: Welche Stellung und Funktion nahmen die jüdischen Wechselmakler am Börsenplatz Frankfurt ein, und welcher Entwicklung unterlagen diese im Verlauf des 18. Jahrhunderts?

Zur Untersuchung dieser Frage wird einleitend die Haltung des Frankfurter Rats skizziert, danach die Bedeutung des Wechselhandels und die Stellung der Frankfurter Juden an der Börse und im Wechselhandel erläutert sowie außerdem die Entwicklung des Maklerwesens in Frankfurt nachgezeichnet.

Zwar unterschieden sich die politischen Strukturen einer Reichsstadt von denen eines Territoriums signifikant, insbesondere in Bezug auf Machtkumulation und Entscheidungsgewalt, die sich hier auf eine Gruppe verteilten und dort bei einer einzelnen Person lagen. Und doch kann davon ausgegangen werden, dass auch der Magistrat von Frankfurt a. M. versuchte, herrschaftliche Kompetenzen vergleichbar denen eines Territorialherren für sich in Anspruch zu nehmen. Das galt insbesondere für zwei Bereiche: 1.) für den Zugriff auf die fiskalischen Ressourcen der Stadt, die es zu nutzen, aber auch zu vermehren galt. Und 2.) hinsichtlich seiner den reichsstädtischen Alltag regulierenden Gesetzgebungskompetenzen.

Auch wenn der Kaiser formal oberster Stadtherr war, verfügte der Rat über ein großes Maß an politischer Selbstständigkeit und über den nötigen Spielraum zur Gestaltung und Förderung der städtischen Wirtschaft, indem er die Interessen möglichst vieler Stadtbürger zu berücksichtigen suchte. Diese Maßstäbe leiteten auch die Politik des Rates gegenüber der jüdischen Bevölkerung[7], die weit gehend restriktiv orientiert war und besonders die Erwerbsmöglichkeiten der Juden einschränkte und ihren Handel als einzig zulässiges Tätigkeitsfeld vielfältig normierte.[8] Städtische Wirtschaftspolitik umfasste ‚natürlich' nicht nur das Formulieren von Normen, sondern vor allem eine spezifische Praxis, diese normativen Vorgaben umzusetzen. In besonderen

Fällen wurde nämlich der Nutzen, der aus spezieller Handelstätigkeit einheimischer Juden wie auch von Beisassen gezogen werden konnte, höher bewertet als die damit einhergehende Verletzung des Rechts der reichsstädtischen Bürger auf „Nahrungsschutz".[9]

Der Wechselhandel, der An- und Verkauf von Wechselbriefen[10] oder das vom Warengeschäft losgelöste Indossament vorhandener Wechsel,[11] war bereits seit der Mitte des 17. Jahrhunderts der „Kern aller Negotien" in der Reichsstadt Frankfurt a. M. Er galt als „besonders vornehm" und zog deshalb die „reichsten und einflußreichsten Kaufleute" der Stadt an. Diese trafen sich auch außerhalb der Messen regelmäßig zu Börsenversammlungen. Die Treffen wurden privat organisiert, besaßen aber bereits seit 1585 einen institutionellen Charakter. Wegen dieser speziellen Form der Organisation konnten sie lange ihren exklusiven Charakter wahren. Denn ausgeschlossen blieben alle, die nicht zum Kreis der Großkaufleute, Spediteure, Kommissionäre und *Banquiers*, auch „Cambisten" genannt, zählten.[12] Kleinere Händler, die so genannten Krämer, die ebenfalls im Wechselgeschäft engagiert waren, kamen grundsätzlich nicht an die Börse, sondern tätigten ihre Geschäfte aus ihren Kontoren heraus.[13] Ebenfalls von der Teilnahme an den Börsenversammlungen ausgeschlossen blieben bis in das 18. Jahrhundert hinein jüdische Handelsleute, auch wenn sie die genannten Kriterien erfüllten. Diese Ausgrenzung hatte zur Folge, dass die im Wechselhandel engagierten jüdischen Handelsleute eigene Börsenversammlungen abhielten. Sie fanden zum selben Zeitpunkt in unmittelbarer Nachbarschaft der Zusammenkunft der christlichen Handelsleute statt.[14] Für interessierte christliche Handelsleute bestand somit jederzeit die Möglichkeit, geschäftliche Kontakte zu jüdischen Handelsleuten aufzunehmen – ein Angebot, das durchaus genutzt wurde.

Um einen geregelten Ablauf ihrer Handelsgeschäfte während der Börsenversammlungen gewährleisten zu können, zogen die christlichen Kaufleute, wie auch zur Messezeit, unparteiische Geschäftsvermittler heran. Diese Makler wurden vom Rat, also von der Obrigkeit, berufen und vereidigt. Die jüdischen Handelsleute hingegen mussten ohne offizielle Makler auskommen. Das bedeutete jedoch nicht, dass hier keine Geschäftsvermittler tätig waren. Auch unter den jüdischen Kaufleuten gab es Personen, die die Vermittlung von Geld- und Warengeschäften betrieben, zwangsläufig ohne offizielle Genehmigung. Unvereidigte Makler gab es allerdings auch bei den Börsenversammlungen der Christen. Hier wie dort ist die Anzahl der Personen, die ohne obrigkeitliche Genehmigung ihre Dienste als Geschäftsvermittler anboten, nicht näher bestimmbar. Diese illegalen Makler, gleich welchen Herkommens, wurden im Allgemeinen als Winkel- oder Nebenmakler sowie als Bönhasen bezeichnet.[15]

Die Geschichte des offiziellen Maklerwesens ist in Frankfurt eng verbunden mit der Entwicklung von Handel und Messen. Makler gab es hier offiziell seit dem 14. Jahrhundert, was entsprechende Ratsedikte belegen. Zunächst betrafen diese Verordnungen ausschließlich den Warenhandel, bis der Wechselbrief im 16. Jahrhundert als Zahlungs- wie auch als Kreditinstrument im Zuge seiner Verbreitung nördlich der Alpen auch am Finanzplatz Frankfurt genutzt wurde. Im *Unterkäuffer Edict* von 1580 reagierte der Frankfurter Rat erstmals auf dieses Phänomen, ohne jedoch konkrete Normen zu erlassen.[16] Denn weder in diesem noch in den darauf aufbauenden weiteren Edikten legte der Rat spezielle Anweisungen für die Makler fest, die sich mit dem Verhandeln von Wechseln sowohl während als auch zunehmend außerhalb der Messen beschäftigten. Selbst die *Ordnung und Rolle der Waarenmäckler und Unter-Käuffere*, ein in sich differenzierter Text von 1685, geht nicht auf diese Unterscheidung unter den Maklern ein. Erst 11 Jahre später wird dann in einem von der Obrigkeit geführten Maklerbuch zum ersten Mal genau zwischen Waren- und Wechselmaklern unterschieden,[17] und 1739 erhielt schließlich jede der beiden Gruppen ein eigenes Statut.[18] Die *Ordnung und Rolle der Wechsel=Sensalen* basierte auf gutachtlichen Vorschlägen der Vorsteher der Börse und beinhaltete sieben Punkte zur Ausführung der Wechselvermittlung, nach denen sich ein offiziell berufener und vereidigter Wechselmakler zu richten hatte. Juden wurden in diesem Text überhaupt nicht erwähnt.

In der zweiten Dekade des 18. Jahrhunderts ging aus den bisher privaten Börsenversammlungen der christlichen Kaufleute die voll institutionalisierte öffentliche Börse hervor. Jüdische Handelsleute blieben jedoch weiterhin von den Versammlungen, auf denen ein Gutteil des in Frankfurt abgewickelten Wechselhandels betrieben wurde, ausgeschlossen. Zu diesem Zeitpunkt traten sie jedoch bereits längst als Geschäftspartei im Wechselhandel auf. Das war während der Messen und auch außerhalb der Börse offensichtlich keineswegs ungewöhnlich, wie aus den Bestimmungen des ersten Abschnitts der *Ordnung und Rolle der Wechsel=Sensalen* von 1739 hervorgeht:

> Alle diejenigen; so von Uns zu Wechsel=Sensalen aufgenommen werden, sie sollen [...] in Schließung der Wechselbrief und anderem, so ihnen der Herkommen gemäß unterkäufflich zu verrichten gebühret, insonderheit auch in Concours-Fällen mit beyden contrahirenden Theilen, sie seyen frembd oder inheimisch, vornehm oder gering, Christen oder Juden, bescheiden fleißig, gleich und recht umgehen [...].[19]

Jüdische Handelsleute blieben sowohl von den Börsenversammlungen selbst ausgeschlossen als auch von den an die Börse und ihren Betrieb angegliederten Tätigkeiten, darunter an erster Stelle die Wechselvermittlung. Die christlichen Wechselmakler betrachteten sich, obwohl sie offiziell keine Gemeinschaft bildeten, als „Mackler-Zunft" und ihre Tätigkeit als „bürgerliche Nahrung".[20] Dem Selbstverständnis der obrigkeitlich geschworenen Makler nach sollten deshalb alle, die kein Bürgerrecht besaßen, darunter auch Juden, von diesem *Nahrungserwerb* ausgeschlossen bleiben. Tatsächlich aber handelte es sich beim Maklerwesen um eine unzünftige Profession, die dementsprechend offiziell keine Zugangsbeschränkungen kannte.[21] Die Praxis sah jedoch anders aus. Der reichsstädtische Rat verfuhr nämlich im Sinne der Wechselmakler. Zum Schutz der „Nahrung" der Frankfurter Stadtbürger berief und vereidigte er seit der Mitte des 17. Jahrhunderts in der Regel keine Fremden als Wechselmakler, sondern nur mehr solche Personen, die das Bürgerrecht in Frankfurt innehatten.[22] Diese Praxis sollte sich jedoch während der Herbstmesse 1742 ändern.[23]

Andere Interessen als die der geschworenen Makler vertrat eine Anzahl christlicher Handelsleute, unter ihnen namhafte *Banquiers* und Großkaufleute, welche regelmäßig jüdische Handelsleute für die Vermittlung von Geld- und Wechselgeschäften heranzogen. So beispielsweise der *Banquier* Johann Ludwig Harscher. Er spielte neben Bankhäusern in Amsterdam und Hamburg eine bedeutende Rolle bei der Überweisung und Einlösung der in Form von Wechselbriefen in Frankfurt eingehenden französischen Subsidienzahlungen an Kaiser Karl VII., der von 1742 bis 1744 in Frankfurt residierte.[24] Für die Abwicklung seiner Geschäfte zog Harscher allein während der Herbstmesse 1742 gleich mehrere jüdische Handelsleute heran. So vermittelte ihm der in der Frankfurter „Stättigkeit"[25] stehende Jude Jacob Isaak Bonn zusammen mit seinem Sohn ein Wechselgeschäft mit dem Frankfurter Handelsmann Goll über 6000 Reichstaler.[26] Weitere Geschäfte mit Goll in Höhe von 32 000 Livres nach Paris wurden Harscher von Moses Rothschild, ebenfalls Inhaber der Stättigkeit, vermittelt, darüber hinaus zwei Geschäfte mit dem in Frankfurt ansässigen Handelsmann D'Orville in Höhe von insgesamt 12 600 Livres.[27] Ein dritter Stättigkeitsinhaber, Moses Reuß, schloss für Harscher „verschiedene Posten nach Amsterdam" ab.[28] Und auch ein vierter, Salomon Säckel, vermittelte verschiedene Geschäfte an den *Banquier.*[29]

Die Vermittlungstätigkeit der jüdischen Handelsleute blieb natürlich nicht unbeobachtet und, da illegal, schon gar nicht ohne Folgen. Die christlichen geschworenen Wechselmakler zeigten noch während der Herbstmesse 1742 die vier Winkelmakler, die sich ohne obrigkeitliche Bestellung in ihre geschützte „Nahrung“ drängten, beim Rat der Stadt an.[30] Letzterer aber stufte die Dienste der Winkelmakler meist sehr hoch für den reichsstädtischen Handel ein. Deshalb lud er die Beschuldigten oft nur zum Verhör, sprach eine Verwarnung aus und sah von einer Bestrafung ab.[31] Das traf auch für die Vermittler der Harscher'schen Geschäfte zu. Drei der angezeigten Personen äußerten sich mündlich zu den Vorwürfen. Der Vierte, seine Rechte genau kennend, ergriff die Gelegenheit, sich um eine Maklerstelle zu bewerben.[32] Und Salomon Säckel hatte Glück: Denn tatsächlich kam der reichsstädtische Rat seinem Gesuch nach und berief ihn offiziell zum Wechselmakler.[33]

Diese Entscheidung des Rates gegen den Nahrungsschutz der christlichen, verbürgerten Makler zog langwierige und heftige Auseinandersetzungen zwischen den beiden Parteien nach sich, die sogar bis vor den Reichshofrat getragen wurden. Der Reichshofrat wies jedoch die Klage der Makler ab; Säckel konnte offizieller Wechselmakler bleiben![34] Die Beschwerden der Makler beim Rat gegen die Eingriffe in ihre „Nahrung“ durch jüdische Handelsleute rissen gleichwohl nicht ab. Wenige Jahre später, 1749, beendete der Rat Auseinandersetzungen wegen „Nahrungseingriffen“ abermals mit der Berufung eines jüdischen Handelsmanns in die Stelle eines geschworenen Wechselmaklers.[35] Es handelte sich um den oben erwähnten Moses Rothschild, einen Bruder des späteren Dynastie-Gründers Mayer Amschel.

Nachdem der Fall auch dieses Mal zugunsten des Rates und damit auch zugunsten der jüdischen Handelsleute ausgegangen war, ließen die christlichen Wechselmakler die folgenden Berufungen jüdischer Makler unangefochten. Bis zum Ende des Alten Reiches berief und vereidigte der reichsstädtische Rat weitere 14 jüdische Handelsleute in Wechselmaklerstellen, von denen allerdings zunächst immer nur maximal drei gleichzeitig tätig sein konnten. Erst im Jahr 1800 bestellte der Rat zusätzlich zu den drei bereits amtierenden jüdischen Wechselmaklern weitere sechs, sodass in den folgenden Jahren die Gesamtzahl der jüdischen Wechselmakler meist neun oder mehr Personen umfasste.[36]

Wenn die Politik des Frankfurter Rates zwar normativ grundsätzlich auf die Separierung von jüdischer und christlicher Lebenswelt gerichtet war, so lässt sich zumindest im Bereich des Wechselhandels ab 1742 eine Veränderung ausmachen. Warum berief der Rat zusätzlich zu den zehn bis sechzehn christlichen Wechselmaklern – und gegen deren Interessen und gegen geltendes Recht – zunächst einen und dann weitere jüdische Wechselmakler? Zwei Erklärungen bieten sich an: Der Rat zog sie aus der illegalen Grauzone heraus, um sie und ihre Geschäfte besser kontrollieren zu können. Oder er verstand die Anerkennung als eine gezielte Initiative zur Förderung der städtischen

Wirtschaft. Die Anzahl der jüdischen Handelsleute, die sich ohne offizielle Berufung als Wechselmakler betätigten, war vermutlich nicht unerheblich. Denn vielen jüdischen Familienvorständen gelang es eher schlecht als recht, den täglichen Unterhalt mittels Handel zu erwirtschaften. Für diese Gruppe bedeutete die inoffizielle Maklertätigkeit zumindest ein Zubrot, das ohne den Einsatz von Eigenkapital, dafür aber mit guten Kontakten und Fachwissen erworben werden konnte. Der Rat billigte stillschweigend ihre Aktivitäten, da er annahm, dass sie sich positiv auf die städtische Wirtschaft auswirkten.[37] Mit der nach und nach einsetzenden offiziellen Anerkennung gewann er dann direkte Kontrolle, zumindest über einen kleinen Ausschnitt der von Juden vermittelten Geschäfte. Denn wie alle anderen Makler waren auch die jüdischen Wechselmakler zur Buchführung über ihre Geschäfte verpflichtet.[38]

Anders als die absolutistischen Fürsten, die stark in das wirtschaftliche Geschehen in ihren Territorien eingriffen, intervenierte der Frankfurter Rat über Jahrhunderte eher selten. Die wirtschaftliche Initiative lag meistenteils bei der Kaufmannschaft.[39] Obwohl diese in Frankfurt nicht oder nur marginal mit den städtischen Führungsgremien identisch war und somit nur begrenzt direkten Einfluss nehmen konnte, anerkannte die Obrigkeit ihre Position, sodass sie gegebenenfalls sogar das Gutachten der Kaufleute zwecks Entscheidungsfindung einholte. Allerdings traf der Rat gelegentlich in bestimmten Bereichen Entscheidungen auch ohne vorheriges einschlägiges Gutachten. Ohne Frage hatte dieses Verhalten jeweils seine Gründe. Was könnte also der Grund für diese spezielle Intervention, für die Anerkennung der jüdischen Wechselmakler gewesen sein?

Um die Wende zum 18. Jahrhundert begann sich der Niedergang der Messe, der Quelle des Frankfurter Wohlstands, langsam abzuzeichnen. Wenn dieser Vorgang auch weder direkt in eine Krise des Finanzplatzes führte noch zunächst seine überregionale und allgemeine Bedeutung infrage stellte[40], könnte doch zumindest die Befürchtung einer solchen Entwicklung die Ratsmitglieder in ihrer Entscheidung beeinflusst haben.

Bei einem Vergleich mit anderen zeitgenössischen Börsenplätzen fällt die geringe Anzahl der in Frankfurt wirkenden Wechselmakler auf. Über Jahrzehnte variierte sie lediglich zwischen zehn und sechzehn Personen. In Hamburg und Amsterdam dagegen lag ihre Zahl um ein Mehrfaches höher. In den 1740er Jahren, als es in Frankfurt erstmals jüdischen Handelsleuten möglich wurde, an der Börse zu handeln, zählten jüdische Handelsleute längst zu den regelmäßigen Besuchern der Börsen in Hamburg oder Amsterdam. Auch hinsichtlich der Geschäftsvermittlung gab es an den beiden genannten Börsenplätzen keinerlei Restriktionen für jüdische Makler. Im Gegenteil verfügte in Hamburg die sefardische Gemeinde über ein festes Kontingent von 20 aus insgesamt 180 Maklern.[41] In Amsterdam spielten Juden im Maklerwesen sogar eine zentrale Rolle. Sie stellten im Verlauf des 18. Jahrhunderts mehr als die Hälfte der knapp 200 Makler, besonders im Bereich des Wechselhandels.[42] Die absoluten wie die relativen Zahlen aller Makler lagen also an den beiden anderen Finanzplätzen ein Mehrfaches über denen in Frankfurt. Dieser Vergleich lässt Ansätze einer Krise am Finanzplatz Frankfurt vermuten. Eine solche könnte schließlich auch den Rat veranlasst haben, über seine übliche, kaum stringente Wirtschaftspolitik hinaus gezielt vorzugehen. So ließe sich auch erklären, warum in Frankfurt a. M., dessen Rat und Bürgerschaft nachweislich eine ablehnende Haltung gegenüber Juden vertraten[43], schließlich doch offiziell auf die Maklerdienste von Juden, besonders im Wechselgeschäft, zurückgegriffen wurde. In seinem Schreiben an den Rat hatte Säckel 1742 darauf hingewiesen, dass „an denen beruehmtesten Handels Plätzen die tägliche Verfahrung bewähret, da nebst den Christlichen auch Jüdischen Sensalen ohngehindert admittiret werden".[44] Dass man in Frankfurt anderen, besonders erfolgreichen Handelsplätzen nicht nachstehen wollte, kann als sicher gelten.

Die Berufung des Salomon Säckel dürfte nicht nur aus allgemeinen wirtschaftspolitischen, sondern auch aus konkreten ökonomischen Erwägungen heraus vollzogen worden sein. Zum Zeitpunkt von Säckels Berufung wurde nämlich die Stadt durch die permanente Anwesenheit Kaiser Karls VII. finanziell stark belastet. Nach Wahl und Krönung des Wittelsbachers Karl Albrecht zum Kaiser im März des Jahres 1742 war Frankfurt unfreiwillig zur Residenzstadt aufgestiegen. Der Stadt entstanden somit neben den enormen Kosten für Wahl und Krönung zusätzlich dauerhafte Mehrausgaben. Ein Fakt, das die Wirtschaftspolitik des Rates nicht unbeeinflusst lassen konnte.[45] Der Rat musste versuchen, alle finanziellen Ressourcen zu mobilisieren – auch die der Frankfurter Juden. Vermutlich hatte er erkannt, dass dies nur gelingen konnte, wenn er den einheimischen, die Stättigkeit besitzenden jüdischen Handelsleuten offiziell Zugang zur Börse verschaffte. Die Berufung eines jüdischen Wechselmaklers könnte also sowohl eine Reaktion des Rates auf die bisher mit jüdischen Winkelmaklern gemachten Erfahrungen sein als auch einen Versuch darstellen, der städtischen Wirtschaft neues Kapital zuzuführen. Offensichtlich bewährte sich dieses Vorgehen, da nur wenige Jahre später ein weiterer Jude zum Wechselmakler bestellt wurde und sich im Laufe der Zeit ihre Zahl weiter erhöhte.

Die Konzession zu seiner Tätigkeit erhielt ein Makler in Frankfurt vom Rat. Er war jedoch kein Beamter der Stadt und erhielt folglich auch keine Besoldung, sondern musste sein Auskommen in seinen Maklergeschäften finden. Im Gegensatz zu der Stellung eines Hoffaktors war die eines Maklers nicht primär abhängig von den Vorlieben und Launen seiner Obrigkeit. Vielmehr bedeutete eine Maklerstelle weitaus größere rechtliche Sicherheit und Unabhängigkeit. Wenn der Makler die fälligen Gebühren regelmäßig entrichtete, konnte er sein Amt so lange ausüben, wie er es wünschte. Seine Leistung spielte in erster Linie eine Rolle in seinen Geschäftsverhältnissen. Denn die von ihm bekleidete Stellung war eine Vertrauensposition, verbunden mit Verantwortung für die Kunden. Wollte er weiterhin Geschäfte mit ihnen machen, so musste er ihre Interessen mit den seinen abstimmen.

Auch wenn die Frankfurter Wechselmakler-Ordnung keine Auswahlkriterien für den Makler festlegte, kann davon ausgegangen werden, dass solche existierten. Beispielsweise Ruf und Ehre. Bei der Auswahl eines Wechselmaklers, insbesondere eines jüdischen, spielten sie eine wichtige Rolle. Dies kommt in den Zeugnissen zum Ausdruck, welche die Frankfurter Kaufleute auf Anfrage den Kandidaten ausstellten, die sich um eine Stelle als Wechselmakler bewerben wollten.[46] Deutlich wird hier, dass in der Tat vielfältige Kontakte und Handelsbeziehungen zwischen Juden und Christen bestanden; denn es kann davon ausgegangen werden, dass Letztere mit Sicherheit ihnen fremden Juden keine Zeugnisse ausgestellt hätten. Über den Umfang solcher Geschäfte können nur selten Aussagen gemacht werden. Geschäfte zwischen Juden und einheimischen Christen, insbesondere solche mit Wechselbriefen, unterlagen in Frankfurt zwar besonderen Restriktionen, z. B. der Einschreibpflicht, die erst im Verlauf des 18. Jahrhunderts in der Praxis gelockert wurden; die Bücher sind jedoch nicht überliefert.[47]

Zusammenfassend bleibt festzuhalten, dass die äußeren politisch-wirtschaftlichen Veränderungen, die für das 18. Jahrhundert erkennbar sind, in der Reichsstadt Frankfurt a. M. entscheidend dazu beitrugen, einen Teil der jüdischen Bevölkerung über den täglichen Kleinhandel hinaus in das für die Außenwirkung der Stadt als Finanzzentrum wichtige Wirtschaftsgeschehen an der Börse nach und nach einzubeziehen. Das bedeutete jedoch nicht, dass die sowohl von Mitgliedern des Rates als auch von einem Großteil der nichtjüdischen Bevölkerung gepflegte antijüdische Haltung aufgegeben wurde. Die Funktion der einbezogenen kleinen Gruppierung wirtschaftlich erfolgreicher jüdischer Handelsleute lag auf der Hand. Nachdem sich die jüdischerseits zunächst illegal angebotenen Dienste für das Florieren des städtischen Handels bewährt hatten, wurde ihnen mehr und vor allem legaler Raum für ihre Tätigkeit eingeräumt. Während ihre Funktion im Prinzip keinen Wandel durchlief, verbesserten sich sowohl ihr Status innerhalb der Kaufmannschaft und an der Börse als auch ihre rechtliche Position erheblich. Vom geduldeten Winkelmakler-Dasein mit all seinen Demütigungen erfolgte der Aufstieg in die legale Wechselmaklerstelle. Nach der Beilegung der anfänglichen Auseinandersetzungen akzeptierte auch die den Juden wenig geneigte christliche Konkurrenz die praktisch ohne vorheriges Edikt eingeführte neue Normsetzung der Obrigkeit und den damit für Juden neu entstandenen legalen Aktionsraum. Damit erwies sich die Stelle als Wechselmakler in der Reichsstadt für einen jüdischen Handelsmann rechtlich weitaus sicherer als die Position eines von der Gunst eines Herrschers abhängigen Hofjuden. Darüber hinaus war sie auch weitaus zukunftsorientierter, weil die Tätigkeit eines Hofjuden weiterhin in besonderer Weise nicht nur von ökonomischen, sondern auch von politischen Faktoren und persönlicher Gunst abhing.

Anmerkungen

1 Vorliegender Beitrag entstand im Rahmen meines Dissertationsprojekts: „Jüdische Wechselmakler in der Reichsstadt Frankfurt am Main im 18. Jahrhundert".

2 Mordechai Breuer, Frühe Neuzeit und Beginn der Moderne, in: ders./Michael Graetz, *Deutsch-Jüdische Geschichte in der Neuzeit*, hg. von Michael A. Meyer/Michael Brenner, *Bd. 1: Tradition und Aufklärung, 1600–1780*, München 1996, S. 83–247, hier S. 106.

3 Sabine Ullmann, Zwischen Fürstenhöfen und Gemeinde. Die jüdische Hoffaktorenfamilie Ulman in Pfersee während des 18. Jahrhunderts, in: *Zeitschrift des Historischen Vereins für Schwaben* 90 (1997), S. 159–185, hier S. 159; zu Funktion und Stellung der Hofjuden: Friedrich Battenberg, Die jüdische Wirtschaftselite der Hoffaktoren und Residenten im Zeitalter des Merkantilismus – ein europaweites System? in: *Aschkenas* 9/1 (1999), S. 31–66; Rotraud Ries, Hofjuden: Funktionsträger des absolutistischen Territorialstaates und Teil der jüdischen Gesellschaft. Eine einführende Positionsbestimmung, im vorliegenden Band.

4 Vgl. zu ähnlichen Entwicklungen schon für das 16. Jahrhundert Rotraud Ries, Potentials and Limits of Jewish Economic History. Northern Germany in the 15th and 16th Century, in: *Il Ruolo Economico delle Minoranze in Europa, Secc. XIII-XVIII*, a cura di Simonetta Cavaciocchi, Prato 2000 (Istituto internazionale di storia economica „F. Datini" Prato, Serie II: Atti delle „Settimane di Studi" e altri Convegni 31), S. 195–207, hier S. 204 f.

5 Die Mitglieder des reichsstädtischen Rates verfügten als Individuen wie auch als Gruppe über vielfältige Handelskontakte, die auch für die städtischen Finanzen und deren Verwaltung genutzt wurden. Indirekt erfahren wir von den Kontakten zwischen dem Rat und einzelnen jüdischen Handelsleuten in den Vorwürfen, die der Bürgerausschuss in der Auseinandersetzung mit dem Rat schriftlich formulierte, vgl. Gerald Lynn Soliday, *A Community in Conflict. Frankfurt Society in the Seventeenth and early Eighteenth Centuries*, Hanover, N.H. 1974, S. 176 ff.

6 Zur jüdischen Wirtschaftselite vgl. Gabriela Schlick, Eine jüdische Elite in Frankfurt am Main im Spannungsfeld von ständischer und bürgerlicher Gesellschaft. Das Beispiel des Süskind Isaak Hirschhorn, in: Anja V. Hartmann/Malgorzata Mora-

WIEC/PETER VOSS (Hgg.), *Eliten um 1800. Erfahrungshorizonte – Verhaltensweisen – Handlungsmuster*, Mainz 2000 (Historische Beiträge zur Elitenforschung 1), S. 19–34.

7 VOLKER PRESS, Die Reichsstadt in der altständischen Gesellschaft, in: JOHANNES KUNISCH (Hg.), *Neue Studien zur frühneuzeitlichen Reichsgeschichte*, Berlin 1987 (Zeitschrift für historische Forschung, Beiheft 3), S. 9–42; OTTO BRUNNER, Souveränitätsproblem und Sozialstruktur in den deutschen Reichsstädten der Frühen Neuzeit, in: DERS. (Hg.), *Neue Wege der Verfassungs- und Sozialgeschichte*, Göttingen 1980, S. 294–321.

8 *Der Juden zue Franckfurth Stättigkheit undt Ordnung wie die im Nahmen der Kayserlichen Maytt. Geendert unnd verbessert worden, de anno 1616*, kurz Stättigkeit genannt, verbot Juden unter anderem den Einzelhandel in den meisten Warengattungen. Der Großhandel stand ihnen hingegen offen: S. 16, § 72 ff.

9 Diese Politik des Frankfurter Rates wird deutlich in der Auseinandersetzung um die Anmietung von Läden und Gewölben durch Juden außerhalb der Gasse, siehe SOLIDAY, *Community in Conflict* (wie Anm. 5), S. 184–199. Ein vergleichbares Ergebnis erzielt Sabine Ullmann in ihrer Untersuchung zur Reichsstadt Augsburg: ULLMANN, *Hoffaktorenfamilie* (wie Anm. 3), S. 167 f.

10 Der Wechsel oder Wechselbrief war ein Finanzinstrument, das dazu diente, einen Kredit an einem Ort aufzunehmen und an einem anderen Ort zurückzuzahlen oder auch bestimmte Summen einfach nur bargeldlos an einen anderen Ort zu überweisen. Der Wechsel war eng verbunden mit dem Warenhandel, konnte aber auch ausschließlich zum Geldtransfer genutzt werden. Vgl. MICHAEL NORTH (Hg.), *Von Aktie bis Zoll: Ein historisches Lexikon des Geldes*, München 1995, S. 413; MARKUS A. DENZEL, *„La Practica della Cambiatura". Europäischer Zahlungsverkehr vom 14. bis zum 17. Jahrhundert*, Stuttgart 1994, S. 79–99.

11 Das Indossament ermächtigt eine bisher noch nicht an einem Wechsel beteiligte Person, diesen zur Auszahlung zu präsentieren, ebd., S. 100–110.

12 *Geschichte der Handelskammer zu Frankfurt am Main (1707–1908)*, hg. von der Handelskammer zu Frankfurt am Main, Frankfurt a. M. 1908, S. 15.

13 Ebd., S. 12.

14 Ebd., S. 24.

15 Ebd., S. 34 f.; KARL HEINRICH KAUFHOLD, Der Übergang zu Fonds- und Wechselbörsen vom ausgehenden 17. Jahrhundert zum ausgehenden 18. Jahrhundert, in: HANS POHL (Hg.), *Deutsche Börsengeschichte*, Frankfurt a. M. 1992, S. 77–132, hier S. 107.

16 Institut für Stadtgeschichte (ISG) Frankfurt a. M., Unterkäuffer Edikt von 1580, Edikten-Sammlung.

17 ISG Frankfurt a. M., Maklerbuch, unverzeichnet.

18 Ordnung und Rolle der Wechsel=Sensalen und Ordnung und Rolle der Warenmäckler, in: JOHANN CONRADIN BEYERBACH, *Sammlung der Verordnungen der Reichsstadt Frankfurt*, Frankfurt a. M. 1798, 4. Teil, 14. Bd., S. 698–703.

19 Ebd., S. 698.

20 Mit ein Grund dafür war, dass ein weiterer Nahrungserwerb neben der Maklertätigkeit nicht gestattet war. Haus-, Hof- und Staatsarchiv (HHStA) Wien, Reichshofrat, Decisa 2081, Schreiben des Anwalts der christlichen Wechselmakler an den Reichshofrat vom 19. September 1742 (unfoliiert).

21 Hier handelt es sich um eine spezielle Frankfurter Entwicklung. In anderen Handelszentren gab es sehr wohl Maklergilden. Dazu ausführlich demnächst in meiner Dissertation.

22 *Geschichte der Handelskammer* (wie Anm. 12), S. 34.

23 ISG Frankfurt a. M., Maklerbuch, unverzeichnet.

24 PETER CLAUS HARTMANN, Die Rolle europäischer Bankiers und Bankzentren bei der

Überweisung von Subsidien im 18. Jahrhundert, in: BERNHARD KIRCHGÄSSNER/ HANS-PETER BECHT (Hgg.), *Stadt und Handel*, Sigmaringen 1995, S. 107–114, hier S. 111 ff.

25 Die Stättigkeit war eine umfassende, vom Kaiser 1616 erlassene Ordnung, die das jüdische Leben in Frankfurt regelte und vor allem ihr Recht auf Anwesenheit in der Stadt und den reichsstädtischen Schutz verbriefte (wie Anm. 8).

26 HHStA Wien, Reichshofrat, Decisa 2081, Aussage des Jacob Isaak Bonn vor dem älteren Bürgermeister (unfoliiert).

27 Ebd., Aussage des Moses Rothschild vor dem älteren Bürgermeister.

28 Ebd., Aussage des Moses Reuß vor dem älteren Bürgermeister.

29 Ebd., Schriftliche Replik des Salomon Säckel auf die Anzeige der geschworenen Wechselmakler.

30 Ebd., Anzeige der „christlichen geschworenen Wechselmackler" beim reichsstädtischen Rat.

31 Ebd., Replik des Rates an den Reichshofrat.

32 Ebd., Schriftliche Replik des Salomon Säckel auf die Anzeige der geschworenen Wechselmakler.

33 ISG Frankfurt a. M., Maklerbuch, unverzeichnet, S. 49.

34 HHStA Wien, Reichshofrat, Decisa 2081, Entscheidung des Reichshofrats vom 2. Juni 1744 (unfoliiert).

35 *Geschichte der Handelskammer* (wie Anm. 12), S. 35.

36 ISG Frankfurt a. M., Maklerbuch, unverzeichnet.

37 ISG Frankfurt a. M., Rechneiamtsregistratur Kiste 65, unfoliiert.

38 Ordnung und Rolle der Wechsel=Sensalen (wie Anm. 18), § 5.

39 HANS MAUERSBERG, *Wirtschafts- und Sozialgeschichte zentraleuropäischer Städte in neuerer Zeit*, Göttingen 1960, S. 254.

40 In Zusammenhang mit der Entwicklung des Frankfurter Finanzplatzes während des 18. Jahrhunderts sind Phänomene wie Konjunktur- und Strukturkrisen von der Historiographie bisher noch nicht in Betracht gezogen worden; stattdessen wird zumeist eine kontinuierliche Erfolgsgeschichte des Finanzplatzes herausgestellt. Siehe z. B. ERICH ACHTERBERG, *Der Bankplatz Frankfurt am Main*, o. O. (Frankfurt a. M.) 1955; ALEXANDER DIETZ, *Frankfurter Handelsgeschichte*, 4 Bde., Frankfurt a. M. 1910–1925 (ND Glashütten 1970); RICHARD EHRENBERG, *Das Zeitalter der Fugger. Geldkapital und Kreditverkehr im 16. Jahrhundert*, 2 Bde., 3. Aufl., Jena 1922, hier Bd. 2, S. 242 ff.; ERNST KLEIN, *Deutsche Bankengeschichte. Von den Anfängen bis zum Ende des Alten Reichs (1806)*, Frankfurt a. M. 1982, S. 147; CARL-LUDWIG HOLTFRERICH, *Finanzplatz Frankfurt. Von der mittelalterlichen Messestadt zum europäischen Bankenzentrum*, München 1999.

41 Ausführlich dazu in meiner Dissertation.

42 HETTY BERG/THERA WIJSENBECK/ERIC FISCHER (eds.), *Venter, Fabriqueur, Fabrikant. Jodse ondernemers en ondernemungen in Nederland 1796–1940*, Amsterdam 1994, S. 109, Anm. 2.

43 ISIDOR KRACAUER, *Geschichte der Juden in Frankfurt a. M. (1150–1824)*, 2 Bde., Frankfurt a. M. 1925–27.

44 HHStA Wien, Reichshofrat, Decisa 2081, Schriftliche Replik des Salomon Säckel auf die Anzeige der geschworenen Wechselmakler (unfoliiert).

45 NOTKER HAMMERSTEIN, Karl VII. und Frankfurt am Main, in: *Archiv für Frankfurts Geschichte und Kunst* 57 (1980), S. 19–48; PETER CLAUS HARTMANN, *Karl Albrecht – Karl VII. Glücklicher Kurfürst – unglücklicher Kaiser*, Regensburg 1985; RAINER KOCH/ PATRICIA STAHL (Hgg.), *Wahl und Krönung in Frankfurt am Main. Kaiser Karl VII. 1742–1745*, 2 Bde., Frankfurt a. M. 1986; HEINZ DUCHHARDT, Frankfurt am Main im

18. Jahrhundert, in: *Frankfurt am Main. Die Geschichte der Stadt in neun Beiträgen,* hg. von der Frankfurter Historischen Kommission, Sigmaringen 1991, S. 261–302, hier S. 280.

46 ISG Frankfurt a. M., Ratssupplikationen 1749–1806.

47 ISG Frankfurt a. M., Ugb. E 47 Kk. Magistratsverordnung vom 15. Januar 1726, Wucher und Wechselbriefe der Juden betreffend.

Sefardische Residentenfamilien in Amsterdam

Hiltrud Wallenborn

In seinem Beitrag „Court Jews before the Hofjuden" zum Katalog der Ausstellung „From Court Jews to the Rothschilds" hat Yosef Kaplan darauf hingewiesen, dass bereits lange vor dem 17. Jahrhundert Hofjuden existierten.[1] Diese Aussage lässt sich dahin gehend erweitern, dass es parallel zu den Hofjuden der deutschen Territorialstaaten auch außerhalb des römisch-deutschen Reiches Juden gab, die ähnliche Funktionen erfüllten. Drei von ihnen möchte ich hier vorstellen: Lopo Ramirez, seinen Neffen Jeronimo Nunes da Costa und Manuel de Belmonte. Sie alle lebten im 17. Jahrhundert – zumindest zeitweise – in Amsterdam und standen in der einen oder anderen Form in den Diensten spanischer oder portugiesischer Herrscher. In ihren Aktivitäten und Aufgaben, die im Folgenden kurz skizziert werden sollen, ähnelten sie den Hofjuden des römisch-deutschen Reiches. Als zum Judentum zurückgekehrte *Conversos*, die nun in den Niederlanden gerade diejenigen Staaten vertraten, aus denen ihre Familien vor nicht allzu langer Zeit geflohen waren, befanden sie sich jedoch in einer Sondersituation. Mit einigen Aspekten dieser Situation werde ich mich im zweiten Teil meiner Ausführungen beschäftigen.

Eine Frage, die im Zusammenhang mit den Hofjuden immer wieder gestellt wird und noch nicht abschließend beantwortet ist, ist die nach der Rolle, die sie in der jüdischen und der Gesamtgesellschaft auf dem Weg in die Moderne spielten. Können die Hofjuden als Prototypen moderner gesellschaftlicher Strukturen gelten, oder sind sie vielmehr Exponenten der alten Gesellschafts- und Herrschaftsordnung?[2] Eine ähnliche, wenn auch stärker wirtschaftlich akzentuierte Frage ist immer wieder an die Rolle der Amsterdamer sefardischen Juden in der Entwicklung der niederländischen Gesellschaft gestellt worden, seitdem Sombart die sefardischen Juden zu Vätern des modernen Kapitalismus ernannt hat.[3] Da die sefardischen Residenten beiden Gruppen angehörten, sind sie in besonderer Weise auf dieses Phänomen hin zu befragen. Einige Überlegungen hierzu schließen meinen Beitrag ab.

Diplomatische Karrieren

Lopo Ramirez (1594–1666) und Jeronimo Nunes da Costa (1620–1697)
Lopo Ramirez und sein Neffe Jeronimo Nunes da Costa stammten aus einer bekannten Lissaboner *Converso*-Familie. Lopo Ramirez ließ sich im zweiten Jahrzehnt des 17. Jahrhunderts in Amsterdam nieder, wo er offen zum Judentum zurückkehrte. Diesen Weg wählte auch sein Bruder, Duarte Nunes da Costa (1587–1664), der Vater von Jeronimo Nunes da Costa, der zunächst nach Italien ging, in der ersten Hälfte der zwanziger Jahre in Amsterdam lebte und sich dann endgültig in Hamburg ansiedelte. Zwei Schwestern, Luiza und Beatriz, heirateten *Converso*-Kaufleute in Rouen. Gestützt auf dieses Netz von verwandtschaftlichen Beziehungen und auf noch vorhandene Kontakte in Portugal selbst, betätigte sich Lopo Ramirez erfolgreich im Handel mit der Iberischen Halbinsel und den portugiesischen Besitzungen in Übersee.[4] Ramirez' kaufmännische Erfolge und die mit dem Ende des zwölfjährigen Waffenstillstandes 1621 entstandene Notwendigkeit, die Beschränkungen des spanischen Handelsembargos gegen alle niederländischen Waren und Schiffe zu umgehen, brachten ihn in Kontakt mit dem spanischen Hof in Brüssel und mit portugiesischen *Conversos*, die die spanische Armee in den Niederlanden mit Waffen, Munition und Vorräten versorgten. Spätestens seit der zweiten Hälfte der dreißiger Jahre beteiligte sich Lopo Ramirez auch selbst an diesen Aktivitäten.[5]

Nachdem Portugal sich im Dezember 1640 von Spanien unabhängig erklärt hatte, beendeten Lopo Ramirez und Duarte Nunes da Costa ihr Engagement für Spanien und wurden für die portugiesische Krone tätig. So unterstützten sie im Frühjahr 1641 den portugiesischen Botschafter in den Niederlanden in finanzieller Hinsicht und waren ihm bei Waffeneinkäufen behilflich. Zur selben Zeit waren sie beteiligt an den diplomatischen Verhandlungen um die Freilassung des portugiesischen Infanten Dom Duarte, der von den Spaniern in Deutschland gefangen gesetzt und dann in Mailand inhaftiert worden war.[6] In den folgenden Jahren wickelte Lopo Ramirez für den portugiesischen König fast alle finanziellen Transaktionen ab, die notwendig waren, um die portugiesische Diplomatie und die Einkäufe von Waffen in Nordeuropa sicherzustellen. Dabei streckte er gelegentlich auch aus eigenen Mitteln größere Summen vor. Darüber hinaus versorgte er den portugiesischen Botschafter in Den Haag mit politischen und handelspolitischen Informationen und war der portugiesischen Krone auch ansonsten in unterschiedlichen Angelegenheiten – zum Beispiel beim Transport von Soldaten – behilflich. In Anerkennung seiner Dienste wurde Lopo Ramirez 1642 vom portugiesischen König geadelt und erhielt den Titel *cavaleiro fidalgo da Casa Real*.[7]

Trotz dieser Auszeichnung waren die Beziehungen zwischen Ramirez und der portugiesischen Krone fast von Anfang an gespannt. Der portugiesische Botschafter hatte den Eindruck, dass Ramirez bei seinen Dienstleistungen zu sehr seinen eigenen wirtschaftlichen Vorteil im Auge habe. Umgekehrt reagierte Ramirez verärgert auf die Säumigkeit der portugiesischen Krone bei der Rückzahlung von Krediten. Der Aufstand der portugiesischen Farmer gegen die niederländische Herrschaft in Nord-Brasilien 1645 und die darauf folgende antiportugiesische Stimmung innerhalb der Amsterdamer sefardischen Gemeinde trugen zur weiteren Entfremdung bei. In dieser Situation gelang es dem Chef der spanischen Delegation bei den Friedensverhandlungen in Münster, Graf Peñaranda, Ramirez erneut für spanische Dienste zu gewinnen. Obwohl Ramirez noch bis 1648 Finanzgeschäfte für die portugiesische Krone tätigte und auch Informationen nach Lissabon weitergab, begann er bereits gegen Ende des Jahres 1645, alle finanziellen Transaktionen abzuwickeln, die für den Unterhalt der spanischen Delegation in Münster und ihre diplomatischen Missionen notwendig waren. Darüber hinaus übermittelte er Nachrichten an die spanische Delegation und den spanischen Hof in Brüssel. Die Unterstützung des spanischen Botschafters beim Kauf von Waffen und Munition in den Niederlanden gehörte ebenfalls zu Ramirez' Aufgaben. Alle diese Tätigkeiten liefen auf einer informellen Ebene. 1648 gab es in Brüssel zwar Überlegungen, Ramirez offiziell zum „Agenten" der spanischen Krone in Amsterdam zu ernennen, aber schließlich entschied man sich doch dagegen, möglicherweise, weil Ramirez Jude war.[8]

Ramirez' Engagement für die spanische Krone trug ihm in den Niederlanden immer wieder Feindschaft ein. Die antispanischen Ressentiments innerhalb und außerhalb der sefardischen Gemeinde verschwanden auch nach dem Friedensschluss von 1648 nicht sofort. Dies bekam Ramirez zu spüren, als im Juni 1649 ein Ankauf von Pulver, den er für den spanischen Botschafter getätigt hatte, öffentlich bekannt wurde. Die Nachricht erregte allgemeine Empörung, und die Generalstaaten weigerten sich, eine Ausfuhrgenehmigung für dieses Pulver zu erteilen. Die Angelegenheit konnte erst beigelegt werden, als die Amsterdamer Bürgermeister zugunsten des spanischen Botschafters und damit auch zugunsten von Ramirez intervenierten.[9] Auch in Ramirez' eigener Familie stießen seine politischen Aktivitäten auf wenig Zustimmung. Sein Bruder Duarte Nunes da Costa, der sich immer loyal gegenüber Portugal verhalten hatte und 1644 zum portugiesischen „Agenten" in Hamburg ernannt worden war,[10] hatte bereits 1642 seinen ältesten Sohn, Jeronimo Nunes da Costa, nach Amsterdam geschickt, um seinem Bruder nachdrücklicher deutlich zu machen, wie man sich seiner Auffassung nach gegenüber der portugiesischen Krone zu verhalten habe. In der Folgezeit führten die politischen Differenzen zwischen den Brüdern zu einem offenen Zerwürfnis.[11]

In dem Maße, in dem Lopo Ramirez sich von Portugal ab- und Spanien zuwandte, übernahm es sein Neffe Jeronimo Nunes da Costa, für die portugiesische Krone in Amsterdam tätig zu werden. Im Mai 1645 wurde er offiziell zum portugiesischen „Agenten" in Amsterdam und allen niederländischen Provinzen ernannt. In den vierziger Jahren, während sein Onkel noch als Bankier für die portugiesische Krone tätig war, bestand seine Hauptaufgabe darin, Informationen, die für Portugal von Interesse sein konnten, zu sammeln und an den portugiesischen Botschafter in Den Haag, Francisco de Sousa Coutinho, und später auch direkt an die portugiesische Regierung in Lissabon weiterzugeben.[12] Seit dem Beginn der fünfziger Jahre wickelte Jeronimo Nunes da Costa, der inzwischen ebenfalls zum *cavaleiro fidalgo da Casa Real* erhoben worden war, zusätzlich zu seiner nachrichtendienstlichen Tätigkeit auch alle für die Diplomatie in Nordeuropa notwendigen Finanzgeschäfte für die portugiesische Krone ab und streckte nicht selten bedeutende Summen aus eigener Tasche vor. Hinzu kam, dass die Generalstaaten sich 1651, als der amtierende Botschafter Antonio de Sousa de Macedo aus Den Haag abberufen wurde, weigerten, einen Nachfolger zu akkreditieren. Jeronimo Nunes da Costa war somit bis 1658, also zu der Zeit, als Portugal die Rückeroberung von Recife gelang, die niederländische Herrschaft in Brasilien zusammenbrach und es 1657 schließlich doch zu einem offenen Krieg zwischen den Niederlanden und Portugal kam, der einzige offizielle Vertreter Portugals in den Niederlanden. Als solcher stellte er nicht nur die einzige regelmäßige Informationsquelle der portugiesischen Regierung über die Aktivitäten und Absichten der Generalstaaten und der niederländischen Handelskompanien dar, sondern er war auch damit betraut, mit den niederländischen Obrigkeiten über eine Lösung des Konflikts zu verhandeln.[13]

Während der Friedensverhandlungen setzte Jeronimo Nunes da Costa sich bei den Generalstaaten, den einzelnen Provinz- und Stadtregierungen und auch bei der Amsterdamer Kaufmannschaft für eine Beendigung der Feindseligkeiten und einen Interessenausgleich zwischen Portugal und den Niederlanden ein. Der 1659 aufgesetzte Entwurf für einen Friedensvertrag war im Wesentlichen das Ergebnis seines Verhandlungsgeschicks. Er sah einen Verzicht der Niederlande auf ihre ehemaligen Besitzungen in Brasilien und Westafrika vor und erlegte Portugal zum Ausgleich die Zahlung einer Entschädigung von 4 Mio. *Cruzados* sowie die Verpflichtung auf, den Niederlanden dieselben vorteilhaften Handelsprivilegien zuzugestehen, wie England sie 1654 erhalten hatte. Gegen alle Widerstände setzte Jeronimo Nunes da Costa die Unterzeichnung (1661) und Ratifizierung (1663) dieses Vertrages in seinem vollen Umfang durch. Dabei handelte er nicht nur gegen die Interessen der immer stärker werdenden proenglischen Partei am portugiesischen Hof, die einen Friedensvertrag verlangte, der die Niederländer im Handel mit Portugal schlechter stellte als die Engländer, sondern auch gegen die hinhaltende Schaukelpolitik des seit Dezember 1659 wieder akkreditierten Botschafters in den Niederlanden, Graf de Miranda. Letztlich vertrat Nunes da Costa als Amsterdamer Kaufmann, der auf den Handel mit Portugal und den portugiesischen Besitzungen spezialisiert war, mit seiner Politik in diesem Fall vor allem seine eigenen wirtschaftlichen Interessen und die Interessen aller im Portugalhandel tätigen niederländischen Kaufleute. Damit erwies er nicht nur den Amsterdamer sefardischen Kaufleuten, für die dieser Handelszweig eine große Rolle spielte, sondern auch der Stadt Amsterdam und letztlich der niederländischen Republik selbst einen großen Dienst.[14]

Trotz des Friedensvertrags von 1661 trat eine endgültige Beruhigung in den niederländisch-portugiesischen Beziehungen erst 1669 ein. Da 1668 auch der spanisch-portugiesische Konflikt beigelegt worden war, standen die Niederlande fortan nicht mehr im Mittelpunkt des diplomatischen Interesses Portugals. Der portugiesische Botschafter wurde aus Den Haag abgezogen, sodass Nunes da Costa von 1669 bis zu seinem Tod wiederum der einzige offizielle Vertreter Portugals auf niederländischem Boden war. Ein letzter Höhepunkt in seiner diplomatischen Karriere war die Hochzeit des portugiesischen Königs Peter II. mit der Tochter des pfälzischen Kurfürsten Philipp Wilhelm, Maria Sophia von Neuburg, im Jahr 1687. Nunes da Costa ließ die Braut in einem aufwendigen Geleitzug von Heidelberg nach Den Haag bringen, wo er vor ihrer Abreise nach Lissabon zahlreiche Feierlichkeiten einschließlich eines großen Feuerwerks für sie ausrichtete.

Als Jeronimo Nunes da Costa 1697 starb, ging sein Titel als „Agent" der portugiesischen Krone in den Vereinigten Niederlanden auf seinen ältesten Sohn Alexandre Nunes da Costa über, der ihn bei seinem Tod seinem jüngeren Bruder Alvaro vermachte. Als dieser 1738 starb, wollte er den Titel, der inzwischen längst zu einem reinen Ehrentitel ohne politische Funktion geworden war, einem seiner Neffen vermachen. Dies wurde jedoch von der portugiesischen Krone mit der Begründung abgelehnt, dass der Erbe Jude sei.[15]

Manuel de Belmonte (gest. 1705)

Manuel de Belmonte, der möglicherweise aus Kastilien stammte, ließ sich spätestens 1656 in Amsterdam nieder. Hier lebte bereits sein Bruder Andres, der dem spanischen Botschafter in Den Haag seit dem Ende der fünfziger

Jahre als Informant diente.[16] Nach dem Tod seines Bruders im Jahr 1666 übernahm Manuel de Belmonte dessen Tätigkeiten. Er wurde noch im selben Jahr zum „Agenten" der spanischen Krone in Amsterdam ernannt. Sein gleichzeitig unternommener Versuch, auch das einträgliche Amt des spanischen Konsuls übertragen zu bekommen, schlug jedoch fehl. Ebenso wie sein Bruder hatte Manuel de Belmonte in den ersten Jahren seiner Tätigkeit für Spanien vor allem die Aufgabe, die spanische Regierung mit allen für sie relevanten Nachrichten und Informationen aus Amsterdam zu versorgen. Ein großer Teil seiner Nachrichten betraf die alltägliche holländische und Amsterdamer Politik, so z. B. die Debatten und Beschlüsse des Amsterdamer Magistrats und der Staaten von Holland. Gelegentlich berichtete er jedoch auch von den Aktivitäten von Jeronimo Nunes da Costa und anderen sefardischen Juden für die portugiesische Krone oder erteilte seinen Auftraggebern handelspolitische Ratschläge. So schlug er Don Juan de Austria, der von 1656 bis 1660 Statthalter des spanischen Königs in Brüssel gewesen war, 1666/67 vor, ein spanisches Handelsmonopol für Campecheholz ähnlich dem portugiesischen Monopol für Brasilholz zu errichten, und nach Beginn des französisch-spanischen Krieges 1667 empfahl er der spanischen Regierung ein umfangreiches Handelsembargo gegen Frankreich. Beide Empfehlungen waren nicht ganz uneigennützig, denn Manuel de Belmonte hoffte, nach der Umsetzung seiner Vorschläge mit der Überwachung der entsprechenden Handelsbestimmungen betraut zu werden, ein Amt, das recht einträglich sein konnte.[17]

Der große Durchbruch in Belmontes diplomatischer Karriere kam mit dem Einfall französischer Truppen in die Vereinigten Niederlande und dem Beginn des französisch-niederländischen Krieges 1672. Während der gemeinsamen Anstrengungen Spaniens und der Niederlande, die französischen Truppen zurückzuschlagen, liefen zahlreiche Kontakte, Informationen und diplomatische Verhandlungen über Belmonte.[18] Dieser war es auch, der Antonio Lopes Suasso, den wohlhabendsten Kaufmann der Amsterdamer sefardischen Gemeinde, dafür gewann, Spanien und die Niederlande in ihrem Krieg gegen Frankreich finanziell großzügig zu unterstützen.[19]

Zum Dank für seine Verdienste bei der Verteidigung der Spanischen Niederlande ernannte Kaiser Leopold I. Manuel de Belmonte 1673 zum Pfalzgrafen. Obwohl der Kaiser, nachdem er erfahren hatte, dass Belmonte Jude sei, die Urkunde nicht ausstellen ließ, trug dieser fortan den verliehenen Titel.[20] Nach der Beendigung des Krieges im Frieden von Nijmegen (1678) wurde Manuel de Belmonte von der spanischen Regierung in den Rang eines „Residenten" erhoben. In dieser Funktion agierte er in den Jahren 1679/80, als Spanien keinen offiziellen Botschafter in Den Haag besaß, als stellvertretender Botschafter. In der Folgezeit bestand seine Hauptaufgabe wie schon in den Anfangsjahren wiederum in nachrichtendienstlichen Tätigkeiten.[21] 1693 erhob der spanische König Karl II. ihn in Anerkennung seiner langen diplomatischen Dienste zum Baron. Als Manuel de Belmonte 1705 starb, ging sein Titel auf seinen Neffen Francisco Ximenes de Belmonte über, der ihn bei seinem Tod 1713 seinem eigenen Sohn Manuel Ximenes vererbte. Dieser starb 1730 kinderlos.[22]

Die sefardischen Residenten und ihre Auftraggeber: Eine gegenseitige Nutzbeziehung

Die Tätigkeit der sefardischen Residenten in den Niederlanden wirft die Frage auf, warum sich die spanischen und portugiesischen Herrscher gerade dieser Personen als Handlungsbevollmächtigte, Geldgeber und diplomatische Vertreter bedienten. Dass Juden politische Ämter innehatten und im Dienst der Herrscher standen, hatte in der Geschichte der Iberischen Halbinsel eine gewisse Tradition. Bereits die muslimischen Herrscher hatten sich auf eine ganze Reihe von jüdischen Finanziers und Beratern gestützt. Nach der Reconquista hatten auch die Herrscher der christlichen Staaten Juden in ihre Dienste genommen, da diese mit den Gegebenheiten des Landes vertraut waren und ihnen als kulturelle Vermittler dienen konnten.[23] Im Fall der in Amsterdam für Spanien und Portugal tätigen sefardischen Residenten und „Agenten" lagen die Dinge jedoch komplizierter. Nach den Zwangstaufen und Ausweisungen des 14. und 15. Jahrhunderts hatte man in Spanien und Portugal die „Neuchristen" und ihre Nachkommen immer mit Misstrauen betrachtet und sie nicht nur in religiöser, sondern auch in politischer Hinsicht für unzuverlässig gehalten. Man hatte keine Mühen gescheut – Einsetzung der Inquisition, Gesetze über die *Limpieza de Sangre* –, den von Seiten der Conversos vermeintlich drohenden Schaden von Kirche, Staat und Gesellschaft abzuwenden.[24] In diesem Kontext mussten die Mitglieder der Amsterdamer sefardischen Gemeinde, die aus dem spanischen Machtbereich geflohen und offen zum Judentum zurückgekehrt waren, den iberischen „Altchristen" als zum Leben erwachte Manifestationen ihrer schlimmsten paranoiden Albträume erscheinen.

Wenn die spanischen und portugiesischen Herrscher im 17. Jahrhundert dennoch Mitglieder dieser Personengruppe in ihre Dienste nahmen, so lag dies in erster Linie an einem Mangel an Alternativen. In einer Zeit, in der es kaum Zeitungen und wenig Möglichkeiten gab, zuverlässige Detailinformationen über andere Länder zu erhalten, waren die Amsterdamer sefardischen

Juden, die nicht nur aus erster Hand über die politische Lage in den Niederlanden berichten konnten, sondern dank ihrer vielfältigen Handelsbeziehungen auch über zahlreiche andere außen- und wirtschaftspolitisch relevante Informationen verfügten, eine kaum zu ersetzende Nachrichtenquelle. Ähnliches gilt für den Bereich der Finanzierung der Diplomatie. Die spanischen und portugiesischen Herrscher waren nicht nur darauf angewiesen, dass ihnen bei Bedarf große Summen für Sonderausgaben – Waffeneinkäufe, Bestechungen usw. – zur Verfügung gestellt wurden, sondern sie benötigten zur Bestreitung der laufenden Ausgaben ihrer diplomatischen Vertretungen auch einen regelmäßigen Bargeldtransfer nach Nordwesteuropa. In einer Zeit, in der das moderne Bankenwesen noch in den Kinderschuhen steckte, ließ sich dies am ehesten über ein Netz von international operierenden Handelshäusern bewerkstelligen. Die Amsterdamer sefardischen Juden und ihre Handelspartner in Spanien und Portugal besaßen auf diesem Sektor sicherlich eine der zuverlässigsten Verbindungen zwischen der Iberischen Halbinsel und Nordwesteuropa. Schließlich ist noch darauf hinzuweisen, dass die Beziehungen zwischen Spanien und Portugal auf der einen und den Niederlanden auf der anderen Seite im 17. Jahrhundert so instabil waren, dass über längere Zeiträume keine offiziellen Botschafter ausgetauscht werden konnten. Wollte man dennoch nicht ganz auf Nachrichten aus den Niederlanden verzichten und die diplomatischen Verhandlungen nicht vollständig einstellen, so bot es sich aus Sicht der iberischen Herrscher an, auf loyal gesinnte Mitglieder der Amsterdamer sefardischen Gemeinde zurückzugreifen, da diese als Einwohner der Niederlande nicht einfach ausgewiesen werden konnten und gleichzeitig bei den niederländischen Obrigkeiten größeres Vertrauen genossen als die offiziellen Diplomaten. Die Aktivitäten von Jeronimo Nunes da Costa während des portugiesisch-niederländischen Krieges sind ein gutes Beispiel für eine solche Konstellation.

Gelegentlich gerieten diese pragmatischen Erwägungen mit irrationalen antijüdischen Phobien in Konflikt. So hatte z. B. Francisco de Sousa Coutinho, der in den vierziger Jahren des 17. Jahrhunderts portugiesischer Botschafter in Den Haag war, nicht nur Vorbehalte gegenüber dem tatsächlich nicht ganz vertrauenswürdigen Lopo Ramirez – in einem Bericht nach Lissabon aus dem Jahr 1648 nannte er ihn „o mais mao perro que ha em toda a juderia“[25] –, sondern auch gegenüber Jeronimo Nunes da Costa, an dessen Loyalität nicht zu zweifeln war.[26] Seine Wortwahl in seinem Bericht über Ramirez lässt vermuten, dass diese Vorbehalte zumindest zum Teil auf antijüdische Vorurteile zurückgingen. Als 1667 in Portugal Peter II. den Thron bestieg und eine Politik einleitete, die wieder stärker gegen *Conversos* und Juden gerichtet war, wurden in Lissabon Überlegungen angestellt, ob Jeronimo

Nunes da Costa unter diesen Bedingungen noch der geeignete Repräsentant Portugals in den Niederlanden sein könne. Aufgrund seiner Verdienste und seiner genauen Kenntnis der niederländischen Politik verlängerte man ihm jedoch trotz dieser Bedenken 1668 sein Mandat.[27] Erst einem seiner Nachkommen wurde der Titel des portugiesischen „Agenten" endgültig mit der Begründung entzogen, dass dieser Jude sei.[28] Im Allgemeinen trugen also, solange man die Dienste der sefardischen Residenten und „Agenten" benötigte, pragmatische Erwägungen den Sieg über antijüdische Vorurteile davon.

Konnten die spanischen und portugiesischen Herrscher praktischen Nutzen aus der Beschäftigung sefardischer „Agenten" und Residenten ziehen, so galt dies umgekehrt ebenso. Trotz des relativ großen Zeit- und Energieaufwands und trotz aller Risiken, die z. B. mit der Auszahlung großer Geldsummen auf Kreditbasis verbunden waren, erwies sich das Amt eines „Agenten" für alle hier genannten Personen auch über ihr recht bescheidenes Gehalt[29] hinaus als einträglich. Jeronimo Nunes da Costa zum Beispiel, der als Kaufmann unter anderem im Handel mit der Iberischen Halbinsel und den spanischen und portugiesischen Besitzungen in Übersee tätig war, profitierte in seiner Handelstätigkeit sehr von seinen politischen Aktivitäten. So brachten ihn seine Dienstleistungen für die portugiesische Krone in Kontakt mit den wichtigsten Lissaboner *Converso*-Kaufleuten, die ihm dann auch für seine privaten Geschäfte als Korrespondenten und Partner dienten. Dies war für Jeronimo Nunes da Costa umso wichtiger, als er als Angehöriger der zweiten Generation der sefardischen Emigranten, die nicht mehr auf der Iberischen Halbinsel geboren waren, zwar gute familiäre Kontakte in vielen wichtigen Orten der sefardischen Diaspora, aber keine direkten Verbindungen mehr nach Portugal besaß. Dank seiner Tätigkeit für die portugiesische Krone konnte er sich hier ein neues Netz von Handelspartnern aufbauen, das ihn gegenüber den übrigen sefardischen Kaufleuten in Amsterdam in Vorteil brachte.[30]

Noch direkter lässt sich der Nutzen, den Jeronimo Nunes da Costa aus seinen politischen Aktivitäten zog, im Bereich des Brasilienhandels ablesen. Als „Agent" der portugiesischen Krone war er in den vierziger Jahren des 17. Jahrhunderts in Kontakt mit dem portugiesischen Jesuitenpater Antonio Vieira getreten und hatte dessen Pläne unterstützt, den portugiesischen Brasilienhandel zu stärken, indem man die Aktivitäten der Inquisition einschränkte und den portugiesischen Juden eine Rückkehr nach Portugal ermöglichte. Diese Pläne ließen sich zwar nicht in die Tat umsetzen, aber Jeronimo Nunes da Costa wurde immerhin durch Vieiras Vermittlung zum offiziellen Amsterdamer Vertreter der 1649 gegründeten *Junta do Comercio Geral do Brasil* ernannt. Da diese Handelsgesellschaft das Monopol für Brasilholz besaß, war Nunes da Costa dank seines Amtes über Jahre hinweg der einzige Amsterdamer Importeur dieses begehrten Färbeholzes und konnte entsprechende Gewinnspannen erzielen.[31] Als Diplomat, dem auch die Niederländische Republik einiges zu verdanken hatte, war Jeronimo Nunes da Costa seit 1673 schließlich auch von allen außerordentlichen Abgaben befreit, die die Generalstaaten von ihren Untertanen erhoben. Diese und andere Vorteile, die Nunes da Costa aus seinen politischen Aktivitäten zog, wogen die finanziellen Risiken und den großen Zeitaufwand, den diese Aktivitäten ebenfalls mit sich brachten, wieder auf und trugen nicht unwesentlich dazu bei, dass er innerhalb relativ kurzer Zeit zu einem der angesehensten sefardischen Kaufleute in Amsterdam wurde und in den letzten Jahrzehnten zu den fünf reichsten Mitgliedern der sefardischen Gemeinde gehörte.[32]

In ähnlicher Weise wie Jeronimo Nunes da Costa profitierte auch Manuel de Belmonte, der kein Kaufmann war, von seinen politischen Aktivitäten. Zwar gelang es ihm nicht, das einträgliche Amt des spanischen Konsuls in Amsterdam, dem die Überwachung der geltenden Handelsbestimmungen oblag, zu erhalten, aber er konnte seine Kontakte und seinen Einfluss auf indirektem Weg wirtschaftlich nutzbar machen. So setzte er sich 1685 erfolgreich bei der spanischen Regierung dafür ein, dass der Holländer Balthazar Coymans den offiziellen Vertrag für die Lieferung von Sklaven in die spanischen Besitzungen in Amerika erhielt. Belmonte besaß selbst Anteile an Coymans Unternehmen und zog aus diesem keinen geringen Gewinn. Ebenso ist anzunehmen, dass Belmonte auch an den Profiten der finanziellen Transaktionen von Antonio Lopes Suasso, die er vermittelt hatte, beteiligt war.[33] Als Resident der spanischen Krone war er darüber hinaus von allen nationalen Steuern, die die Generalstaaten erhoben, befreit. Insgesamt müssen die Geschäfte, die Manuel de Belmonte tätigen konnte, so einträglich gewesen sein, dass sein Vermögen stetig zunahm. Konnte er sich zu Beginn seiner diplomatischen Karriere in finanzieller Hinsicht noch nicht im Entferntesten mit den wohlhabenden Amsterdamer Kaufleuten messen, so gehörte er an seinem Lebensende ebenfalls zu den reichsten Mitgliedern der sefardischen Gemeinde.[34]

Zu dem Nutzen, den die sefardischen Residenten und „Agenten“ aus ihrer Tätigkeit zogen, gehört schließlich auch noch ein nichtmaterieller Teil. Ihre engen Verbindungen zur spanischen und portugiesischen Krone verschafften ihnen, unabhängig von ihrer wirtschaftlichen Situation, einen sozialen Status, den sie auf keine andere Weise hätten erreichen können. Die Ausübung diplomatischer Ämter und die Annahme der verliehenen Adelstitel ermöglichte es ihnen, ihre aristokratischen Ambitionen, die unter den Amsterdamer sefardischen Juden weit verbreitet waren, in die Realität umzusetzen.

Wie hoch der Wert eines solchen aristokratischen oder quasiaristokratischen Status innerhalb der Amsterdamer sefardischen Gemeinde geschätzt wurde, lässt sich daran ablesen, dass sich eine ganze Reihe ihrer Mitglieder nach dem Ende des 17. Jahrhunderts, als mit dem Titel eines „Residenten" oder „Agenten" bereits keinerlei politische Funktion mehr verbunden war, bei den verschiedensten europäischen Monarchen um die Verleihung eines solchen Titels bemühte.[35]

Die sefardischen Residenten und die sefardische Gemeinde: Identitäten und Loyalitäten

Angesichts der Verfolgungen, die die spanischen und portugiesischen Conversos durch die Inquisition zu erleiden hatten, mag es verwunderlich erscheinen, dass Männer wie Lopo Ramirez, Jeronimo Nunes da Costa und Manuel de Belmonte, deren Familien von der Iberischen Halbinsel geflohen waren und die sich offen zum Judentum bekannten, dennoch bereit waren, in die Dienste der spanischen oder portugiesischen Krone zu treten. Für die betreffenden Personen selbst scheint dies jedoch kein Problem dargestellt zu haben. Sie fühlten sich nicht nur der iberischen Kultur nach wie vor sehr verbunden – Manuel de Belmonte rief zwei der bedeutendsten literarischen Salons der Amsterdamer sefardischen Gemeinde, die *Academia de los Sitibundos* und die *Academia de los Floridos,* ins Leben, denen auch Jeronimo Nunes da Costa beitrat –,[36] sondern sie differenzierten offenbar auch zwischen der jeweiligen weltlichen Regierung und den Aktivitäten der Inquisition. Letztere hinderten sie nicht daran, loyale Diener der spanischen und portugiesischen Herrscher zu sein. Jeronimo Nunes da Costa machte dies auch explizit deutlich, indem er den Generalstaaten gegenüber sein Leben lang ausdrücklich darauf bestand, dass er kein Staatsangehöriger der Vereinigten Niederlande, sondern ein Untertan der portugiesischen Krone sei.[37]

Angesichts dieser so ausdrücklich betonten Loyalität gegenüber Spanien und Portugal stellt sich die Frage nach dem Verhältnis der Residenten und „Agenten" zur Amsterdamer sefardischen Gemeinde. War es möglich, dem spanischen oder portugiesischen Herrscher zu dienen und gleichzeitig ein aktives Mitglied der sefardischen Gemeinde zu sein, deren Mitglieder aus dem Machtbereich ebendieser Herrscher geflohen waren? Blickt man auf das Engagement von Lopo Ramirez, Jeronimo Nunes da Costa und Manuel de Belmonte für die Amsterdamer Gemeinde, so ist diese Frage zunächst zu bejahen. Lopo Ramirez, der in der Synagoge den Namen David Curiel trug, wurde 1617 erstmals zum *Gabay* (Schatzmeister) der Gemeinde Bet Jakob gewählt. Bei den Streitigkeiten, die 1618 schließlich zur Spaltung der Gemeinde führten, spielte er eine aktive Rolle.[38] Als die drei Amsterdamer Gemeinden 1621/22 eine Kooperation auf dem Gebiet der Eintreibung und Verwendung der *Imposta* vereinbarten, gehörte Lopo Ramirez zu den *Parnassim*, die das Abkommen von Seiten der Gemeinde Bet Jakob unterschrieben. 1630 erneut zum *Gabay* von Bet Jakob gewählt, betrieb Ramirez für seine Gemeinde den Kauf des Hauses „Antwerpen", das den Gemeindeangehörigen seit 1614 als Synagoge gedient hatte.[39] 1644 war er zum letzten Mal *Parnas* der inzwischen gegründeten Einheitsgemeinde Talmud Tora.[40] Jeronimo Nunes da Costa, der in der sefardischen Gemeinde den Namen Mose Curiel trug, gehörte sechsmal dem *Ma'amad* an, davon einmal als *Gabay*. Darüber hinaus bekleidete er zahlreiche weitere Ehrenämter, darunter zweimal das des Vorstehers der *Hebra*, zweimal das des Schatzmeisters von *Ets Haim* und einmal das des Vorstehers der *Talmud Tora*. 1681 wurde er gemeinsam mit Manuel de Belmonte zum *Diputado da Nação* gewählt, der die Gemeinde gegenüber den Amsterdamer Obrigkeiten zu vertreten hatte. Manuel de Belmonte schließlich, dessen jüdischer Name Isaak Nunes Belmonte war, wurde neben seinem Amt als *Diputado* zweimal in den *Ma'amad* gewählt und fungierte eine Amtszeit als *Hatan Tora*.[41]

Dieser Befund macht deutlich, dass die sefardischen Residenten und „Agenten" ihre spanische bzw. portugiesische und ihre jüdische Identität offenbar so konfliktfrei miteinander zu verbinden wussten, dass sie gern bereit waren, sich neben ihren politischen Aktivitäten auch noch für die sefardische Gemeinde zu engagieren. Umgekehrt gab es von Seiten der Gemeinde anscheinend ebenfalls keine grundsätzlichen Berührungsängste, sondern man profitierte vielmehr – wie im Fall der Ernennung von Jeronimo Nunes da Costa und Manuel de Belmonte zu *Diputados* – gerne von den Erfahrungen dieser Männer im Umgang mit den niederländischen Obrigkeiten. Sieht man einmal von solchen praktischen Nutzerwägungen ab, lässt sich diese Haltung der Gemeinde am ehesten dadurch erklären, dass das Gefühl der Zugehörigkeit zum iberischen Kulturkreis im 17. Jahrhundert nicht nur für die Einzelpersonen, die als spanische oder portugiesische Residenten oder „Agenten" fungierten, sondern für die Identität der gesamten Amsterdamer sefardischen Gemeinde eine wichtige Rolle spielte. Diese „iberische Identität" ließ eben auch ein Engagement von Gemeindemitgliedern für die spanische oder portugiesische Krone zu, ohne dass dies als Widerspruch zu den Erfahrungen empfunden wurde, die viele Mitglieder der sefardischen Gemeinde mit der Inquisition gemacht hatten.[42]

Dennoch waren die politischen Aktivitäten der sefardischen Residenten und „Agenten" für die sefardische Gemeinde nicht in jedem Fall unproblematisch. Dies hing in erster Linie mit der Haltung der sefardischen Gemeinde gegenüber den niederländischen Obrigkeiten und ihrer Stellung innerhalb der niederländischen Gesellschaft zusammen. In allen außenpolitischen Konflikten, die die Niederländische Republik im Verlauf des 17. Jahrhunderts zu bewältigen hatte, verhielt sich die Leitung der sefardischen Gemeinde immer loyal gegenüber den Generalstaaten und war bemüht, diese Loyalität auch nach außen hin zu demonstrieren.[43] Zu einer solchen Politik passte es z. B. schlecht, wenn die offiziellen Vertreter einer ausländischen Macht, die gegen die Niederlande Krieg führte, in der Gemeinde hohe Ämter bekleideten. Mit diesem Sachverhalt mag es zusammenhängen, dass Lopo Ramirez seit der Mitte der vierziger Jahre, als er begann, sich für die spanische Krone zu engagieren, kein Amt mehr in der sefardischen Gemeinde innehatte[44] und dass auch Jeronimo Nunes da Costa in der Zeit des portugiesisch-niederländischen Krieges keine offizielle Funktion in der Gemeinde ausübte.[45] Schließlich ist noch darauf hinzuweisen, dass in der Zeit des portugiesisch-spanischen Konflikts nach der Trennung Portugals von Spanien im Jahr 1640 die Sympathien für die beiden Kontrahenten innerhalb der Amsterdamer sefardischen Gemeinde durchaus geteilt waren. In den gemeindeinternen Auseinandersetzungen, die sich aus dieser Situation ergaben, waren die spanischen und portugiesischen Residenten und „Agenten" in einer besonders exponierten Situation. Mit dem Westfälischen Frieden von 1648, dem niederländisch-portugiesischen Friedensschluss von 1661 und dem spanisch-portugiesischen Friedensschluss von 1668 waren jedoch alle diese Konfliktlinien bis zum Ende der sechziger Jahre verschwunden, und die Stellung der sefardischen Residenten und „Agenten" innerhalb der Gemeinde war fortan völlig unproblematisch.[46]

Obwohl also die Tätigkeit der sefardischen Residenten und „Agenten" im 17. Jahrhundert gelegentlich zu Spannungen innerhalb der sefardischen Gemeinde führen und im Kriegsfall auch ein gewisses Konfliktpotenzial im Verhältnis zu den niederländischen Obrigkeiten darstellen konnte, erwies sie sich im Ganzen doch als positiv für die Amsterdamer Gemeinde. Dank der guten Kontakte, die die Residenten und „Agenten" zu den Amsterdamer Bürgermeistern, den Staaten von Holland und den Generalstaaten pflegten, waren sie in der Lage, den niederländischen Obrigkeiten die Anliegen der sefardischen Gemeinde vorzutragen und in Konfliktfällen zwischen beiden Seiten zu vermitteln. Darüber hinaus unterstützten sie die Gemeinde auch in finanzieller Hinsicht beträchtlich. Sie zahlten nicht nur regelmäßig hohe Beiträge für die nach dem Vermögen der Gemeindemitglieder bemessenen *finta*, sondern sie trugen auch durch freiwillige Spenden und Stiftungen für soziale und kulturelle Zwecke zur Lebendigkeit des Gemeindelebens bei. So trug

Jeronimo Nunes da Costa 1671, als die Gemeinde eine große Spendensammlung für den Neubau der Synagoge unternahm, mit 800 Gulden die größte Einzelspende bei und durfte dafür einen der vier Ecksteine des Gebäudes legen, ein Zugeständnis, das symbolisch seine Bedeutung für die Gemeinde deutlich macht.[47]

Die sefardischen Residenten als Exponenten einer Modernisierung der Gesellschaft?

Auf der Basis der vorangegangenen Überlegungen lässt sich nun die eingangs gestellte Frage nach der Rolle, die die sefardischen Residenten und „Agenten" im Prozess der Entstehung einer modernen Gesellschaft spielten, noch einmal bedenken. Dabei ist zunächst festzuhalten, welche Aspekte gesellschaftlicher Modernisierung in diesem Zusammenhang zu beachten sind. Aus der Perspektive der jüdischen Gemeinden sind hier sicher Stichworte wie Assimilation an die christliche Gesellschaft, soziale Integration, Bruch mit der religiösen Tradition und Kampf um die politische Gleichberechtigung zu nennen. Aus einer gesamtgesellschaftlichen Perspektive lassen sich Stichworte wie Verbürgerlichung, Entstehung einer bürgerlichen Öffentlichkeit, Entstehung neuer Produktionsformen – Manufakturen und später industrielle Produktion – sowie die Entstehung neuer Handels-, Finanz-, Verwaltungs- und Kommunikationsformen hinzufügen. Zu klären wäre nun, welchen Anteil die sefardischen Residenten und „Agenten" an diesen Prozessen und Entwicklungen hatten.

Die historische Forschung, die sich mit der Geschichte der Juden in den Niederlanden beschäftigt, hat seit langem festgestellt, dass die rechtliche Lage der Juden in den Niederlanden bereits vor dem Emanzipationsgesetz von 1796 sehr viel günstiger war als in fast allen anderen europäischen Ländern. Juden mussten nicht in gesonderten Wohnbezirken leben, keine spezielle Kleidung oder Abzeichen tragen und keine Sonderabgaben zahlen. Sie konnten Häuser und Grundbesitz erwerben, waren vor Gericht den Christen gleichgestellt und genossen im Ausland ausdrücklich denselben Schutz von Seiten der Generalstaaten wie die christlichen Untertanen. Diese günstigen rechtlichen Bedingungen trugen dazu bei, dass Juden in den Niederlanden bereits im 17. Jahrhundert ein relativ breites wirtschaftliches Betätigungsfeld hatten, dass soziale Kontakte zu Christen möglich und nicht selten waren und dass daher Integrations- und Assimilationsprozesse früher einsetzten als in anderen Ländern.[48] Die Ursachen für diese Situation lagen einerseits in der Politik der religiösen Toleranz, die zum Gründungskonsens der Niederländischen Republik gehörte, und andererseits in den Forderungen, die die sefardischen Juden nach ihrer Ansiedlung an die niederländischen Obrigkeiten gestellt hatten. Die sefardischen Residenten hatten hieran insofern Anteil, als sie – wie oben dargestellt – nicht selten ihre Gemeinde gegenüber den niederländischen Obrigkeiten vertraten. Sie trieben die rechtliche Entwicklung jedoch nicht dadurch voran, dass sie etwa für sich selbst Ausnahmen von dem geltenden Judenrecht erwirkten, die dann später als Präzedenzfälle gelten konnten. Aufgrund der ohnehin günstigen rechtlichen Situation in den Niederlanden konnten sie ihren beruflichen Aktivitäten im Gegensatz zu den späteren Hofjuden im Römischen Reich sehr gut ohne solche Sonderregelungen und Privilegien nachgehen und unterschieden sich daher in ihrem rechtlichen Status nicht von den übrigen Juden in den Niederlanden. Eine Vorreiterrolle im Hinblick auf die rechtliche Gleichstellung der Juden kam den sefardischen Residenten also nicht zu.

Was die miteinander verbundenen Prozesse von sozialer Integration, Assimilation und Abwendung von der eigenen religiösen Tradition angeht, so ist zu bedenken, dass die gesamte Amsterdamer sefardische Gemeinde im 17. Jahrhundert kulturell noch sehr stark auf Spanien bzw. Portugal hin orientiert war. Die Angehörigen der Gemeinde konnten in dem Sinne als „assimiliert" gelten, als die nichtjüdische iberische Kultur Teil ihrer Identität war. Im Gegensatz zu den deutschen Juden des 19. Jahrhunderts empfanden sie diese kulturelle Orientierung jedoch nicht als Widerspruch, sondern als Ergänzung zu ihrer jüdischen Religion. Das Idealbild dieser Identität war nicht ein modernes Konzept von gleichberechtigter Partizipation in einem säkularen Staat, sondern die *convivencia* von Christen, Moslems und Juden im mittelalterlichen Spanien.[49] In den Niederlanden blieben die sefardischen Juden damit zunächst jedoch in doppelter Weise Fremde, als Juden in einer christlichen Gesellschaft und als Verfechter iberischer Sprache und Kultur in einem niederländischen kulturellen Umfeld. Erst allmählich begannen sie, sich kulturell an ihre neue Umgebung anzupassen, sodass im 18. Jahrhundert dann auch von Assimilations- und Integrationsbewegungen in Hinblick auf die niederländische Gesellschaft gesprochen werden kann.[50]

Die sefardischen Residenten und „Agenten" sind in besonderer Weise als Vertreter der beschriebenen iberisch-jüdischen Identität zu betrachten. Dies wird nicht nur durch ihr politisches Engagement für Spanien und Portugal deutlich, sondern vor allem auch durch ihre Erhebung in den Adelsstand, mit der sie für ihre Verdienste belohnt wurden. Die Nobilitierung als Auszeichnung gehört eindeutig in den iberischen kulturellen Kontext und war der bürgerlichen Kultur der Niederlande diametral entgegengesetzt. Der Stolz, mit dem die Residenten diese Auszeichnung entgegennahmen, und der

Wert, den die Nachkommen auf eine Fortführung des Titels legten, zeigt, wie sehr diese Gruppe der spanischen bzw. portugiesischen Kultur verhaftet war.[51] In den Niederlanden erfüllten die sefardischen Residenten dagegen zwar bestimmte politische Funktionen, aber von einer Assimilation an die niederländische Gesellschaft, geschweige denn von einer Integration in diese kann keine Rede sein. Wenn es für die Amsterdamer sefardischen Juden des 17. Jahrhunderts zwei Konzepte von Assimilation und Integration gab – auf der einen Seite die Orientierung an der iberischen Kultur und auf der anderen Seite die Anpassung an die niederländische Kultur und die Partizipation an der dortigen bürgerlichen Gesellschaft –, so waren die Residenten nicht die Vorreiter der zukunftsorientierten zweiten Richtung, sondern vielmehr die Exponenten der eher rückwärts gewandten ersten Richtung.

Im Hinblick auf die Entstehung neuer Handels-, Produktions-, Finanz- und Kommunikationsformen befanden sich die Amsterdamer sefardischen Juden des 17. Jahrhunderts tatsächlich an der Spitze der Entwicklung. Gestützt auf familiäre Beziehungen, verfügten sie über ein ausgedehntes Handelsnetz, das einen regen Austausch von Waren sowie den schnellen Transfer von Geldern und die zuverlässige Übermittlung von Nachrichten ermöglichte. Gerade dies machte die Mitglieder der sefardischen Gemeinde unter den Bedingungen des 17. Jahrhunderts als „Agenten" für die spanischen und portugiesischen Herrscher so attraktiv. Die genannten Qualifikationen galten jedoch für die gesamte Oberschicht der sefardischen Gemeinde. Die Gruppe der Residenten und „Agenten" zeichnete sich innerhalb dieser Oberschicht nicht in erster Linie durch ihre herausragenden wirtschaftlichen Aktivitäten aus, sondern durch ihre besondere politische Loyalität gegenüber Spanien bzw. Portugal.

Im Ganzen lässt sich also sagen, dass die Gruppe der sefardischen Residenten und „Agenten" kaum als Vorreiter im Prozess der Entstehung einer modernen Gesellschaft gelten kann. In den Bereichen, in denen sie die gesellschaftliche Entwicklung mit vorantrieben, z. B. im Handels- und Finanzwesen, taten sie dies nicht in höherem Maße als die übrigen Mitglieder der sefardischen Oberschicht. In anderen Bereichen – z. B. dem der kulturellen Orientierung der sefardischen Gemeinde – sind sie sogar eher Exponenten der traditionellen Strukturen als Vorreiter neuer Entwicklungen. Die Amsterdamer sefardischen Residenten und „Agenten" erfüllten einige Jahrzehnte lang unter bestimmten historischen Bedingungen für die iberischen Herrscher, die niederländischen Obrigkeiten und die Amsterdamer sefardische Gemeinde eine wichtige Funktion. Als sich jedoch diese Bedingungen änderten – als Stichworte seien genannt die Beilegung der internationalen Konflikte, an denen Spanien, Portugal und die Niederlande beteiligt waren, die

Entstehung einer professionellen Diplomatie sowie nicht zuletzt die kulturelle und politische Entfernung der Amsterdamer sefardischen Gemeinde von Spanien und Portugal –, verschwand dieses Betätigungsfeld rasch wieder. Lediglich die wohlklingenden Titel blieben noch eine Weile bestehen. Als Gruppe haben die Residenten und „Agenten" in der Geschichte der Amsterdamer sefardischen Juden kaum Spuren hinterlassen.

Anmerkungen

1 Vgl. Yosef Kaplan, Court Jews before the Hofjuden, in: Vivian B. Mann/Richard I. Cohen (eds.), *From Court Jews to the Rothschilds. Art, Patronage, and Power, 1600–1800*, Munich/New York 1996, S. 11–25.

2 Vgl. die im September/Oktober 1998 in der Liste *Geschichte und Kultur der Juden* geführte Debatte, nachzulesen im Archiv der Liste: http://de.groups.yahoo.com/group/geschichte-juden/messages

3 Vgl. Werner Sombart, *Die Juden und das Wirtschaftsleben*, Leipzig 1911; J.G. van Dillen, De economische positie en betekenis der Joden in de Republiek en in de Nederlandse koloniale wereld, in: H. Brugmans/A. Frank (eds.), *Geschiedenis der Joden in Nederland, Teil 1: Tot circa 1795*, Amsterdam 1940, S. 561–616; Herbert I. Bloom, *The economic activities of the Jews of Amsterdam in the seventeenth and eighteenth centuries*, Williamsport 1937. Neuere Studien, die auf breiterer Quellenbasis zu differenzierten Ergebnissen gelangen, haben Daniel M. Swetschinski und Jonathan I. Israel vorgelegt, vgl. Daniel M. Swetschinski, *The Portuguese Jewish merchants of seventeenth-century Amsterdam. A social profile*, Diss. Brandeis University 1979; ders., Kinship and commerce. The foundations of Portuguese-Jewish life in seventeenth-century Holland, in: *Studia Rosenthaliana* 15 (1981), S. 52–74; Jonathan I. Israel, *European Jewry in the age of mercantilism*, Oxford 1985; ders., The changing role of the Dutch Sephardim in international trade, 1595–1715, in: *Dutch Jewish History* 1 (1984), S. 31–51; ders., The economic contribution of Dutch Sephardi Jewry to Holland's Golden Age, 1595–1713, in: ders., *Empires and Entrepots. The Dutch, the Spanish monarchy and the Jews 1585–1713*, London/Ronceverte 1990, S. 417–447; ders., The Sephardi contribution to economic life and colonization in Europe and the New World (16th-18th centuries), in: Haim Beinart (ed.), *Moreshet Sepharad: The Sephardi legacy*, Bd. 2, Jerusalem 1992, S. 365–398.

4 Vgl. Swetschinski, *Portuguese Jewish merchants* (wie Anm. 3), S. 211 f.; Jonathan I. Israel, Duarte Nunes da Costa (Jacob Curiel) of Hamburg: Sephardi nobleman and communal leader (1585–1664), in: *Studia Rosenthaliana* 21 (1987), S. 14–21.

5 Vgl. Jonathan I. Israel, Lopo Ramirez (David Curiel) and the attempt to establish a Sephardi community in Antwerp in 1653/54, in: *Studia Rosenthaliana* 28 (1994), S. 103 f.

6 Vgl. Swetschinski, *Portuguese Jewish merchants* (wie Anm. 3), S. 223–225.

7 Vgl. Israel, Lopo Ramirez (wie Anm. 5), S. 105 f.

8 Vgl. ebd., S. 106–110.

9 Vgl. ebd., S. 110 f.

10 Zu Duarte Nunes da Costas wirtschaftlichen und politischen Aktivitäten vgl. Israel, Duarte Nunes da Costa (wie Anm. 4), S. 25–32.

11 Vgl. Israel, Lopo Ramirez (wie Anm. 5), S. 114.

12 Vgl. Swetschinski, *Portuguese Jewish merchants* (wie Anm. 3), S. 225–228; Jonathan I. Israel, The diplomatic career of Jeronimo Nunes da Costa. An episode in Dutch-Portuguese relations of the seventeenth century, in: *Bijdragen en mededelingen betreffende de geschiedenis der Nederlanden* 98 (1983), S. 169–171.
13 Vgl. Swetschinski, *Portuguese Jewish merchants* (wie Anm. 3), S. 229–232; Israel, The diplomatic career (wie Anm. 12), S. 173–176.
14 Vgl. Israel, The diplomatic career (wie Anm. 12), S. 176–184.
15 Vgl. ebd., S. 185–190.
16 Vgl. Swetschinski, *Portuguese Jewish merchants* (wie Anm. 3), S. 244–247.
17 Vgl. ebd., S. 250–256.
18 Vgl. ebd., S. 256–263.
19 Vgl. ebd., S. 260–265.
20 Vgl. ebd., S. 269 f.
21 Vgl. ebd., S. 263 f.
22 Vgl. ebd., S. 270; Art. „Belmonte", in: *Encyclopaedia Judaica* Bd. 4, Jerusalem/New York 1972, Sp. 442 f.
23 Vgl. Kaplan, Court Jews (wie Anm. 1), S. 12–18.
24 Vgl. z. B. Albert A. Sicroff, *Les Controverses des Statuts de „purité de sang" en Espana du XVe au XVIIe siècle*, Paris 1960; Henry Kamen, *Inquisition and society in Spain in the sixteenth and seventeenth centuries*, Bloomington 1985.
25 *Correspondência diplomática de Francisco de Sousa Coutinho durante a sua embaixada em Holanda*, Bd. 3, Coimbra 1955, S. 10; vgl. hierzu auch Swetschinski, *Portuguese Jewish merchants* (wie Anm. 3), S. 225–227; Israel, Lopo Ramirez (wie Anm. 5), S. 106–108.
26 Vgl. Israel, The diplomatic career (wie Anm. 12), S. 171 f.
27 Vgl. ebd., S. 185 f.
28 Vgl. ebd., S. 190.
29 Vgl. Swetschinski, *Portuguese Jewish merchants* (wie Anm. 3), S. 240; Israel, Lopo Ramirez (wie Anm. 5), S. 100–103.
30 Vgl. Swetschinski, *Portuguese Jewish merchants* (wie Anm. 3), S. 217–222; Jonathan I. Israel, An Amsterdam Jewish merchant of the Golden Age: Jeronimo Nunes da Costa (1620–1697), Agent of Portugal in the Dutch Republic, in: *Studia Rosenthaliana* 18 (1984), S. 23.
31 Vgl. Swetschinski, *Portuguese Jewish merchants* (wie Anm. 3), S. 234–236; Israel, An Amsterdam Jewish merchant (wie Anm. 30), S. 30 f.
32 Vgl. Israel, The diplomatic career (wie Anm. 12), S. 186–190.
33 Vgl. Swetschinski, *Portuguese Jewish merchants* (wie Anm. 3), S. 267–269.
34 Vgl. ebd., S. 266.
35 Vgl. ebd., S. 270–272 und 275 f.
36 Zur *Academia de los Sitibundos* und zur *Academia de los Floridos* vgl. Kenneth R. Scholberg, Miguel de Barrios and the Sephardic community, in: *Jewish Quarterly Review* 53 (1962), S. 141–144; Swetschinski, *Portuguese Jewish merchants* (wie Anm. 3), S. 536–542.
37 Vgl. Swetschinski, *Portuguese Jewish merchants* (wie Anm. 3), S. 242; Israel, The diplomatic career (wie Anm. 12), S. 186 f.
38 Vgl. J. d'Ancona, Komst der Marranen in Noord-Nederland. De Portugese gemeenten te Amsterdam tot de vereniging (1639), in: H. Brugmans/A. Frank (eds.), *Geschiedenis der Joden in Nederland, vol. 1: Tot circa 1795*, Amsterdam 1940, S. 229–239.
39 Vgl. Israel, Lopo Ramirez (wie Anm. 5), S. 102.
40 Vgl. ebd., S. 105 f.
41 Gemeentearchief Amsterdam (GAA), Bestand 334–157.

42 Das Gefühl der Zugehörigkeit zum iberischen Kulturkreis lässt sich z. B. daran ablesen, dass Portugiesisch im 17. Jahrhundert unter den Amsterdamer sefardischen Juden die wichtigste Umgangssprache war – viele von ihnen beherrschten gar kein Niederländisch – und dass die Mehrzahl der von und für sefardische Juden in Amsterdam gedruckten Bücher in portugiesischer oder spanischer Sprache waren. Zur sprachlichen Entwicklung vgl. Benjamin N. Teensma, The suffocation of Spanish and Portuguese among Amsterdam Sephardi Jews, in: *Dutch Jewish History* 3 (1993), S. 137 f.; zur Buchproduktion vgl. Harm den Boer, *La literatura sefardí de Amsterdam*, Alcalá 1995; allgemein zur kulturellen Entwicklung der Amsterdamer sefardischen Gemeinde im 17. Jahrhundert vgl. Swetschinski, *Portuguese Jewish merchants* (wie Anm. 3), S. 505–545. Zur Bedeutung der iberischen Herkunft und Kultur für die Identität der Amsterdamer sefardischen Juden vgl. Yosef Kaplan, The travels of Portuguese Jews from Amsterdam to the „Lands of Idolatry" (1644–1724), in: ders. (ed.), *Jews and Conversos. Studies in society and the inquisition*, Jerusalem 1985, S. 197–211; ders., The Portuguese community of Amsterdam in the 17th century between tradition and change, in: Abraham Haim (ed.), *Society and community*, Jerusalem 1991, S. 145–153.

43 Ein Beispiel für die Politik der Loyalität gegenüber den niederländischen Obrigkeiten, die die Leitung der sefardischen Gemeinde im 17. Jahrhundert verfolgte, ist das Verhalten des *Ma'amad* im Zusammenhang mit dem in den fünfziger Jahren von Menasseh ben Israel unternommenen Versuch, eine sefardische Gemeinde in London zu etablieren. Zwar hielt der *Ma'amad* dieses Projekt durchaus für sinnvoll, wagte aber angesichts des Kriegszustands zwischen England und den Niederlanden nicht, es offen zu unterstützen, um den Generalstaaten gegenüber nicht illoyal zu erscheinen; vgl. Jonathan I. Israel, Menasseh ben Israel and the Dutch Sephardic colonization movement of the mid-seventeenth century (1645–1657), in: Yosef Kaplan/Henry Méchoulan/Richard H. Popkin (eds.), *Menasseh ben Israel and his world*, Leiden u. a. 1989, S. 156–162.

44 GAA, Bestand 334–1323, „Registro dos parnassim" zu den Jahren 5405–5414.

45 GAA, Bestand 334–157.

46 Vgl. Swetschinski, *Portuguese Jewish merchants* (wie Anm. 3), S. 272 f.

47 Vgl. ebd., S. 213.

48 Vgl. z. B. R[enate] G. Fuks-Mansfeld, *De Sefardim in Amsterdam tot 1795. Aspecten van een joodse minderheid in een Hollandse stad*, Hilversum 1989.

49 Vgl. Kaplan, The travels of Portuguese Jews (wie Anm. 42), S. 197–211; ders., The Portuguese community (wie Anm. 42), S. 145–153.

50 Die Akkulturation an die niederländische Umgebung lässt sich z. B. anhand der Sprachentwicklung nachvollziehen, wie sie von Swetschinski, *Portuguese Jewish merchants* (wie Anm. 3), S. 508–517, und Teensma, The suffocation of Spanish and Portuguese (wie Anm. 42), S. 137–177, untersucht wurde.

51 Vgl. Swetschinski, *Portuguese Jewish merchants* (wie Anm. 3), S. 242 f., 270 f. und 275 f.

III. JÜDISCHE WIRTSCHAFTSELITE – JÜDISCHE GEMEINDE – JÜDISCHE KULTUR

Einführung

Birgit Klein

Indem sich die folgende Sektion der *jüdischen Kultur* der *jüdischen Wirtschaftselite* widmet, stellt sich unausweichlich die Frage nach der *Akkulturation* dieser Elite. Nicht von ungefähr trägt das Forschungsprojekt, das den Anlass für diese Tagung gab, den Titel „Hofjuden im Akkulturationsprozess".

Nach einer soziologischen Begriffsdefinition bezeichnet der Begriff *Akkulturation* den Prozess der Übernahme von Elementen einer bislang fremden Kultur, der durch irgendeine Form des Kontakts mit dieser Kultur entsteht. Das Ergebnis dieses Prozesses ist offen; er kann sowohl zur Assimilation als vollständiger Akkulturation als auch zur Segmentation, zur vollständigen kulturellen Eigenständigkeit, führen. Überdies lassen sich unterschiedliche Dimensionen der Assimilation ausmachen: hinsichtlich des Erwerbs von Wissen die kognitive Assimilation, wohingegen die strukturelle Assimilation die Einnahme von Positionen beschreibt; auf die Aufnahme sozialer Kontakte zwischen den Kulturen bezieht sich die soziale Dimension und schließlich die identifikative Dimension auf die Übernahme von Werten und Identifikationen.[1]

Geht es um die Akkulturation von Hofjuden, so lässt sich – wie noch an einem Beispiel zu sehen – die kognitive, strukturelle und soziale Dimension ihrer Akkulturation vor allem aus der obrigkeitlichen Überlieferung erschließen, wohingegen die identifikative Dimension weit gehend nur anhand ihrer Selbstzeugnisse und anderer Quellen der jüdischen Binnenüberlieferung rekonstruiert werden kann. Falls wir in der glücklichen Lage sind, dass uns diese Selbstzeugnisse überliefert sind, so sind sie zumeist auf Hebräisch oder Jiddisch formuliert, und diese Tatsache birgt einige methodische Probleme in sich: erstens die Sprachkenntnisse, die zur Lektüre dieser Binnenüberlieferung erforderlich sind, dann die Vertrautheit mit den verwendeten Literaturgattungen, des Weiteren die Schwierigkeit, die in der obrigkeitlichen Überlieferung erscheinenden Rufnamen mit den Synagogennamen der innerjüdischen Quellen in Beziehung zu setzen. Und schließlich gibt es im Hebräischen keinen Titel für „Hofjuden". Wenn Hofjuden eine herausgehobene Stellung innerhalb der Judenschaft genossen, so wurden sie mit traditionellen Titeln bedacht, die sie gerade in ihrer Stellung innerhalb der Judenschaft, nicht aber in ihrem Verhältnis zu den Herrschern charakterisierten.

Es existiert also eine markante Dichotomie in der Überlieferung vor allem hinsichtlich der uns hier beschäftigenden identifikativen Dimension, und so viel ist sicher: Es ist zwar kein leichtes, doch auf jeden Fall ein lohnendes Unterfangen, die rekonstruierte Außenwahrnehmung der obrigkeitlichen Überlieferung mit dem in der Binnenüberlieferung vermittelten Bild in Beziehung zu setzen.

Die Dichotomie zwischen Außenwahrnehmung und Binnenüberlieferung lässt sich am folgenden Beispiel veranschaulichen. Wir wissen von einem jüdischen Leibarzt des Kölner Kurfürsten, der eine fundierte Allgemeinbildung genossen hatte. Moses Wolff,[2] geboren vermutlich 1715 in Neuwied als Sohn eines Hoflieferanten, hatte in seiner Jugend eine Jesuitenschule in Koblenz, dann das Gymnasium in Moers besucht und schließlich Medizin studiert, zunächst an der Universität Duisburg und danach in Halle, wo er am 5. Oktober 1737 promoviert wurde. Wenige Jahre später heiratete er Sara Meyer, Tochter des Bonner Arztes Dr. Daniel Meyer, und übernahm Praxis und Haus seines Schwiegervaters.[3]

Das repräsentative Haus (1795 Steuerklasse I der Bonner Gebäudesteuer)[4] stand am oberen Ende der Bonner Judengasse; seine Eingangstür ging nicht zur Judengasse, sondern nach außen, zur Stadt hin auf, sodass der kurfürstliche Leibarzt und Hoffaktor in die Stadt gehen konnte, wann immer er wollte – eine Freizügigkeit, die zunächst nur ihm (oder höchstens noch ein, zwei weiteren Bonner Hofjuden) zugestanden wurde, wohingegen für die übrigen Juden die Tore der Judengasse bei Dunkelheit verschlossen wurden. Diese Freizügigkeit nutzte der Leibarzt nicht nur zum Besuch seiner Patienten, sondern auch der Bonner „Lese", der Ende des 18. Jahrhunderts wichtigsten Bonner gesellschaftlichen Vereinigung, deren erstes jüdisches Mitglied er noch in kurfürstlicher Zeit 1790, nur drei Jahre nach ihrer Gründung, geworden war.[5] Und vermutlich hätte er sich auch der Bonner Freimaurerloge

„Frères courageux“ angeschlossen, wäre sie nicht erst drei Jahre nach seinem Tod gegründet worden.[6]

Bei seinem Tod hinterließ der Leibarzt einen umfangreichen Nachlass, der für die Taxierung ausführlich beschrieben wurde, hierunter zwei Gemälde – eins zeigte den Kölner Kurfürsten Clemens August (gest. 1761), das andere einen Baron – oder blaues Dresdner Porzellan, blaue und japanische Fayencen, zwei japanische Figuren.[7] Das Interieur seines Hauses entsprach den Gepflogenheiten der gehobenen Schicht seiner Zeit, orientierte sich an deren luxuriöser Sachkultur und dürfte seinen Zeitgenossen „modern“ erschienen sein. Seine Söhne traten in die Fußstapfen ihres Vaters, wenn auch nicht als Ärzte: Der eine wurde Banquier und kaiserlicher Hoffaktor in Straßburg,[8] der andere in Bonn königlich-preußischer Hofagent, ebenfalls Banquier und unterschrieb mit „S.[amuel] chevalier Wolff“, denn er war auch Ritter der französischen Ehrenlegion.[9]

Die bislang gewonnene Außensicht auf den Bonner Leibarzt und seine Söhne lässt sich den Aspekten der kognitiven, strukturellen und sozialen Dimension seiner Akkulturation zuordnen: Zu einem hohen Maße war er kognitiv akkulturiert hinsichtlich seiner umfassenden Allgemeinbildung, strukturell akkulturiert hinsichtlich seiner Position als kurfürstlicher Leibarzt und der damit verbundenen repräsentativen Ausstattung seines Hauses und sozial akkulturiert durch seine Aufnahme in die Lesegesellschaft. Der hohe Akkulturationsgrad in diesen Bereichen lässt durchaus vermuten, dass der Mediziner auch identifikativ weit gehend akkulturiert gewesen sein könnte und daher dem ‚traditionellen‘ Judentum der Vormoderne distanziert gegenüberstand, vielleicht aufgrund seiner hohen Allgemeinbildung ein Anhänger der jüdischen Aufklärung, der Haskala, war und spätestens seine Kinder dem Judentum den Rücken kehrten und konvertierten.

Dass dem ganz und gar nicht so war, erfahren wir allein aus den innerjüdischen Quellen, die unser bisheriges Bild nicht nur ergänzen, sondern auch relativieren: 1766 hatte der Leibarzt der Bonner Synagoge eine Torarolle gestiftet; in seinem Haus befand sich ebenfalls eine Torarolle mit Handzeiger und zwei Pyramiden (vermutlich den Rimmonim) und die Esther-Rolle (in einem Silberetui), und im Hof des Hauses stand eine „Lauberhutte“.[10] Die Frucht der gründlichen religiösen Erziehung seines Sohnes (des späteren Ritters der Ehrenlegion) ist uns in der Bonner Universitäts- und Landesbibliothek überliefert: dessen hebräische *„Likkute Schmuel“* („Samuels Lese“), d. i. eine Sammlung der von ihm im Unterricht (durch einen Bonner Bankier) Woche um Woche erarbeiteten Toraauslegungen anhand einiger großer Bibelkommentare, die er als 18-Jähriger 1776 abgeschlossen hatte (s. Abb. 2).[11]

Zurück zum Vater: Die knappe Grabinschrift auf dem alten Friedhof in Bonn-Schwarzrheindorf preist den 1802 im hohen Alter von 87 Jahren Verstorbenen an erster Stelle als den „Ersten der Wohltäter", dann als den „kundigen Arzt" und schließlich als den „Vorsteher und Leiter der Landesjudenschaft Kölns".[12] Sehr viel eloquenter kommt sein ungewöhnlich langer Eintrag im Bonner Memorbuch daher: Nicht nur „Ritter der Ärzte, kundiger Experte für viele" wird er hier genannt. „Groß war sein Name unter den Nichtjuden; nach dem Guten für sein Volk hat er gestrebt wie einer der Früheren"; die „Größe seiner Weisheit" wird gerühmt, die ihm Gott, der mit Einsicht begnadet, zugeteilt habe. Seine Weisheit wird nun genau beschrieben: in der Naturwissenschaft, den Eigenschaften der Kräuter und der Bedeutung der Medikamente.[13]

Da der Arzt mit seinem Wissen gerade auch seiner Gemeinde diente, gedenkt sein Memorbuch-Eintrag nicht des Leibarztes des Kurfürsten, sondern des Arztes seiner Gemeinde und integriert sein Wissen in der allgemeinen Wissenschaft in ein „traditionell religiöses" (z. B. von Wohltätigkeit geprägtes) Leben. Daher ist grundsätzlich zu fragen, ob die Inschriften der Grabsteine und die Einträge in Memorbüchern Hoffaktoren gelten, weil sie Hoffaktoren waren oder eher weil sie eine wichtige Funktion für ihre Gemeinde hatten. Lässt sich die Funktion der Hofjuden für die Herrscher von ihrer Funktion für die Gemeinde trennen? Oder umgekehrt gefragt: Gibt es einen Zusammenhang zwischen den Hierarchien am Hof und in der Gemeinde?

Dr. Moses Wolffs Beschäftigung mit der säkularen Wissenschaft bedeutete keineswegs eine Entfremdung oder gar eine Abkehr von der jüdischen Tradition, sondern seine soziale, strukturelle und kognitive Akkulturation war, problemlos, wie es scheint, mit einer identifikativen Segmentation vereinbar.

Gewiss gehörte Dr. Wolff als Arzt jenem privilegierten Berufsstand an, der seit Jahrhunderten Juden ermöglichte, eine fundierte wissenschaftliche Ausbildung mit einer traditionell-religiösen Lebensweise zu verbinden. Auch wenn Dr. Wolff dank seines Studiums möglicherweise kognitiv akkulturierter war als andere Mitglieder der Bonner jüdischen Wirtschaftselite, dürften seine jüdische Identität und seine Stellung innerhalb der jüdischen Gemeinschaft jedoch maßgeblich durch den Umstand geprägt worden sein, dass er nicht einer traditionsreichen Ärzte-,[14] sondern einer Hoflieferantenfamilie entstammte, die verwandtschaftlich eng mit der Bonner (wirtschaftlichen) Oberschicht verflochten war, da seine Mutter Gutrat einer alteingesessenen Bonner Hoffaktorenfamilie angehörte und ihre Schwestern mit den Bonner Hoffaktoren Moses Kauffmann (gest. 1754) und Beyfuß Liebmann (gest. 1779) verheiratet waren.[15] Vor allem Moses Kauffmann bekleidete eine herausragende Stellung – sowohl als Hoffaktor wie auch als Vorsteher der kur-

לקוטי שמואל

לקוטי
שושנים· משפתי ישנים·
שבעדן חונים· וזכרון לאחרונים·
חכמים ונבונים· נערים וזקנים·
דברים נכונים· יקרים מפנינים·
מפז ואדרכמונים·
נלקטו ע"י הב"ח הר"ר שמואל
בן הנגיד והשר ה"ה הקצין
המפורסם כהר"ר משה הלוי
רופא מומחה לרבים·
נעשה בק"ק בונא
ונגמר ביום ג' כ"ג שבט
לסדר לקוטי דשמואל לפ"ק

זה הציור ציירתי לכבוד הב"ח המושלם
בכל המעלות· לשם ולתהלות· ה"ה הר"ר
שמואל בקראי שמו· לשבח נותן טעמו·
בן להרופא מומחה הר"ר משה הנ"ל
הקטן בענדיט בלא"א כ' שמואל הלוי מווערלה

Abb. 2: Das von Bendit Samuel halevi gezeichnete Titelblatt der „Likkute Schmuel", von der Hand des Schreibers Esriel Selig Wilner elegant kalligraphiert

kölnischen Landesjudenschaft,[16] denn die Bonner Hoffaktoren spielten innerjüdisch keine andere Rolle als am Hof, sondern waren Teil der das Gemeindeleben beherrschenden Oligarchie, die sich hinsichtlich ihrer strukturellen „Interkulturalität" voneinander kaum unterschieden haben dürften, sich aber bis weit in das 19. Jahrhundert hinein innerhalb des traditionellen Judentums engagierten und identifikativ „segmentierten".

Die facettenreiche Persönlichkeit des Dr. Moses Wolff stellt unsere vielleicht vorschnell gefasste Meinung vor viele Fragen: Was prägt eigentlich unsere Vorstellung vom jüdischen Leben in der Vormoderne? War das „traditionelle" Judentum der Vormoderne ein monolithischer Block, oder bot es Raum für ein breiteres Spektrum von Strömungen und Gruppierungen? Was bedeutet „traditionserhaltend", was „modernisierend"? Unterschieden sich Hofjuden voneinander, wie sich Herrscher und Individuen überhaupt voneinander unterscheiden? Zu untersuchen wäre auch, aufgrund welcher Interessen Hofjuden sich bewusst in (die) jüdische Tradition stellten, jüdische Traditionen bewahrten und sich somit identifikativ keineswegs akkulturierten, sondern vielmehr „segmentierten".

Ein weiterer Themenkomplex lässt sich mit der Frage umreißen, welche Bedeutung Äußerlichkeiten für die innere Einstellung hatten. Machte die Allonge-Perücke einen Juden nicht nur strukturell und sozial, sondern überdies identifikativ akkulturiert? Gegen einen vorschnellen Rückschluss spricht das Beispiel des Braunschweigers Alexander David, dem 1744 anlässlich der Vertreibung der Juden aus Prag von Gemeinde wie Rabbinern aufgetragen wurde, als Fürsprecher für die Annullierung des Vertreibungsedikts an den kaiserlichen Hof nach Wien zu fahren; damit er ungehindert seine Mission erfüllen konnte, sollte er explizit am Sabbat reisen und seinen Bart abrasieren, damit er nicht mehr als Jude zu erkennen war.[17]

Die folgenden Beiträge wenden sich Aspekten der hier angerissenen Fragenkomplexe zu. Mit der repräsentativen Selbstdarstellung der jüdischen Wirtschaftselite befassen sich die Beiträge von Richard Cohen und Michael Studemund-Halévy. Richard Cohen geht jenen Hofjuden nach, die als Mäzene, Förderer und Stifter innerhalb der jüdischen Gemeinschaft sowie als private Kunstsammler hervortraten; allein die Tatsache, dass sie vielfach die Erlaubnis zum Bau von Synagogen erwirken konnten, demonstrierte bereits ihren Einfluss bei der Obrigkeit. Michael Studemund-Halévy beschreibt die „Kultur der sefardischen Residenten" in Hamburg, deren luxuriöser, an iberischen Attitüden und iberischer Kleidung angelehnter Lebensstil ihre „Jüdischkeit" überdeckte. So offen sie ihren Luxus zur Schau stellten, so wenig lassen sie – abgesehen von Nachrichten über ihre religiösen Stiftungen und Spenden – erkennen von dem von ihnen praktizierten Judentum.

Vornehmlich aus der innerjüdischen Überlieferung schöpfen die Beiträge von Martina Strehlen und Lucia Raspe. Martina Strehlen untersucht Grabinschriften und Memorbuch-Einträge von Hofjuden auf das (religiöse) Selbstverständnis der Hofjuden wie auf die Würdigung durch ihre Nachfahren – in seltenen Fällen sogar auch auf die harsche Kritik der Nachwelt. Inwiefern Hofjuden oder das von ihnen konstruierte Bild auch traditionsstabilisierend wirken konnten, analysiert der Beitrag von Lucia Raspe am Beispiel des Halberstädters Berend Lehmann, der nicht nur seinen Zeitgenossen, sondern auch nachfolgenden Generationen als Vorbild und als Möglichkeit zur Identifikation diente, wobei die Grenzen zwischen historischer Wirklichkeit und späterer Fiktion fließend waren.

Ein weiteres Desiderat der Forschung skizziert die Frage, inwieweit die jüdische Wirtschaftselite in besonderer Weise gegenüber den Gedanken der Haskala, der jüdischen Aufklärung, aufgeschlossen war. Machten Goethes Werke im Schrank einen Juden zu einem *maskil*, zu einem jüdischen Aufklärer? Mindestens ebenso wichtig ist doch zu wissen: Was stand neben Goethes Werken im Schrank? Gibt es Indizien, dass Goethes Werke auch gelesen wurden; werden sie zum Beispiel in Selbstzeugnissen zitiert?[18] Solche methodischen Fragen greift die mikrohistorische Studie von Eva Grabherr auf, um dann die Rezeption aufklärerischer Ideen im hofjüdischen Milieu der Hohenemser Gemeinde im ausgehenden 18. und frühen 19. Jahrhundert daraufhin zu untersuchen, ob und inwieweit Hofjuden durch ihre Erfahrungen in der Zusammenarbeit mit dem Staat in der Vormoderne der Rezeption aufklärerischer Ideen den Weg bereiteten.

Anmerkungen

1 Hartmut Esser, „Akkulturation“, in: Bernhard Schäfers (Hg.), *Grundbegriffe der Soziologie*, 6. Aufl., Opladen 2000, S. 1–5.

2 Zu ihm siehe Michael Brocke/Dan Bondy, *Der alte jüdische Friedhof Bonn-Schwarzrheindorf 1623–1956. Bildlich-textliche Dokumentation*, Köln 1998 (Arbeitsheft der rheinischen Denkmalpflege 50), S. 238 f., Inschrift C 1, 14 von 1802; Adolf Kober, Rheinische Judendoktoren, vornehmlich des 17. und 18. Jahrhunderts, in: *Festschrift zum 75jährigen Bestehen des jüdisch-theologischen Seminars Fraenckelscher Stiftung*, 2 Bde., Breslau 1929, Bd. 2, S. 173–236, hier S. 211–213, und Klaus H.S. Schulte, *Bonner Juden und ihre Nachkommen bis um 1930. Eine familien- und sozialgeschichtliche Dokumentation*, Bonn 1976 (Veröffentlichungen des Stadtarchivs Bonn 16), S. 530 f.; Manfred Komorowski, *Bio-bibliographisches Verzeichnis jüdischer Doktoren im 17. und 18. Jahrhundert*, München u. a. 1991 (Bibliographien zur jüdisch-deutschen Geschichte 3), S. 44, Eintrag 107.

3 Landeshauptarchiv Koblenz, Best. 56, Nr. 953 II (unpaginiert), Dokument FF: „Ehepacten“ zwischen Dr. Moses Wolff und Dr. Daniel Meyer vom 21. Januar 1740.

4 BUSSO VON DER DOLLEN, Das Stadtbild der Residenzstadt Bonn zum Ende der kurfürstlichen Zeit. Ein Versuch mit Hilfe der quantifizierenden Methode, in: *Bonner Geschichtsblätter* 40 (1990 [1993]), S. 361–414, hier S. 396, Abb. 13.

5 ADOLF DYROFF, *Festschrift zur Feier des 150jährigen Bestehens der Lese- und Erholungsgesellschaft zu Bonn 1787–1937*, Bonn 1937; im „Namen-Verzeichnis sämtlicher Mitglieder der Lese- und Erholungsgesellschaft 1787–1937" ist er 1790 als „Wolff I., Dr. Arzt" verzeichnet (ebd., S. 107–151, hier S. 108); der 1791 genannte „Wolff II., Geheim-Kanzlist" (ebd.) muss sein Nachfolger Dr. Jakob Wolff sein, da dieser 1804 als einer der 42 Gründer der „Lese" bezeichnet wird (SCHULTE, *Bonner Juden* (wie Anm. 2), S. 541) und nach den ersten beiden Wolffs erst 1806 ein weiterer Wolff, Dr. Moses Wolffs Sohn Samuel, der Gesellschaft beitritt (DYROFF, *Festschrift*, S. 109).

6 WINFRIED DOTZAUER, Bonner aufgeklärte Gesellschaften und geheime Sozietäten bis zum Jahr 1815 unter besonderer Berücksichtigung des Mitgliederbestands der Freimaurerloge ‚Frères courageux' in der napoleonischen Zeit, in: *Bonner Geschichtsblätter* 24 (1971), S. 78–142, hier S. 89 f. Dotzauers Angabe, Dr. Moses Wolff habe auch der Loge angehört, ist zu korrigieren.

7 Hauptstaatsarchiv Düsseldorf (Außenstelle Kalkum), Notare Rep. 171a (P.J. Eilender), Jg. 11 Nr. 24.

8 SCHULTE, *Bonner Juden* (wie Anm. 2), S. 530 f.

9 Landeshauptarchiv Koblenz, Best. 441, Nr. 1639, S. 11, 13 f., 17 f. (12. und 26. Januar, 23. Februar 1824). KOBER, Rheinische Judendoktoren (wie Anm. 2), S. 212, und SCHULTE, *Bonner Juden* (wie Anm. 2), S. 530, sind zu korrigieren.

10 Hauptstaatsarchiv Düsseldorf (Außenstelle Kalkum), Notare Rep. 171a (P.J. Eilender), Jg. 11 Nr. 24.

11 Wissenschaftliche Stadtbibliothek Bonn, Sign. S 0 41. Samuel Wolffs traditionelles Wissen wird auch eindrucksvoll in seinem Memorbucheintrag beschrieben (British Library London, Ms. Or 11 696, fol. 32a); ich danke Dan Bondy, Duisburg, der mir seine Abschrift der Handschrift zur Verfügung gestellt hat.

12 BROCKE/BONDY, *Bonn-Schwarzrheindorf* (wie Anm. 2), S. 238 f., Inschrift C1, 14.

13 Abgedruckt bei KOBER, Rheinische Judendoktoren (wie Anm. 2), S. 234 f., Beilage XIII.

14 Siehe die Beispiele bei WOLFGANG TREUE, Zwischen jüdischer Tradition und christlicher Universität: Die Akademisierung der jüdischen Ärzteschaft in Frankfurt am Main in der Frühen Neuzeit, in: *Würzburger medizinhistorische Mitteilungen* 17 (1998), S. 375–397, hier vor allem S. 387–389 zum Beispiel der Familie Wallich.

15 Siehe die Verwandtschaftstafel III bei BIRGIT KLEIN/ROTRAUD RIES, Zu Struktur und Funktion der jüdischen Oberschicht in Bonn und ihren Beziehungen zum kurfürstlichen Hof, in: FRANK GÜNTER ZEHNDER (Hg.), *Eine Gesellschaft im Wandel. Alltag und Umwelt im Rheinland des 18. Jahrhunderts*, Köln 1999 (Der Riss im Himmel. Clemens August und seine Epoche 3), S. 289–315, hier S. 310.

16 Zu ihm BROCKE/BONDY, *Bonn-Schwarzrheindorf* (wie Anm. 2), S. 117 f., C 2, 80 von 1754.

17 S.H. LIEBEN, Briefe von 1744–1748 über die Austreibung der Juden aus Prag, in: *Jahrbuch der Gesellschaft für Geschichte der Juden in der Čechoslovakischen Republik* 4 (1932), S. 353–479, hier S. 411.

18 Siehe hierzu die Diskussion in der Internet-Liste „Geschichte und Kultur der Juden", [http://de.groups.yahoo.com/group/geschichte-juden/messages], vor allem den Beitrag von Stefan Rohrbacher, Duisburg, vom 5. Oktober 1998.

Creating an Elite Norm of Behavior: Court Jews as Patrons and Collectors of Art

Richard I. Cohen

In his seminal work on Court society in France, Norbert Elias, the noted historical sociologist, presented the intricate world that dominated the concerns of people associated with the court, from the king to his subservient nobles. Elias and others pointed out the ways in which the court became a forum for self-presentation, one which required individuals associated with it to follow distinct patterns of behavior, gesture, fashion, and social convention. Collection and patronage were essential aspects of this self-presentation that brought the court atmosphere into the spheres of private life. In Elias's characterization:

> A duke must build his house in such a way as to tell the world: I am a duke and not a count. The same applies to every aspect of his public appearance. He cannot allow another to appear more ducal than himself. He must make sure that in official social life he has precedence before a count. If he had a country to rule, he would always enjoy superiority over the count through his real function, the size of the area he controls. To express this superiority in social life would then be important but not essential; for he would realize himself not only here. [...] Thus the most real way of asserting one's rank is by documenting it through an appropriate social appearance. The compulsion to display one's rank is unremitting. If the money to do so is lacking, rank, and therefore the social existence of its possessor, has very little reality. A duke who does not live as a duke has to live, who can no longer fulfill the social duties of a duke, is hardly a duke any longer.[1]

Display, distinction, patronage, and collection were also at the heart of court Jew life and many Court Jews utilized their wealth and status to leave their mark in both the public and private space. This paper will provide several examples of such efforts and comment on their significance for the wider context of Jewish life in the 17th and 18th centuries in the Germanic lands, as well as for Jewish history in the modern period.

Allow me to begin with a portrait of Samuel Oppenheimer (Fig. 3), one of the leading Court Jews in the late 17th and early 18th centuries, who served in the court of the Habsburg Emperor Leopold I. Initiated by Samuel Bürgl, Oppenheimer's economic associate, the portrait of the man he served and apparently highly respected was executed by two well-known Viennese court engravers. Copies of the engraving are extant in various collections in different countries, attesting to the fact that Bürgl intended to offer it to mutual associates who may also have held this figure in a certain esteem. Whether this engraving was done while Oppenheimer was alive or whether it was based on an earlier work is unclear, but we do know that soon after its execution, the portrait was copied in Amsterdam and disseminated, heralding Oppenheimer's achievements as a man of great philanthropy and action and noting the spiritual value in seeing his figure. Over the generations several portraits of Oppenheimer, based on this one, flourished, indicating that later generations of Jews desired to possess images of notable Jewish leaders. This in itself was a dramatic breakthrough with internal Jewish habit.

Bürgl's intention of offering Oppenheimer's portraits to others implies that Jews were inculcating a norm, common among the court elite, of preserving portraits of distinguished figures – a custom, we should add, that was frowned upon by certain rabbinical figures of the period. Presenting a portrait to another can be seen as a form of expressing regard, respect or affection for that individual, reminding us of the comment made by the Italian Rabbi Leon Modena in his remarkable 17th century autobiography that he had sent a friend, in an act of friendship, a copy of his portrait so that he be remembered.[2] In other words, Jews of certain stature, rabbinic and lay, were beginning to see the portrait as a medium through which they could establish contact with others and did not sense a conflict with the implications of the Second Commandment that prohibited the making of images. Thus, the Oppenheimer portrait, one of the earliest among German Jewry, which shows half of the Court Jew's body, initiates the concern with the image of the physical body. Hardly any extant examples of individual portraits of Jews from the Germanic sphere exist prior to Oppenheimer's, indicating that the few paintings of Court Jews (e.g. Samson Wertheimer (Fig. 4) and the anonymous sitter in the very fine painting by Schoonjans[3]) represent the beginning of a tendency that developed more fully in the second half of the 18th century. Although other prominent Court Jews of that period, like Berend Lehmann and Leffmann Behrens – who were significant patrons of the arts – did not shy away from external display and pomp, their portraits (if executed) have not survived. Obviously the norm of self-presentation through portraiture had not fully penetrated even the upper crust of Jewish society in the Germanic lands.

It was the patronage of the Court Jews within the spheres of the Jewish community and the general surrounding that was more pronounced and common. The Court Jews certainly did not innovate the phenomenon of

Fig. 3: Portrait of Samuel Oppenheimer 1703/04

Fig. 4: Portrait of Samson Wertheimer, early 19th century copy of a ca. 1700 original

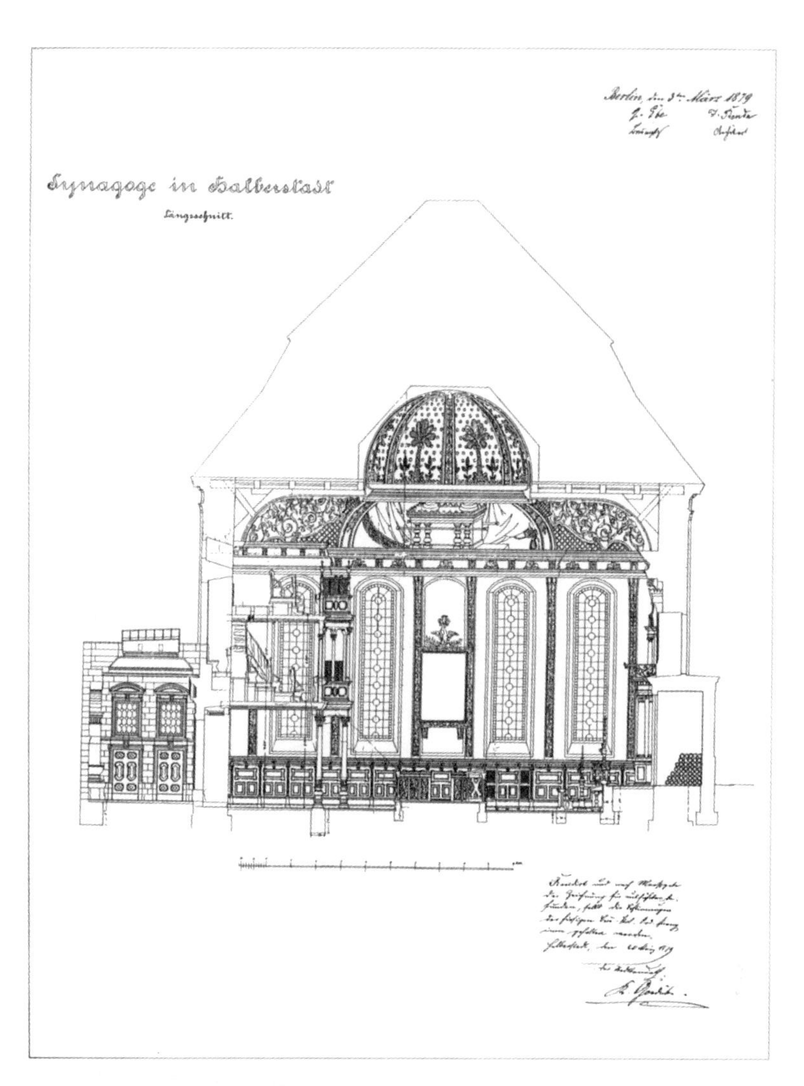

Fig. 5: Synagogue in Halberstadt, sectional elevation; plan by Ebe & Benda, Architects, for the renovation of the synagogue, 1879

patronage in Jewish life, but through their contacts in certain regions of the Germanic lands they were able to procure the permission to build synagogues that they often financed on their own. These synagogues enabled Jews to feel a deeper sense of belonging to the places they inhabited and created attractive spaces wherein Christians were often seen as visitors. The example of the Berlin Jewish synagogue, established in 1714, is a case in point. Without entering here into the intricate relations between the Judencommissariat and the leading Berlin Court Jews of the period, and between the rival factions among the Jews themselves, suffice it to say that the building of Berlin's first public synagogue brought to the forefront the efforts of various Court Jews (inter alia Berend Lehmann, Markus Magnus, and others) to create an impressive public space on Heidereutergasse, inspired clearly by local Protestant churches.[4] The large arched windows, reminiscent of such important Protestant edifices as the Frauenkirche in Dresden and the prominent three-tiered ark that was reached by several stairs, turned the synagogue into a city attraction. A Jewish presence was recognized. Cause for rabbinical stricture of the increasing phenomenon of Christian visitors to the synagogues is borne out in a print from 1720 that prominently shows the presence of visitors greeting each other and observing the service, in any case bystanders clearly not associated with the prayer ritual. The print undoubtedly reflects a social reality of that time, corroborated by Jewish and non-Jewish documents: Christians visited synagogues and were interested in seeing and learning about Jewish ritual and service. Such encounters bear on an aspect of Jewish-Christian relations at this time that has often been overlooked.

The desire to create an attractive public space where this core of Jewish patriciates would feel at home, stems from the desire that Elias alluded to. These Court Jews sought to synthesize the world of the court they encountered with the world they inhabited. They were not connoisseurs of art but valued above all the persistence of religious tradition. If one sought glory in this period, the building of a synagogue of special beauty was probably the best way to achieve it. Thus, the synagogue that Berend Lehmann built in Halberstadt was the product of his distinct drive to turn the synagogue into a beautiful home of worship (Fig. 5). Like the duke mentioned in the citation at the outset of this paper, Lehmann had to build a house in such a way as to tell his fellow Jews and the surrounding society who he was. The synagogue was no better place for him to do this and to display his power and virtue. It also enabled him to simultaneously feel comfortable in a surrounding that seemed to fit his personal standing in society and sense of self. Thus Lehmann brought shafts of marble from Russia for the columns that supported the ark and expended tremendous resources for the lighting (twenty gilt bronze chandeliers) and seating. Unfortunately, we are unaware of the person to whom Lehmann turned to design the synagogue, but its clear similarity to Protestant churches hints in the direction of a distinguished designer of churches. To solidify his personal association with the synagogue that stood in Halberstadt until Kristallnacht, Lehmann donated at least one very fine ark curtain that contained various associations with his family and name, and contained the blessings pronounced at the circumcision ceremony of his son.[5] As absolutist rulers in his day established remarkable buildings that added a sense of grandeur to court life, Lehmann and others established fine houses of worship that accommodated their sense of accomplishment in the one public building that shaped the communal identity of the community.

Within the context of traditional society, to use Jacob Katz's terminology, the center of the community was the synagogue within which much of the community's social relations transpired. Thus, it was in the synagogue that patronage took on an important meaning for donors – within its domain the community could see and evaluate, appreciate and honor the donor. In 18th century Germany, Court Jews showed the lead in conspicuously raising the level of ritual objects donated to the synagogue. Consider the following example: When Jacob Moses Speyer and his wife Gitele donated a Torah shield to their synagogue in Frankfurt in 1784, they adorned it with diamonds and semi-precious stones and adjoined a clasp on which their initials and place of residence were alluded to in a unique abbreviation (Fig. 6).[6] On the same occasion they dedicated a pair of finely crafted *rimmonim* (finials) to the synagogue and appended their name to an inscription at the object's base. The silversmith commissioned to create the shield, Johann Jacob Leschhorn (d. 1787), stemmed from a distinguished family of silversmiths. He had apprenticed to Rötger Herfurt, in his own right a celebrated author of a wide variety of Judaica objects, became a master in 1769, and was known for his specialty in Judaica and fine studio. Banking on his wide experience, reputation, and production, Leschhorn was probably able to show Jacob Speyer designs of shields he and members of his family had created, exhibiting fine *repoussé* work with elaborate rococo shells and scroll forms. Two lions flank the box for plaques to designate the festival on which the scroll of law would be used to fulfil the shield's specific function. The designs also included a special, oblong cartouche at the bottom of the shield that reserved place for a personal inscription of a potential patron. After having decided on the purchase, Speyer (or his representative) could then have supplied the silversmith with the desired Hebrew inscription and, at some point, added the jewels to the composition.

Jacob Speyer, a Court Jew in the service of the court at Michelstadt, was a scion of the family of Michael Isaac Speyer who established his residence in Frankfurt in 1644. Noted for its communal leadership and impressive wealth, the family produced several prominent Court Jews and developed a distinguished tradition of international bankers. One can surmise that a family event related either to a joyous milestone in their lives or those of their children prompted the Speyers to donate these objects to the synagogue in 1784. Being among the wealthiest Jewish families in Frankfurt, the couple clearly desired to create a significant impression by contributing a gift worthy of their status. Gifts of this kind, as most gifts, brought together both obligation and liberty; the Speyers could not but contribute to the beautification of the synagogue and clearly desired to do so. This was consistent with a family tradition. A generation earlier, the descendants/heirs of Michael Speyer (not the founder of the family line), fulfilled his will and testament by using the money he had set aside for several gifts to the community when they commissioned a gold cup with vignettes of Biblical scenes as a memento mori for the deceased relative (Fig. 7). A detailed inscription around the rim of the cup created the link between the donor, his family, and posterity. The act of bequeathing a certain sum of money for communal causes (be they for houses of study (e.g. the *klaus*) or donations to the synagogue) was commonplace among this class of Jews from the beginning of the 18th century, and the Speyers followed suit.

Whatever the circumstances were, neither Speyer was perturbed by having to turn to a non-Jewish craftsperson to help fulfill the requirement of *hiddur mitzvah* (enhancement of the religious act – in the way rabbinical tradition understood Exodus 15:2). Jewish patrons saw the Christian artist's role as functional and instrumental, while they regarded such *objets d'art* as commonplace and appropriate to decorate the scroll of law.[7] A clear realm of interaction and division of labor had been staked out between the Jewish patron and the Christian craftsperson. The former sought to enhance the aesthetic nature of his/her religious service and, possibly, his/her place in the community, and with no recourse to Jewish artisans and no opposition from Jewish law to turn to a Christian silversmith, they approached someone who was aware of their needs and specifications and had no objection to supply objects for their religious purposes. Although each object reveals a different level of involvement and input on the part of the Jew and the Christian, the latter's contribution to the nature of Jewish ceremonial objects cannot be overestimated. In this sense, the extensive cooperation between Jew and Christian in a realm of potential friction – Jewish ritual observance – speaks loudly for an area of neutral contact and accessibility that has also been seldom granted its historical due.

Fig. 6: Torah shield of Jacob Moses Speyer, 1783/84

Fig. 7: Gold Cup of the Speyer family, 1765

Although patronage and collection are two related notions, their meaning and implications for the Jewish community at large were clearly different. Whereas patronage to the synagogue created an ambience that impacted directly on the aesthetic surrounding of the community, the realm of private collecting had a less direct impact. Although we know that collecting forms of art was frowned upon in certain circles, it constituted an attractive aspect of the Court Jew ambience. The distinguished Rabbis Jacob Emden and Yochanan Eybeschütz, at loggerheads on just about everything, were united in their condemnation of the collection of objects that had less than modest figures depicted on them, regarding them as a sign of moral depravity.[8] Yet being part of a world that valued possessions and flaunted them, Court Jews and their entourage were not easily convinced: they refashioned their private space, brought sculptures into their gardens, paintings into their homes, as well as fine furniture, books, and decorative art. Large collections of art existed in the homes of Joseph Oppenheimer (Jud Süss), Aron Beer of Frankfurt, Daniel Itzig of Berlin – yet their collections were not distinguished by a special symbolic identification with the collectors, though Oppenheimer possessed several prints and paintings of rulers.[9] These were not the type of collectors Krzysztof Pomian has described as having an obsession with an encyclopedic ideal; they were collectors who seem to have been guided rather by mercantile than by metaphysical value, though some paintings of Biblical themes were present in all of their collections.[10] The lists we have of Court Jew collections, however, cannot provide for a detailed analysis of their perspective on representation. Only one Court Jew, Alexander David, brought together his interest in collecting with a desire to create an aesthetic space for prayer. In his case, collection and patronage merged in a unique way. David assimilated the ethos of the court within the context of his "Jewish" space, exemplified by the way he used a gift he received from the Empress he served, Elisabeth Christina. David converted the cloth of blue fabric with silver embroidery from the imperial palace into a torah ark curtain, which remained in the synagogue until the 20th century.[11] His collection, as those of his contemporaries, solidified the sense of belonging and opportunity in the Germanic lands.

Alexander David, like other Court Jews before him (e.g. Samuel Oppenheimer, Leffmann Behrens, and Berend Lehmann) and after him (e.g. Samson Wertheimer and Jacob Speyer) rose to positions of influence in an age when the court of absolutist rulers predominated, marked by conspicuous consumption and the Baroque tendency for flamboyance, exaggeration and luxury. For almost three generations, Court Jews continued a pattern of contributing to the beauty of the communal space. Adamant to fulfill their obligations to God, the community, the rulers they served, and their families, their lives were forever an intersection between traditional patterns of Jewish life and manifestations of baroque courtly style. As such their lives and deeds were an affirmation to other Jews that one could achieve prestige and honor. Just as they inculcated or imitated in one way or another the world of the courts they inhabited, they themselves were in turn a source of imitation, commanding respect and emulation of Jews in their respective communities. In this subtle, but, to my mind, significant manner, they presented a normative way of Jewish life that gradually weakened the overarching nature of traditional society. Refashioned values, like collecting and patronage, etched out in an image of the court atmosphere, created for them and others a heightened sense of belonging and admiration that would have long-lasting ramifications for Jewish society in the Germanic lands. They were, in short, part of a new elite, harbingers of a different ethos from that which had prevailed in Jewish life since the Golden Age in Spain.

Footnotes

1 Norbert Elias, *The Court Society*, transl. by Edmund Jephcott, Oxford 1974, p. 64.
2 Leon Modena, *The Autobiography of a Seventeenth-Century Venetian Rabbi: Leon Modena's Life of Judah*, transl. and ed. by Mark R. Cohen, Princeton 1988, p. 143.
3 See Vivian B. Mann/Richard I. Cohen (eds.), *From Court Jews to the Rothschilds. Art, Patronage, and Power*, 1600–1800, Munich/New York 1996, p. 66, Pl. 37.
4 Ibid., p. 73.
5 For a pre-World War II photograph of the ark curtain, see Richard I. Cohen, *Jewish Icons. Art and Society in Modern Europe*, Berkeley/Los Angeles 1998, p. 76; ibid., p. 75, a historical photograph of the inside of the synagogue.
6 The following discussion is based on ibid., p. 71–74.
7 See Jacob Katz, *'The Shabbess Goy'. A Study in Halakhic Flexibility*, Philadelphia 1989, conclusion.
8 See the sources cited in Azriel Shochet, *Im Chilufei Hatkufot*, Jerusalem 1960, passim [hebr.].
9 See Steven M. Lowenstein, *The Berlin Jewish Community. Enlightenment, Family and Crisis*, New York/Oxford 1994; idem, Jewish Upper Crust and Berlin Jewish Enlightenment: The Family of Daniel Itzig, in: Frances Malino/David Sorkin (eds.), *From East and West. Jews in a Changing Europe 1750–1870*, Oxford 1990, p. 182–201.
10 Krzysztof Pomian, *Collectors and Curiosities*, Cambridge 1991.
11 Ralf Busch, The Case of Alexander David of Braunschweig, in: Mann/Cohen, *From Court Jews to the Rothschilds* (note 3), p. 59–65.

„Es residiren in Hamburg Minister fremder Mächte“ – Sefardische Residenten in Hamburg

Michael Studemund-Halévy

Im 17. Jahrhundert machten erfolgreiche portugiesische Kaufleute und Bankiers Hamburg und Glückstadt zum Aushängeschild des sefardischen Judentums im Westen. Miteinander und häufiger noch gegeneinander wetteiferten Hamburg und Amsterdam jahrzehntelang um den Titel ‚Jerusalem des Nordens‘.[1] Dabei waren die den portugiesischen Kaufleuten in Hamburg gewährten wirtschaftlichen Möglichkeiten zwar durchaus großzügig, unterschieden sich aber nicht wesentlich von denen der übrigen Fremden, zum Beispiel der Niederländer oder Engländer. Im Gegensatz zu diesen war es ihnen aber verboten, Grundeigentum zu erwerben oder der Vereinigung der christlichen Kaufleute beizutreten. Auch die Zahl der jüdischen Makler war beschränkt, und ihre Tätigkeit wurde kleinlich überwacht.[2] Erst der wirtschaftliche Aufstieg der Portugiesen und ihr Erfolg beim Aufbau eines funktionierenden jüdischen Gemeindelebens bereiteten den Boden für eine kontinuierliche Ansiedlung von Juden in der Hafenstadt an der Elbe und ebneten letztlich auch der Gründung einer aschkenasischen Gemeinde den Weg.

Die „Heilige Gemeinde des Hauses Israel“ (*Kahal Kados Bet Israel*), die 1652 aus der Vereinigung der drei (privaten) Synagogengemeinden Talmud Tora, Keter Tora und Neve Salom hervorgegangen war und im Protokollbuch von ihren Gründungsmitgliedern selbstbewusst als freie Generalgemeinde (*huma Liure comum e geral*) bezeichnet wurde,[3] bestand nach dem detaillierten Bericht des 1631 in Palästina geborenen Semuel Aboab zu dieser Zeit aus exakt 1212 Personen.[4] Diese überraschend hohe, von der Forschung jedoch noch zu überprüfende Zahl macht deutlich, wie sehr sich Hamburg – in Konkurrenz zur prosperierenden Portugiesengemeinde in Amsterdam, die zu dieser Zeit mehr als zweimal so groß war[5] – innerhalb eines halben Jahrhunderts zu einem bedeutenden Zentrum der Portugiesen entwickelt hatte, nicht zuletzt auch durch die Zuwanderung zahlreicher Portugiesen aus Glückstadt, Amsterdam, Italien, Nordafrika und dem Osmanischen Reich.

Oberstes Organ der *Kahal Kados Bet Israel* war der *Ma'amad*, dem die Gemeindemitglieder *de facto* die unumschränkte Macht übertragen hatten, über die Gemeinde nach innen und nach außen zu bestimmen. Aus dem Protokollbuch der Gemeinde (*Livro da Nação*) geht klar hervor, in welchem Maße eine oligarchisch ausgerichtete Führung geradezu überlebensnotwendig war.[6] Die Eintragungen belegen, dass in den ersten drei Jahrzehnten nach 1652 nur etwa vierzig Einzelpersonen (das entspricht etwa einem Drittel aller Familienoberhäupter) dem *Ma'amad* angehörten. Wurden einige Mitglieder nur für eine ein- bzw. zweijährige Amtszeit gewählt, so standen andere, in der Regel handelte es sich um wohlhabende und einflussreiche Gemeindemitglieder, dem *Ma'amad* für mehrere Amtszeiten zur Verfügung. Und es gab Familien, die fast jedes Jahr einen Vertreter in den *Ma'amad* schickten. So wurden die reichen Kaufleute Abraham alias Diogo Senior Teixeira[7] und sein Sohn Isaak Haim alias Manoel Teixeira[8] vierzehn Mal innerhalb von 24 Jahren in den *Ma'amad* gewählt und Mitglieder der Kaufmannsfamilie Curiel siebzehn Mal innerhalb von 25 Jahren.[9] Die häufige Wahl gerade wohlhabender und gebildeter Gemeindemitglieder in den *Ma'amad* – vorwiegend Bankiers, Makler, Juweliere, Kaufleute und Ärzte – widersprach zwar den Statuten, zeigt aber eindeutig, wer in der Gemeinde für fähig gehalten wurde, die Gemeinde vor allem nach außen zu vertreten.[10] Unter den 22 Personen, die 1652 den Vereinigungsvertrag unterschrieben hatten,[11] befanden sich neben Ärzten und Gelehrten auch die wohlhabenden Kaufleute und königlichen Residenten bzw. Avisenschreiber Abraham Senior Teixeira (1581–1666), sein Sohn Isaac Senior Teixeira (1631–1705), Dr. Binjamin Mussaphia (ca. 1600/1606–1674), Jacob Curiel (1587–1664)[12] sowie Dr. Jacob Rosales alias Imanuel Bocarro Francês (ca. 1593–nach 1662),[13] denen in den nächsten vier Jahrzehnten die Konsolidierung der Gemeinde nach innen und nach außen gelang.

Um diese kosmopolitischen Residenten bzw. Konsuln geht es im Folgenden und damit um die wirtschaftliche und politische Elite der sefardischen Gemeinde in Hamburg im 17. Jahrhundert. Sie wären angesichts der besonderen Struktur ihrer Hofkontakte – sie arbeiteten als Juden auf Rechnung katholischer bzw. protestantischer Majestäten und lebten außerhalb des Hofes in protestantischen Ländern – mit dem Etikett „Hofjuden" nur unzureichend beschrieben. Dabei stehen jedoch nicht ihre Ämter und diplomatischen Tätigkeiten im Vordergrund[14], sondern ihr Lebensstil und seine Außenwirkung, die weltliche Bildung und die wissenschaftlichen Interessen der Residenten (z. B. Medizin, Alchimie, Astrologie) sowie das Verhältnis der Sefarden zur jüdischen Tradition, von der sie mehrere Generationen lang abgeschnitten waren und an die jede neue Einwanderungsgeneration mühsam wieder anknüpfen musste. An fünf Beispielen sollen diese Themen exemplifiziert werden.

Nicht nur die Könige von Portugal und Spanien sowie der Herzog von Toskana[15] ernannten im 17. Jahrhundert Hamburger Portugiesen zu ihren Residenten, sondern auch die Könige von Dänemark und Polen, die Königin von Schweden und sogar der Kaiser in Wien.

Auch die portugiesischen und spanischen Inquisitionsgerichte waren über die Aktivitäten dieser Hamburger Portugiesen erstaunlich gut informiert. So wies zum Beispiel der schon erwähnte Semuel Aboab, der ab 1650 auf seinen Reisen durch Nordeuropa über 5000 sefardische Juden kennen gelernt haben will,[16] das Inquisitionsgericht in Madrid immer wieder darauf hin, dass diese ‚Juden' Residenten, Konsuln, Faktoren,[17] Korrespondenten und Avisenschreiber[18] waren[19].

Den kosmopolitischen und polyglotten portugiesischen Residenten, die den Königen und Fürsten vor allem als im internationalen Handel erfahrene Bankiers, aber auch als Informanten (Avisenschreiber) und Leibärzte dienten, gehörten die prunkvollsten Häuser an Alster und Elbe. Dort logierten dann auch diese Könige und Fürsten bei ihren Aufenthalten in Hamburg. Fremde, die Hamburg oder Amsterdam[20] besuchten, vermeldeten wie selbstverständlich den unerhörten Luxus dieser Portugiesen. So besaß das Wohnhaus des in Porto geborenen Joseph Zecharia Cohen da Rocha einen Springbrunnen, aus dem angeblich Wein floss, ein Vogel- und Lusthaus im Garten sowie eine stattliche Gemäldegalerie, die später versteigert wurde und heute wohl als verschollen gelten muss.[21] Kunrad von Hövelen pries 1668 in einer Stadtbeschreibung das prächtige Wohnhaus der Residentenfamilie Curiel am Krayenkamp als „irdisches Paradies" und lobte überschwänglich das Wohnhaus der Teixeiras an der Alster.[22] In diesem Haus verbrachte Jacob Curiel alias Duarte Nunes da Costa, den der portugiesische Konsul Francisco Vanzeller 1880 in einem Bericht für das portugiesische Außenministerium als den ersten Vertreter oder Botschafter bzw. Konsul seines Landes in Hamburg bezeichnete,[23] seine letzten Lebensjahre.[24] Und noch 1714 berichtete der Hamburger Prediger und Chronist Johann Jacob Schudt in seinen „Jüdischen Merkwürdigkeiten", dass Manoel Teixeira alias Isaac Senior Teixeira (1631–1705), der wie sein Vater Abraham immer nur der „reiche Jude" genannt wurde und als Resident der Königin Christine Schutz vor den Angriffen der Stadt genoss, „in einem fürtrefflichen Pallast [wohnte]. Grosse Herren gaben ihm Visiten und spielten mit ihm."[25] Pläne und Zeichnungen seiner Hamburger Residenz (Abb. 8) zeugen eindrucksvoll von einem aristokratischen und auf Repräsentation hin angelegten großzügigen Lebensstil.[26] Und zur Abwehr von Forderungen des kaiserlichen Fiskalprokurators an Teixeira intervenierten sogar die Gesandten europäischer Staaten in Wien.

Von diesen ‚Hamburger' Residenten war gelegentlich auch im Ausland die Rede. In dem am 5. November 1665 in Paris aufgeführten Stück „L'Adieu des

Abb. 8: Palais Teixeira, Bauzeichnung

Français à la Suède ou la demission de la Grande Christine et le Portrait de la Reine Christine" kritisierte der Verfasser Gillot Le Songeur alias A. H. Saint-Maurice die Königin Christine wegen ihrer „lächerlichen" Entscheidung, den Juden Teixeira, also einen Feind Christi, zu ihrem Bankier gewählt zu haben.[27]

Und wie in Amsterdam kam es auch in Hamburg zu tätlichen Angriffen auf die Häuser der Portugiesen und gelegentlich auch zu Gewaltmaßnahmen gegen ihre Bewohner.[28] Nachdem zum Beispiel 1649 das Gemeindemitglied d'Andrade am Haus des Jacob Rosales eine Gewalttat verübt hatte, ersuchte dieser den Magistrat, der portugiesischen Gemeinde anzudeuten, dass er als der „Katholischen Majestät Bedienter gebührlich in Respekt zu halten sei".[29] Als Rosales für seine Dienste nicht mehr bezahlt wurde, das Klima in der Stadt und in der Gemeinde sich gegen ihn richtete, schrieb er im Juni 1652 an den spanischen Staatssekretär Geronimo de la Torre, dass er nicht mehr in der Lage sei, das zu bezahlen, was er schulde, und dass er seine Wohnung verkaufen müsse, damit er nicht der Schande verfalle, in die andere fürstliche Minister geraten seien, die der Hamburger Senat mit Gewalt aus ihren Häusern geworfen habe. Nach dreizehn Jahren des Dienstes scheide er jetzt mittellos (*desnudo*) aus. Er wolle sich nun dem König zu Füßen werfen oder nach Rom gehen.[30]

Einen Skandal mit blutigem Ausgang verursachte ein Empfang, den Manoel Teixeira am 15. Juli 1668 in seinem Haus zu Ehren der schwedischen Königin Christine (1626–1689) für die Vertreter europäischer Höfe in Hamburg und die Hamburger Bürgermeister gab. Vor seinem prächtigen Stadtpalais soll ein Springbrunnen sogar Rot- und Weißwein verströmt haben. Dieser Besuch empörte vor allem die Hamburger Lutheraner, da die Königin ein

Transparent ans Haus hängen ließ mit der Aufschrift: „Papst Clemens möge lange leben" (*Clemens IX. Pontifex maximus vivat*). Der Pöbel stürmte das Haus, die Diener eröffneten das Feuer und töteten mindestens acht Personen.[31] Nur mit der Hilfe der Gastgeber konnte die Königin schließlich entkommen und sich in das Haus des Residenten Möller flüchten.

Die Hamburger Lutheraner und wenig später auch die deutschen Juden machten also mit einem Typ Juden Bekanntschaft, der nach der klassischen ‚Definition' von Moses Hagiz seinen Bart rasierte[32], weltliche Kleidung trug, sich mit Nichtjuden einließ, in Karossen reiste und christliche und afrikanische Dienstboten hielt. Mit ihrer selbstbewusst zur Schau gestellten *Grandezza* wollten die erst vor kurzem ins Judentum zurückgekehrten Portugiesen so überhaupt nicht dem Bild entsprechen, das die lutherische Geistlichkeit in ihren judenfeindlichen Hetzpredigten von den Juden zeichnete. Denn die Hamburger lernten in dem Portugiesen einen Juden mit hoher sozialer Herkunft und umfassender weltlicher Bildung kennen, der weit gehend an die christliche Gesellschaft assimiliert und mit der antiken Literatur häufig besser vertraut war als mit der jüdischen,[33] der die Anordnungen der Rabbiner und die Autorität der mündlichen Lehre gelegentlich mit der Begründung ablehnte, dass er jetzt in einem freien und reichen Land lebe. Der die Religionsgesetze als eine unbequeme Last empfand, deren Befolgung für sein Judentum häufig nicht wesentlich war; der nichts anderes wollte, als so zu leben, wie er es auf der Iberischen Halbinsel gewohnt war;[34] und der schließlich als Spanier bzw. Portugiese seinen *hidalguísmo*, seine iberisch-aristokratische Herkunft, wie selbstverständlich in seine neue jüdische Welt übertrug. So ließ sich Diogo/Abraham Senior, der vor seiner Zeit in Hamburg mehrfach zum Konsul der Portugiesischen Nation in Antwerpen gewählt worden war, 1643 vom „*oficial de armas español*" bestätigen, dass seine Familie zum portugiesischen Adel gehörte und er deren Wappen führen könnte.[35] Der Arzt Dr. Jacob Rosales erhielt im Juni 1641 sogar auf sein Gesuch hin vom deutschen Kaiser die Würde des ‚kleinen Palatinats', der überdies ihn und seine Nachkommen ‚vom Makel der jüdischen Abstammung' befreite und ihm auch sein Doktorat bestätigte.[36] Und der einige Jahre in Hamburg lebende Uriel da Costa bekennt in seiner Schrift *Exemplar Humanae Vitae* zu seiner adligen Abstammung: „*Parentes habui ex ordine nobilium*" (Ich hatte Eltern aus dem Adelsstand).[37] Auf ihre adlige Herkunft stolz waren auch die Familie de Castro, Abendana oder Mendes de Brito. So ist es nicht verwunderlich, dass sich auf dem Hamburger Portugiesenfriedhof zahlreiche Wappen auf den kunstvoll verzierten Grabsteinen befinden.[38]

Den ultraorthodoxen Lutheranern waren nicht nur der Respekt und das Wohlwollen suspekt, die den Juden von Königen und Fürsten entgegengebracht wurden, sondern vor allem ihr offen zur Schau gestellter Luxus, ihre prächtigen Häuser in der Neustadt, in denen sie rauschende Feste für Könige und Fürsten, Gesandte und Dichter gaben. Für die Hamburger Lutheraner war die Tatsache, dass die Portugiesen „ihre Häuser wie Paläste bauten"[39], Kutschen besaßen und christliche Dienstboten beschäftigten, schwer mit ihrem Glauben zu vereinbaren, nach dem die Juden in einer christlichen Gesellschaft nur Fremde sein konnten, den Christen unterworfen sein mussten und ihnen allein der Stand der Knechtschaft zustand. So protestierte die Geistlichkeit immer wieder gegen die sonn- und festtäglichen Kutschfahrten und Ausritte, die doch allein hohen (christlichen) Standespersonen gestattet sein durften, und gegen die Anstellung von Dienstboten. Ihr Protest richtete sich nicht nur gegen die Gemeindekutsche zur Beförderung der Leichen zum Friedhof,[40] sondern vor allem gegen den privaten Gebrauch dieses Gefährts. Bei der Beerdigung des Großkaufmanns und königlichen Residenten Diogo/Abraham Senior Teixeira kam es 1666 zu Tumulten, in deren Verlauf „fast alle das Gefolge bildenden Mitglieder, sowohl auf dem Wege nach dem Begräbnisplatz wie auf dem Heimwege, vom Pöbel (*canalha*) misshandelt und beschimpft (*avexados*) werden. Man öffnet gewaltsam die Wagen und bewirft die darin befindlichen Personen, gegen allen Respekt, mit Schneebällen und Schmutz."[41]

Und noch 1714 zitierte der bekannte Hamburger Prediger und Chronist Johann Jacob Schudt in seinen „Jüdischen Merckwürdigkeiten" einen Bericht des 1661 verstorbenen Predigers und Pädagogen Johann Balthasar Schupp, der während seiner Hamburger Amtszeit sich immer geweigert hatte, gegen die Juden zu agitieren, auch wenn er ihren Unglauben kritisierte:

> Der sogenannte reiche Jude Manuel Texeira, der zu meiner Zeit anno 1684 und folgenden Jahren lebte, war der Königin in Schweden Resident. Er fuhr in einer kostbaren Carosse, darauf hinten und vorne einige und gemeiniglich christliche Diener stunden, welche mit grosser Reverenz bey dem Ein- und Aussteigen ihn bedienten [...]. Neben der Kutschen lieff ein Diener in Liverey gekleidet. Und als der Kutscher still hielte, machte der Diener, welcher ich höre, ein Christ gewesen, nach tiefer Reverenz die Kutschen auf und hob einen alten Mann heraus [...]. Ich dachte, es müsse entweder der Bischoff oder ein abgelebter Fürst oder Graf seyn. Ich zog meinen Huth ab so tieff als wenn es der Churfürst von Sachsen wäre und sagte zu einer Frauen, wer ist doch der Herr? Die ehrliche fromme Frau antwortete mit lachendem Munde: Er ist ein Jude, allein er wird genennet der reiche Jude. Ich könnte mich nicht genug darüber verwundern.[42]

Es waren aber nicht allein die Kutschen, die den Zorn der Hamburger erregten, sondern vor allem die Tatsache, dass die Portugiesen sich in Hamburg mit ihren afrikanischen Hausangestellten niederließen und später auch deutsche Juden (*tudescos*) beschäftigten.[43] Aus den Inquisitionsakten eines gewissen Vicente Furtado erfahren wir, dass um 1605 im Hamburger Haus des Kaufmanns Álvaro Dinis[44] eine schwarze Sklavin bzw. Hausangestellte wohnte, die schon seinen Eltern in Italien gedient hatte: „In diesem Haus gab es auch eine Afrikanerin (*negra*) mit dem Namen Felippa, welche aus dieser Stadt (Lissabon) stammt mit Felippe Dinis, dem Vater des erwähnten Álvaro Dinis, alle drei [...] leben nach dem Gesetz Moses und befolgen die Gesetze des Moses."[45]

Und die 1655 in Hamburg verstorbene Debora Hana Naar alias Violante Correa bestimmte in ihrem Testament, dass ihre schwarze Hausangestellte Dimiana die Freiheit erhalten (*fica forra*) und dass man ihr ein neues Tuchkleid nebst ihren alten Kleidern, ihrer Wäsche und ihrem Bett geben sollte. Ihre Schwestern bat sie, die Mohrin bei sich zu behalten, für sie zu sorgen und sie so zu behandeln, wie sie es mit den ihrigen (*cousas suas*) tun würden.[46]

Für viele Hamburger waren die Portugiesen, die sich, als Katholiken nur notdürftig getarnt, ab Ende des 16. Jahrhunderts in ihrer Stadt niederließen und hier offen nach dem Gesetz Mose lebten, die ersten Juden, mit denen sie in Kontakt kamen. Die Bewohner der Hansestadt machten also mit einem Typ Juden Bekanntschaft, der anders war als der, den sie aus den Büchern kennen gelernt hatten oder aus Karikaturen, vor allem aber aus den Hetzpredigten der lutherischen Geistlichkeit. Diese Juden, die ihr Judentum gerne hinter iberischen Attitüden und iberischer Kleidung versteckten, wollten so gar nicht dem Stereotyp entsprechen, nach dem der Jude von schmutziger Gestalt und unangenehmem Charakter sein musste, einem unehrenhaften Gewerbe nachging, Kauderwelsch sprach und ungebildet war. Der Jude jedoch, dem der Hamburger auf der Straße oder im Kontor begegnete, hatte nicht selten in Coimbra, Salamanca, Alcalá de Henares, Sigüenza, Padua, Montpellier und Franeker studiert, war ein polyglotter Kosmopolit und Großkaufmann mit jüdischen und christlichen Geschäftspartnern überall in der Alten und Neuen Welt.[47] Dieser Jude also stand gesellschaftlich nicht unter ihnen, sondern wurde als Leibarzt und Bankier christlicher Majestäten ihnen, den Christen, vorgezogen. Und die Vertreter von Stadt und Geistlichkeit, die in religiösen und gemeinderechtlichen Auseinandersetzungen vor allem Bekanntschaft mit diesen Männern als Vertretern des Gemeindevorstandes machten, mussten zu ihrer Überraschung und Missbilligung nicht selten sogar gesellschaftlich mit ihnen verkehren.

Der Reichtum, die Pracht und der Einfluss der Portugiesen manifestierten sich vor allem an jenen Gemeindemitgliedern, die als Residenten, Faktoren und Avisenschreiber immer wieder das Interesse und häufig auch die Missbilligung der Öffentlichkeit auf sich zogen. Auf fünf von ihnen möchte ich im Folgenden näher eingehen.

Was die Hamburger besonders erstaunen musste, war das selbstbewusste gesellschaftliche Auftreten dieser Juden und die Achtung, die ihnen gelegentlich auch von christlicher Seite entgegengebracht wurde. So wurden dem königlichen Residenten Manoel Teixeira die gleichen Ehrenbezeugungen zuteil wie den in Hamburg wohnenden christlichen Residenten: „Fuhr er über den grossen Neuen Marckt, so stunde ihm die gantze Haupt-Wache im Gewehr."[48] Christina von Schweden, die mit den Hamburger und Amsterdamer Portugiesen gute Kontakte unterhielt und von diesen als ein ‚weiblicher Messias' verehrt wurde,[49] wohnte bei ihren Besuchen in Hamburg ganz selbstverständlich in den Privathäusern der Residenten Teixeira und Curiel, was immer wieder zu unflätigen Protesten der Geistlichkeit und der von ihnen aufgehetzten Bürger führte. 1660, 1661 und 1662 verbrachte sie Wochen und Monate im Haus der Teixeiras am Krayenkamp, das jedoch nicht auf den Namen der Teixeiras, sondern auf den Namen des Hamburger Bürgers Peter Juncker eingeschrieben war, da Juden in der Regel keinen Grund erwerben durften.[50] Als der Hamburger Magistrat Manoel Teixeira als Residenten der schwedischen Königin nicht die gebührende Achtung erwies, protestierte Christina von Schweden 1663 mit folgenden Worten: „Remontrez au roi [de Suède] que Teixeira est un homme, qui mérite sa protection, non seulement parce qu'il est mon serviteur, mais aussi parce qu'il est capable de rendre des services considérables à la couronne."[51] Und wie sehr Christina von Schweden ihren ‚jüdischen' Residenten Teixeira schätzte, geht aus einem Brief hervor, den sie 1685 ihrem Vertreter Rosenbach am schwedischen Hof schrieb: „Teixeira hat Ihnen einen so klugen und verständigen Brief geschrieben, dass König Salomon ihn nicht besser hätte schreiben können."[52]

1693 wurde Manoel Senior Teixeira von der dänischen Regierung die Residentenwürde angeboten, die er jedoch erst 1697 annahm.[53] Als sich die Auseinandersetzungen zwischen Bürgerschaft und Senat sowie den Portugiesen verschärften und nachdem die von den Portugiesen als diskriminierend empfundenen ‚Revidirten Articuli' im September 1697 in Kraft getreten waren, zog Teixeira seine Gelder bei Kämmerei, Börse und Bank ab und siedelte 1698 im Alter von sechzig Jahren nach Amsterdam über,[54] was in Hamburg zu einem gewaltigen Börsenkrach führte.[55] Der erzwungene Wegzug aus Hamburg muss ihm jedoch sehr schwer gefallen sein: „quitter ma demeure et mes commodités avec beaucoup de pertes sur la fin de mes jours."[56] In Amsterdam wurde er nicht zuletzt wegen seines Reichtums und seiner internationalen Verbindungen unverzüglich in den Vorstand der Gemeinde gewählt. Manoel Senior Teixeira starb am 15. Juni 1705 in Amsterdam.[57]

Neben den Teixeiras gehörte die ursprünglich aus Spanien stammende Familie Curiel[58] zu den einflussreichsten portugiesischen Residenten in Hamburg und später in Amsterdam. Jacob Curiel alias Duarte Nunes da Costa, den der Hamburger Chronist Sperling einen „Juden, aber einen vernünftigen" nannte,[59] ließ sich nach einem kurzen Aufenthalt in Glückstadt 1628 dauerhaft in Hamburg nieder. Von 1636 bis 1639 belieferte er die spanische Kriegs- und Silberflotte in Andalusien sowie die spanische Armee in den südlichen Niederlanden. Schon vor 1640 war er Bankier und Postagent des Herzogs von Bragança. Nach der Befreiung von Spanien und der Wiedererrichtung des portugiesischen Königreichs 1640 wurde er für einige Jahre Portugals inoffizieller *chargé d'affaires* im Deutschen Reich. Seine Aufgabe bestand vor allem darin, Portugal mit Munition zu versorgen und sich in Nordeuropa für die portugiesische Sache einzusetzen. 1645 ernannte ihn der portugiesische König zum offiziellen Agenten und Munitionslieferanten der Krone. Als es ihm in den 40er Jahren gelang, die Freigabe Hamburger Waren in Portugal zu erreichen, wurde Jacob Curiel vom Rat für die Dauer seines Lebens von allen städtischen Abgaben befreit. Die ihm angebotene Belohnung von 100 000 Reichstalern lehnte er ab und erbat stattdessen für sich und seine Familie die Gunst, „in der Stadt Faveur" zu bleiben.

Neben dem Reichtum und der Tatsache, dass die Hamburger Portugiesen als Juden große gesellschaftliche Anerkennung genossen, versäumten es Reisende, die sich in Hamburg aufhielten, selten, auf die große Bildung, Weltläufigkeit und Gastfreundschaft dieser Residenten hinzuweisen. 1688 schrieb Gregorio Leti in seinem immer noch wenig bekannten Bericht über Hamburg, dass die Handelsstadt ein bedeutendes Zentrum für Gastfreundschaft und Kultur in Mitteleuropa sei und dass unter den Hamburger Residenten keiner einen größeren Ruf habe als Manoel/Isaac Senior Teixeira:

> Der Resident der Herr Teixeira macht der Stadt große Ehre, weil er sich bemüht, die Fremden zu ehren und zu schmeicheln, und die Bürger der Stadt mit großer Vorsicht und Liebe zu behandeln, so dass sein prächtiges Haus einem wie ein Theater dünkt und ein Gasthaus der Höflichkeit.[60]

Weiter schrieb Leti, dass Teixeira, über den der Geistliche Johannes Müller (1590–1673) immer wieder zu berichten wusste, dass dieser „verführerische Bücher in Hamburg herumtragen würde",[61] auch in seiner Amsterdamer Zeit ein gebildeter und vornehmer Mann gewesen sei, der „viele Sprachen mit großer Leichtigkeit [sprach] und der besonders die Gesellschaft von Schriftstellern [liebet], die er in seinem Hause liebevoll [empfing]".[62] Manoels ältester Sohn Abraham alias Diogo Teixeira de Mattos bestärkte seinen Vater immer wieder, die Schriftsteller und Gelehrten zu unterstützen (*favorire e accarezzare i letterati*).[63]

In Pisa erwarb 1608 Jacob Curiel aus dem Besitz der Rosilho-Familie aus Fez eine kostbar illustrierte mittelalterliche Bibel, die heute zu den Schätzen der Hispanic Society in New York gehört.[64] Es waren immer wieder die Residenten, die als Subskribenten von Büchern oder Förderer von Autoren auftraten. Wie in Amsterdam widmeten zahlreiche sefardische Autoren auch den einflussreichen Hamburger Residenten ihre Werke, wodurch sie sich neben einer finanziellen Unterstützung gewiss auch einen Schutz versprachen.[65] So rühmt Jacob Jehuda Leon Templo (1603–1675), der für kurze Zeit Rabbiner in Hamburg gewesen war, 1654 in der spanischen Ausgabe seiner Beschreibung des Salomonischen Tempels (*Retrato del Tabernaculo de Mose*) den *muy noble y magnífico señor Iaacob Curiel*, den er wortreich als Friedensstifter und Wohltäter der Hamburger Gemeinde preist.[66] Der Chronist, Historiker und Dichter Daniel Levi de Barrios dediziert Isaac/Manoel Teixeira, den er *Gentilhombre de la Reyna de Suecia* nennt, das Gedicht *„Espada y silla"*.[67] Der wegen seiner judenfreundlichen Haltung aus Schweden und Hamburg ausgewiesene Arzt und schwärmerische Millenarian Andreas Pedersson (Petri) Kempe widmete Teixeira sein 1688 in Hamburg verlegtes Buch „Israels erfreuliche Botschafft. Das ist: Klarer Beweisz, aus gantzer heiliger Schrifft, dasz Israel in allen ihren Geschlechten, annoch eine, ja ewige Erlösung unwiedersprechlich zu hoffen haben". Teixeira, der Kempe über die Rolle des Kometen von 1680 befragt hatte (*Nuovo pronostico*),[68] lehnte diese Widmung jedoch nicht nur ab, sondern zeigte den Verfasser sogar bei der Stadt an, um Schwierigkeiten für sich und die Hamburger Portugiesen zu verhindern.[69]

Auch in Hamburg scheinen sich portugiesische Ärzte und Residenten zeitweise für Alchimie und Astrologie interessiert zu haben. Der Arzt und Gemeindeführer Baruch (Benedictus) Namias de Castro (1590–1684), Sohn des berühmten Gynäkologen und Pestarztes David (Rodrigo) Namias de Castro,[70] verfasste für die 1633 in Hamburg gedruckte „Gramatica Hebraica" des Rabbiners und Philologen Mose de Gideon Abudiente ein Lobgedicht, das mit den Worten „tal como o ouro entre os metais, assim é a lingua hebraica entre as demais" (Was das Gold unter den Metallen, das ist die hebräische Sprache unter den Sprachen) beginnt. Wie andere Hofjuden vor oder nach ihm, so ermunterte Manoel Teixeira 1674 seine Förderin Christina von Schweden,[71] die schon 1667 in Hamburg Kontakt mit dem Alchimisten Giuseppe Francesco Borri[72] aufgenommen hatte, ihre okkulten Studien wiederaufzunehmen und mit Borris Hilfe den Stein der Weisen zu finden.[73] Er berichtete ihr vom *liqueur ardent de St. Bonaventure du Bois*, einem medizinischen oder alchimistischen Elixier.[74] Aus den 30er Jahren des 17. Jahrhunderts sind uns mindestens zwei portugiesische Hamburger Ärzte bekannt, die über die Alchimie geschrieben haben und sich mit ihr identifizierten. Es handelt sich um den Avisenschreiber für den Gottorf'schen Hof, Dr. Binjamin Mussaphia (1605–1678),[75] sowie um den Residenten des spanischen Königs, Jacob Rosales.

Der Arzt, polyglotte Schriftsteller, Lexikologe, Avisenschreiber und Alchimist Dr. Binjamin Mussaphia war seit 1635 für den Gottorf'schen Hof tätig. Als bedeutendes Handels- und Wirtschaftszentrum bot Hamburg ihm viele Möglichkeiten, wertvolle Nachrichten an den Hof in Gottorf zu liefern. Mussaphia stand in engem Kontakt mit dem schwedischen Diplomaten Johan Adler Salvius (1590–1652)[76] sowie zahlreichen portugiesischen Gelehrten, mit denen er auch über Alchimie und Astronomie diskutierte. Ob Mussaphia in Hamburg und Glückstadt alchimistischen Studien nachging und diesbezüglich Kontakt zu seinem Kollegen Dr. Jacob Rosales hatte, ist nicht bekannt.[77] Weil Mussaphias Neigungen zur Alchimie der Hamburger Geistlichkeit nicht verborgen geblieben waren, unterstellte der Geistliche Johannes Müller, dass Mussaphia mit ‚Charakteren' (kabbalistische Buchstabenmagie) Menschen zu heilen versuche.[78] 1638 veröffentlichte Mussaphia seine wiederholt nachgedruckte Schrift „Mezahab Epistola" zur Lobpreisung der Alchimie.[79] In dieser Schrift versuchte er die Bedeutung der Juden in der Alchimie schon aus der Bibel herzuleiten und zog dazu ziemlich willkürlich eine Anzahl von Bibelstellen und späteren Quellen heran. Dabei benutzte er auch die alchimistische Deutung der Zerstäubung des ‚Goldenen Kalbes', eines bei christlichen Alchimisten dieser Zeit beliebten Motivs.[80] Mussaphia bezog sich dabei explizit auf 1. Mose 36, 39: „Und der Name seines Weibes: Mehetabel, Tochter der Matred, Tochter des Me-Sahab" (‚Goldwasser').[81] Für ihn bedeutete die Einnahme des ‚Goldwassers' ein Heilmittel gegen den Aberglauben des Volkes Israel. „Und nahm das Kalb, das sie gemacht, und verbrannte es im Feuer und zermahlte es bis zu Staub und streute es auf das Wasser, und ließ es die Kinder Jisrael trinken" (2. Mose 32, 20). Ob Jacob Rosales in Hamburg seinen astrologischen und alchimistischen Neigungen nachging, ist nicht sicher.[82] In seinem 1624 in Lissabon veröffentlichten heroischen Gesang „Anacephaleoses da Monarchia Luzitana" jedenfalls widmete er sich in der 37. und 56. Oktave der Alchimie. Und in einem diesem Gesang beigefügten Prosastück diskutierte er auf neun Seiten die *anotaçam crisopeia*, d. h. die Kunst, Gold herzustellen. Dieser Text ist übrigens die erste uns bekannte portugiesische Abhandlung über Alchimie.

Sosehr wir über den Reichtum und den prächtigen Lebensstil der Residenten unterrichtet sind, so wenig wissen wir indes von ihrem Judentum und wie sie es praktizierten. Wertvolle Informationen über die Anfangszeit der Hamburger Gemeinde, ihre Synagogen und Rabbiner sowie über die religiösen Riten der Ex-Marranen geben uns die Akten der Inquisition. In den Berichten (*denúncias*), die von den portugiesischen und spanischen Inquisitionsgerichten in Lissabon und Madrid akribisch gesammelt und ausgewertet wurden, versäumten die Denunzianten selten, auf den Umstand hinzuweisen, dass diese ehemaligen Christen als Juden jetzt Synagogen besaßen, als Juden anerkannt waren und sich auch öffentlich als Juden zu erkennen gaben:

> Und in den genannten Synagogen befolgen sie die Riten und die Gebräuche der Juden. In der Öffentlichkeit treten sie als solche auf. Sie werden geachtet und als Juden sind sie bekannt. Sie leben in großer Freiheit, wie in Amsterdam, aber weniger [frei], denn sie besitzen keine öffentliche Synagoge. Ihre vier Synagogen sind Privatsynagogen, die sie in ihren Häusern unterhalten.[83]

Als wohlhabende Kaufleute verhandelten die Teixeiras und die Curiels mit der Stadt auch über den Kauf eines Grundstücks für die Errichtung einer Gemeindesynagoge (*kahal geral* oder *kahal grande*), sie errichteten wohltätige Stiftungen und machten immer wieder der Gemeinde größere Spenden. Anlässlich der *Sura* seiner Tochter Abigail schenkte Jacob Curiel der Gemeinde eine *Teba*, mit der Bedingung, die Fächer in jener *Teba* für sich und seine Familie zu reservieren. Der Vorstand nahm die Widmung mit dieser Bedingung an.[84] Wegen seiner Großzügigkeit ließ der *Ma'amad* am 13. Shevat 5423/21.1.1663 folgende Worte ins Protokollbuch eintragen: „e para que a todo o tempo conste do pripor com que neste cazo ouvro Jacob Curiel, paresseo justo fazer este termo no livro da nassão, em Hamburgo, 13 de Sebat 5423."[85]

Abraham/Diogo Senior Teixeira schenkte am 10. Nisan 5413/7. April 1653 der Gemeinde anlässlich der Hochzeit seines Sohnes Isaac Haim eine Kanne nebst Becken aus vergoldetem Silber von sehr kunstvoller Ausführung.[86] Weiter stiftete er einen namhaften Betrag für den Bau der Hauptsynagoge.[87] Am 25. Av 5419/14. August 1659 machte er eine Zusage über M 15 000 für die neue Synagoge und M 500 für den *Hehal*.[88] Das für die Synagoge vorgesehene Haus erwarb die Gemeinde 1659 offenbar mit finanzieller Unterstützung Diogo Teixeiras von Wilhelm de Wrede.[89] Am 25. Nisan 5418/28. April 1658 bot er allen, die nach Serepique auswandern wollten, eine Reiseunterstützung an unter der Bedingung, dass sie Hamburg danach drei Jahre lang nicht aufsuchen werden.[90] Diese großzügige Geste erscheint jedoch weniger nobel, wenn man weiß, dass die Hamburger Portugiesen großes Interesse daran hatten, arme Gemeindemitglieder abzuschieben, um für deren Unterhalt nicht weiter aufkommen zu müssen.[91] Teixeira unterhielt auch eine private Jeschiwa, in der Chacham Jacob Sasportas einen Sitz hatte.[92] In seinem Testament vom 10. Juni 1649 errichtete er eine Stiftung zur ‚Ausstattung' bedürftiger Jungfrauen und verfügte, dass nach seinem Ableben die Herren Vorsteher der Gemeinde zwei ehrsame und tugendhafte Waisen benennen sollten.[93]

Und es waren gerade die wohlhabenden Residenten wie Diogo/Abraham Senior Teixeira[94], die zusammen mit den Vorstehern der sefardischen Gemeinden im Mittelmeerraum im 17. und 18. Jahrhundert ein effektives Netzwerk zum Freikauf von Gefangenen begründeten, hier vor allem mit den Bruderschaften *Pidyon Shevuim* in Venedig und Livorno.[95] Das Hamburger Protokollbuch erwähnt häufig die Bitten um Hilfe für in Gefangenschaft geratene Sefarden.[96]

Von den fünf hier vorgestellten Portugiesen, die im diplomatischen Dienst der Könige von Spanien, Portugal, Dänemark und Schweden standen, starben Diogo/Abraham Senior Teixeira und Jacob Curiel in Hamburg. Manoel/Isaac Haim Teixeira verließ Ende des 17. Jahrhunderts Hamburg und ließ sich in Amsterdam nieder, wo er 1705 starb. Binjamin Mussaphia musste Hamburg bzw. Glückstadt Ende der 40er Jahre verlassen. Er fand später in Amsterdam als Gelehrter große Anerkennung. Jacob Rosales sah sich aus wirtschaftlichen und politischen Gründen gezwungen, Hamburg nach 1652 zu verlassen und in Italien eine neue Heimat zu finden. Er starb vermutlich nach 1662 in Florenz oder in Livorno.

Die Hamburger Portugiesen erlebten im 17. Jahrhundert, vor allem aber kurz vor und nach dem Abschluss des Westfälischen Friedens und der Zuwanderung wohlhabender Portugiesen von Madrid und Antwerpen nach Hamburg eine bedeutende wirtschaftliche und geistig-kulturelle Blütezeit. Ihr Einfluss in Norddeutschland und innerhalb der Marrano-Diaspora lässt sich nicht nur an ihrer wirtschaftlichen Kraft ablesen, die ihnen auch das Überleben in einer ihnen feindlich gesinnten christlichen Mehrheitsgesellschaft sicherte, sondern vor allem an der Stellung und der Macht ihrer meist wohlhabenden Residenten und Konsuln, die fast immer auch Kaufleute, Ärzte und Gemeindevorsteher waren. Ihren wirtschaftlichen und gesellschaftlichen Erfolg verdankten sie vor allem folgenden Faktoren: ihrem selbstbewussten Auftreten als Kaufmänner, internationalen Verbindungen, der Förderung des hamburgischen Handels nach den spanischen und portugiesischen Häfen, der Anknüpfung neuer Handelskontakte mit den Häfen des Ostseeraums, wirtschaftlicher Macht, großen Vermögen und beträchtlicher Steuerkraft, sehr guten Beziehungen zu den europäischen Fürstenhöfen, Weltläufigkeit und einer überwiegend auf verwandtschaftlichen Vernetzungen basierenden Wirtschafts- und Gemeindestruktur.[97] Von den hier vorgestellten fünf portugiesischen *Residenten* kann allein Dr. Binjamin Mussaphia als *Hofjude* angesehen werden, der wie die *hochdeutschen* Hofjuden in der Residenz lebte und den Titel „Hofjude" tragen durfte.[98]

Anmerkungen

1 Zur Geschichte der Sefarden im 17. Jahrhundert in Hamburg und in Norddeutschland siehe Hermann Kellenbenz, *Sephardim an der unteren Elbe. Ihre wirtschaftliche und politische Bedeutung vom Ende des 16. bis zum Beginn des 18. Jahrhunderts*, Wiesbaden 1958; Michael Studemund-Halévy (Hg.), *Die Sefarden in Hamburg*, 2 Bde., Hamburg 1994–1997; ders., *Betahaim. Sefardische Gräber in Schleswig-Holstein* (zusammen mit Jürgen Faust), Glückstadt 1997; ders., *A Jerusalem do Norte/Sefardische Juden in Hamburg*, Hamburg 1999 [zweisprachiger Ausstellungskatalog]; ders., *Biographisches Lexikon der Hamburger Sefarden*, Hamburg 2000; ders., *Zerstört die Erinnerung nicht. Der Jüdische Friedhof Königstraße in Hamburg* (zusammen mit Gaby Zürn), Hamburg 2002; Jutta Braden, *Hamburger Judenpolitik im Zeitalter lutherischer Orthodoxie, 1590–1710*, Hamburg 2001. Zur Geschichte der sefardischen Diaspora im Westen siehe die umfassende Studie von Yosef Kaplan, *The Western Sephardi Diaspora* [hebr.], Tel Aviv 1994.

2 Kellenbenz, *Sephardim* (wie Anm. 1), S. 101.

3 Wenn nicht anders angegeben, folgen die Zitate aus dem Protokollbuch immer der Teilübersetzung von Cassuto. In einigen Fällen wurden sie direkt aus dem Protokollbuch übersetzt: Livro da Nação, Staatsarchiv Hamburg (künftig: StAH), JG 522–1, 933. Für die gedruckte Teilübersetzung s. Isaac Cassuto, Aus dem ältesten Protokollbuch der Portugiesisch-Jüdischen Gemeinde in Hamburg, in: *Jahrbuch der Jüdisch-Literarischen Gesellschaft* 6 (1909), S. 1–54; 7 (1910), S. 159–210; 8 (1911), S. 227–290; 9 (1912), S. 318–366; 10 (1913), S. 225–295; 11 (1916), S. 1–76; 13 (1920), S. 55–118, hier Bd. 6, S. 8. Zum Gründungsdokument der Portugiesisch-Jüdischen Gemeinde s. Ben-Zvi Ornan-Pinkus, Die Portugiesische Gemeinde in Hamburg und ihre Führung im 17. Jahrhundert, in: Studemund-Halévy, *Die Sefarden 1* (wie Anm. 1), S. 3–36.

4 Über die Denunziation des Semuel Aboab siehe Michael Studemund-Halévy, *Biographisches Lexikon* (wie Anm. 1), S. 18–19, 32–34, 80–84, 353.

5 Über die Portugiesen in Amsterdam siehe die Arbeiten von Miriam Bodian, *Hebrews of the Portuguese Nation. Conversos and Community in Early Modern Amsterdam*, Bloomington 1997; dies., Amsterdam, Venice, and the Marrano Diaspora, in: *Dutch Jewish History*, Jerusalem 1989, Bd. 2, S. 47–65; Daniel M. Swetschinski, *Reluctant Cosmopolitans. The Portuguese Jews of Seventeenth-Century Amsterdam*, London 2000; Yosef Kaplan, *Judíos nuevos en Amsterdam. Estudio sobre la historia social e intelectual del judaísmo sefardí en el siglo XVII*, Barcelona 1996; ders., *Les Nouveaux-Juifs d'Amsterdam*, Paris 1999; ders., *An Alternative Path to Modernity. The Sephardi Diaspora in Western Europe*, Leiden 2000.

6 Bei der Gründung der Einheitsgemeinde wurde festgelegt, dass der Ma'amad aus sieben Personen bestehen und jeweils vom Neujahrstag bis zum kommenden Neujahrsabend amtieren sollte. Zwei Mitglieder sollten als Präsidenten dienen und den Titel

Vorsteher-Präsident (*parnas presidente*) tragen. Jeder sollte für die Dauer von sechs Monaten amtieren. Ein Mitglied hatte als Schatzmeister (*tezoreiro*) zu dienen, die anderen wurden Vorsteher (*parnasim*) genannt. Nach einem Jahr beschloss der Ma'amad, seine Zusammensetzung zu ändern. Er sollte jetzt aus fünf gewählten Herren bestehen, von denen zwei den Titel *deputados* (Vertreter, Gesandte, Abgeordnete) tragen sollten, die drei anderen wurden Erwählte (*eleittos*) genannt. Einer der Erwählten war der Schatzmeister. In das Fünfergremium wurden zwei weitere Mitglieder gewählt, die aus dem vorherigen Ma'amad kommen mussten. Wahrscheinlich wurde diese Veränderung eingeführt, um die Kontinuität zu sichern und das Wissen und die Erfahrung von einem Ma'amad auf den anderen zu übertragen. Die neue Ordnung legte fest, dass alle zwei Monate ein anderes Mitglied – mit Ausnahme des Schatzmeisters – als Präsident amtieren sollte.

7 Die Teixeiras waren mit Abstand die reichste Familie unter den Hamburger Portugiesen. Diogos Vermögen wurde auf 300 000 Gulden geschätzt. Zur Familie Teixeira s. STUDEMUND-HALÉVY, *Biographisches Lexikon* (wie Anm. 1), S. 790–795. Zur Familie Senior Teixeira s. ALFONSO CASSUTO, Die Familie des Dom Diego Senior Teixeira de Sampayo, in: *Mitteilungen der Gesellschaft für Jüdische Familienforschung* 17 (1929), S. 115–117; DERS., Aus den Testamenten des Abraham Senior Teixeira, in: *Mitteilungen der Gesellschaft für Jüdische Familienforschung* 18 (1932), S. 449–450; HERMANN KELLENBENZ, Diego und Manoel Teixeira und ihr Hamburger Unternehmen, in: *Zeitschrift für Sozial- und Wirtschaftsgeschichte* 42 (1955), S. 289–352.

8 STUDEMUND-HALÉVY, *Biographisches Lexikon* (wie Anm. 1), S. 790–793.

9 Siehe die bibliographischen Angaben zur Familie Curiel in Anm. 58.

10 Die beiden *deputados* (Gesandten), oder mit ihrem vollen Titel *deputados da nação* (Gesandte der Gemeinde), hatten die Aufgabe, die äußeren Angelegenheiten der Gemeinde, vor allem die Beziehungen zum Hamburger Senat, zu regeln. Sie durften für ihre Aufgabe die Unterstützung „einer passenden Persönlichkeit" in Anspruch nehmen. Man kann vermuten, dass dies Gemeindemitglieder waren, die wegen ihres diplomatischen Status besondere Beziehungen zu den Hamburger Behörden unterhielten. Dazu zählten zum Beispiel Abraham/Diogo und Isaak/Manoel Teixeira, die als Bankiers, vor allem als Finanzberater der schwedischen Krone in Hamburg, diplomatischen Status genossen. Neben diesen beiden Persönlichkeiten, die einen entscheidenden Einfluss auf das Leben der Gemeinde hatten, gab es noch weitere Gemeindemitglieder, die diplomatische Beziehungen zu Schweden, Dänemark, Polen, Spanien und Portugal unterhielten und wegen dieser Beziehungen eine besondere Stellung in der Stadt genossen.

11 Zur Frühgeschichte der Hamburger Gemeinde siehe ORNAN-PINKUS, Portugiesische Gemeinde (wie Anm. 3), S. 3–36. Zum Vereinigungsdokument s. MICHAEL STUDEMUND-HALÉVY, Dokumentation Kahal Kados Bet Israel, in: DERS., *Die Sefarden 1* (wie Anm. 1), S. 37–59, hier S. 37–38.

12 STUDEMUND-HALÉVY, *Biographisches Lexikon* (wie Anm. 1), S. 379–384.

13 Nach dem Tod von Gabriel de Roy 1645 wurde Jacob Rosales für dessen Nachfolger Balthasar von Walderode Hamburger Vertreter Spaniens in Hamburg. Im Gegensatz zur Mehrheit seiner Gemeinde vertrat er immer die Position Spaniens. Politisch war er ein Gegner des einflussreichen Residenten Jacob Curiel. 1650 erhielt er vom spanischen Botschafter in Wien, Graf Lumiares, seine offizielle Beglaubigung, s. STUDEMUND-HALÉVY, *Biographisches Lexikon* (wie Anm. 1), S. 232–235. Über Leben und Werk von Jacob Rosales siehe die bibliographischen Angaben in Anm. 38.

14 Siehe dazu am Beispiel Amsterdams den Beitrag von HILTRUD WALLENBORN, Sefardische Residentenfamilien in Amsterdam, in diesem Band.

15 So war der einige Zeit in Hamburg ansässige Fernando Ximenes Agent des Herzogs der Toskana, siehe KELLENBENZ, *Sephardim* (wie Anm. 1), S. 324.

16 Siehe die Liste der von ihm denunzierten Hamburger Portugiesen in STUDEMUND-HALÉVY, *Biographisches Lexikon* (wie Anm. 1), S. 80–83. Über Semuel Aboab alias Francisco Domingo de Guzmán schreibt Markus Schreiber, dass dieser seit den frühen 50er Jahren die Absicht gehabt hatte, sich taufen zu lassen, in verschiedenen Gemeinden lebte und regelrecht Buch über die Mitglieder führte: MARKUS SCHREIBER, *Marranen in Madrid 1600–1670*, Stuttgart 1994, S. 355.

17 Siehe dazu KELLENBENZ, *Sephardim* (wie Anm. 1), S. 372 ff.

18 Siehe dazu KELLENBENZ, *Sephardim* (wie Anm. 1), S. 330–333, 339 f., 341–343, 346 f., 353–369, 370–373, 375–377, 397–411.

19 „[...] que son Iudios Iudaiçantes obserutes y creientes de la ley de Moyses el Dor Rosales, Residente por su Magd del rey nró señor en Amburgo = Ana Rosales su muger, que le pareçe son naturales de la Mancha y de naçion Portugueses, sobrinos de Pablo Rosales que murio en Roma y descubrio el año de veinte y cuatro çiertas tierras en las Indias en la America, y que fue muy estimado del Papa Vrbano octauo", Arquivo Histórico Nacional (künftig: AHN), Inq., lib. 1127, Bl. 97–97v.

20 Über den aufwendigen Lebensstil der Amsterdamer Portugiesen siehe YOSEF KAPLAN, Gente Politica: The Portuguese Jews of Amsterdam vis-à-vis Dutch Society, in: CHAYA BRASZ/YOSEF KAPLAN (eds.), *Dutch Jews as Perceived by Themselves and by Others. Proceedings of the Eighth International Symposium on the History of the Jews in the Netherlands,* Leiden 2001, S. 21–40.

21 Zu Cohen da Rocha s. STUDEMUND-HALÉVY, *Biographisches Lexikon* (wie Anm. 1), S. 762–763. Zum Luxus der Hamburger Sefarden s. MICHAEL STUDEMUND-HALÉVY, Von Palästen, Kutschen und Afrikanern: Portugiesen im Hamburg des 17. Jahrhunderts, in: *Lusorama* 50 (2002), S. 84–113.

22 KONRAD VON HÖVELEN, *Der Uhr-alten deutschen Grossen und des H. Röm. Reichs freien An-See- und Handel Stadt Hamburg,* Lübeck 1668, S. 65. Vgl. auch die Schilderung von GREGORIO LETI (1683) von dem Amsterdamer Wohnhaus des Jerónimo Nunes da Costa: „Dieses Haus ist das komfortabelste und das großartigste, zumindest der Stadt [Amsterdam]. Es besitzt einen unvergleichlichen Garten. Und von dem Haus könnte man sagen, es sei ein Hof, denn man sieht dort eine große Anzahl von Fremden", DERS., *Del theatro Britanico o vera historia dello stato, antico e presente [...] della Grande Brettagna*, Amsterdam 1683, Bd. 2, S. 406. Leti war wohl auch in Hamburg kein Unbekannter, denn in der 1693 in Amsterdam versteigerten und ungewöhnlich umfangreichen Bibliothek des Hamburger Rabbiners und Gelehrten Semuel Abas (gest. 1691) finden sich zahlreiche seiner Werke (*Catalogus Librorum*, Amsterdam 1693). Zu Abas und den sefardischen Rabbiner- und Gelehrtenbibliotheken siehe auch MICHAEL STUDEMUND-HALÉVY, Rabbi Semuel de Isaac Abas: Vernacular versus Religious Literature, in: *El sefardismo en las relaciones entre el mundo hispánico y los Países Bajos en la Edad Moderna. III Seminario Internacional de História*, Madrid – Alcalá de Henares 2002 (in Vorbereitung); YOSEF KAPLAN, El perfil ibéricco y europeo de los rabinos sefardíes de Ámsterdam a través del análisis de sus bibliotecas, in: ebd.

23 „O primero agente diplomatico ou embaixador de Portugal, consta ter residido aqui em 1660, um certo Eduardo Nunes da Costa, porém nada de particular ou definitivo se póde averiguar sobre elle", FRANCISCO VANZELLER, [Representantes de Portugal em Hamburgo], in: *Boletim da Sociedade de Geografia de Lisboa,* 1880, S. 729.

24 Über die Residentenfamilie Curiel alias Nunes da Costa siehe auch WALLENBORN, Sefardische Residentenfamilien (wie Anm. 14).

25 JOHANN JACOB SCHUDT, *Jüdische Merckwürdigkeiten*, Frankfurt/Leipzig 1714, Bd. 1, V. Buch, 8. Cap., S. 374.

26 Hofkammerarchiv Wien, RA 927/1–7 (Grund- und Aufrisse); FRIEDRICH BATTENBERG, Die jüdische Wirtschaftselite der Hoffaktoren und Residenten im Zeitalter des

Merkantilismus – ein europaweites System? In: *Aschkenas* 9 (1999), S. 31–66, hier S. 47.

27 *Recueil de quelques pieces curieuses, servant à l' esclaircissement de l'histoire de la vie de la reyne Christine,* [Köln 1668]; SUSANNA AKERMAN, *Queen Christina of Sweden and her Circle: The Transformation of a Seventeenth-Century Philosophical Libertine*, Leiden 1991, S. 310–311; DIES., Queen Christina of Sweden and Messianic Thought, in: DAVID S. KATZ/JONATHAN I. ISRAEL (eds.), *Sceptics, Millenarians and Jews*, Leiden 1990, S. 142–160.

28 In Rotterdam kam es 1696 zu einem Aufstand, bei dem das Stadtpalais des „reichen Juden" Isaac de Pinto Zielscheibe des Pöbels wurde: SHLOMO BERGER, Isaac de Pinto's Testament: A Case of Multiple Images?, in: BRASZ/KAPLAN, *Dutch Jews* (wie Anm. 20), S. 79–91, hier S. 81, Anm. 9. In Amsterdam plünderte der Mob das Stadtpalais des de Pinto und raubte Juwelen, Münzen und andere Kostbarkeiten: RUDOLF M. DEKKER (ed.), *Oproeren in Holland gezien door tijdgenoten. Ooggetuigenverslagen van oproeren in de provincie Holland ten tijde van de Republiek, 1690–1750*, Assen 1979, S. 73. Er bedrohte auch das Stadtpalais des Jeronimo Nunes da Costa, der durch sein Erscheinen jedoch Schlimmeres verhindern konnte (ebd.). Siehe auch JONATHAN I. ISRAEL, Gregorio Leti and the Dutch Sephardim élite, in: ADA RAPOPORT-ALBERT/STEVEN J. ZIPPERSTEIN (eds.), *Jewish History. Essays in Honour of Chimen Abramsky*, London 1988, S. 267–284, erweiterter Nachdruck in JONATHAN I. ISRAEL, *Diasporas within Diaspora. Jews, Crypto-Jews and the World Maritime Empires (1550–1740),* Leiden 2002, S. 489–509.

29 KELLENBENZ, *Sephardim* (wie Anm. 1), S. 352.

30 HERMANN KELLENBENZ, Dr. Jakob Rosales, in: *Zeitschrift für Religions- und Geistesgeschichte* 7 (1956), S. 345–454, hier S. 353.

31 HERMANN KELLENBENZ, Königin Christine und ihre Beziehungen zu Hamburg, in: MAGNUS VON PLATEN (ed.), *Queen Christina of Sweden. Documents and Studies*, Stockholm 1966, S. 187–198, hier S. 198.

32 Das Protokollbuch (wie Anm. 3) erwähnt wiederholt das Bartrasieren, siehe zum Beispiel die Einträge vom 7. Tevet 5420, Bd. 9, S. 326, und vom 11. Tamuz 5430, Bd. 13, S. 113.

33 Siehe dazu DANIEL M. SWETSCHINSKI, *The Portuguese Jews of Seventeenth-Century Amsterdam: A Social Profile*, PhD Brandeis 1980, S. 61 ff.; DERS., *Reluctant Cosmopolitans* (wie Anm. 5); YOSEF HAYIM YERUSHALMI, *From Spanish Court to Italian Ghetto. Isaac Cardoso: A Study in Seventeenth-Century Marranism and Jewish Apologetics*, New York 1981, S. 216–301, 361–362.

34 MICHAEL STUDEMUND-HALÉVY, Die Hamburger Sefarden zur Zeit der Glikl, in: MONIKA RICHARZ (Hg.), *Die Hamburger Kauffrau Glikl. Jüdische Existenz in der Frühen Neuzeit*, Hamburg 2001, S. 195–222.

35 So versuchte der Hamburger Diogo alias Abraham Senior Teixeira seine Herkunft von der portugiesischen Aristokratenfamilie Teixeira de Sampayo nachzuweisen. 1643 gelang es ihm, eine Bestätigung darüber zu bekommen und das Recht, das Wappen der Sampayo zu führen. Und als Jude nahm er den Namen Abraham Senior an, um zu beweisen, dass er direkt von dem letzten Oberrabbiner Kastiliens abstammen würde. Und für Christina von Schweden verkörperte sein Sohn Manoel Teixeira geradezu den Prototyp eines gebildeten Aristokraten, siehe HERMANN KELLENBENZ, Das Testament von Manuel Teixeira, in: *Studia Rosenthaliana* 3,1 (1969), S. 53–61, hier S. 53; DERS., *Sephardim* (wie Anm. 1), S. 164–165; POHL, *Die Portugiesen* (wie Anm. 7), S. 87; BODIAN, *Hebrews* (wie Anm. 5), S. 89; STUDEMUND-HALÉVY, *Biographisches Lexikon* (wie Anm. 1), S. 790–795; JESSICA RODRÍGUEZ CORREAL, *Sephardische Juden im Hamburg der Frühen Neuzeit. Handlungsspielräume und Wirkungsweisen der sephardischen*

Juden im Hamburg des 17. Jahrhunderts am Beispiel der Familie Teixeira, Wissenschaftliche Hausarbeit zur Erlangung des ersten Staatsexamens an der Technischen Universität Darmstadt, Darmstadt 1999. Zum *hidalguísmo* siehe jetzt HARM DEN BOER, Sobre leales vasallos, o la actitud de los sefardíes hacia España y Portugal, in: *El sefardismo* (wie Anm. 22).

36 Im Pfalzgrafendiplom wurden Rosales' Verdienste um das spanische Königshaus und um das kaiserliche Haus in allgemeinen Wendungen erwähnt, siehe dazu KELLENBENZ, *Rosales* (wie Anm. 30), S. 350. Über Jacob Rosales siehe SOUSA VITERBO, Manuel Bocarro Francês, Medicos Poetas, in: *Archivos da Historia da Medicina Portugueza* 2 (1911), S. 5–29; STUDEMUND-HALÉVY, *Biographisches Lexikon* (wie Anm. 1), S. 232–235; FRANCISCO MORENO CARVALHO, Yaacov Rosales: Medicine, Astrology and Political Thought in the Works of a Seventeenth-Century Jewish Portuguese Physician, in: *Korot* 10 (1993–1994), S. 143–156; DERS., On the Boundaries of Our Understanding. The Case of Manoel Bocarro Francês – Jacob Rosales' Intellectual Life, in: CHARLES MEYERS/NORMAN SIMMS (eds.), *Troubled Souls*, Hamilton 2001, S. 65–75; DERS., A Newly Discovered Letter by Galileo Galilei: Contacts Between Galileo and Jacob Rosales (Manoel Bocarro Francês), a Seventeenth-Century Jewish Scientist and Sebastianist, in: *Aleph* 2 (2002), S. 59–91; DERS., Ya'aqov Rosales: Peraqim be-biografiah inteleqtu'alit shel rofe yehudi mi-mosa portugali me-ha-meah ha-17 (MS [1996]); MICHAEL STUDEMUND-HALÉVY/SANDRA NEVES DA SILVA, Jacob Rosales alias Imanuel Bocarro Francês: Ein Leben aus den Akten der Inquisition (in Vorbereitung); MICHAEL STUDEMUND-HALÉVY, Jacob Rosales, in: FRANKLIN KOPITZSCH/DIRK BRIETZKE (Hgg.), *Hamburgische Biografie*, Bd. 2, Hamburg 2003 (in Vorbereitung). Über Rosales und den Messianismus eines Konvertiten siehe MATT GOLDISH, Patterns in Converso Messianism, in: DERS./RICHARD H. POPKIN (eds.), *Millenarianism and Messianism in Early Modern European Culture, vol. 1: Jewish Messianism in the Early Modern World*, Dordrecht 2001, S. 41–63.

37 Siehe HANS-WOLFGANG KRAUTZ (Hg.), *Uriel da Costa, Exemplar humanae vitae – Beispiel eines menschlichen Lebens*, Tübingen 2001, S. 8.

38 Siehe STUDEMUND-HALÉVY/GABY ZÜRN, *Zerstört die Erinnerung nicht* (wie Anm. 1), S. 122–123; HERMANN KELLENBENZ, Tradiciones nobiliarias de los grupos sefardíes, in: *Actas del Primer Simposio de Estudios Sefardíes*, Madrid 1970, S. 49–54.

39 GALEAZZO GUALDO PRIORATO, Beschreibung von Hamburg im Jahre 1663, in: *Zeitschrift des Vereins für Hamburgische Geschichte* 1851, S. 49–50.

40 „Es wurde beschlossen, eine besondere Kutsche zur Beförderung der Leichen nach dem Bet Haim anzuschaffen. Mit dieser Besorgung werden die Vorsteher der Hevra beauftragt, welche auch ein Gelass zum Unterbringen der Kutsche besorgen sollen." CASSUTO, Protokollbuch (wie Anm. 3), vom 15. Tevet 5414, Bd. 6, S. 36.

41 STUDEMUND-HALÉVY, *Biographisches Lexikon* (wie Anm. 1), S. 794.

42 SCHUDT, *Merckwürdigkeiten* (wie Anm. 25), Bd. 1, V. Buch, 8. Cap., S. 374. Zu dem aufwendigen Lebensstil der Sefarden siehe STUDEMUND-HALÉVY, Die Hamburger Sefarden zur Zeit der Glikl (wie Anm. 34).

43 MICHAEL STUDEMUND-HALÉVY, Senhores versus criados da Nação: Portugueses, asquenasíes y tudescos en el Hamburgo del siglo XVII, in: *Sefarad* 60 (2000), S. 349–368.

44 Der wohlhabende Kaufmann Álvaro Dinis alias Semuel Jachia kam Anfang des 17. Jahrhunderts nach Hamburg, wo er sich um die Gründung und Konsolidierung der Portugiesengemeinde große Verdienste erwarb. Später ließ er sich in Glückstadt nieder. 1629 veröffentlichte er in Hamburg sein heute sehr seltenes Buch *Trinta Discursos*, eine Sammlung von dreißig Predigten in portugiesischer Sprache. Vgl. MICHAEL STUDEMUND-HALÉVY, Arabisch-sefardische Familiennamen bei den Hamburger Por-

tugiesen, Teil 1: Die Familie Marco-Dinis-Jahia, in: *Maajan* 42 (1997), S. 1008–1012; DERS., *Biographisches Lexikon* (wie Anm. 1), S. 501–502; JULIA R. LIEBERMAN, The Preacher Samuel ibn Yahya, Alias Alberto Dinis, and the Hamburg Sephardic Community in the 1620's (Ms.).

45 REUVEN FAINGOLD, Auf der Suche nach Identität – Der Prozess des portugiesischen Converso Vicente Furtado, 1600–1615 [hebr.], in: *Pe'amim* 46/47 (1991), S. 235–259, hier S. 244, Anm. 29. Álvaro Dinis wird in einigen Quellen auch Sklavenhändler genannt, vgl. BERTRAM WALLACE KORN, Slavers in London, Amsterdam, Antwerpen [American Jewish Archives [Cincinatti], Korn Files, 31–6; MS 31–3]. Siehe auch die Namen der in Lissabon und Madrid denunzierten Hamburger Portugiesen in: STUDEMUND-HALÉVY, *Biographisches Lexikon* (wie Anm. 1), S. 79–83. Ein ebenso interessanter wie kurioser Fall ist der des Glückstädter Kaufmanns, Schiffseigners und Mitglieds der ‚Dutch West Indien and Guinea Company' Moses Josua Henriques, der sich noch 1680 gut daran erinnern konnte, dass seine Großeltern wie auch viele andere Glückstädter Bürger portugiesischer Herkunft Afrikaner als Dienstboten gehabt hätten. Henriques besaß mindestens vier Mohren, von denen ihm einer jedoch 1680 von einem gewissen ‚Obrist Lieutenant' Johann Daniel von Richelieu aus vorgeblich religiösen Motiven entwendet wurde. In dem Prozess berief sich Henriques deshalb auf die Tatsache, dass seine „Vorfahren […] auch Mohren" gehabt hätten, ohne dass jemals aus religiösen Gründen daran Anstoß genommen worden wäre. Henriques erhielt durch königlichen Schiedsspruch schließlich seinen Mohren zurück. Jüdische Afrikaner und Mulatten waren wie in Amsterdam keine vollgültigen Gemeindemitglieder. Sie wurden an einer besonderen Stelle auf dem Friedhof bestattet, konnten nicht zur Sefer Tora aufgerufen werden oder an der Verlosung der Spenden teilnehmen. Zu Henriques siehe MICHAEL STUDEMUND-HALÉVY, ‚… zahlt dort mir hundert Dukaten per Stück' das Haus Gonzales Perreiro, in: *Tranvía* 45 (1997), S. 51–52, 67; CLAUS ULRICH u. a. (Hgg.), *Der Schwarze Trompeter von Plön*, Eutin 1996, S. 40–41. Über sefardische Sklavenhändler und ihr afrikanisches Personal in Hamburg und Glückstadt: STUDEMUND-HALÉVY, *Biographisches Lexikon* (wie Anm. 1), S. 665–667; DERS., Außen vor und mitten drin: Wie jüdisch waren die afrikanischen Hausangestellten der Sefarden?, in: *Macht und Religion im 16. und 17. Jahrhundert. Internationale Konferenz der Herzog-August-Bibliothek in Wolfenbüttel*, 2002 (in Vorbereitung). Siehe auch JONATHAN SCHORSCH, *Jews and Blacks in Early Colonial World, 1450–1800* (im Erscheinen). Über Álvaro Dinis und die Familie Henrique(s) siehe JOSEPH BEN BRITH (Manfred Bundheim), *Die Odyssee der Henrique-Familie*, Frankfurt a. M. 2001.

46 CASSUTO, Protokollbuch (wie Anm. 3), vom 15. Tamuz 5419, Bd. 8, S. 278–280; zu Debora Hana Naar siehe STUDEMUND-HALÉVY, *Biographisches Lexikon* (wie Anm. 1), S. 665–668.

47 Die Erwähnung der überlegenen Bildung der Portugiesen gehört zum Standardrepertoire aschkenasischer Gelehrter, die häufig erst in Hamburg oder Amsterdam mit der sefardischen Welt in Kontakt gerieten. Bereits Josef ben Alexander Witzenhausen (1610–1686) berichtet in der Einleitung zu seiner Amsterdamer Bibelübersetzung, dass er für die Anfertigung der Übersetzung „wie viel mahl gegangen in die Schulhäuser der Spanier und Portugisischen Weisen / mein Fels und mein Erlöser behüte sie / dieselbige seyen große Meister im Gesetze / und mächtige Besuchte in dem Gesetz / den Propheten / und andern heiligen Schriften / und hab mich nit geschämt zu fragen / wen ich ein Wort nit wohl hab können in sein Teutsch brengé". Die Übersetzung wurde von dem portugiesischen Buchdrucker Joseph Athias gedruckt. Siehe *Biblia pentapla*, Wandsbek 1710 (unpag. Vorreden), S. 14. Shabbetai Meshorer Bass, der ursprünglich aus Kalisz in Polen stammte, ist von der Organisation und Bildung der

portugiesischen Gemeinde tief beeindruckt. Im Vorwort zu seinem bibliographischen Werk „Lippen der Schlafenden" listet er insgesamt 2200 Titel auf, nicht nur hebräischsprachige Literatur und einzelne Titel rabbinischer Werke in lateinischer Übersetzung, die er zum größten Teil in den sefardischen Bibliotheken Amsterdams vorfand. Ein weiteres Beispiel für die Beeinflussung der Aschkenasim durch die Sefardim ist der im Jahre 1749 in Norddeutschland in jüdisch-deutscher Sprache erschienene „Liebes Brief". Der Autor, Isaak Wetzlar, war ein Kaufmann aus Celle, der die Parnassim der Aschkenasim, aber auch ihre Rabbiner und Gelehrten für den geringen Bildungsstand der Juden in Deutschland verantwortlich machte. Die geringen Hebräischkenntnisse unter den deutschen Juden führten, so Wetzlar, dazu, dass viele aschkenasische Juden ihre Gebete nicht mehr verstünden und auch über die Grundlagen der jüdischen Religion nicht mehr Bescheid wüssten. Deshalb sollten sie in Jüdisch-Deutsch beten, gleich den sefardischen Juden, die auch auf Spanisch oder Portugiesisch lernen und beten würden (siehe dazu Morris M. Faierstein, *The Libes briv of Isaac Wetzlar*, Atlanta 1996). Und über Naftali Hartwig/Hirz Wessely (1726–1805), der den weltläufigen Lebensentwurf der Sefardim auf die Aschkenasim übertragen wollte und der die sefardische Aussprache des Hebräischen propagierte, schreibt M. Bondi, dass dieser „mit einem Sinn von der Natur begabt [sei], veredelt, und durchdrungen von dem Geist der gedankenreichen, wahrheitsvollen, trefflichen Schriften der spanisch-portugiesisch-italienischen Schule", zitiert nach: M. Bondi, Beitrag zur Geschichte der Herkunft des Gelehrten Hartwig Wessely, in: *Shulamit* 5, 1 (1817–1818), S. 94–95, hier S. 94. Über Wessely und seine Beziehung zu den Hamburger Sefarden siehe Michael Studemund-Halévy, *Biographisches Lexikon* (wie Anm. 1), S. 842–844.

48 Schudt, *Merckwürdigkeiten* (wie Anm. 25), Bd. 1, V. Buch, 8. Cap., S. 374.

49 Yosef Kaplan, *From Christianity to Judaism. The Story of Isaac Orobio de Castro,* Oxford 1989, S. 128–129.

50 Das Haus wurde der Königin 1668 für 17 000 Taler verkauft, doch nicht in die Stadtbücher eingetragen, da auf Grund eines Beschlusses vom 11. August 1658 der Adel in Hamburg keinen Grundbesitz erwerben durfte. 1689 kaufte es für 13 000 Taler der kaiserliche Gesandte Baron von Gödens, der es als Sitz der kaiserlichen diplomatischen Vertretung in Hamburg einrichtete, siehe Kellenbenz, Königin Christine (wie Anm. 31), S. 190.

51 Åkerman, *Queen Christina and her Circle* (wie Anm. 27), S. 190.

52 Kellenbenz, Königin Christine (wie Anm. 31), S. 196.

53 Kellenbenz, *Sephardim* (wie Anm. 1), S. 53–54, 394.

54 Israel, *Gregorio Leti* (wie Anm. 28), S. 274.

55 Kellenbenz, *Sephardim* (wie Anm. 1), S. 33–54, 394–396.

56 Kellenbenz, *Sephardim* (wie Anm. 1), S. 395.

57 *SEPULTURA / DE YSHACK HAIM / CEÑOR TEIXEIRA / QUE FOY RECOLHIDO / DESTA PARA MELHOR / VIDA EM 13 DE SIVAN / DO ANNO 5464* (Grab des Isaac Haim Senior Teixeira, der aus diesem in ein besseres Leben versammelt wurde am 13. Sivan des Jahres 5465. Seine Seele sei eingebunden in das Bündel des Lebens), in: David Henriques de Castro, *Keur van Grafstenen op de Nederl.-Portug.-Israel. Begraafplaats te Ouderkerk aan den Amstel,* Leiden 1883, S. 103 [erweiterter Nachdruck, Ouderkerk 1999].

58 Siehe Jonathan Israel, Duarte Nunes da Costa alias Jacob Curiel aus Hamburg, 1585–1664, in: Studemund-Halévy, *Die Sefarden 1* (wie Anm. 1), S. 267–290; ders., *Biographisches Lexikon* (wie Anm. 1), S. 379–384.

59 StAH, HS, Nr. 472 a–e.

60 „Et in questo genere il signor Resident Teixeira fa grande honore alla città, poiche so sforza più d'ogni altro ad honorare e accarezzare gli stranieri, e a trattar con molta

prudenza e amorevolezza con cittadini, di modo che la sua casa splendissima in ogni cosa, sembra un Teatro, e un Albergo della Gentilezza", GREGORIO LETI, *Ritratti historici, politici, chronologici e genealogici della Casa Serenissima, e elettorale di Brandenburgo*, Amsterdam 1687, Bd. 2, S. 378. Ob Leti auch Hamburg besucht hat bzw. mit Hamburgern korrespondierte, ist nicht bekannt, kann aber vermutet werden (mündliche Mitteilung von Jonathan I. Israel). Seine Bücher jedoch waren einigen Hamburger Portugiesen bekannt. Siehe dazu STUDEMUND-HALÉVY, Abas (wie Anm. 22).

61 StAH, Senat, CI. VII Lit. Hf Nr. 5, vol. 3a, Fasc. 5, Senatsprotokoll, 10. August 1699, apud BRADEN, *Judenpolitik* (wie Anm. 1), S. 517, Anm. 579. Für den Lutheraner Müller ging gerade von Höflingen, Soldaten und Männern von Welt, die durch ihre Weltläufigkeit unterschiedliche Kulturen und Religionen kennen gelernt hatten, die größte Gefahr für den gläubigen Menschen aus (JOHANNES MÜLLER, *Atheismus devictus*, Hamburg 1672, S. 32, apud JONATHAN I. ISRAEL, *Radical Enlightenment. Philosophy and the Making of Modernity 1650–1750*, Oxford 2001, S. 61–62).

62 ISRAEL, *Gregorio Leti* (wie Anm. 28), S. 276, 284, Anm. 48.

63 Ebd., S. 274.

64 *Catalogue de vente de la succession de feu M. D. Henriques de Castro*, Amsterdam 1899, S. 44–45. Sein Sohn Jeronimo Nunes da Costa alias Mose Curiel, Agent der spanischen Krone in den Niederlanden, stellte sie später dem Amsterdamer Drucker Joseph Athias zur Verfügung, als dieser 1667 seine berühmte „Biblia Hebraica" druckte, die Daniel Levi de Barrios, der Amsterdamer Chronist der Portugiesengemeinde, als die „berühmteste Veröffentlichung in unserer Stadt" bezeichnete.

65 Siehe dazu die gründliche und gut dokumentierte Studie von HARM DEN BOER, *La literatura sefardí de Amsterdam*, Alcalá de Henares 1995, S. 57–66.

66 *Retrato del Tabernaculo de Moseh*, Amsterdam 5414/1654. Und 1688 widmet ihm JOSEF PENSO DE LA VEGA sein wohl berühmtestes Buch *Confusion de Confusiones*, Amsterdam 1688.

67 AKERMAN, *Queen Christina and her Circle* (wie Anm. 27), S. 192.

68 Riksarkivet Stockholm, Excerpter Hamburg, Azzolino Collection 36 K 429, Astrologica.

69 StAH, Senat, CI. VII Lit. Hb Nr. 3, vol. 2b (Diarium des Senior Schultz), Bl. 18, 28. März 1688. In seinem Buch behauptet Kempe, dass die Christen Götzendienst betreiben und erst eine Rückkehr zum Sabbat das Christentum neu beleben würde. Als er sich in Hamburg niederlassen wollte, wurde er vom Rat der Stadt ausgewiesen. Ebenfalls 1688 erschien in Hamburg die Gegenschrift *Warhaffter Nachricht von dem was Andreas Kempe medicinae practicus in dem Buch genand Israels erfreul. Botschaften. Welches er dem Juden Manuel Texeira der Königin Christinen Residenten in Hamburg zugeschrieben für irrige … Punct enthalten.* 1671 widmete ihm JACOB JEHUDA LEON TEMPLO das Buch *Las Alabanças de Santidad*, Amsterdam 5431/1671, und 1683 JOSEPH PENSO DE LA VEGA das Buch *Discurso Academico Moral y Sagrado*, Amsterdam 1683.

70 Über ihn STUDEMUND-HALÉVY, *Biographisches Lexikon* (wie Anm. 1), S. 678–684.

71 SUSANNA AKERMAN, *Christina of Sweden (1626–1689), the Porta Magica and the Italian poets of the Golden and Rosy Cross*, ungedrucktes Ms.

72 Zu Borri siehe den Artikel von S. ROTTA, in: *Dizionario biografico degli Italiani*, Rom 1871, Bd. 13, S. 4–12.

73 Als Christine von Schweden später einen Brief von ihrem Vertrauten Kardinal Azzolini erhielt, der ihr mitteilte, dass Borri ein gefährlicher Häretiker sei, der 1661 *in effigie* verbrannt worden sei, brach sie den Kontakt zu Borri ab. Siehe auch HENRY CHARLES LEA, *A History of the Inquisition of Spain*, New York/London 1922, Bd. 4, S. 44–45.

74 AKERMAN, *Queen Christina and her Circle* (wie Anm. 27), S. 192.

75 Zu Mussaphia siehe DAVID MARGALIT, Rav Binjamin Mussaphia. Rabbiner, Arzt, Philologe und Schriftsteller [hebr.], in: *Korot* 2, 7–8 (1960), S. 307; FRANCISCO MORENO DE CARVALHO, *Binjamin ben Imanuel (Dionysius) Mussaphia, médico, filólogo e alquimista judeu sefaradi do século XVII* (ungedr. MS). Über Mussaphia und Hamburg siehe STUDEMUND-HALÉVY, *Biographisches Lexikon* (wie Anm. 1), S. 660–661.

76 Nach dem Einmarsch der Schweden residierte Salvius ab 1631 als Generalkriegskommissar für den niedersächsischen Kreis in Hamburg. Später war er vorbereitend für die Friedensverhandlungen in Osnabrück tätig, dort allerdings nominell nur als zweiter Mann hinter Johan Oxenstierna. Später stand er in Diensten der Christine von Schweden. Über Johan Adler Salvius, Christina von Schweden und ihren Hamburger Residenten Dr. Baruch de Castro, der sie vermutlich auch mit Büchern versorgte, siehe SUSANNA ÅKERMAN, Johan Adler Salvius' Questions to Baruch de Castro concerning ‚Der tribus impostoribus', in: SILVIA BERTI/FRANÇOISE CHARLES-DAUBERT/RICHARD H. POPKIN (eds.), *Heterodoxy, Spinozism, and Free Thought in Early-Eighteenth-Century Europe. Studies on the ‚Traité des trois imposteurs'*, Dordrecht 1996, S. 397–423. Über Adler Salvius und Baruch de Castro siehe FRIEDRICH NIEWÖHNER, *Veritas sive Varietas*, Heidelberg 1988, S. 353–366.

77 Dass sie sich kannten, geht aus der Tatsache hervor, dass Mussaphia und Jacob Rosales 1642 Widmungsgedichte bzw. Widmungsschreiben für den 1. Band der gesammelten medizinischen Werke von ABRAHAM ZACUTUS LUSITANUS beisteuerten. Auch für den 2. Band der Opera Omnia verfassten Mussaphia ein Widmungsschreiben und Rosales einen medizinischen Text.

78 JOHANNES MÜLLER, *Judaismus oder Judenthumb*, Hamburg 1644, S. 1454. Zu Johannes Müller siehe BRADEN, *Judenpolitik* (wie Anm. 1).

79 Einen umfangreichen Kommentar zu Mussaphias Epistel verfasste JOHANN LUDWIG HANNEMANN, *Ovum Hermetico-Paracelsico-Trismegistum (sic!) Commentarius-philosophico-chemico-medicus*, Frankfurt 1694. Diese heute sehr seltene Schrift druckte SCHUDT 1714 in seinen *‚Jüdischen Merckwürdigkeiten'* (wie Anm. 25) ab: Bd. 3, S. 329. Siehe dazu auch RAPHAEL PATAI, *The Jewish Alchemists*, Princeton 1994, S. 437–446; GERSHOM SCHOLEM, *Alchemie und Kabbala*, Frankfurt a. M. 1994, S. 78–79.

80 Scholem führt eine anonyme Schrift an, die er 1938 in Amerika gesehen hat: *Moses Güldenes Kalb / nebst dem magischen-Astralischen-Philosophischen-absonderlich dem cabalistischen Feuer / vermittelst welchem letzterem Moses / der Mann Gottes / dieses güldene Kalb zu Pulver zermalmet / aufs Wasser gestäubet und den Kindern Israel zu trinken gegeben*, Frankfurt a. M. 1723, apud SCHOLEM, *Alchemie und Kabbala* (wie Anm. 79), S. 79. Der Autor dieser 222 Seiten starken Schrift ist übrigens Lambert Alard.

81 Der einzige Kommentator, der diese Bibelverse mit der Alchimie in Verbindung bringt, ist Abraham ibn Ezra (1089–1164). In seinem Bibelkommentar *Miqraot Gedolot*, der 1880 in Warschau erschien, kommentiert Abraham Ibn Ezra den Namen Me-Zahav (Goldwasser) mit den Worten: „Dies ist sein Name, und der Rabbi Saadia Gaon sagte, Veredler von Gold und andere sagten, dies sei ein Hinweis auf jene, die Gold aus Kupfer machen, aber dies sind Worte des Windes." Und zum Goldenen Kalb führt er aus: „Einige sagen, dass Mose es verbrannte, was bedeutet, dass er es im Feuer zu Staub zermahlte. Aber diese Erklärung ist unnötig, denn es gibt eine Substanz, die, wenn man sie zusammen mit dem Gold ins Feuer legt, das Gold sofort verbrennt und dann schwarz wird, und es wird niemals wieder zu Gold werden. Und dies ist bewiesen und wahr", zitiert bei: PATAI, *The Jewish Alchemists* (wie Anm. 79), S. 149–150, 443–445.

82 Über Hofjuden als Alchimisten siehe auch den Beitrag von DIETER BLINN, „Man will ja nichts als Ihnen zu dienen, und das bisgen Ehre." Die Hofjuden Herz und Saul Wahl im Fürstentum Pfalz-Zweibrücken, in diesem Band.

83 „Y en las dhas Synagogas haçian los ritos y çeremonias de Iudios y publicam[ente] se portaban y trataban como tales, y eran estimados, y reputados por Iudios, y viuen con tanta liuertad, como en Amsterdam, menos, el que no tienen synagoga publica, y las quatro, son particulares, que las tienen los sussodichos en su casas“, AHN, Inq., lib. 1127, f. 100r.

84 Cassuto, Protokollbuch (wie Anm. 3), Bd. 6, S. 53.

85 Livro da Nação (wie Anm. 3), Bd. 1, f. 126.

86 Cassuto, Protokollbuch (wie Anm. 3), Bd. 6, S. 39.

87 Ebd., Bd. 6, S. 39.

88 Ebd., Bd. 8, S. 285.

89 Ebd., Bd. 8, S. 252–253, 275–276. Siehe auch Braden, *Judenpolitik* (wie Anm. 1), S. 262.

90 Cassuto, Protokollbuch (wie Anm. 3), Bd. 8, S. 234–235; Kellenbenz, *Sephardim* (wie Anm. 1), S. 95.

91 Zu dieser auch als *hezkat hayishuv* bekannten und zum Beispiel von den sefardischen Gemeinden in Amsterdam, Bordeaux und Hamburg praktizierten Abschiebepraxis siehe weitere Eintragungen im Hamburger Protokollbuch (wie Anm. 3). Siehe auch L. Rabinowitz, *The Herem Hayyishub. A Contribution to the Medieval Economic History of the Jews*, London 1945, S. 16–22; Zvi Lokker, *Jews in the Caribbean*, Jerusalem 1991, S. 21.

92 Jacob Sasportas, *Kizzur Zizat Novel Zevi*, Amsterdam 1737, fol. 4a. Über Sasportas und seine Beziehung zu Hamburg siehe Studemund-Halévy, *Biographisches Lexikon* (wie Anm. 1), S. 778–780.

93 Nachdem die Familie Teixeira nach Amsterdam übergesiedelt war, wurde die Stiftung dort im Jahre 1777 als „Teixeira de Mattos-Stiftung“ erneuert. Zu den portugiesisch-jüdischen Stiftungen in Hamburg siehe jetzt Günter Hönicke, *Jüdische Stiftungen und Legate in Hamburg bis 1943*, Hamburg 2001.

94 Er regte eine Stiftung zur Auslösung von Gefangenen an. Am 26. Elul 5413/17.9.1653 wurden z. B. Jacob Abas und am 25. Elul 5425/5.9.1665 Jacob Fidanque zu *Gabaim* dieses Unterstützungsvereins gewählt, siehe Cassuto, Protokollbuch (wie Anm. 3), Bd. 6 (1909), S. 32, und Bd. 10 (1913), S. 278.

95 Vgl. Babylonischer Talmud, Baba Batra, 8 b: „Der Freikauf von Gefangenen ist ein wichtiges Gebot“. Siehe auch Shulkhan Arukh, Yore De'ah 252, 9. Zum Freikauf von jüdischen Gefangenen in der Frühen Neuzeit siehe die Studien von Eliezer Bashan, *Captivity and Ransom in Mediterranean Jewish Society, 1391–1830* (hebr.), Bar Ilan 1980; ders., La cause des Juifs. Le rachat des Juifs dans la société juive méditerranéenne du XIVe au XIXe siècle, in: Shmuel Trigano (ed.), *La Société Juive à travers l'histoire,* Bd. 4, Paris 1993, S. 463–472; Evelyne Oliel-Grausz, Cours et parcours maritimes des Séfarades, in: *Les Cahiers du Judaisme* 7 (2000), S. 14–28.

96 Siehe z. B. Cassuto, Protokollbuch (wie Anm. 3), Bd. 6 (1909), S. 51.

97 Daniel M. Swetschinski, Kinship and Commerce: The Foundations of Portuguese Jewish Life in Seventeenth-Century Holland, in: *Studia Rosenthaliana* 15 (1981), S. 58–74. Zur Stellung und Bedeutung der hamburgischen Residenten siehe vor allem Kellenbenz, *Sephardim* (wie Anm. 1), S. 323–419.

98 Siehe dazu Kellenbenz, *Sephardim* (wie Anm. 1), S. 324.

Spuren der Realität in der Erinnerung? Zu Grabsteininschriften und Memorbucheinträgen für Hofjuden

Martina Strehlen

> Mordechai ging in den Lichtbereich des höchsten Königs im Monate der Gewaltigen.
> Sein Abgang hinterließ starke Spuren – überall Seufzen und Klagen.
> Jedes Herz ist betrübt über den Verlust des Mannes, der das Haupt der Vornehmen war.
> Denn wahrlich nicht reicht der Stein aus, um die Größe Mordechais zu beschreiben.
> Er bewegte sich auf dem Gebiete der Halacha wie aus den alten Geschlechtern einer.
> Er wußte die von ihnen behandelten Gegenstände nach allen Seiten zu beleuchten.
> Allerorts der erste Redner, vereinigte er Aller Blicke auf sich.
> Bekannt war überall sein Name als ein Mann, der stets nach Frieden und Wohltun jagte.
> Er hüllte sich fest in Gewänder des Heils und in Kleider der Milde.
> Viele Menschen und ganze Gemeinden errettete er vor Vertreibungen und schweren Leiden.
> Wehe über den Sturz dieses Hauses, des Mittelpunktes der Weisen!
> Es schmilzt in Flammen das Herz über diese Botschaft: ‚Verloren sind die Kriegsgeräte, verloren der Kriegsschild'.
> Er starb mit einem guten Namen, wohlriechender als Öl, schuldlos wie am Tage der Geburt.
> In Gebet und Andacht flog seine Seele dahin
> in ein Leben einer wahren Welt zum Genusse der hehren, lichten Ruhe.[1]

Marx Schlesinger, mit jüdischem Namen Mordechai ben Benjamin Wolf Margulies-Jafe, der so Geehrte, starb 1754 in Wien als Kaiserlicher Hoffaktor und Armeelieferant. Das überschwängliche Lob seiner Grabinschrift wirft die Frage auf, ob es sich bei einer solchen Aufzählung nicht einfach um Übertreibungen handelt. Wurde hier jemandem, etwa von seiner Familie, die die Inschrift vielleicht in Auftrag gab, ein Denkmal gesetzt, das weniger eine realitätsnahe Beschreibung seines Lebens bietet als vielmehr stereotype Lobpreisungen aneinandereiht? Oder mit anderen Worten, in welchem Verhältnis stehen der Inhalt einer Grabsteininschrift und Leben und Charakter des Verstorbenen zueinander?

Dieser Frage soll im Folgenden anhand ausgewählter Grabinschriften für Hofjuden nachgegangen werden, die damit zugleich auf ihren Wert als Quellen kritisch geprüft werden. Der Beitrag wird eine Einführung in die Thematik bieten, die sich auf Sammlung und vergleichende Analyse von Grabinschriften beschränkt und sie in den Kontext jüdischer Memorialkultur v. a. auf dem Friedhof stellt. Eine kritische Befragung der Inschriften etwa auf ihren topologischen Gehalt oder die Einbettung ihrer textlichen Gestaltung in den sozialen Kontext der jüdischen Gemeinden muss vorerst einer weiteren Analyse vorbehalten bleiben. Geographisch beschränke ich meine Ausführungen auf aschkenasische Epitaphien und Memorbucheinträge für Hofjuden innerhalb des deutschsprachigen Raumes, ungefähr vom Anfang des 18. bis zur Mitte des 19. Jahrhunderts. Da diese bis ins 19. Jahrhundert fast ausschließlich in hebräischer Sprache abgefasst wurden, liegt mein Hauptaugenmerk auf den hebräischen Texten. Wenn ich aus deutschsprachigen Inschriften zitiere, werde ich eigens darauf hinweisen.

Einigen einführenden Informationen zur inhaltlichen Gestaltung von Grabsteininschriften folgt die Analyse der Beispiele aus dem Kreis der Hofjuden. Dabei geht es um die Erwähnung von Ämtern, Verdiensten und Aktivitäten ebenso wie um deren Bewertung in Form der Eulogien. Mit einer Hannoveraner Hofjudenfamilie des 18. Jahrhunderts wird zum Schluss das Spektrum der inhaltlichen Gestaltung des Gedenkens in seinem individuellen und gemeindlichen Kontext exemplarisch vorgestellt.

Zur Einführung

Wie es das gerade zitierte Beispiel verdeutlicht, enthalten hebräische Grabsteininschriften häufig mehr als nur Namen und Daten. Sie geben vielmehr Informationen über das Leben der Verstorbenen und bewerten deren Werke und Verdienste. In vielen Gemeinden wurden außerdem Memorbücher geführt. Sie enthalten Texte, welche ebenfalls zum Gedenken der Toten dienen. Diese können durchaus den Grabsteininschriften ähneln oder inhaltlich fast identisch sein, jedoch auch längere oder kürzere Texte umfassen. Da für den Eintrag eine Geldspende gegeben werden musste, wurde darin jedoch nicht jede Person eingetragen.

Über die Verfasserschaft von Grabsteininschriften lässt sich meist nur spekulieren, da die Quellenlage in dieser Frage in aller Regel nichts bietet. Meist bestimmten wohl die Hinterbliebenen oder die örtliche Beerdigungsbruderschaft (*Chewra Kaddischa*) über den Inhalt der Texte. Bei Bedarf zog man Rabbiner oder andere Gelehrte hinzu, die aufgrund ihrer Bildung in der Lage waren, anspruchsvolle Inschriften zu verfassen. Bisweilen legte jemand testamentarisch den Inhalt und/oder Wortlaut seiner eigenen Grabsteininschrift fest. Besonders Fromme verfügten manchmal, dass ihre Grabsteininschriften als Zeichen der Demut keinerlei Lob enthalten sollten. Vor allem Letzteres könnte, wenn man über diese Verfügung nicht informiert ist, zu falschen Schlüssen führen.

Zum Inhalt von Grabsteininschriften und Memorbucheinträgen: Ämter, Verdienste und Aktivitäten

Der weltliche Beruf oder Gelderwerb wird traditionell nur in Andeutungen erwähnt: So ist die Aussage, „jemand handelte und wandelte in Verlässlichkeit", eine Anspielung auf den Händlerberuf des Verstorbenen. Die diversen Hofagenten und -faktorentitel finden allerdings in den hebräischen Inschriften lange Zeit keine Erwähnung.

Erst seit dem 19. Jahrhundert – mit dem wachsenden Einfluss der nichtjüdischen Umgebung und dem damit einhergehenden Repräsentationsbedürfnis – werden auch weltliche Titel genannt. Die auf dem Grabstein des in Württemberg tätigen Jacob Kaulla genannten Titel sind „Kaiserlich Königlicher Österreichischer Rath und Königlich Württembergischer Hofbankier" (deutsch in hebräischen Buchstaben) und „K. K. Rath" (deutsch).[2] Seine Gattin Michle Kaulla wird auf ihrem Grabstein nach bürgerlicher Sitte mit dem Titel ihres Ehemanns bezeichnet, nämlich als „Räthin (Ratgeberin)" in deutscher und hebräischer Sprache.[3] Natan Süßel Bing, Sohn des hessen-hanauischen Hofagenten Süßel Bing, war laut deutscher Grabsteininschrift „landgräflich-hessischer Hof-Commissär", der hebräische Text deutet sein Amt mit der Formulierung „geehrt und berühmt bei Räten und Fürsten" an.[4]

Traditionell verweisen die Inschriften fast ausschließlich auf innerjüdische (Gemeinde-)Funktionen, Ämter und Titel, wie z. B. bei Rabbinern, Ärzten, Hebammen, Lehrern, Synagogendienern und anderen mehr. Ämter, die häufig von Hofjuden übernommen wurden, weil für diese Tätigkeiten Reichtum oder gute Beziehungen zu den Herrschern notwendig waren, sind vor allem das Amt des *Stadlan* (Fürsprechers), des Gemeinde- oder Landesvorstehers und des *Gabbai* (des Steuereinnehmers oder Schatzmeisters). So war z. B. der Kurkölner Hoflieferant Jakob Oppenheimer zusätzlich als Steuereinnehmer der Landjudenschaft tätig.[5]

Selbstverständlich wird auf den Grabsteinen der genaue Grad einer möglichen religiösen Bildung erwähnt. So finden sich neben dem Titel „unser

Lehrer und Meister", der Rabbinern vorbehalten ist, auch Titel, die eine gute Kenntnis der heiligen Schriften voraussetzen, wie „unser Meister" oder *torani* (Toragelehrter).

Herausragende religiöse Bildung ist bei Hofjuden erwartungsgemäß nicht sehr häufig. Nur wenige hatten die Muße, Bereitschaft oder Fähigkeit, sich neben ihrer Arbeit regelmäßig Zeit für religiöse Studien zu nehmen. Allerdings gab es auch hochgelehrte Hofjuden, von denen einige als Rabbiner tätig waren, wie z. B. der berühmte Kaiserliche Oberfaktor Samson Wertheimer in Wien[6] oder sein Schwiegersohn, der Kaiserliche Faktor Moses Löb Isaak Kann in Frankfurt a. Main.[7]

Die Eulogie: das Lob des Verstorbenen

Neben den Fakten und Daten enthält die Eulogie durch ihre Wertungen einen besonders interessanten Teil der Inschrift. Prinzipiell gilt die Konvention, nichts Schlechtes über Verstorbene zu sagen, andererseits aber auch kein falsches Lob zu erteilen. Daher ist in Eulogien nicht nur beachtenswert, was über die Verdienste der betreffenden Person gesagt wird, sondern auch das, was nicht erwähnt wird.

Innerhalb der Eulogie lassen sich oft verschiedene Themenbereiche unterscheiden. Als allgemeines, weniger individuelles Lob verstehe ich neben dem bereits erwähnten „Handeln und Wandeln in Verlässlichkeit" als Anspielung auf den Händlerberuf Aussprüche wie „ein lauterer und aufrechter Mann" (nach Hiob 1,1), „eine angesehene und teure Frau" und Ähnliches mehr. Beliebt sind Anspielungen auf Persönlicheres. Im folgenden Beispiel, das aus der Grabsteininschrift für den hoch- und deutschmeisterlichen Hoffaktor für Mergentheim und Kurköln, Baruch Simon, stammt, werden der Name und der Todestag erwähnt: „Gesegnet (hebr.: *Baruch*) war er bei seiner Ankunft und gesegnet bei seinem Ausgange, denn am Ausgang des Versöhnungstages erlosch sein Licht [...]."[8]

Daneben gibt es Hinweise auf die Frömmigkeit, Religiosität oder Wohltätigkeit des/der Verstorbenen. Die Wohltätigkeit gilt als Verpflichtung der Reichen, den Ärmeren zu helfen. Verdienste von Hofjuden sind u. a. die Unterstützung von Gelehrten und Studenten durch Geld, Verpflegung und Unterbringung, die Gründung von Lehrhäusern, Synagogen oder Stiftungen[9], das Spenden von Gerätschaften für die Synagoge, die Finanzierung des Drucks heiliger Schriften[10], das Eintreten für Arme, Witwen und Waisen, das Verheiraten unbemittelter Mädchen, das Auslösen von Gefangenen, der Erweis von Liebeswerk, also wohltätiges Handeln im privaten Bereich oder im

Rahmen der in jeder jüdischen Gemeinde bestehenden Vereine (z. B. *Chewra Kaddischa*). Wohltätigkeit war nicht nur auf die Glaubensgenossen beschränkt, wie zum Beispiel aus der Grabsteininschrift für den Heereslieferanten und Einnahme-Pächter Naftali Hirz Kuh zu erfahren ist: „In den Hungerjahren schickte er von Wien nach Prag Getreide in Menge und ließ es geschenkweise verteilen. Die Armen Israels und die, die nicht zu unserem Volke gehören, wurden in gleicher Weise beteilt."[11] Diese Aktivitäten deckten sich mit denen von anderen Angehörigen der jüdischen Oberschicht.

Zur weiteren Verdeutlichung mögen hier einige Beispiele folgen; zunächst Formulierungen, die eher Standardtexte genannt werden können. Über den hessen-hanauischen Hofagenten und Gemeindevorsteher Süßel Bing wird Folgendes berichtet: „Er mühte sich mehrere Jahre lang für die Gemeinde, handelte und wandelte in Verlässlichkeit, und er gehörte der Heiligen Bruderschaft der Totengräber [=*Chewra Kaddischa*] an [...] und übte sich im Erweis von Liebeswerken. Sein Gebet verrichtete er in Andacht [...]."[12] Der Kurpfälzische Faktor, Vorsteher und Schatzmeister der Gemeinde Frankfurt a. M., Isaak Moses Goldschmidt (Hameln SeGaL) Zur Vorder-Wanne „widmete sich den Angelegenheiten der Gemeinde, diente Gott in Ehrfurcht und Liebe, und all sein Trachten geschah um des Himmels willen".[13]

Deutlich individueller formuliert sind Aussagen wie jene über den in Berlin lebenden Baruch Minden, einen Hofjuden des Großen Kurfürsten Friedrich Wilhelm: „Er ging früh am Abend und am Morgen zur Synagoge, um zu beten und sein Herz auf Gott, den Ehrfurchtgebietenden und Erhabenen zu richten."[14] Über den Hannoveraner Hofbankier Leffmann Behrens wird berichtet, „er setzte sich feste Zeiten für die Thora und lernte jeden Abend und jeden Morgen vor dem Gebet und nach dem Gebet".[15] Die hier gemachte Aussage, der Verstorbene hätte sein Gebet in Andacht oder zu festen Zeiten verrichtet, umschreibt, dass der Betreffende neben seiner beruflichen Tätigkeit darauf achtete, die täglichen Gebetszeiten einzuhalten und/oder morgens und abends in die Synagoge zu gehen. Vor dem 18. Jahrhundert sind solche Formulierungen selten, da das regelmäßige Beten damals für Männer als selbstverständlich angesehen wurde. Erst seit der Aufklärung, und vor allem im Laufe der Emanzipation im 19. Jahrhundert, wird es immer häufiger erwähnt – ein Zeichen der sich ändernden, nun an die nichtjüdische Umwelt angepassten Werte, zu denen die traditionelle Frömmigkeit nicht mehr selbstverständlich gehörte.

Prinzipiell ist im Judentum jeder Mann dazu verpflichtet, täglich Tora zu lernen. Wer wegen seiner Geschäfte verhindert oder aus anderen Gründen nicht dazu in der Lage ist, wird ausdrücklich dazu aufgefordert, andere Lernende zu unterstützen und damit seine religiösen Pflichten abzugelten. Aus dieser Hochachtung vor der religiösen Bildung resultiert die ehrenvolle Stellung der Gelehrten und Gelehrtenschüler.

Samuel Oppenheimer, seinerzeit bedeutendster jüdischer Hoffaktor Wiens, der selbst keine rabbinische Bildung besaß, wird in den jüdischen Quellen als demütiger und bescheidener, die Gelehrten ehrender Mann beschrieben.[16] Seine Grabsteininschrift rühmt ihn als großen Wohltäter. Ich zitiere eine kurze Passage aus der langen Inschrift:

> Mitten in seinen großen Geschäften pflegte er der Weisheit (sic!). All seine Tage sich dem Dienste seines Volkes hingebend, war er ihm Schutz und Schirm, Mauer und Riegel. Sein reiches Haus stand offen, seine wohltätige Hand war immer zum Geben bereit. Nahen und Fernen verschaffte er Nahrung und Ruhe, er selbst konnte sich mit einem Krautgerichte begnügen. Er war der große Fürsprecher, der überall, in alten und neuen Gemeinden, dauernde Denkmäler errichtet, Bethäuser gebaut, Lehrhäuser gepflanzt, Bauten aufgeführt und verschwenderisch die Armen beteilt hat.[17]

Aus anderen Quellen wissen wir, dass hier keineswegs übertrieben wurde.

Neben Verdiensten auf den Gebieten der Religion und der Wohltätigkeit werden auch Bemühungen gewürdigt, die der Betreffende im Rahmen seiner Tätigkeit als Vorsteher oder *Stadlan* aufbrachte. Charakteristische Beschreibungen sind z. B. die beliebte Formulierung: „verschwunden ist der, der einen Schutzwall um die Gemeinde gezogen hat";[18] das auf bestimmte Verdienste anspielende „dieses (Grab-)Mal setzten wir zu Häupten des Mannes, der den Zoll abschaffte und die Einrichtung des Lehrhauses veranlaßte, auf daß darin gelernt werde wie dem Gesetz gemäß und unverbrüchlich"[19] oder schließlich die auf verschiedene Bibelzitate anspielende Würdigung des Bonner Hofjuden und Vorstehers der Kurkölnischen Juden Moses Kauffmann:

> Seine Gerechtigkeit den Bergen Gottes gleich, in seiner Gerechtigkeit leitete er seine Zeitgenossen für viele Jahre wie ein Hirte seine Herde, und seine Hände blieben verläßlich, bis seine Sonne unterging, und all seine Tage schonte er die Kasse der Gemeinde, und war freigiebig mit seinem Vermögen und seinem Besitz, er wandelte lauter und wirkte Wohltun, trat vor in die Bresche und fügte zusammen die Risse.[20]

Bezogen auf die Tätigkeit als Hofjude finden sich Formulierungen, die auf das Ansehen und Verhalten bei Hofe verweisen, wie z. B. die folgende Würdigung aus der Inschrift für Madame Kaulla: „Unter Königen erwarb sie einen großen Namen. An Weisheit, an Rat war sie bedeutender als (jeder) Mann."[21]

Memorbucheinträge sind, ebenso wie Grabsteininschriften, von lokalen Sitten und Traditionen abhängig. Zu den erkennbaren Unterschieden zwischen den beiden Textgattungen muss hier ein Beispiel genügen.

Moses Levin Gomperz (Mosche Berlin) wirkte als Preußischer Kriegs- und Oberhoffaktor unter Friedrich Wilhelm I. in Berlin. Nachdem seine Frau und mehrere seiner Kinder gestorben waren, kehrte er zurück in seinen Heimatort Emmerich, wo er 1762 starb und bei seinen Vorfahren begraben wurde. In der Grabsteininschrift heißt es über ihn:

> […] der vollkommene Weise, dessen Name in der ganzen Welt geläufig war, der da war ein Mann unter den Mächtigen, kraftvoll und machtvoll, nahe der Herrschaft, und all seinen Nachkommen Frieden redend, Vorsteher und Leiter der heiligen Gemeinde Berlin, der Hauptstadt, und Oberhaupt der Sprecher für alle, […] welcher vor den Großen der Welt sich nicht schämte und nicht scheute, viele Seelen und Vermögen aus Israel errettete er aus der Hand der Völker […].[22]

Das Memorbuch berichtet über Moses Levin Gomperz Folgendes:

> Es gedenke Gott der Seele des großen Mannes, des gelehrten und vornehmen Vorstehers und Leiters, des Oberhauptes, des Mäzens, des Stadlans und hochgeehrten Herrn Moses Berlin […], weil er sich mit den Bedürfnissen der Gemeinde in Treue befaßte und allen Menschen, Armen und Reichen, Güte erwies, und Wanderer in sein Haus führte, das für jedermann offenstand. Und ständig gab er von dem Königlichen Deputat an seinem Tisch fertigen Gelehrten und Gelehrtenschülern, ihn Thora zu lehren, und rettete Seelen von Israel, und war Oberhaupt der Vertreter der Gemeinde Berlin, der Hauptstadt, und groß am Hofe des Königs. Sein Gebet verrichtete er alle Tage in Andacht und gab auch von seinem Geld für die Armen des Landes Israel und für die Armen außerhalb des Landes […].[23]

Hier ist zu erkennen, dass die Grabsteininschrift eher die öffentlichen Verdienste wie das Fürsprecheramt, die Errichtung von Lehrhäusern usw. sowie das religiöse Wirken hervorhebt, also eher repräsentativen Charakter hat, wogegen im Eintrag des Memorbuchs der Schwerpunkt auf privaten Tugenden und Verdiensten liegt.

Die Söhne des Michael David in Hannover

Im Detail sei das Bewertungsspektrum einer Eulogie am Beispiel der Hannoveraner Hofjudenfamilie David vorgestellt. Michael David (Awraham Jechiel Michel SeGaL)[24] wurde 1685 in Halberstadt geboren. Wie seine jüngeren

Brüder Abraham und Alexander war auch er als Hofjude tätig.[25] Ab 1703 war Michael David in Hannover Buchhalter bei Leffmann Behrens. Nach dessen Tod 1714 begann sein Aufstieg als Hof- und Kammeragent. Dieses Amt nahm er bis zu seinem Tod im Jahre 1758 ein. In Grabsteininschrift und Memorbuch wird u. a. Folgendes über ihn gesagt: „Er stellte sich hin vor mächtige Könige, war für sein Volk Schild und Hilfe aus Bedrängnis, beliebt bei den meisten seiner Brüder, weil er sich am Hof des Königs und der Fürsten für sie einsetzte."[26] Außerdem unterstützte er Gelehrte und Bedürftige: Seine bekannteste, testamentarisch begründete Stiftung hatte den Auftrag, Gelehrte und Gelehrtenschüler finanziell zu unterhalten. Von den Zinsen aus dem Grundkapital sollten drei Gelehrte mit ihren Familien ständig in seinem Haus leben.[27] Zusammen mit seinem Schwiegervater Salman Düsseldorf, der ebenfalls Hofjude war, erwarb er die von Leffmann Behrens erbaute Synagoge, als diese nach dem Konkurs des Behrens'schen Handelshauses im Jahre 1741 verkauft werden musste. Ausgestattet mit kostbaren Torarollen und Silbergeräten, machte er sie anschließend der jüdischen Gemeinde Hannovers zum Geschenk. Als Michael David starb, konnte er seinen Kindern ein beachtliches Erbe hinterlassen. Vier seiner Söhne waren ebenfalls erfolgreiche Hofagenten in Hannover. Nach dem Tod der Söhne-Generation gegen Ende des 18. Jahrhunderts begann, wie in vielen anderen Hofjuden-Familien, der Niedergang der Familie und ihrer Firmen. Von den Nachkommen ließen sich viele taufen.

Besonders erwähnenswert ist die unterschiedliche Bewertung zweier Söhne Michael Davids in den Grabsteininschriften. Salomon war Kriegsagent, während sein Bruder Meier als Hof- und Kammeragent fungierte. Beide genossen hohes Ansehen bei christlichen Persönlichkeiten und begründeten Stiftungen mit Schulfunktion. Dennoch gibt es einen Unterschied zwischen den Brüdern, der sich auch in deren Grabsteininschriften zeigt.

Salomon Michael David (Schlomo Salman SeGaL ben Michel SeGaL)[28] war „ein Vertreter der alten Zeit und der alten traditionellen Frömmigkeit". Auf seinem Grabstein wird er als „weitbekannter und herausragend rabbinisch Gelehrter" bezeichnet und mit dem Rabbinertitel „unser Lehrer und Meister" bedacht.[29] Wegen seiner umfassenden religiösen Bildung wurde er von seinem Vater zum Verwalter der Gelehrtenstiftung berufen, die er durch einen finanziellen Zuschuss pietätvoll unterstützte und ergänzte. Er selbst begründete ebenfalls einige Stiftungen, darunter eine zur Brautausstattung armer Mädchen von tugendhaftem und frommem Wandel. In seinem Haus richtete er eine gut ausgestattete sog. „Schule" ein, ein Lehr- und Gebetshaus unter Leitung zweier dort wohnender Gelehrter, in dem Gottesdienste abge-

Abb. 9: Grabstein des Salomon Michael David

halten und unbemittelte Knaben in Religion und „anderen nützlichen Wissenschaften“ unterrichtet wurden.

Sein Bruder Meyer Michael David (laut Grabstein: Meir ben Michel Hannover)[30] war hingegen Anhänger der Aufklärung und persönlicher Freund Moses Mendelssohns. Er stiftete vor 1794 eine Schule für Knaben, die sich am Vorbild der 1778 in Berlin gegründeten Freischule orientierte. In dieser sollten „religiöse, gute Menschen und brauchbare Staatsbürger“ erzogen werden. Deshalb wurden dort neben jüdisch-religiösem Wissen (Religion, Hebräisch) auch allgemeine Kenntnisse in den Fächern Rechnen, Deutsch, Geographie, Französisch und Englisch vermittelt. Die Schüler sollten außerdem ein Handwerk erlernen, um damit „dem Staate nützlich sein zu können“. Dieses Unternehmen wurde von den Mitgliedern der jüdischen Gemeinde Hannovers mit Misstrauen und Ablehnung betrachtet. Die Anhänger der altfrommen Richtung bewerteten die Unterrichtung weltlicher Fächer als Weg zur Abkehr vom Judentum. Meyer selbst fühlte sich sein Leben lang an die alten jüdischen Traditionen gebunden, der Verfasser seiner Grabsteininschrift billigte ihm den Gelehrtentitel „Meister“ zu. In seiner Stiftung unternahm er jedoch nichts zur Unterhaltung von Gelehrten, wie es traditionell üblich war. Er „übernahm“ zwar einen von seinem Vater in dessen Stiftung eingesetzten Gelehrten, fügte aber eine Bestimmung hinzu, dass dessen Nachfolger ein „deutscher“, kein „polnischer Jude“ werden sollte. Hier zeigt sich sehr deutlich, dass er die ausschließlich in jüdischem Wissen geschulten Gelehrten „der alten Art“ nicht schätzte.[31]

Nach diesen biographischen Einzelheiten komme ich nun zu der Würdigung der beiden Brüder durch die Hinterbliebenen bzw. die Verfasser der Grabsteininschriften.

Die Grabsteininschrift für Salomon ist für Hannoveraner Verhältnisse sehr ausführlich (Abb. 9). Ihr Aufbau ist kompliziert; sie wurde eindeutig mit dem Ziel verfasst, seine Bildung und tiefe Frömmigkeit zu würdigen.[32] Der größte Teil der Grabsteininschrift behandelt sein frommes Tun, seine Gelehrsamkeit und seine Gebete. Dann wird von seinem Amt als *Stadlan* (Fürsprecher, s. o.) berichtet, das er erfolgreich versah und damit viele Glaubensgenossen vor Schande und Bedrückung rettete. Schließlich werden seine vielfältigen wohltätigen Aktivitäten hervorgehoben. Der Eintrag im Memorbuch beschränkt sich hauptsächlich auf die religiösen Aspekte seines Lebens, die Schriften, die er studiert hatte, die Gebete, die er sprach, und seine Tätigkeit als Fürsprecher, wobei betont wird, dass all seine Erfolge Gott zu verdanken seien. „Es wurde ihm von Dem, der in den Höhen wohnt, gegeben, für Israel Fürsprache einzulegen bei Königen und Fürsten, und seine Worte blieben nicht erfolglos.“[33]

Abb. 10: Grabstein des Meyer Michael David

Im krassen Gegensatz dazu steht die Grabsteininschrift für seinen Bruder Meyer, der mit der Gründung seiner Schule und den darin realisierten aufklärerischen Tendenzen Missfallen erregt hatte. Dieses zog deutliche Konsequenzen nach sich – im Memorbuch wurde er mit keinem Eintrag gewürdigt, die Inschrift seines Grabsteins umfasst lediglich Namen und Todesdatum. Statt einer Eulogie finden wir sogar, was auf Grabsteinen sehr selten ist, einen ausgesprochen deutlichen Tadel: „Sohn eines (Mannes), der stärker war als er." (Abb. 10)[34]

Fazit

An diesem wie an allen anderen Beispielen sollte deutlich geworden sein, dass Grabsteininschriften und Memorbucheinträge mehr bieten als nur Namen und Daten, dass sie Einblicke gewähren in Ämter, Rangstellung und Ansehen gerade der Angehörigen der Elite innerhalb der jüdischen Gesellschaft. Wer dieses Ansehen mit welchen Interessen für die „Ewigkeit" in eine (steinerne) Form bringen ließ und wie Typen und Topoi der Inschriften alltagsgeschichtlich einzuordnen sind, gilt es in Zukunft noch weiter kritisch zu klären. Dies wird nur möglich sein, wenn alle vorhandenen Quellen, jüdische und nichtjüdische, in einen Zusammenhang gestellt und in Bezug auf das Selbstverständnis von Hofjuden und deren Würdigung durch die Nachfahren ausgewertet werden.[35]

Für einen regionalen und zeitlichen Vergleich der Inschriften gilt, dass zeitliche Unterschiede meist nur innerhalb einer kleineren Region oder einer Gemeinde gut zu verfolgen sind. Regionale Unterschiede sind deutlicher zu erkennen, was auf Mentalitätsunterschiede zurückgeführt werden kann. Hier sind große Unterschiede zwischen Stadt und Land, Norden und Süden, Größe und Reichtum der Herrschaft und der Untertanen zu verzeichnen. Auf manchen Friedhöfen, wie z. B. dem alten Friedhof Große Hamburger Straße in Berlin, fällt ein Großteil der Inschriften sehr knapp aus. In Wien sind sie im Gegensatz dazu lang und ausführlich, sodass sie nach heutiger Einschätzung wie das Eingangsbeispiel überschwänglich und übertrieben wirken: Hier zeigen sich regionale Traditionen und unterschiedliche Mentalitäten. Von aneinander gereihten Standardfloskeln, wie sie das Eingangszitat auf den ersten Blick suggeriert, kann also gerade in den Grabinschriften der jüdischen Elite nicht die Rede sein.

Anmerkungen

1 BERNHARD WACHSTEIN, *Die Inschriften des alten Judenfriedhofes in Wien, Teil 2: 1696–1783*, Wien/Leipzig 1917, S. 386–388. Die Übersetzungen der hebräischen Texte stammen in der Regel aus den in den Fußnoten angegebenen Werken, wenn nicht etwas anderes angegeben wird.
2 Hechingen, Grabsteinnummer 497 von 1810 (Grabsteinnummerierung des Zentralarchivs zur Erforschung der Geschichte der Juden in Deutschland). HEINRICH KOHRING, Die Inschriften der Kaulla-Grabdenkmäler auf dem jüdischen Friedhof in Hechingen. Text und Übersetzung sowie philologischer und inhaltlicher Kommentar, in: *Zeitschrift für Hohenzollerische Geschichte* 108 (1985), S. 171–213, hier S. 183; FROWALD GIL HÜTTENMEISTER, *Dokumentation des jüdischen Friedhofs in Hechingen*, 1997 (vorläufige Fassung, unveröffentlicht, ohne Seitenangaben).
3 Hechingen, Grabsteinnummer 528 von 1822; KOHRING, Die Inschriften der Kaulla-Grabdenkmäler (wie Anm. 2), S. 205–210, hier S. 206; HÜTTENMEISTER, *Dokumentation Hechingen* (wie Anm. 2), ohne Seitenangabe.
4 Bingen/Rhein, Grabsteinnummer 591 von 1857 (Nummerierung folgt dem Plan der Friedhofsverwaltung Bingen/Rhein); DAN BONDY/MARTINA STREHLEN, *Dokumentation des jüdischen Friedhofs Bingen*, 1996 (unveröffentlicht) (eigene Übersetzung).
5 MICHAEL BROCKE/DAN BONDY, *Der alte jüdische Friedhof in Bonn-Schwarzrheindorf 1623–1956. Bildlich-textliche Dokumentation*, Köln/Bonn 1998, S. 134 f.
6 Samson Wertheimer starb 1724; WACHSTEIN, *Die Inschriften des alten Judenfriedhofes* (wie Anm. 1), Teil 2, S. 129–145.
7 Moses Kann starb 1761; MARKUS HOROVITZ, *Die Inschriften des alten Friedhofs der israelitischen Gemeinde zu Frankfurt am Main*, Frankfurt a. M. 1901, S. 337 (Grabsteinnummer 3086).
8 Gleichzeitig Anspielung auf Deuteronomium 28,6. Baruch Simon, der Großvater von Ludwig Börne, starb 1802. Sein Grab befindet sich auf dem jüdischen Friedhof in Lauda-Königshofen-Unterbalbach (eigene Übersetzung).
9 Vgl. dazu den Beitrag von LUCIA RASPE, Individueller Ruhm und kollektiver Nutzen: Berend Lehmann als Mäzen, in diesem Band.
10 Ebd.
11 Der aus Prag stammende Naftali Hirz Kuh starb 1771 in Wien. Auch andere Quellen bestätigen, dass er z. B. im Jahre 1767 für sämtliche Waisenkinder Wiens sowie sonstige christliche und jüdische Bedürftige Kleidung und Almosen austeilen ließ; WACHSTEIN, *Die Inschriften des alten Judenfriedhofes* (wie Anm. 1), S. 483–485.
12 Süßel Bing starb 1811; Hanau, jüdischer Friedhof, Feld 4, Grabsteinnummer 74 (eigene Übersetzung).
13 Isaak Moses Goldschmidt starb 1746; HOROVITZ, *Die Inschriften des alten Friedhofs* (wie Anm. 7), S. 270, Grabsteinnummer 2545 (eigene Übersetzung).
14 LEISER LANDSHUTH, Grabstätten auf dem Friedhof Oranienburgerstraße (d. i. Berlin, Große Hamburger Straße), Central Archives for the History of the Jewish People (CAHJP), Jerusalem P17/666, Grabsteinnummer 191 (unveröffentlicht, eigene Übersetzung); Baruch Minden starb 1706.
15 Leffmann Behrens starb 1714; SELIG GRONEMANN, *Genealogische Studien über die alten jüdischen Familien Hannovers*, Berlin 1913, Teil 1, S. 37; Teil 2, S. 24 f.
16 Eine zeitgenössische Würdigung (1698) in der jüdisch-deutschen Bearbeitung der Chronik *Zemach David* von DAVID GANS lautet: „Nun will ich damit anfangen, einen Teil seiner guten Taten zu beschreiben, jedoch nur den geringsten Teil, denn es ist nicht möglich, seinen ganzen Ruhm zu beschreiben. Und auch hat dieser Angesehene kein Genügen oder Wohlgefallen daran, wenn man ihn so viel rühmt, denn seine Ta-

ten geschehen um des Himmels willen, und nicht wegen des Ruhms", WACHSTEIN, *Die Inschriften des alten Judenfriedhofs* (wie Anm. 1), S. 13 (eigene Übersetzung).

17 Samuel Oppenheimer starb 1703, ebd., S. 6–19, hier S. 6, 8.

18 Anspielung auf Ezechiel 22,30. Hier aus der Grabsteininschrift für Samuel Oppenheimer, ebd., S. 6–7.

19 Aus der Grabsteininschrift für den Heereslieferanten, Bankier und Oberrezeptor für Kleve und Mark, Elias Gomperz, der 1689 in Emmerich starb; MICHAEL BROCKE/CLÄRE PELZER/HERBERT SCHÜÜRMANN, *Juden in Emmerich*, Emmerich 1993, S. 416.

20 Moses Kauffmann starb 1754 in Bonn; BROCKE/BONDY, *Der alte jüdische Friedhof* (wie Anm. 5), S. 117.

21 Hechingen, Grabsteinnummer 496 von 1809; HÜTTENMEISTER, *Dokumentation Hechingen* (wie Anm. 2), ohne Seitenangabe. Vgl. auch KOHRING, Die Inschriften der Kaulla-Grabdenkmäler (wie Anm. 2), S. 178.

22 BROCKE/PELZER/SCHÜÜRMANN, *Juden in Emmerich* (wie Anm. 19), S. 426–428.

23 Ebd., S. 395.

24 Zur Familie vgl. GRONEMANN, *Genealogische Studien* (wie Anm. 15), Teil 1, S. 91–118; Teil 2, S. 70–82.

25 Abraham David ging zunächst mit Michael David nach Hannover, bevor er ab 1727 als Hoffaktor in Kassel tätig war. Alexander David war seit 1708 Kammeragent in Braunschweig.

26 GRONEMANN, *Genealogische Studien* (wie Anm. 15), Teil 2, S. 70.

27 Sie wurde nach dem Vorbild der Halberstädter Klausstiftung begründet, war jedoch weniger erfolgreich. Um 1890 hatte sie faktisch aufgehört, als selbstständige Stiftung zu existieren; ebd., S. 92 f.

28 Ebd., Teil 1, S. 110–112 und 118; Teil 2, S. 81 f.; Salomon Michael David starb 1791.

29 Ebd., Teil 1, S. 111; Teil 2, S. 81 f.

30 Hierzu und zum Folgenden, auch die Zitate, ebd., Teil 1, S. 102–106 und 110; Teil 2, S. 80; Meyer Michael David starb 1799.

31 Vgl. ROTRAUD RIES, Hofjuden als Vorreiter? Bedingungen und Kommunikationen, Gewinn und Verlust auf dem Weg in die Moderne, in: ARNO HERZIG/HANS OTTO HORCH/ROBERT JÜTTE (Hgg.), *Judentum und Aufklärung. Jüdisches Selbstverständnis in der bürgerlichen Öffentlichkeit,* Göttingen 2002, S. 30–65, hier S. 56 ff.

32 Es gibt zahlreiche Anspielungen auf seinen Vornamen Schlomo, biblische Zitate und komplizierte Reimschemata. Insgesamt umfasst die Inschrift mehr als 40 Zeilen, ebd., Teil 2, S. 81–82. Für die Erstellung der Fotografien der Grabsteine der Brüder David danke ich Peter Schulze, Hannover.

33 Ebd., Teil 2, S. 82.

34 Ebd., Teil 2, S. 80.

35 Vgl. den Beitrag von BIRGIT KLEIN, Jüdische Wirtschaftselite – Jüdische Gemeinde – Jüdische Kultur: Einführung, in diesem Band, für ein Beispiel der gemeinsamen Untersuchung christlicher und jüdischer Quellen sowie der unterschiedlichen Schwerpunkte in diesen.

Individueller Ruhm und kollektiver Nutzen – Berend Lehmann als Mäzen

Lucia Raspe

Der Aspekt der Beziehungen zwischen Hofjuden und den jüdischen Gemeinden, von dem in jüdischen Quellen wohl am meisten die Rede ist, betrifft ihre Rolle als Wohltäter. Neben der Errichtung von Gemeindesynagogen und deren Ausstattung mit Torarollen, -vorhängen und allerlei einschlägigem Gerät ist das vor allem die Unterstützung von Toragelehrten. Dies bedeutet zweierlei: erstens ihren Unterhalt – die Gelehrten bekommen sozusagen Stipendien, die es ihnen ermöglichen, sich ganz dem Lernen zu widmen –, zweitens die Übernahme von Druckkosten, die einerseits die Publikation neuer Werke finanziert und andererseits jedes Torastudium durch Bereitstellen der Traditionsliteratur überhaupt erst möglich macht.[1]

Kaum jemand hat auf all diesen Gebieten so Herausragendes geleistet wie der königlich polnische Resident Berend Lehmann (1661–1730), Hofbankier Augusts des Starken, in den jüdischen Quellen Jissachar Bärmann SeGaL oder, nach seinem Wohnsitz, Bärmann Halberstadt.[2] „Gleich groß als edler Mensch, wahrhafter Jehudi und unvergleichlich in Mildthätigkeit gegen Jeden", so der Halberstädter Rabbiner Benjamin Hirsch Auerbach in seiner Gemeindegeschichte von 1866, „verstand er es, ohne selbst zu den großen jüdischen Gelehrten seiner Zeit zu zählen, der jüdischen Wissenschaft einen Dienst zu leisten, dessen wohlthätiger Einfluss auf die Pflege und Verbreitung derselben seinen Namen in die Tafeln der jüdischen Geschichte zum ewigen gesegneten Andenken eingegraben hat."[3] Drei große Leistungen sind für diesen Nachruhm maßgeblich: 1697 finanziert Berend Lehmann den ersten vollständigen Druck des babylonischen Talmud in Deutschland. Einige Jahre später gehört er zu den ersten Hofjuden, die den Unterhalt von Gelehrten in ihren privaten Lehrhäusern durch Stiftungen über die eigene Lebenszeit hinaus sichern. Schließlich, um 1712, stellt er das notwendige Kapital für den Bau der Halberstädter Gemeindesynagoge zur Verfügung und stattet sie mit Torarollen und dem zugehörigen Silber aus. In der innerjüdischen Überlieferung steht Berend Lehmann einzig da, vergleichbar allenfalls mit dem Wiener Hoffinanzier und Rabbiner Samson Wertheimer.[4] Offenbar schon zu Lebzeiten ranken sich um seine Person Legenden, die der eingangs zitierte Auerbach zusammengetragen hat[5] und die wenige Jahre später einer viel gelesenen Erzählung von Marcus Lehmann,[6] dem Herausgeber des Mainzer Wochenblattes *Der Israelit* und Autor historischer Romanzen für die orthodoxe Jugend, als Grundlage für eigene Erfindungen dienen, von denen sich auch die moderne wissenschaftliche Literatur nicht vollständig hat frei machen können.[7] In einer Publikation jüngeren Datums schließlich wird Berend Lehmann dem wohlhabenden modern-orthodoxen Milieu in Amerika als Muster vorbildlicher Geldanlage zur Nachahmung ans Herz gelegt.[8] Diese letzte Arbeit erschien in einem Sammelband mit dem Titel „Sages and Saints"; da nun Berend Lehmann, wie auch Auerbach zugesteht, selbst keineswegs zu den Gelehrten zählte, so muss er wohl unter die Heiligen gerechnet werden.

Der Hofjude als Heiliger: Wie kommt Berend Lehmann zu diesem etwas unerwarteten Nachruhm? In welchem Verhältnis steht er zur Realität – der zeitgenössischen, soweit sie sich feststellen lässt, und der der folgenden Generationen? Was hat Berend Lehmanns Engagement in der jüdischen Gemeinde langfristig bewirkt?

Wenden wir uns zunächst dem Talmuddruck zu, der sowohl für den Ruhm Berend Lehmanns unter seinen jüdischen Zeitgenossen als auch für die posthume Legende die wohl zentrale Rolle gespielt hat. In einem zweiten Teil soll uns die Klausstiftung beschäftigen, während seine Beteiligung am Bau der Halberstädter Gemeindesynagoge hier nur am Rande berücksichtigt werden kann.[9]

Wir befinden uns am Ausgang des 17. Jahrhunderts. Die relativ triste geistige Situation in der zahlenmäßig noch kleinen jüdischen Gemeinschaft Deutschlands bedrückt Bärmann Halberstadt schon lange – im Grunde, wenn wir der einflussreichen Darstellung Marcus Lehmanns glauben wollen, seit seiner Kindheit.[10] Sein Aufstieg zum kurfürstlich sächsischen Hofjuden – 1696 ist dieser Titel erstmals für ihn belegt[11] – gibt ihm die Möglichkeit, sein Geld und seine Kontakte zum Wohle seiner Glaubensgenossen einzusetzen. Die Legende lässt ihn keine Zeit verlieren, sie setzt den Beginn seiner Tätigkeit als Fürsprecher und Mäzen umgehend, ja noch früher an. Schon 1692, als sein Landesherr, der Kurfürst von Brandenburg und spätere König in Preußen, zum ersten Mal Halberstadt besucht, soll Berend Lehmann eine Audienz am Schachbrett dazu genutzt haben, um die Erlaubnis nachzusuchen, den Talmud drucken zu lassen.[12] Nach anderen Darstellungen ist der günstige Augenblick gekommen, als es Bärmann einige Jahre später gelingt, das Stift Quedlinburg im kursächsischen Auftrag an Brandenburg zu verkaufen.[13] Eine dritte Variante setzt seinen Vorstoß in Zusammenhang mit dem Erwerb der polnischen Königskrone für August den Starken im Sommer 1697, sicher

Bärmanns Meisterleistung, die der König mit der Ernennung zum königlich polnischen Residenten belohnt;[14] eine vierte schließlich will uns gar glauben machen, Bärmann selbst habe, um sein Gesuch zu unterstützen, eine apologetische Eingabe verfasst, in der er – ein Diplomat von verblüffender Vielseitigkeit – aus christlich-theologischer Position argumentiert.[15] Wie dem auch sei: Einigkeit herrscht über den Erfolg seines Anliegens. Bärmann erhält die Druckerlaubnis und findet in Frankfurt an der Oder eine Druckerei, in der er sein Vorhaben zu guter Letzt realisiert.

Verifizierbar ist an all diesen Varianten lediglich dieses letzte Detail. Tatsächlich beginnt die Vorgeschichte der Bärmann'schen Talmudedition in Frankfurt an der Oder.[16] Dort, nahe den Messeplätzen und dem großen Absatzmarkt Polen, führt der Universitätsprofessor Johann Christoph Beckmann seit 1675 eine hebräische Druckerei.[17] Der Mangel an Traditionsliteratur ist in der Tat eklatant; es gibt „Gemeinden, in denen nur mit Mühe ein vollständiger Talmud aufzutreiben" ist, die Lehre selbst scheint in Gefahr.[18] Der Gedanke an eine Neuausgabe liegt da durchaus nahe. Was allerdings – neben den Kosten – entsprechende Initiativen von jüdischer Seite[19] von vornherein zum Scheitern verurteilt, nämlich die zu erwartenden Schwierigkeiten hinsichtlich Zensur und Druckerlaubnis, ist für den christlichen Druckereibesitzer, der sich der Marktlücke offenbar durchaus bewusst ist, weit weniger problematisch. Schon 1693 ist Beckmann im Besitz eines kurfürstlich brandenburgischen, 1695 auch eines kaiserlichen Privilegs, die ihm das alleinige Recht auf Druck und Vertrieb des babylonischen Talmud für zehn bzw. zwölf Jahre zusichern.[20] Was er nun braucht, ist – neudeutsch – ein Investor, der die enormen Kosten für Material und Arbeitskräfte, für Zölle und Transport vorfinanziert. Anfang 1696 wird Beckmann mit dem anhaltinischen Hoffaktor Moses Benjamin Wulff handelseinig, der seine eigene hebräische Druckerei in Dessau gern mit einer Talmudausgabe unter Beckmanns Privilegien eröffnen möchte.[21] Mit diesem Projekt jedoch hat sich der Dessauer übernommen; er muss den Vertrag mit Beckmann noch im Herbst desselben Jahres lösen.

Erst in diesem Moment greift Berend Lehmann ein. Am 8. Januar 1697 schließt er in Leipzig mit Beckmanns ehemaligem Geschäftsführer Michael Gottschalk, der die Druckerei inzwischen übernommen hat, einen Vertrag, in dem dieser sich verpflichtet, 2000 Exemplare des babylonischen Talmud von jeweils zwölf Bänden gegen Zahlung von 28 000 Reichstalern zu drucken, einzubinden und an Berend Lehmann zu liefern;[22] vom selben Tag datiert die erste der fünf Approbationen, in der der böhmische Landesrabbiner David Oppenheim Bärmanns Großzügigkeit preist. Am 17. Juli 1699 ist der Druck abgeschlossen (Abb. 11).[23] Den Vertrieb übernimmt der Resident selbst. Die Hälfte der Auflage soll er an unbemittelte Talmudschüler in halb Europa verschenkt haben.[24]

Dass Berend Lehmann bei so viel Gemeinsinn dennoch durchaus als Geschäftsmann gedacht hat, ist am Text eben der fünf *haskamot* zeitgenössischer Rabbiner abzulesen, die die Ausgabe eröffnen. Erstmals in der Geschichte des rabbinischen Urheberrechts[25] wird hier demjenigen der Bann angedroht, der ein Werk der Traditionsliteratur – den Talmud – ohne vorherige Zustimmung des letzten Herausgebers – Bärmann Halberstadts – innerhalb eines bestimmten Zeitraums – von zwanzig Jahren – nachdruckt. Während also die fürstlichen Privilegien auf den Namen des christlichen Druckereibesitzers lauten, geben die Rabbiner, sozusagen die geistigen Eigentümer, die entsprechenden Rechte – und für einen längeren Zeitraum – Bärmann Halberstadt. In der Diskrepanz zwischen der innerjüdischen Auffassung und gegenlautenden Rechtsansprüchen aufgrund fürstlicher Privilegien ist der Konflikt vorprogrammiert. Für Berend Lehmann, als Hofjude sozusagen per definitionem in beiden Welten zu Hause, ist hier ganz offensichtlich die rabbinische Position maßgeblich.[26] Als um 1710 eine Neuauflage nötig wird und Bärmann seine vermeintlichen Rechte an einen jüdischen Druckereibesitzer abtreten will, kommt es zu langwierigen Auseinandersetzungen mit Gottschalk, der ihm zuvorkommt und mit Unterstützung Beckmanns neue Privilegien erlangt, mittels deren er sich am Ende durchsetzt.[27] Bärmanns Ruhm in der jüdischen Welt tut das keinerlei Abbruch, im Gegenteil: Die Herausgeber der Amsterdamer Talmudausgabe von 1714–17, gegen die Gottschalk letzten Endes erfolgreich vorgeht, danken Bärmann für seine Druckerlaubnis; dasselbe ist noch auf den Titelblättern der Edition Frankfurt a. M. 1720–22 zu lesen, als auch Bärmanns rabbinisches Privileg eigentlich längst abgelaufen ist.

Die Titelblätter und Vorreden dieser verschiedenen Ausgaben sind zweifellos eine erste Ursache für den Ruhm Berend Lehmanns unter seinen jüdischen Zeitgenossen. Der Talmuddruck begründet seinen Ruf als Wohltäter; er wird überregional wahrgenommen, bleibt auch der Eindruck der Auflage letzten Endes zeitlich begrenzt. Längerfristige Wirkung verspricht Bärmanns zweites, in Halberstadt situiertes Projekt, die Gründung der Klaus.

Im Frühjahr 1698[28] erhält Berend Lehmann von seinem Landesherrn die Genehmigung, in einem eigens dafür errichteten Gebäude ein Lehrhaus einzurichten, in dem er zunächst vier, später jeweils drei Gelehrte auf seine Kosten dem Torastudium nachgehen lassen will – ein Lehrhaus, wie es viele seiner wohlhabenden Kollegen unterhalten haben.[29] Und wie manch anderer trifft auch er Vorkehrungen, um den Fortbestand dieser Klaus „auf ewige Zeit" sicherzustellen. Anders als andernorts ist dies in Halberstadt – mit der

Abb. 11: Titelblatt der von Berend Lehmann finanzierten Ausgabe des babylonischen Talmud, Frankfurt an der Oder 1697–99. Die Kartusche inmitten der Darstellung biblischer Gestalten nennt Namen und Herkunft des Stifters, die ganze Komposition wird von dessen persönlichen Symbolen überragt: dem Lamm als der traditionellen Wiedergabe des Sternzeichens Widder sowie der Levitenkanne.

üblichen Einschränkung – gelungen: Die hiesige Klaus hat in der Tat bis in die Nazizeit[30] bestanden; nicht zuletzt durch sie war und blieb Halberstadt „eines der wesentlichen Zentren des Thora-Studiums in Deutschland",[31] ja geradezu ein Synonym für die deutsch-jüdische Orthodoxie und als orthodoxe Einheitsgemeinde zumindest für den städtischen Bereich eine Ausnahmeerscheinung.[32] Wie ist dieser Erfolg zu erklären? Was unterscheidet Bärmanns Stiftung von denen seiner Zeitgenossen?

Erhellend ist in dieser Hinsicht die Gegenüberstellung der Halberstädter Klaus mit dem 1706 genehmigten Lehrhaus des kurpfälzischen Hoffaktors Lemle Moses Reinganum in Mannheim: Beide sind ähnlich angelegt, ähnlich motiviert und etwa zeitgleich gegründet.[33] Erstens: Das Stiftungskapital der Halberstädter Klaus ist von staatlichen Instanzen unabhängig. Die Mannheimer Klaus soll nach dem Tod des Stifters aus den Zinsen eines Kredits an den Landgrafen von Hessen finanziert werden. Die Zahlungen werden alsbald unregelmäßig, bleiben zeitweise ganz aus; die Bitte der Gelehrten um Unterstützung bei der Beitreibung der Gelder setzt die Mannheimer Klaus zudem der wenig wohlwollenden Kontrolle durch die kurpfälzische Hofkammer aus.[34] Berend Lehmann hingegen verknüpft die Finanzierung seiner Klaus mit den elementaren Interessen der Jüdischen Gemeinde zu Halberstadt. Die Klausgelehrten werden seit 1714 aus den Zinsen eines Kapitals bezahlt, das er der Judenschaft zum Bau der Gemeindesynagoge zur Verfügung gestellt hat;[35] eine entsprechende Vereinbarung trifft er bereits 1713 mit der Berliner Gemeinde, als diese ihre erste Synagoge baut.[36] Zweitens: Anders als Lemle Moses in Mannheim, der seine Stiftung noch zu Lebzeiten auf den Kinderunterricht ausweitet,[37] untersagt Bärmann der Halberstädter Gemeinde ausdrücklich, die Klaus zur Elementarschule zu degradieren.[38] Drittens verknüpft Bärmann seine Stiftung nicht mit einer wohltätigen Einrichtung für die eigene arme Verwandtschaft – einer in der jüdischen Oberschicht sehr populären Form posthumer Mildtätigkeit, wie sie der Mannheimer Klaus beinahe den Hals bricht, als im 19. Jahrhundert die stets knappen Mittel fast vollständig von auszustattenden Bräuten gleich welcher Konfession beansprucht und entsprechende Berechtigungsscheine geradezu gehandelt werden.[39] All diese Fehler macht Berend Lehmann nicht; seine Stiftung ist zweifellos vorausschauender angelegt als die von Lemle Moses Reinganum. Und doch ist es das nicht allein.

Ausschlaggebend für das spätere Schicksal der Lehrstiftungen wohlhabender Gemeindemitglieder ist in den allermeisten Fällen das Verhalten der Stiftungsverwalter, das heißt im Allgemeinen der jeweiligen Nachkommen. In Hamburg stirbt der Erbe des Stifters, der kaiserliche Hoffaktor Juda Seligmann Cohen, bevor die Klausgebäude als Stiftungskapital ins Grundbuch eingetragen sind; sein Sohn lässt die Häuser auf seinen Namen eintragen und widersetzt sich ungestraft einem rabbinischen Gerichtsurteil, das ihn verpflichten möchte, die Klaus wiederherzustellen.[40] In Hannover reichen die Mittel der Stiftung Michael Davids im 19. Jahrhundert nicht mehr zum Unterhalt der vorgesehenen drei Familien; statt die Zahl der Gelehrten zu verringern, wie dies in Halberstadt geschieht, schlägt man schließlich die Mittel der Stiftung dem Etat des Lehrerseminars zu.[41] In Berlin wird das Lehrhaus des Münzentrepreneurs Veitel Heine Ephraim nach dessen Tod als Talmud-Tora-Schule für Kinder aus armen Familien weitergeführt; als diese 1834 den Talmudunterricht einstellt, sind die – inzwischen getauften – Nachfahren einigermaßen ratlos, was mit den Geldern weiter geschehen soll, und erwägen, Stipendien für Studenten der evangelischen Theologie auszusetzen.[42]

All dies geschieht in Halberstadt nicht. Während ein Zweig von Bärmanns Nachkommen in Dresden sich durchaus nach dem Schema verhält, das Heinrich Schnee von den Familien der großen Hofjuden gezeichnet hat – in der ersten Generation das traditionsbewusste Wirtschaftsgenie, in der zweiten der Niedergang der Firma, in der dritten die Konversion zum Christentum –,[43] übergibt Bärmann die Verwaltung seiner Klaus wenige Monate vor seinem Tod dem jüngsten Sohn Kosmann,[44] dessen Nachkommen in Hannover eine Linie rabbinischer Gelehrsamkeit in der Familie weiterführen. Auch dies birgt für die Besetzung der Klausgelehrtenstellen aufgrund der Tendenz der Nachkommen zum Nepotismus gewisse Gefahren. In Mannheim sind 1756 fast alle Klausrabbiner mit der Familie Reinganum verwandt oder verschwägert;[45] in Halberstadt kommt es 1780 zum Konflikt, als die Gemeinde eine vakante Klausnerstelle mit dem Rabbiner Hirsch Göttingen, der Kurator sie mit einem Verwandten besetzen möchte. Zur Lösung dieser Grundsatzfrage wird in Halberstadt die Elite des mitteleuropäischen Rabbinats bemüht.[46] Deren Urteil ist einhellig: Der Nachfahre muss zurückstehen, das Niveau des Kandidaten bleibt das ausschlaggebende Kriterium.

Die wirklich kritische Zeit allerdings kommt auch in Halberstadt erst nach der Emanzipation, als sich die Frage nach dem Verhältnis der Gemeinde zu ihrem traditionsgebundenen Erbe ganz neu stellt. Seit den 1820er Jahren gibt es im Vorstand Überlegungen, die Zinszahlungen an die Klausgelehrten einzustellen. Dies kann Hirsch Göttingen abwenden, indem er droht, im Gegenzug die Synagoge schließen zu lassen, die von dem Kapital erbaut worden sei.[47] Erst nach seinem Tod wagt es die Gemeindeleitung, den Klausgelehrten die Gehälter zu kürzen.[48] Dem Protest des zuständigen Nachfahren Kosmann Berend, seinerseits Hofagent und Bankier in Hannover und noch immer orthodox,[49] begegnet die Gemeinde mit dem Hinweis auf ihren drohenden

Bankrott. Erst um die Mitte des Jahrhunderts erholen sich die Gemeindefinanzen; 1869 schließlich werden den Gelehrten die gekürzten Gelder erstattet.[50] Die Zahlung übernimmt die Familie, die für die Konsolidierung des Gemeindehaushalts wohl in erster Linie verantwortlich ist.

Aron Hirsch, der Sohn des Klausrabbiners Hirsch Göttingen (1811 übrigens „Königlicher Faktor der Königlich Westfälischen Hüttenadministration im Saaledepartement"[51]), hat nach dem Tod des Vaters auf die ihm bereits zugesagte Klausnerstelle verzichtet[52] und stattdessen eine Metallhandlung aufgebaut. Die Firma „Aron Hirsch und Sohn" entwickelt sich im Laufe weniger Jahrzehnte zu einem Unternehmen von internationalem Rang, führend in der deutschen Metallindustrie und gleichzeitig das finanzielle Rückgrat nicht nur der Halberstädter, sondern auch der Berliner Orthodoxie.[53] Arons Sohn Joseph Hirsch, der den Fortbestand der Halberstädter Klaus offenbar als persönliche Verpflichtung begreift,[54] nimmt als Erstes, noch vor der Renovierung der Gemeindesynagoge, den Neubau der Klausgebäude in Angriff.[55] Sein Sohn Benjamin setzt der Hannoveraner Familie Berend gegenüber neue Statuten durch, in denen die Nachkommen Joseph Hirschs, „welcher durch den [...] Neubau des Stiftungshauses [...] sich dauernde Verdienste um die Stiftung erworben hat", einen den Nachkommen des Stifters gleichberechtigten und ebenfalls erblichen Sitz im Kuratorium beanspruchen.[56] Wie die Gemeinde insgesamt, so erscheint nun auch die Klaus zunehmend als Familienunternehmen der mehrfach verschwägerten Familien Hirsch und Auerbach.[57] Am offenbar letzten Kurator aus dem Kreise der Nachkommen des Stifters wird im Klausmemorbuch vor allem gerühmt, dass er sich kooperativ gezeigt habe.[58]

Eine Geschichte der Gemeinde Halberstadt, die solche Aspekte berücksichtigt, ist noch nicht geschrieben. Die Rolle der Familie Hirsch für die Gemeinde und für ihre innerhalb des deutschen Judentums weit gehend singuläre Entwicklung ist kaum zu unterschätzen. Was die Klaus angeht, ist es diese Familie mehr noch als die fromme Nachkommenschaft, die sich nach dem Grundsatz *noblesse oblige* in die Tradition des Stifters stellt und ihren Fortbestand bis ins 20. Jahrhundert sichert.[59] Hier wird der Zusammenhang von individuellem Ruhm und kollektivem Nutzen deutlich. Wenn das innergemeindliche Engagement des Hofjuden Berend Lehmann tatsächlich längerfristig traditionsstabilisierend gewirkt hat, so liegt das nicht an seiner womöglich außergewöhnlichen Frömmigkeit, der Vielseitigkeit seines Mäzenatentums oder an der vorausschauenden Klugheit seiner Investitionen. Vielmehr liegt die Bedeutung des Stifters letzten Endes in der Rezeption seines Bildes durch die Halberstädter Gemeindeoligarchie des 19. Jahrhunderts

Abb. 12: Angebliches ‚Wappen' Berend Lehmanns, Gouache des 19. Jahrhunderts. Das unverständlich gewordene Lamm ist unter dem Einfluss einer der bei Auerbach überlieferten Legenden zu einem namengebenden Bären geworden.

(vgl. dazu Abb. 12). Dies Bild wiederum hat nicht notwendig mit historischer Realität zu tun; es ist ein Konstrukt, entstanden am Schreibtisch der Benjamin Hirsch Auerbach und Marcus Lehmann, ein Identifikationsangebot.[60] Es ist das Bedürfnis der wohlhabenden Orthodoxie in Deutschland nach einem solchen idealtypischen Modell des frommen Juden, der in der Welt lebt und arbeitet, um sein Geld und seinen Einfluss zugunsten der jüdischen Gemeinde zu verwenden, das unser Bild von Berend Lehmann bis heute prägt.

Anmerkungen

1 Selma Stern, *The Court Jew. A Contribution to the History of the Period of Absolutism in Central Europe*, Philadelphia 1950, S. 222–226; Mordechai Breuer, Die Hofjuden, in: Mordechai Breuer/Michael Graetz, *Deutsch-Jüdische Geschichte in der Neuzeit, Bd. 1: Tradition und Aufklärung 1600–1780*, München 1996, S. 106–125, bes. S. 121 f., S. 124; Menachem Schmelzer, Hebrew Printing and Publishing in Germany, 1650–1750. On Jewish Book Culture and the Emergence of Modern Jewry, in: *Leo Baeck Institute Year Book* 33 (1988), S. 369–383, bes. S. 374. Zum Hintergrund Jacob Katz, *Tradition and Crisis. Jewish Society at the End of the Middle Ages* [hebr.], Jerusalem 1958, S. 239 f. = ders., *Tradition and Crisis. Jewish Society at the End of the Middle Ages*. Translated and with an Afterword by Bernard Dov Cooperman, New York 1994, S. 176.

2 Eine heutigen Ansprüchen genügende Monographie über Berend Lehmann liegt bislang nicht vor. Heranzuziehen sind BENJAMIN HIRSCH AUERBACH, *Geschichte der israelitischen Gemeinde Halberstadt*, Halberstadt 1866, S. 43–86; EMIL LEHMANN, *Der polnische Resident Berend Lehmann, der Stammvater der israelitischen Religionsgemeinde zu Dresden*, Dresden 1885 (im Folgenden zit. nach dem Nachdruck in: EMIL LEHMANN, *Gesammelte Schriften*, Berlin 1899, S. 116–153); LEOPOLD LÖWENSTEIN, Isachar Bermann in Halberstadt, in: *Blätter für jüdische Geschichte und Litteratur* 4 (1903), S. 41–47; JOSEF MEISL, Behrend Lehmann und der sächsische Hof, in: *Jahrbuch der Jüdisch-Literarischen Gesellschaft* 16 (1924), S. 227–252; STERN, *Court Jew* (wie Anm. 1), bes. S. 72–85; HEINRICH SCHNEE, *Die Hoffinanz und der moderne Staat. Geschichte und System der Hoffaktoren an deutschen Fürstenhöfen im Zeitalter des Absolutismus*, 6 Bde., Berlin 1953–1967, Bd. 2, S. 169–222; PIERRE SAVILLE, *Le Juif de cour. Histoire du résident royal Berend Lehman (1661–1730)*, Paris 1970; LOUIS FRAENKEL/HENRY FRAENKEL, *Forgotten Fragments of the History of an Old Jewish Family*, 2 Bde., Kopenhagen 1975 = DIES., *Genealogical Tables of Jewish Families. 14th–20th Centuries. Forgotten Fragments of the History of the Fraenkel Family*, 2. rev. Aufl., hg. von GEORG SIMON, 2 Bde., München 1999, Bd. 1, S. 42–75; MICHAEL SCHMIDT, Hofjude ohne Hof. Issachar Baermann-ben-Jehuda ha-Levi, sonst Berend Lehmann genannt, Hoffaktor in Halberstadt (1661–1730), in: JUTTA DICK/MARINA SASSENBERG (Hgg.), *Wegweiser durch das jüdische Sachsen-Anhalt*, Potsdam 1998, S. 198–211.

3 AUERBACH, *Geschichte* (wie Anm. 2), S. 43.

4 DAVID KAUFMANN, *Samson Wertheimer, der Oberhoffactor und Landesrabbiner (1658–1724), und seine Kinder*, Wien 1888 (Zur Geschichte jüdischer Familien 1). Für den internationalen Ruf beider siehe die Schreiben von Vertretern der Juden in Zefat in der Staatsbibliothek zu Berlin – Preußischer Kulturbesitz, Orientabteilung, Ms. Or. Fol. 1267, Bl. 56; vgl. MORITZ STEINSCHNEIDER, *Die Handschriften-Verzeichnisse der Königlichen Bibliothek zu Berlin, Bd. 2: Verzeichnis der Hebraeischen Handschriften*, 2. Abt., Berlin 1897, Nr. 255.56, S. 115.

5 AUERBACH, *Geschichte* (wie Anm. 2), bes. S. 44–46, 49 f., 55–58, unter Berufung auf teils mündliche, teils handschriftliche Überlieferung.

6 MARCUS LEHMANN, Der Königliche Resident. Eine historische Erzählung, in: *Der Israelit* 17 (1876), Nr. 51–52; 18 (1877), Nr. 1–38/39 = DERS., *Der Königliche Resident*, Frankfurt a. M. 1902 (Lehmann's jüdische Volksbücherei 26/27). Eine englische Übersetzung unter dem Titel „The Royal Resident" erschien 1964 in London; eine hebräische wurde noch 1997 im Rahmen einer 27-bändigen Werkausgabe in Jerusalem nachgedruckt. Zu Lehmanns belletristischem Werk MORDECHAI BREUER, *Jüdische Orthodoxie im Deutschen Reich 1871–1918. Sozialgeschichte einer religiösen Minderheit*, Frankfurt a. M. 1986, S. 145 f.; GABRIELE VON GLASENAPP/MICHAEL NAGEL, *Das jüdische Jugendbuch. Von der Aufklärung bis zum Dritten Reich*, Stuttgart/Weimar 1996, S. 85 f. Vgl. jetzt auch GABRIELE VON GLASENAPP, Zwischen Stereotyp und Mythos. Über das Bild des Hofjuden in der deutschen Literatur des 19. und 20. Jahrhunderts, in: *Aschkenas* 10 (2000), S. 177–201, bes. S. 192 ff.

7 Exemplarisch für den Eindruck, den Marcus Lehmanns Erzählung in den entsprechenden Kreisen gemacht hat, ist HIRSCH BENJAMIN AUERBACH, Die Geschichte der drei Synagogen in Halberstadt, in: *Zeitschrift für die Geschichte der Juden* 9 (1972), S. 152–156, hier S. 152. Auf wissenschaftlicher Seite hat v. a. SAVILLE, *Juif de cour* (wie Anm. 2), S. 18–21, 26, 49 f., 159 und bes. 250, Lehmanns dramaturgisch nicht ungeschickte Verarbeitung der bei Auerbach vorgegebenen Motive als grundsätzlich glaubwürdige „tradition populaire" missverstanden. Zur Berend-Lehmann-Panegyrik in der Nachfolge Marcus Lehmanns wird man außerdem ERNST FRANKL, Die politische Lage der Juden in Halberstadt von ihrer ersten Ansiedlung an bis zur Emanzipation, in: *Jahrbuch der*

Jüdisch-Literarischen Gesellschaft 19 (1928), S. 317–332, bes. S. 329 ff., sowie einige der Arbeiten von MANFRED R. LEHMANN (siehe die folgende Anm.) rechnen müssen.

8 MANFRED R. LEHMANN, Behrend Lehmann: The King of the Court Jews, in: LEO JUNG (ed.), *Sages and Saints*, Hoboken, NJ 1987 (The Jewish Library 10), S. 197–217, hier S. 214; vgl. DERS., A Jewish Financier's Lasting „Investment", in: *Tradition* 19 (1981), S. 340–347.

9 Der Bau der 1938 zerstörten Synagoge auf dem Gelände zwischen Baken- und Judenstraße wird in der Literatur ganz allgemein Berend Lehmann zugeschrieben und zumeist recht vage zwischen 1709 und 1712 datiert; so etwa bei RICHARD I. COHEN/VIVIAN B. MANN, Melding Worlds: Court Jews and the Arts of the Baroque, in: DIES. (eds.), *From Court Jews to the Rothschilds. Art, Patronage, and Power, 1600–1800*, München/New York 1996, S. 97–123, hier S. 120. Diese Darstellung geht letzten Endes auf AUERBACH, *Geschichte* (wie Anm. 2), S. 79, zurück, demzufolge seit der Zerstörung der Synagoge in der Göddenstraße im Jahre 1669 keine Gemeindesynagoge in Halberstadt bestanden habe; der Neubau durch Berend Lehmann sei 1712 vollendet worden. Dies letztere Datum beruht offenbar auf einer 1711/12 datierten hebräischen Inschrift im Innenraum der Synagoge (Abschrift bei AUERBACH, ebd., S. 80), die Berend Lehmann und seine Frau als die Erbauer des Toraschreins nennt. AUERBACH selbst erwähnt allerdings S. 79 f., Anm. 1, einen bereits 1709 von Berend Lehmann gestifteten Toravorhang. Da dieser nun „in Größe und Breite dem Maaße der Bundeslade in der neuen Synagoge ganz genau entspricht, so muß der Bau derselben schon im Jahre 1709 in Betrieb gewesen sein". Eine Lösung des Widerspruchs ergibt sich vielleicht aus einer Bittschrift der Vorsteher der Halberstädter Judengemeinde, datiert Berlin, 14. März 1711: „Ist auch an dehm, daß Unsere von Ew. Königl. Majestät privilegirte, und hinter Unsern Häusern belegene Synagoge, unß in etwas zu enge gebauet ist, und, da selbige ohn jemandes praejuditz mit einigen fachen von Unsern Höffen gar wohl erweitert werden kan, selbiges aber ohne allergnädigsten Consens nicht geschehen darff; Alß bitten wir allerunterthänigst, solches Allergnädigst zu Vergönnen" (Geheimes Staatsarchiv Preußischer Kulturbesitz (GstA PK), Berlin, I. HA Rep. 33 Nr. 120 c sub 1703 [unpag.]; gedruckt bei SELMA STERN, *Der preußische Staat und die Juden*, T. I-IV in 7 Abt., Tübingen 1962–1975 (Schriftenreihe wissenschaftlicher Abhandlungen des Leo-Baeck-Instituts 7, 8, 24, 38), I/2, Nr. 368, S. 346–348, hier S. 348), welche Bitte der König in einem Reskript vom 20. April 1711 gewährt (Central Archives for the History of the Jewish People (CAHJP), Jerusalem, H I 1/61; vgl. STERN, ebd., S. 348, Anm. 1, nach GStA PK, I. HA Rep. 33 Nr. 120 b [in Verlust]). Vgl. auch MAX KÖHLER, *Beiträge zur neueren jüdischen Wirtschaftsgeschichte. Die Juden in Halberstadt und Umgebung bis zur Emanzipation*, Berlin 1927 (Studien zur Geschichte der Wirtschaft und Geisteskultur 3), S. 15. Eine öffentliche Gemeindesynagoge ist bereits 1698 vorausgesetzt, als die Stände gegen die Einrichtung eines Lehrhauses „außer ihrer bereits habenden öffentlichen Synagoge" protestieren (GStA PK, I. HA Rep. 33 Nr. 120 c sub 1698 [unpag.]). Abschriften der von Berend Lehmann und seiner Frau gestifteten Toravorhänge von 1709 und 1720 befinden sich in CAHJP HM 2/442, S. 6 und 10. Vgl. auch die Reproduktion des Letzteren bei SAVILLE, *Juif de cour* (wie Anm. 2), pl. XXIII.

10 LEHMANN, *Königlicher Resident* (wie Anm. 6), Kap. 1; vgl. SAVILLE, *Juif de cour* (wie Anm. 2), S. 18 f. Anders als hier vorgestellt stammte Berend Lehmann aus Essen, wie bereits S[ALOMON] SAMUEL, *Geschichte der Juden in Stadt und Stift Essen bis zur Säkularisation des Stifts von 1291–1802*, Essen 1905, S. 48 f. gezeigt hat; er ließ sich erst 1687 auf den Schutzbrief seines Schwiegervaters, des Gemeindevorstehers Joel b. Juda, in Halberstadt nieder (GStA PK, I. HA Rep. 33 Nr. 120 c, *Untersuchung der Halberstädter Judenschaft 1686–89*, hier Bl. 16).

11 Reskript vom 12.2.1696 in Stadtarchiv (StadtA) Leipzig, Tit. LI Nr. 3, Bl. 67 f.; vgl. LEHMANN, Polnischer Resident (wie Anm. 2), S. 119 f. Es ist denkbar, dass die Verwandtschaft mit dem Hannoveraner Hofjuden Leffmann Behrens, der hier gemeinsam mit Berend Lehmann genannt wird, den Beginn seiner Karriere erleichtert hat. Für den größeren familiären Zusammenhang siehe die Verwandtschaftstafel im Anhang. Nach SCHNEE, *Hoffinanz* (wie Anm. 2), Bd. 2, S. 182, hatte Berend Lehmann bereits mit Johann Georg IV. Geldgeschäfte getätigt; sein Aufstieg ist jedoch erst in die Regierungszeit Augusts des Starken (1694–1733) zu setzen. Eine anonyme Denunziation bei SCHNEE, ebd., S. 197, spricht davon, er sei „ein armer Teufel" gewesen, bevor Letzterer an die Regierung kam. Auf der Leipziger Messe erschien Berend Lehmann bis 1694 als zahlender Besucher (MAX FREUDENTHAL, *Leipziger Messgäste. Die jüdischen Besucher der Leipziger Messen in den Jahren 1675 bis 1764*, Frankfurt a. M. 1928 (Schriften der Gesellschaft zur Förderung der Wissenschaft des Judentums 29), S. 106); erst danach erhielt er offenbar Sonderrechte. Auch im fragmentarisch erhaltenen Halberstädter Gemeindebuch (CAHJP H VI 2/1) ist Bärmann SeGaL erst seit 1695 im Gemeindevorstand nachweisbar – zunächst (S. 39) noch in der untergeordneten Funktion eines von zwei Einnehmern der Spenden für die Juden in Palästina *(gabba'e e[reṣ] y[isra'el])*, ab 1697 (S. 43) als einer von drei Gemeindevorstehern (*parnasim)*. Die gelegentlich – exemplarisch bei SCHNEE, ebd., S. 178 – geäußerte Überzeugung, Berend Lehmann habe schon 1693 aufgrund seiner Position die Neuzulassung von Juden in Halle erreicht, ist anachronistisch und, wie bereits GUIDO KISCH, Die Anfänge der jüdischen Gemeinde zu Halle, in: *Sachsen und Anhalt. Jahrbuch der historischen Kommission für die Provinz Sachsen und für Anhalt* 4 (1928), S. 132–166, hier S. 142 mit Anm. 22 (= DERS., *Rechts- und Sozialgeschichte der Juden in Halle, 1686–1730*, Berlin 1970 (Veröffentlichungen der Historischen Kommission zu Berlin beim Friedrich-Meinecke-Institut der Freien Universität Berlin), S. 25 mit Anm. 25), nachgewiesen hat, in der Sache unzutreffend. Vielmehr geht die erste Ansiedlung von Juden in Halle 1688 auf eine Initiative des Berliner Hofjuweliers Jost Liebmann zurück. Erst um die Jahreswende 1697/98 konnte auch Berend Lehmann zwei Neffen ein Schutzpatent auf Halle erwirken (KISCH, ebd., S. 34 f.).

12 AUERBACH, *Geschichte* (wie Anm. 2), S. 50 mit Anmerkung 1. Dagegen schon MAX FREUDENTHAL, Zum Jubiläum des ersten Talmuddrucks in Deutschland, in: *Monatsschrift für Geschichte und Wissenschaft des Judentums* 42 (1898), S. 80–89, 134–143, 180–185, 229–236, 278–285, hier S. 83, Anm. 1.

13 LEHMANN, *Königlicher Resident* (wie Anm. 6), Kap. 6 und 7; vgl. SAVILLE, *Juif de cour* (wie Anm. 2), S. 121.

14 LEHMANN, Behrend Lehmann (wie Anm. 8), S. 202 f. Vgl. das Reskript des Königs vom 30. Juli/9. August 1697 über die Zahlung einer jährlichen Besoldung von 1200 Reichstalern an den eben ernannten Residenten im Sächsischen Hauptstaatsarchiv Dresden, Spezialreskripte des Kammerkollegiums – Geh. Finanzkollegium 1697, fol. 199. (Ich danke Rotraud Ries, die diese Akte freundlicherweise für mich eingesehen hat.)

15 SAVILLE, *Juif de cour* (wie Anm. 2), S. 55 ff.; er bezieht sich auf den bei AUERBACH, *Geschichte* (wie Anm. 2) als Beilage II, S. 170–178, gedruckten Text. Vgl. dazu bereits FREUDENTHAL, Jubiläum (wie Anm. 12), S. 82, Anm. 2.

16 Dazu grundlegend FREUDENTHAL, ebd., hier S. 81–84. Vgl. für die Vorgeschichte auch die Approbation von R. Naphtali Katz zu Beginn des ersten Bandes der Talmudausgabe Frankfurt an der Oder/Berlin 1715–22, zit. bei RAPHAEL RABBINOVICZ, *History of the Printing of the Talmud* [hebr.], hg. von A.M. HABERMANN, 2. Aufl., Jerusalem 1965 (Jakob Michael Library. Translations and Collections in Jewish Studies 12), S. 108 f., Anm. 2, sowie die Darstellung des Berliner Hofpredigers Jablonski in GStA PK, I.

HA Rep. 51 Nr. 67, S. 176–179, gedruckt bei H[ERMANN] PICK, Aktenstücke zur Geschichte der Talmudausgaben Berlin – Frankfurt an der Oder, in: SIMON EPPENSTEIN/MEIER HILDESHEIMER/JOSEPH WOHLGEMUTH (Hgg.), *Festschrift zum siebzigsten Geburtstage David Hoffmanns*, Berlin 1914, S. 175–190, hier S. 180 f.

17 BERNHARD BRILLING, Gründung und Privilegien der hebräischen Buchdruckerei in Frankfurt a. O., in: *Monatsschrift für Geschichte und Wissenschaft des Judentums* 80 (1936), S. 262–295.

18 FREUDENTHAL, Jubiläum (wie Anm. 12), S. 80, nach den zeitgenössischen Approbationen.

19 Vgl. AUERBACH, *Geschichte* (wie Anm. 2), S. 59, Anm. 2.

20 GStA PK, I. HA Rep. 51 Nr. 65, Bl. 215; Rep. 21 Nr. 205 Fasz. 18 (unpag.); FREUDENTHAL, Jubiläum (wie Anm. 12), S. 82.

21 FREUDENTHAL, ebd., S. 82 f.; vgl. DERS., *Aus der Heimat Mendelssohns. Moses Benjamin Wulff und seine Familie, die Nachkommen des Moses Isserles*, Berlin 1900, S. 161 f.; SCHNEE, *Hoffinanz* (wie Anm. 2), Bd. 2, S. 270 f.

22 Zeitgenössische Abschrift in GStA PK, I. HA Rep. 33 Nr. 120 b sub 1731 (unpag.). Die spätere Überlieferung hat daraus eine Auflage von 5000 Stück und Kosten von 50 000 Talern gemacht. So ohne Quelle bei AUERBACH, *Geschichte* (wie Anm. 2), S. 60; in der Folge in zahlreichen Darstellungen. Zweifelnd zur Höhe der Auflage bereits FREUDENTHAL, Jubiläum (wie Anm. 12), S. 84, Anm. 3. Die Gesamtkosten dürften schon insofern um einiges über der an Gottschalk gezahlten Summe gelegen haben, als Berend Lehmann sich verpflichtete, die sechs mit der Texterstellung betrauten „Correctores" und ihre Familien während der zweieinhalb Jahre ihrer Tätigkeit in Frankfurt „auf seine eigene Kosten, ohne Gottschalcks beytrag zu bezahlen". Vgl. dazu RABBINOWICZ, *History* (wie Anm. 16), S. 98 f., Anm.

23 FREUDENTHAL, Jubiläum (wie Anm. 12), S. 84; vgl. RABBINOWICZ, *History* (wie Anm. 16), S. 99, Anm. Dass Bärmann den Druck höchstpersönlich überwacht haben soll (so noch bei COHEN/MANN (wie Anm. 9), Katalog Nr. 185, S. 206), dürfte wiederum ins Reich der Legende gehören. Der Reisebericht des schwedischen Theologen Olaf Celsius, der im August 1698 Frankfurt an der Oder besuchte (gedruckt bei HANS-JOACHIM SCHOEPS, *Philosemitismus im Barock. Religions- und Geistesgeschichtliche Untersuchungen*, Tübingen 1952, S. 189 f.), erwähnt die hebräische Druckerei, in der „Berndt Lima, ein Jude in Halberstadt" gerade den Talmud drucken lässt; auf persönliche Anwesenheit ist daraus kaum zu schließen. Auch die viel zitierte Stelle über das öffentliche Auftreten Berend Lehmanns – „Er fährt aus mit sechs Paar Pferden vor dem Wagen, drei Lakeien, zwei vorn und einer hinten" – basiert offenbar auf Hörensagen. Celsius fährt fort: „Ein Judenmädchen setzte auch Talmud und war bis Baba Kama fol. 20 gekommen." Dieses Mädchen soll (COHEN/MANN, ebd., S. 206 mit Anm. 3 nach LEHMANN, Behrend Lehmann (wie Anm. 8), S. 205) Bärmanns einschlägig gebildete Schwester gewesen sein, von der wir sonst allerdings nicht das Geringste wissen. Berend Lehmann also ein Vorreiter neoorthodoxer Mädchenerziehung? Näher liegend ist die Vermutung, dass Celsius' Beobachtung sich auf die damals elfjährige Setzerin Ella bat Mosche bezieht, die wie ihr Vater und ihre Brüder auch in Dessau gedruckt hat; ihre Beteiligung am Bärmann-Talmud ist durch eine Notiz am Ende des Traktats Nidda belegt. So bereits bei ABRAHAM KARP, *From the Ends of the Earth: Judaic Treasures of the Library of Congress*, New York 1991, S. 49; vgl. AVRAHAM YAARI, Frauen im hebräischen Buchdruck [hebr.], in: DERS., *Studies in Hebrew Booklore* [hebr.], Jerusalem 1958, S. 256–302, hier S. 262, Nr. 9.

24 So ohne Quelle bei AUERBACH, *Geschichte* (wie Anm. 2), S. 60 f.

25 RABBINOVICZ, *History* (wie Anm. 16), S. 100; vgl. NAHUM RAKOVER, *Copyright in Jewish Sources* [hebr.], Jerusalem 1991, S. 384, Anm. 249.

26 Vgl. bes. seine Schilderung des Sachverhalts in einem Schreiben an den sächsischen Kurfürsten vom 23. Mai 1715 in StadtA Leipzig, Tit. XLVI Nr. 289, Bl. 28 f. und 32 f., in dem er „freilich verwechselte, dass [die] zwanzigjährige Frist nicht vom Kaiser, sondern von den Rabbinen gewährt worden war" (FREUDENTHAL, Jubiläum (wie Anm. 12), S. 185).

27 GStA PK, I. HA Rep. 9 F2 b Fasz. 14; Rep. 21 Nr. 205 Fasz. 18; Rep. 51 Nr. 67, Bl. 184–190 (z. T. gedruckt bei PICK, Aktenstücke (wie Anm. 16), S. 184 f.); StadtA Leipzig, Tit. XLVI Nr. 289. Vgl. FREUDENTHAL, Jubiläum (wie Anm. 12), passim. Gottschalks Streit mit Berend Lehmann war auch zwei Jahre nach dessen Tod noch nicht beigelegt. Dazu GStA PK, I. HA Rep. 51 Nr. 67, Bl. 148–166 (z. T. bei PICK, Aktenstücke (wie Anm. 16), S. 185–189); Rep. 33 Nr. 120 b sub 1731; Rep. 33 Nr. 82 b sub 1732.

28 Korrespondenz in GStA PK, I. HA Rep. 33 Nr. 120 c 1649–1701 sub 1698, teilweise publiziert bei STERN, *Preußischer Staat* (wie Anm. 9), I/2, Nr. 363 f., S. 343 ff.

29 Beispiele bei STERN, *Court Jew* (wie Anm. 1), S. 222 f. Zur Institution der Klaus in Osteuropa, die sich von den entsprechenden Einrichtungen in Deutschland allerdings in mehrfacher Hinsicht unterschied, ELCHANAN REINER, Wealth, Social Position and the Study of Torah: The Status of the *Kloiz* in Eastern European Jewish Society in the Early Modern Period [hebr.], in: *Zion* 58 (1993), S. 285–328, bes. S. 297–299 sowie 308, Anm. 48. (Ich danke Richard Cohen und Michael Silber für den Hinweis auf diesen Aufsatz.) Die Gründung der Halberstädter Klaus wird in der Literatur zumeist in das Jahr 1703 (so zuerst bei AUERBACH, *Geschichte* (wie Anm. 2), S. 61) gesetzt; tatsächlich ist der genaue Zeitpunkt nicht festzustellen. Die Errichtung eines Lehrhauses wurde auf Berend Lehmanns Antrag vom 14. Februar 1698 am 4. April selben Jahres genehmigt; das Grundstück hatte er bereits am 15. März 1697 erworben. In der Folge wurde das Vorhaben, soweit die Quellenlage ein Urteil erlaubt, offenbar von zwei Seiten torpediert: zum einen durch die Stände, die sofort gegen die Genehmigung protestierten und immerhin erreichten, dass die Bauarbeiten über der Grundsatzfrage der Rechtmäßigkeit jüdischen Hausbesitzes zeitweilig unterbrochen werden mussten; diese Auseinandersetzungen zogen sich bis mindestens 1703 hin (GStA PK, I. HA Rep. 33 Nr. 120 c sub 1698, Nr. 120 b sub 1713, Nr. 95 sub 1703). Zum anderen scheint das Projekt durch innerjüdische Streitigkeiten behindert worden zu sein; vgl. dazu weiter unten Anm. 38. Zu den ersten Gelehrten der Klaus gehörte Selig Margolies. Nach der Vorrede zu dessen Werk *Ḥibbure Liqquṭim*, das 1715 in Venedig erschien, hatte er bis zu diesem Zeitpunkt, als er mit Unterstützung Berend Lehmanns nach Palästina übersiedelte, elf Jahre an der Klaus in Halberstadt verbracht. Damit ist 1704 der *terminus ante quem*.

30 Nach Stadtarchiv Halberstadt Schulakten II/757 wurde die Berend-Lehmann-Stiftung 1939 in die Reichsvereinigung der Juden in Deutschland eingegliedert; ihr letzter Kurator Samuel Baer wurde – nach der Liste bei WERNER HARTMANN, *Juden in Halberstadt. Geschichte, Enden und Spuren einer ausgelieferten Minderheit*, Halberstadt 1991 (Juden in Halberstadt 1), S. 15 – am 12.4.1942 von Halberstadt nach Warschau deportiert.

31 ESRIEL HILDESHEIMER, *Die Rabbiner Halberstadts*, Halberstadt 1993 (Juden in Halberstadt 4), S. 6.

32 BREUER, *Jüdische Orthodoxie* (wie Anm. 6), S. 200.

33 Für Mannheim siehe ISAK UNNA, *Die Lemle Moses Klaus-Stiftung in Mannheim*, 2 Hefte, Frankfurt a. M. 1908/09.

34 UNNA, ebd., Heft 1, S. 16 f., 25, 27 f., 33–35; Heft 2, S. 3–7.

35 Zeitgenössische Abschrift der Übereinkunft in CAHJP H VII 16/7; eine jüngere Abschrift bei MANFRED R. LEHMANN, Zu Gründung und Unterhalt der „Klaus" in Halberstadt [hebr.], in: *Sinai* 94 (1984), S. 266–272, hier S. 267–269.

36 Deutsche Fassung der Obligation vom 3.5.1713 über ein Darlehen Berend Lehmanns

in Höhe von 3000 Rt. an die Berliner Gemeinde in GStA PK, I. HA Rep. 21 Nr. 205 Fasz. 4 (unpag.). Die Verwendung der jährlichen Zinsen von fünf Prozent für die Halberstädter Klaus geht aus CAHJP P 17/517 hervor. Vgl. außerdem LEHMANN, Behrend Lehmann (wie Anm. 8), S. 206 f.; AUERBACH, *Geschichte* (wie Anm. 2), S. 154, Anm. 1.

37 UNNA (wie Anm. 33), Heft 1, S. 14.

38 Undatiertes hebräisches Schreiben Bärmanns an Vorstand und Rabbiner der Halberstädter Gemeinde (CAHJP KGe 3 59; vgl. EMIL LEHMANN, Polnischer Resident (wie Anm. 2), S. 131 f.), geschrieben in Grodno und vor 1701 zu datieren, da er Friedrich III./I. noch als *dukas* bezeichnet, einzuordnen vielleicht in den Kontext seiner Reisen im Sommer 1700 (vgl. dazu die bei MEISL, Behrend Lehmann (wie Anm. 2), S. 237–243 publizierten Briefe). Berend Lehmann droht hier unter Hinweis auf seine Position als bedeutendster Steuerzahler der Gemeinde, Halberstadt zu verlassen, falls die ursprüngliche Funktion des Lehrhauses nicht wiederhergestellt werde. Es ist anzunehmen, dass sich diese Drohung (gegen BREUER, Hofjuden (wie Anm. 1), S. 122) weniger gegen entsprechende Bestrebungen innerhalb der Gemeinde als an die Adresse des umstrittenen Gemeinderabbiners Abraham Liebmann richtete, dessen einflussreicher Vater, der Berliner Hofjuwelier Jost Liebmann, ihm ein Inspektionsrecht über die Klaus erwirkt hatte. Vor diesem Hintergrund erscheint die Formulierung in Berend Lehmanns ursprünglicher Eingabe an den Kurfürsten, er wolle durch den Bau eines Studierhauses verhindern, dass die Halberstädter Juden „Ihre Kinder, umb die Hebraische Sprache ex fundamento zu erlernen, mit großen Kosten nacher Pohlen [...] senden müssten" (GStA PK, I. HA Rep. 33 Nr. 120 c 1649–1701 sub 1698), als taktisch motiviert. Ob die Gründung der Klaus durch Berend Lehmann in dem mit ihr verbundenen Zuzug weiterer Gelehrter tatsächlich den bewussten Versuch darstellt, Abraham Liebmanns rabbinische Autorität zu untergraben, als welchen dieser sie offenbar verstand, muss hier dahingestellt bleiben. Erst nach dem Tod Friedrichs I. und dem Sturz der Familie Liebmann im Jahre 1713 gelang es Berend Lehmann jedenfalls, sich die alleinige Aufsicht über das von ihm unterhaltene Lehrhaus auch offiziell zu sichern (CAHJP H VII 16/5, 16/6; GStA PK, I. HA Rep. 33 Nr. 120 b sub 1713, vgl. STERN, *Preußischer Staat* (wie Anm. 9), I/2, Nr. 369 f., S. 348 f. sowie II/2, Nr. 455 f. und 458, S. 567–569); Abraham Liebmann ging wenig später als Rabbiner der aschkenasischen Gemeinde nach Amsterdam.

39 UNNA (wie Anm. 33), Heft 1, S. 35–37; Heft 2, S. 7–9.

40 DAVID KAUFMANN, Isachar Bär gen. Berend Cohen, der Gründer der Klause in Hamburg, und seine Kinder, in: *Monatsschrift für Geschichte und Wissenschaft der Juden* 40 (1896), S. 220–229, 262–279, hier S. 265–267.

41 SELIG GRONEMANN, *Genealogische Studien über die alten jüdischen Familien Hannovers*, Berlin 1913, S. 93.

42 JÖRG H. FEHRS, *Von der Heidereutergasse zum Roseneck. Jüdische Schulen in Berlin 1712–1942*, Berlin 1993, S. 35–38.

43 SCHNEE, *Hoffinanz* (wie Anm. 2), hier Bd. 2, S. 202.

44 Zu Kosmann Berend (um 1713–1769), später Kriegslieferant des Bistums Münster, und seinen Nachkommen SCHNEE, *Hoffinanz* (wie Anm. 2), Bd. 2, S. 204, S. 222; vgl. ebd., Bd. 3, S. 60 f.; GRONEMANN, *Genealogische Studien* (wie Anm. 41), S. 86–90 (dort zu Unrecht als ältester Sohn bezeichnet; vgl. dagegen CAHJP H I 3/65, S. 143). Zu seinen Rechten hinsichtlich der Halberstädter Klaus CAHJP P 17/517, Bl. 3–8; H VII 13/3, Bl. 18b-20a; H VII 16/8.

45 UNNA (wie Anm. 33), Heft 1, S. 32.

46 Darunter Jecheskel Landau in Prag; vgl. dessen Gutachten in CAHJP H VII 16/26, Bl. 1–4, sowie AUERBACH, *Geschichte* (wie Anm. 2), S. 107 f.

47 Auerbach, ebd., S. 109.

48 Stiftung „Neue Synagoge Berlin – Centrum Judaicum", Archiv (CJA), 1 (Gesamtarchiv der deutschen Juden), 75 A Ha 2 Nr. 89; vgl. Lehmann, Gründung (wie Anm. 35), S. 269–272.

49 Zu Kosmann Berend (1801–1886), dem Schwager des Hamburger Oberrabbiners Isaak Bernays, Gronemann, *Genealogische Studien* (wie Anm. 41), S. 90. Vgl. seinen Nachruf in: *Der Israelit* 27, Nr. 84 (28. Oktober 1886), S. 1450, sowie Breuer, *Jüdische Orthodoxie* (wie Anm. 6), S. 199.

50 CJA, 1, 75 A Ha 2 Nr. 89.

51 Werner E. Mosse, Integration through Apartheid: The Hirschs of Halberstadt 1780–1930, in: *Leo Baeck Institute Year Book* 35 (1990), S. 133–150, hier S. 135.

52 CAHJP H VII 16/26 c, S. 7.

53 Breuer, *Jüdische Orthodoxie* (wie Anm. 6), S. 200, 201 f.

54 Hirsch Benjamin Auerbach, Die Halberstädter Gemeinde 1844 bis zu ihrem Ende, in: *Bulletin des Leo-Baeck-Instituts* 10 (1967), S. 124–158, 309–335, hier S. 134.

55 Auerbach, *Geschichte* (wie Anm. 2), S. 153–156.

56 Statuten der Berend-Lehmann-Stiftung von 1883, S. 7, in StadtA Halberstadt Schulakten II/755; dort auch die vorausgegangenen Verhandlungen.

57 Sehr augenfällig ist dies in der Darstellung von Auerbach, Halberstädter Gemeinde (wie Anm. 54), passim.

58 Klausmemorbuch Halberstadt, gedruckt bei Josef Meisl, Das Memorbuch der Klaus in der Jüdischen Gemeinde Halberstadt [hebr.], in: *Reshumot* N.F. 3 (1947), S. 181–205, hier Nr. 123, S. 200 f. der Eintrag für Nikolaus Nathan Berend, gest. 1910; ebd. Nr. 122 der Eintrag für seinen Bruder Kosmann Berend. Für die Jahre 1908 bis 1930 sind im StadtA Halberstadt keine Akten erhalten, die Aufschluss über die Besetzung des Kuratoriums geben könnten. Nach Hirsch Benjamin Auerbach, Die Halberstädter „Klaus" 1844 bis zu ihrem Ende, in: *Zeitschrift für die Geschichte der Juden* 6 (1968), S. 11–18, hier S. 17 f., gab die Hannoveraner Familie Berend ihre Beteiligung an der Stiftung während der Inflationszeit auf.

59 Vgl. Breuer, *Jüdische Orthodoxie* (wie Anm. 6), S. 206, über die Parallele zu Hofjuden in innerjüdisch-wirtschaftlicher Hinsicht. Auerbach, Halberstädter Gemeinde (wie Anm. 54), S. 139, macht eine solche Parallele zwischen Joseph Hirsch und Berend Lehmann explizit.

60 Dass sich diese Vereinnahmung Berend Lehmanns durch die Neoorthodoxie keineswegs zwingend aus dessen Person ergibt, ist in der biographischen Skizze aus der Feder seines Nachfahren Emil Lehmann immerhin angedeutet. Lehmann, als Vorsitzender der Dresdner Gemeinde „ein führender Vertreter des Reformjudentums" (Breuer, *Jüdische Orthodoxie* (wie Anm. 6), S. 310), schreibt: „Die Statuten von 1883 stehen – leider – auf dem Standpunkte der strengsten Orthodoxie […]. Hiermit ‚glauben sie, die Intentionen des Stifters, des Kgl. Residenten Berend Lehmann wiederzugeben' […]. Ob er aber, heute lebend, damit einverstanden wäre, steht dahin. Denn er war ein frommer, aber auch ein weiser, welterfahrener Mann" (Polnischer Resident (wie Anm. 2), S. 134).

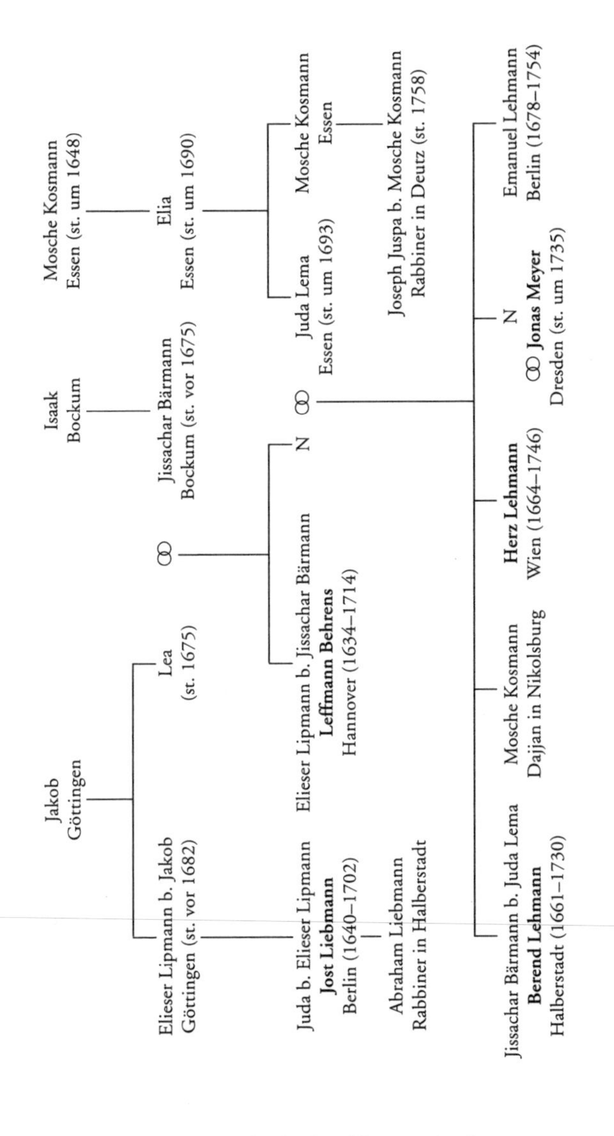

*Abb. 13: Verwandtschaftstafel Berend Lehmann (**Fett** gedruckt sind die Namen von Personen, für die Hofjudentätigkeit belegt ist.)*

Quellen zur Verwandtschaftstafel:

Zu den Essener Vorfahren: SAMUEL, *Geschichte* (wie Anm. 10), S. 44 f., 48–50 und Stammtafel S. 115. Ebd., S. 49, interpretiert SAMUEL den Namen des Urgroßvaters als „Juda Cosman, Sohn des Mose Halevi". Das scheint ein Missverständnis. Wie Lipmann zu Elieser, Lema zu Juda und Bärmann zu Jissachar ist Kosmann vielmehr Übername zu Mosche (vgl. SIEGMUND SALFELD (Hg.), *Das Martyrologium des Nürnberger Memorbuches*, Berlin 1898 (Quellen zur Geschichte der Juden in Deutschland 3), S. 396); diese Kombination tritt in den folgenden Generationen noch mehrfach auf. Zu Juspa Kosmann: SAMUEL, ebd.; GRONEMANN, *Genealogische Studien* (wie Anm. 41), S. 23. Zu Mosche Kosmann (Nikolsburg): BERNHARD WACHSTEIN, *Die Inschriften des Alten Judenfriedhofes in Wien*, Bd. 2, Wien/Leipzig 1917 (Quellen und Forschungen zur Geschichte der Juden in Deutsch-Österreich 4), S. 179 f., Anm. 3 (dort zu Unrecht mit dem Vater von Juspa Kosmann identifiziert). Zu Herz Lehmann: WACHSTEIN, ebd., S. 306–310. Zu Jonas Meyer: SCHNEE, *Hoffinanz* (wie Anm. 2), Bd. 2, S. 205–209. Zu Emanuel Lehmann: JACOB JACOBSON, *Jüdische Trauungen in Berlin 1759–1813. Mit Ergänzungen für die Jahre von 1723 bis 1759*, Berlin 1968 (Veröffentlichungen der Historischen Kommission zu Berlin 28), S. 61; SCHNEE, ebd., S. 193 f. (dort fälschlich als Sohn des Residenten bezeichnet).

Die bislang vollständigste Zusammenstellung von Bärmanns Nachkommen bieten FRAENKEL/FRAENKEL, *Genealogical Tables* (wie Anm. 2), Bd. 2, Tafeln VIII sowie VI/O-S; zu ergänzen ist dort die Tochter Freidche, verh. mit Süßkind Samuel Stern in Frankfurt a. M., gest. 1767 (Memorbuch Frankfurt, Bl. 474, nach der Kopie in CAHJP KGe 20 12 b).

Der genaue Grad der Verwandtschaft mit Leffmann Behrens ist bisher nicht geklärt; sie ist jedenfalls (gegen WACHSTEIN, ebd., S. 177, Anm. 1) nicht erst durch Heiratspolitik begründet. In einem Brief aus dem Jahre 1704 (bei MEISL, Behrend Lehmann (wie Anm. 2), S. 246) nennt Berend Lehmann Leffmann Behrens seinen Onkel. Die Vermutung liegt nahe, dass seine Mutter eine Schwester des Hannoveraner Hofjuden war; Berend Lehmann wäre damit nach dessen Vater benannt, der im Hannoveraner Memorbuch (bei GRONEMANN, *Genealogische Studien* (wie Anm. 41), hebr. Teil, S. 24) als Jissachar Bärmann erwähnt ist. Die Verwandtschaft mit der Familie Jost Liebmanns ergibt sich aus GRONEMANN, ebd., S. 34, sowie aus Abraham Liebmanns Approbation zum *Nezer haqodesh* des Jechiel Michel b. Usiel (Jessnitz 1719). Darüber hinaus war Berend Lehmann wahrscheinlich auch mit der Familie Gomperz in Kleve verwandt, in der die nicht ganz häufige Namenskombination Mosche Kosmann ebenfalls über Generationen tradiert wird. Für die Verwandtschaft von Juspa Kosmann und Jakob Gomperz DAVID KAUFMANN/MAX FREUDENTHAL, *Die Familie Gomperz*, Frankfurt a. M. 1907 (Zur Geschichte jüdischer Familien 3), S. 49; für frühe Geschäftsbeziehungen zwischen Berend Lehmann, seinem Onkel Kosmann Elias in Essen und den Gomperz in Kleve GStA PK Rep. 34 Nr. 64 g 2 Fasz. 13. Sollte Mosche Halevi, der Schwiegervater des ersten Gomperz (KAUFMANN/FREUDENTHAL, ebd., S. 97), zu der gleichfalls levitischen Essener Familie gehört haben?

Hofjuden auf dem Lande und das Projekt der Moderne*

Eva Grabherr

Die Forschungsfrage, die diesem Beitrag unterliegt, zielt auf die Funktion der Hofjuden als Teilgruppe der jüdischen Elite im Akkulturationsprozess, den jüdisches Leben in den Territorien des Reiches in den Jahrzehnten der Emanzipation durchlief. Die Hofjuden agierten durch ihre wirtschaftliche Funktion am christlichen Hof und die daraus resultierende funktionale Einbindung in höfische und damit staatliche Angelegenheiten an einer Schnittstelle zwischen jüdischer und nichtjüdischer Gemeinschaft, was sie innerhalb der jüdischen Gemeinde auch für die zentrale Funktion des Parnass, des Vorstehers, prädestinierte. In vielen Gemeinden waren sie daher in hohen Gemeindefunktionen zu finden.[1] Für die Frage nach den Hofjuden als Förderern aufklärerischer Ideen und Repräsentanten der Moderne in ihren Gemeinden sind sie sowohl in ihrer Schnittstellenfunktion wie auch als Elite ihrer Gemeinschaften von Interesse.

Zunächst zu ihrer Funktion als ‚Pendlern' zwischen jüdischer und christlicher Gesellschaft: Der Untersuchungszeitraum dieser Studie, das ausgehende 18. und frühe 19. Jahrhundert, zeichnet sich u. a. dadurch aus, dass sich das Verhältnis zwischen christlicher und jüdischer Gemeinschaft grundlegend änderte. Die korporatistische Gesellschaftsordnung des Alten Reiches hatte den Juden als Gemeinschaft zwar einen festen Platz in der christlichen Gesellschaftsordnung zugewiesen, und Juden standen durch ihre wirtschaftlichen Tätigkeiten, ihr Leben in den christlichen Dörfern, Marktorten und den wenigen Städten sowie den notwendigen Umgang mit der Obrigkeit auch permanent im Kontakt mit der nichtjüdischen Gesellschaft. Diese Einbindung war jedoch funktional, vollzog sich also lediglich auf der praktischen und pragmatischen Ebene. Das gesellschaftliche Ideal war das der Segregation.[2]

Das änderte sich mit der Herausbildung des modernen Verwaltungs- und Zentralstaates und – damit korrespondierend – der bürgerlichen Gesellschaft; eine Entwicklung, die nicht zuletzt auf der Auflösung der religiösen Grundlegung jeglicher Ordnung, also auch der sozialen und politischen, beruhte.[3] Das Ideal der neuen politischen Ordnung war die Integration aller Gruppen und Korporationen und die Unterstellung eines jeden Einzelnen unter den zentralen Staat und das von diesem ausgehende Recht. Der Gegensatz christlich–jüdisch verlor zunehmend seine politisch-rechtliche Wirkungsmacht. Religion wurde zur Privatsache der Individuen, was sich natürlich auch auf die Kohäsion und innere Verfasstheit religiös definierter Korporationen und Gemeinschaften auswirkte. An die Stelle eines Herrschaftsgebildes kleinräumig organisierter Gemeinschaften trat die Idee eines Gesamt der Individuen: die Nation. Das Ideal der grundlegenden Gleichheit aller Individuen löste die Dominanz der durch kollektive Zugehörigkeit definierten Besonderheit ab. In den Vordergrund trat die Freiheit des Einzelnen und die Bedeutung des persönlichen Verdienstes für den sozialen Rang. An die Stelle segregierender Religion traten Kultur und Bildung, die idealiter jeder (unabhängig von religiöser und anderer korporativer Zugehörigkeit) zeigen und erringen konnte. Eine wichtige Leitidee dieser Jahrzehnte war die Vermehrung des allgemeinen Reichtums. Leistung und Nützlichkeit des Einzelnen wurden zu einem zentralen Maßstab seines sozialen Status und lösten die Zugehörigkeit zu einer Korporation als Bewertungsgrundlage ab. Diese neue kulturelle, soziale und politische Ordnung war maßgeblich von den Ideen der Aufklärung informiert.[4]

Betrachtet man die Hofjuden vor dem Hintergrund dieser Entwicklungen, scheinen Züge der Moderne bereits in der vormodernen Existenz dieser Gruppe durch. Immerhin ermöglichte man ihnen lange vor der Emanzipationsgesetzgebung die Überwindung religiöser und korporatistischer Schranken auf der Grundlage von Leistungen, die sie für den Hof als Vorgängerinstitution des modernen Zentralstaates erbringen konnten. Auch das Zugeständnis von nichtjüdischer wie jüdischer Seite, den Hofjuden eine Annäherung an Habitus und ‚lifestyle' der nichtjüdischen Gesellschaft zu erlauben, verweist auf die Überwindung vormoderner Strukturen.[5] Die korporatistische Ordnung der Vormoderne wurde ja nicht zuletzt entscheidend durch äußere Kennzeichnung des Einzelnen (Kleiderordnungen etc.) und die so produzierte wahrnehmbare Besonderheit der Kollektive hergestellt und stabilisiert.[6] Von diesen beiden Phänomenen jedoch auf eine mehr als nur funktionale Integration der Hofjuden zu schließen würde der sozialen und politischen Verfasstheit der Vormoderne wie auch der Moderne nicht gerecht. Jede feste Ordnung erlaubt Ausnahmen von der Norm, was nicht bedeutet, dass Letztere durch diese Übertretungen außer Kraft gesetzt würde. Praktiken des Alltags, die im Widerspruch zu Normen, Werten und Ideen des gesellschaftlichen Ideals stehen, zugelassene Ausnahmen also, hebeln diese Ideale nicht aus. Das gesellschaftliche Ideal der Vormoderne war das der Segregation und der Definition des sozialen Ranges des Einzelnen durch die Gruppe, der er angehörte. Die Hofjuden konnten vom Hof herangezogen werden, wenn der die spezifischen Leistungen dieser Untertanen benötigte, er entließ diese Funktionsträger jedoch wieder dorthin, wo sie hergekommen waren, sobald er deren Dienste nicht mehr benötigte. Erst durch die Aufklärung und die von ihren Ideen informierten politischen Entwicklungen setzte sich das Modell eines Staates durch, der auf Normen und Werten basiert, auf die sich jeder (und später auch jede) – unabhängig von religiöser oder anderer Gruppenzugehörigkeit – berufen und beziehen kann.

So weit eine Analyse der potenziellen Möglichkeiten, aber auch unüberwindbaren Grenzen von Hofjuden als Pendlern zwischen jüdischer und nichtjüdischer Welt aus der Perspektive der äußeren rechtlichen und politischen Rahmenbedingungen vormoderner Existenz. Bleibt die Frage, wie die Hofjuden sich selbst verstanden haben; die Frage also, ob sich auf eine spezifische Mentalität der Hofjuden schließen lässt? Gibt es genügend Zeugnisse, die ein spezifisch hofjüdisches kritisches Verhältnis zur eigenen Tradition und den Grenzen, die diese im Umgang mit der nichtjüdischen Welt auferlegt, nahe legen? Waren Hofjuden durch ihre besonderen Erfahrungen in der Vormoderne beinahe prädestiniert, Proponenten aufklärerischer Ideen und der Moderne in ihren Gemeinden zu werden? Welche spezifischen Erfahrungen könnten das gewesen sein? Das sind die Leitfragen dieser mikrohistorischen Studie, die sich mit den hofjüdischen Familien der jüdischen Landgemeinde Hohenems im ausgehenden 18. und frühen 19. Jahrhundert beschäftigt.

Die Geschichte der jüdischen Landgemeinde Hohenems (im Westen Österreichs an der Schweizer Grenze) reicht in das frühe 17. Jahrhundert zurück. Im Rahmen des Ausbaus des bäuerlichen Fleckens zur Residenz seiner Grafschaft und der damit einhergehenden „Peuplierungspolitik" erließ der Hohenemser Reichsgraf Kaspar 1617 einen Schutzbrief, der die Ansiedlung jüdischer Familien ermöglichte. Bis 1765 bildete die Residenz eine reichsunmittelbare Enklave inmitten habsburgisch-österreichischer Gebiete. In dieser Konstellation entsprach Hohenems idealtypisch dem Herrschaftsgefüge, in dem sich in der Frühen Neuzeit jüdische Gemeinden etablieren konnten.[7] 1769 unterstellte Maria Theresia die Hohenemser Gemeinde dem habsburgischen Schutz. Ihren demographischen Höchststand erreichte sie 1823 mit knapp 500 Mitgliedern, was 13,9 % der Gesamtbevölkerung entsprach. In der zweiten Hälfte des 19. Jahrhunderts verlor sie ihre Mitglieder rasant – in erster Linie an die sich etablierenden jüdischen Gemeinden in den Städten.

Die Verdichtungszonen des Netzwerkes der Hohenemser Juden, gebildet durch Familien- und Geschäftsbeziehungen, waren die alten jüdischen Landgemeinden in der Schweiz, Baden, Württemberg und der vorderösterreichischen Markgrafschaft Burgau im heutigen Bayern. Wichtig für die ökonomischen Tätigkeiten der Hohenemser waren jedoch auch gut abgesicherte

Beziehungen in den südalpinen Raum. Schon im ausgehenden 17. und frühen 18. Jahrhundert kam den Vorarlberger Juden im Warenaustausch mit dem Süden eine besondere Bedeutung zu – nachgewiesen in einem innerjüdischen Beziehungsnetz, dessen Zentrum die jüdischen Landgemeinden der Markgrafschaft Burgau um die Reichsstadt Augsburg bildeten. 1785 bis 1819 lagen die Städte Ancona und Triest als Zielort der Auswanderung aus Hohenems immerhin bereits an sechster Stelle. 1820 bis 1866 bilden die beiden Orte sogar das am häufigsten gewählte Auswanderungs- und Heiratsziel der Hohenemser Juden.[8] Dieser Befund neuerer Forschungsarbeiten zeugt von einer vermögenden, überregionalen Handel treibenden jüdischen Oberschicht in dieser Landgemeinde. Deren Entstehung führte bereits Aron Tänzer in seiner Geschichte der Juden in Hohenems von 1905 auf das bis 1812 wirksame generelle Handelsverbot für die Hohenemser Juden in den habsburgischen Gebieten der direkten Umgebung der kleinflächigen Reichsgrafschaft zurück. Dieses Verbot, von den Landständen gefordert und immer wieder erneuert, zwang sie geradezu zu überregionaler Handelstätigkeit.[9] Die wirtschaftliche Tätigkeit und Kompetenz der Hofjuden in der Vormoderne mit deren noch wenig ausgebauten Kommunikations- und Verkehrsstrukturen beruhte weit gehend auf einer durch Heiratsbeziehungen abgesicherten überregionalen Vernetzung. Die politisch bedingte Notwendigkeit, eine überregionale Handelstätigkeit zu entfalten, könnte erklären, warum sich an einem Ort wie Hohenems überhaupt ein so starkes hofjüdisches Milieu herausbilden konnte. Als Residenz- und Verwaltungsort, ein anderes Kriterium für die Existenz von Hofjuden an einem Ort, war Hohenems nämlich eher unbedeutend. Bereits mit der Übernahme der Reichsgrafschaft durch die österreichische Kaiserin 1765 ging dem Ort der Hof verloren. Jegliche über das Lokale hinausgehende administrative Funktion verlor Hohenems dann durch die Verwaltungsreform der bayerischen Herrschaft, der die Region infolge der napoleonischen Kriege in den Jahren 1805 bis 1814 unterworfen wurde.

Einen punktuellen Einblick in das überregionale Beziehungsnetz der Hohenemser jüdischen Elite-Familien mit ihrem Zentrum in den Vorortgemeinden von Augsburg und Außenstellen in den Gebieten des heutigen Norditalien gibt ein Briefbestand aus rund 30 erhaltenen Dokumenten der Hofjudenfamilie Levi aus dem letzten Drittel des 18. Jahrhunderts. Sie sind Teil eines umfangreichen Familienarchivs, das 1986 auf dem Dachboden des ehemaligen Wohnhauses der Hofjudenfamilie Levi (ab 1813 Löwenberg, Löwengart und Hirschfeld) in Hohenems entdeckt wurde.[10] Es handelt sich um Korrespondenz geschäftlichen Inhalts mit wenigen privaten Einschüben (Grüße an Familienmitglieder, das Arrangieren von Heiraten etc.) in westjiddischer Sprache. Die Briefe sind an die Brüder Hirsch (1735–1792) und Lazarus (1743–1806) Levi in Hohenems (vereinzelt auch mit Adresse in St. Gallen in der Schweiz) gerichtet. Es handelt sich um Korrespondenz der beiden Brüder untereinander, mit ihrem Bruder in Randegg in Baden, mit ihren Schwagern in Bozen und Buchau und anderen Verwandten (z. B. aus Pfersee bei Augsburg), deren familiäre Zuordnung noch nicht genau geklärt ist. Der Schwager in Bozen war der Hoffaktor Heinrich Henle, Ehemann von Susanna oder Scheinle Levi (geboren um 1752 in Hohenems). Eine Tochter der beiden wurde 1788 in Triest geboren, was nahe legt, dass die Familie dort auch gelebt haben dürfte. Aus Buchau am Federnsee erreichten die beiden Brüder Briefe ihres Schwagers Veit Neuburger (1746–1823), später Hoffaktor von Karl Anselm, Prinz von Thurn und Taxis. Veit Neuburger war mit Sophie Levi (1752–1819) verheiratet.[11] Aus Randegg kamen Briefe des Bruders Michael Levi, später Neumann (1740–1824). Auch dieser erhielt ein Hoffaktorenpatent des österreichischen Kaiserhauses. Aus Pfersee erreichte sie Korrespondenz eines Ephraim bar Tewli Ulmo; eine direkte verwandtschaftliche Beziehung dieses Mitglieds der weit verzweigten und bedeutenden Familie Ulmo (später Ullmann) zu den Levi-Löwenbergs ergibt sich, wenn man diesen Efraim bar Tewli mit dem Parnass und bischöflich-augsburgischen Hofjuden Ephraim Ullmann identifiziert. Sein Sohn Henle Ephraim (bischöflich-augsburgischer Hofjude, Parnass der Jüdischen Gemeinde Pfersee und einer der ersten Juden mit permanentem Aufenthaltsrecht in der Reichsstadt Augsburg, gestorben 1807) verheiratete nämlich mindestens zwei seiner Kinder mit Nachkommen des Lazarus Levi.[12] Lazarus wurde 1795 mit einem k. k. Hoffaktorenpatent ausgestattet. Dessen Bruder Wolf (1746–1823) erhielt das kaiserliche Patent 1797. Lazarus Levi, 1785 bis 1806 Vorsteher der Hohenemser Gemeinde, erhielt die kaiserliche Ernennung für Lieferungen von Hafer, Heu und Stroh im Wert von 24 000 Gulden an die kaiserlichen Armeen in Vorarlberg im Rahmen der napoleonischen Kriege; Wolf für „namhafte in Nothfällen geleistete Vorschüsse“ sowie für „sehr beträchtliche gegen billige Preise übernommene und stets zur rechten Zeit bewirkte Naturalien-Lieferungen“ für die kaiserlich-königlichen Armeen am Rhein und in Italien.[13]

Welche strukturellen Erkenntnisse über Hofjuden des süddeutschen Landjudentums der späten Epoche liefern uns nun diese mikrohistorischen Details? Zum einen unterstützt die Hohenemser Situation die These von Rotraud Ries, dass sich die Hofjuden aus der Wirtschaftselite der jüdischen Oberschicht rekrutierten und nach Beendigung ihrer Tätigkeit für den Hof auch wieder in diese Gruppe zurückfielen. Das Beispiel der Hohenemser Levi zeigt, dass Wohlstand weniger eine Folge als vielmehr eine Voraussetzung für die Ernennung zum Hoffaktor war. Die Levis mussten bereits über ein entsprechendes wirtschaftliches Potenzial verfügen, um für die kaiserliche Administration interessant zu sein. Mit dieser hatte Lazarus Levi als langjähriger Vorsteher der Jüdischen Gemeinde (1785–1806) besonders in den Zeiten der napoleonischen Kriege in vielen Angelegenheiten (Einquartierungen etc.) zu tun. Das dürfte eine wichtige Voraussetzung für die Vergabe der öffentlichen Aufträge und damit der Ausstattung mit dem kaiserlichen Patent gewesen sein.[14] Weiters verweist die familiäre Umgebung der Levis auf die auch andernorts belegte überregionale innerjüdische Vernetzung dieser Oberschichtfamilien. Nicht nur, dass drei der fünf Brüder Levi der Hofjuden-Generation Inhaber eines kaiserlichen Patentes waren, auch zwei der drei Schwestern waren mit Patentinhabern verheiratet. Wie die bereits angesprochene Korrespondenz belegt, unterhielten diese Familienmitglieder, in verschiedenen Orten residierend und ihre Interessen wahrnehmend, einen intensiven wirtschaftlichen Austausch untereinander. Ein gut organisiertes überregionales Netzwerk an Unter- und Zwischenhändlern war die Basis der wirtschaftlichen Tätigkeit der Hofjuden für den Hof. Ein besonderes Profil erhält diese Hohenemser Hofjudenfamilie jedoch durch ihre wirtschaftlichen und familiären Verbindungen zu den Ullmanns in Pfersee und später Augsburg. Die Verbindung der Levis mit der Ulmo-Günzburg-Familie, einer der profiliertesten und bedeutendsten jüdischen Familien des süddeutschen Raumes mit einer Jahrhunderte überdauernden Verbindung zum Kaiserhof in Wien, ist ein deutlicher Beleg für die Potenz dieser Hohenemser Hofjudenfamilie.[15]

In der zweiten Hälfte des 18. und den ersten Jahrzehnten des 19. Jahrhunderts dominierten diese hofjüdischen Familien die Gemeinde. Hoffaktoren und ihre Familien bildeten die wirtschaftliche Oberschicht, dominierten die Gemeinderepräsentanz und waren wichtige Donatoren der Stiftungen. Sechs der sieben höchstbewerteten Gebäude in der amtlichen Schätzung der Häuser des jüdischen Viertels von Hohenems aus dem Jahr 1806/07 waren im Besitz von Hofjudenfamilien.[16] 71 % des Gesamtumsatzes der jüdischen Kaufleute von Hohenems teilten sich zu Beginn des 19. Jahrhunderts fünf (durch vielfache Heiratsbeziehungen untereinander verbundene) Familien: Vier davon waren hofjüdischer Abstammung.[17] Neben ihrer wirtschaftlichen Potenz zeigte sich ihre soziale Dominanz innerhalb der Gemeinde vor allem an ihrer Präsenz in den Gemeindefunktionen. 1739 bis 1827, also knapp 90 Jahre, wurde die Funktion des Gemeindevorstehers (Parnass) lediglich für 35 Jahre nicht von Hofjuden oder deren Söhnen ausgeübt. 1785 bis 1827 waren sogar ausschließlich Mitglieder von Hofjudenfamilien Parnassim der Hohenemser Gemeinde.[18]

Abb. 14: Lazarus Josef Levi, porträtiert von H. Kraneck, 1795

Die wenigen Belege zur religiösen und kulturellen Ausrichtung dieser Hohenemser Familie ergeben ein Bild, das sich – auf den ersten Blick – einer eindeutigen Lesart entzieht. Lazarus Levi ähnelt auffällig dem Beispiel des süddeutschen Hofjuden aus dem 18. Jahrhundert, den Arkadij Resnik in der Internet-Diskussion vom Herbst 1998 zitiert, um das Bild der Hofjuden als „Prototypen der jüdischen Moderne" infrage zu stellen. Jener Hofjude, so Resnik, ließ sich zwar einerseits in der Manier eines hochrangigen Höflings der spätabsolutistischen Zeit porträtieren, was auf eine Übernahme kultureller Praktiken der nichtjüdischen Umgebung schließen lässt, auf der anderen Seite habe er seine Kinder jedoch mit einem ethischen Testament bedacht, dem es nicht an „altjüdischem Konservativismus" fehlte.[19] Auch von Lazarus Josef Levi – Hoffaktor, Parnass und Begründer des Löwenberg-Familienzweiges – ist uns ein Portrait erhalten, das ihn erstens bartlos und zweitens in bürgerlicher Kleidung seiner Zeit zeigt (Abb. 14). Andererseits tritt er uns als Stifter für die Synagoge und die traditionellen Vereinigungen (*Chewra Kaddischa* und andere Wohltätigkeitsvereine) entgegen; und von seiner Frau Judith, geborene Daniel, ist ein Testament aus dem Jahr 1809 erhalten, in dem sie nicht nur für den Hebräisch- und Talmudunterricht ihrer Enkel stiftet, sondern auch ihre Kinder anhält, so rechtschaffen zu sein wie deren bereits verstorbener Vater und auch „blos nicht neumodisch" zu werden.[20]

Anderes verweist wiederum auf die Levis als Förderer aufklärerischer Ideen: so die Inventarliste einer bürgerlichen Bibliothek vorwiegend deutschsprachiger Werke (darunter klassische Autoren der Aufklärung wie Kant oder Kampe), die unter den Dokumenten des bereits erwähnten Privatarchivs dieser Familie auf dem Dachboden ihres ehemaligen Wohnhauses in der Hohenemser „Judengasse" aufgetaucht ist, und das Engagement von Mitgliedern dieser ‚Dynastie' in der Hohenemser Lesegesellschaft von 1813. Während sich in der Lesegesellschaft durchgehend die Söhne der Patentinhaber engagierten, dieser Verein also als Phänomen der zweiten Generation zu untersuchen ist, weist alles darauf hin, dass die besagte „bürgerliche" Bibliothek von einem Familienmitglied der ersten Generation angelegt wurde: Fundort und eine Analyse der Erscheinungsdaten der aufgelisteten Werke verweisen auf den Hoffaktor Lazarus Josef Levi als Besitzer dieser Bibliothek. Diese Zuschreibung wird durch Aron Tänzer gestützt, der Lazarus Levi sowohl als Talmudkenner wie auch als Inhaber einer bedeutenden Bibliothek beschreibt, in der „keine Geistesgröße seiner Zeit gefehlt" habe. Tänzer, Rabbiner und Historiker der Hohenemser Gemeinde, hatte diese Bibliothek noch im Haus des Enkels von Lazarus Levi besichtigt. Diese Sammlung ist natürlich nicht eindeutig als die Bibliothek identifizierbar, deren Inventarliste im Löwenberg-Bestand aufgetaucht ist. Die Autoren und Werke, die diese Liste verzeichnet, sind aber bestimmt von der Sorte, die Tänzer als Werke „aller Geistesgrößen" der Zeit des Lazarus Levi, nämlich des ausgehenden 18. Jahrhunderts, klassifiziert hätte.[21]

Die unterschiedlichen hier aufgeführten Quellen ermöglichen punktuelle Einblicke in die Lebensführung und Haltung von Akteuren dieser zentralen Hohenemser Hofjudenfamilie. Bleiben wir vorerst noch bei Lazarus Levi und seiner Frau Judith, bevor wir uns der Generation ihrer Kinder zuwenden. Einzelne Elemente scheinen uns auf eine traditionelle jüdische Lebensführung hinzuweisen: das Stiften für Synagoge, Wohltätigkeit und traditionelles religiöses Studium sowie die Sorge, die Kinder könnten „neumodisch" werden. Andere Elemente sind uns Beleg für eine Offenheit gegenüber kulturellen Praktiken der nichtjüdischen Umgebung (bürgerliche Kleidung und glatt rasiert) sowie Ausdruck aufgeklärter und fortschrittlicher gesellschaftspolitischer Positionen (die Existenz einer Bibliothek deutschsprachiger Literatur der Aufklärung).

Die Bedeutungsebenen solcher Gesten und kultureller Praktiken zu entschlüsseln ist ein kompliziertes Unterfangen. Diese erschließen sich nämlich nur in einem konkreten zeitgenössischen und – vor dem Zeitalter der Massenkommunikation – auch vorwiegend lokalen Kontext. Zudem bleiben Handlungen und Gesten immer mehrdeutig. Nicht einmal dem Akteur sind alle Bedeutungsebenen seines Handelns zugänglich. Diese lassen sich nur über eine Analyse der Kontexte von Gesten und Handlungen erschließen. In der Ethnologie hat Clifford Geertz für dieses Unternehmen das Verfahren der „dichten Beschreibung" entworfen.[22] Das Problem der Geschichtswissenschaft ist jedoch, dass ihre Beschreibung und Analyse nicht auf der persönlichen Beobachtung der Akteure und auf nachfragenden Interviews mit diesen beruhen kann, sondern auf mehr oder weniger zufällig überlieferten Quellen. Das, was man für eine „dichte Beschreibung" an empirischem Material benötigen würde, steht leider nur selten zur Verfügung. Kontextualisierung und „Dichtheit der Beschreibung" als Auflagen für die historische Analyse kulturellen Verhaltens von Akteuren stellt Historiker daher vor nicht unerhebliche Probleme.

Ronnie Po-Chia Hsias Kommentar auf der Halberstädter Tagung, der in diesem Band nicht mit dokumentiert ist, wies jedoch in genau diese Richtung, wenn er davor warnte, äußerlich gleichen kulturellen Zeichen (z. B. Bartlosigkeit von Hofjuden auf Portraits) ohne Berücksichtigung der Epochen, in denen diese Zeichen zu finden sind, gleiche Bedeutung zuzuschreiben. Als Jude glatt rasiert zu sein (und damit das Verbot des Schneidens der Haupthaare zu umgehen) kann zu Beginn des 18. Jahrhunderts (wie im Falle des Mayer Elias aus Mannheim) etwas anderes bedeuten als gegen Ende desselben Jahrhunderts (zu Lebzeiten des Hohenemser Hofjuden Lazarus Levi); und Steven Lowenstein trug in seinem Kommentar in diesem spezifischen Fall der Portraits glatt rasierter Hofjuden weiter zur Differenzierung bei, als er auf die Beispiele der Stadlanim in der jüdischen Vormoderne verwies, denen erlaubt war, glatt rasiert zu gehen. Die Beziehungen dieser Funktionsträger zur nichtjüdischen Umgebung waren von so großer Bedeutung für deren Gemeinden, dass eine instrumentell begründete Abweichung von der *Halacha*, den religionsgesetzlichen Vorschriften, rechtfertigbar zu sein schien. Für eine genauere Analyse des Zeichencharakters dieser Habituserscheinung, die uns auf Hofjudenportraits öfters begegnet, müsste sowohl eine breitere empirische Basis erschlossen (Portraits, Personenbeschreibungen in Steckbriefen, um die soziale Dimension des Phänomens zu erfassen etc.) als auch die normative Ebene mit einbezogen werden (das jüdische Gesetz wie dessen jeweils zeitgemäße Auslegung, z. B. in Form rabbinischer Responsen). Nicht zuletzt muss die Textsorte (oder im Falle der Portraits vielleicht besser der „mediale Charakter") einer Quelle bewertet werden: In Auftrag gegebene Portraits sind auf jeden Fall Medien der Selbstrepräsentation. Der oder die Abgebildete bestimmen, in welcher Kleidung oder welcher Erscheinungsform (bartlos oder nicht) und mit welchen Attributen sie der Umwelt vermittelt werden und der Nachwelt erhalten bleiben.

Die Quellenlage meines mikrohistorischen Untersuchungsfeldes lässt es nicht zu, den Zeichencharakter des äußeren Habitus des Hohenemser Hofjuden Levi, wie ihn das erhaltene Portrait von 1795 (Abb. 14) vermittelt, differenziert zu entschlüsseln. Ganz grundsätzlich jedoch scheint mir Vorsicht angebracht, von solchen Belegen einer Annäherung an kulturelle Praktiken der Mehrheitsgesellschaft auf eine Mentalitätsänderung der Akteure in der Weise zu schließen, sie hätten sich auf dem Weg aus dem Judentum hinaus befunden: eine Versuchung zur simplifizierenden Deutung hofjüdischer Lebensführung, die in den Diskussionen der Halberstädter Hofjudentagung gelegentlich durchschien. Uns mag es im Rückblick als widersprüchlich erscheinen, sich einerseits in bürgerlicher Kleidung und bartlos portraitieren zu lassen sowie eine Bibliothek deutschsprachiger Literatur der Aufklärung zu besitzen und andererseits für traditionelle Belange der Gemeinde zu stiften. Das eine erscheint uns als Übernahme kultureller Praktiken der nichtjüdischen Umgebungsgesellschaft und daher vom Judentum wegführend, das andere als Zeichen traditioneller jüdischer Gesinnung. Kulturelle Praktiken von Diasporagesellschaften entstehen jedoch immer an der Schnittstelle von innen und außen. Kollektive Identität und die Frage, was noch integrierbar ist und was nicht mehr, ist eine Sache des permanenten Verhandelns der Akteure, die auf sich wandelnde Rahmenbedingungen reagieren. Die Auseinandersetzungen, die den Prozess der Emanzipation der Juden und ihre Integration in die bürgerliche Gesellschaft begleiteten, sind in erster Linie als innerjüdische Auseinandersetzungen zu begreifen, in denen auch die, die uns heute im Rückblick als tendenziell „Aussteigende" begegnen, innerhalb des Kollektivs für verschiedene Richtungen eintraten. Wenn die Maskilim, Vertreter der jüdischen Aufklärung, sich für weltliche Bildung, Verwissenschaftlichung des jüdischen Unterrichts, die Ersetzung des jüdischen „Jargons" durch das Deutsche, eine neue Berufsstruktur der Juden und jüdische Soldaten in den staatlichen Armeen einsetzten, so waren sie mit diesen Zielen zwar Verbündete der aufgeklärten nichtjüdischen Beamten und Monarchen sowie Gegner der sich in dieser Auseinandersetzung formierenden jüdischen Orthodoxie; um nichts weniger aber kämpften sie einen innerjüdischen Kampf und sahen in den Veränderungen notwendige Maßnahmen für das Weiterbestehen ihres Kollektivs in einem veränderten Rahmen. Das zeigt sich nicht zuletzt daran, dass sie ihre Positionen innerhalb der Tradition zu legitimieren suchten.[23]

Auf zwei Phänomene der Jahrhundertwende vom 18. zum 19. Jahrhundert, die deutlich die Rezeption von Ideen der jüdischen Aufklärung im hofjüdischen Milieu der Hohenemser Gemeinde belegen, möchte ich nun noch genauer eingehen. Das eine ist die bereits erwähnte bürgerliche Bibliothek vorwiegend deutschsprachiger Werke, die viele wichtige Themenfelder der Aufklärung abdeckt; das andere die 1813 von Hohenemser Juden gegründete Lesegesellschaft. Während die Bibliothek mit großer Wahrscheinlichkeit vom Hoffaktor Lazarus Josef Levi in den letzten Jahrzehnten des 18. Jahrhunderts angelegt und später weitergeführt wurde, ist die Lesegesellschaft eine Gründung der zweiten Generation. In ihr engagierten sich die Söhne der Hofjuden und vor allem in deren Häusern beschäftigte Hauslehrer, Commis und Schreiber.[24] Letztere sind das jüdische Pendant zu den „Gebildeten" der nichtjüdischen Welt, die einen entscheidenden Motor der Aufklärung und gesellschaftlichen Modernisierung dieser Jahrzehnte bildeten.[25]

Die Inventarliste dieser „bürgerlichen" Bibliothek verzeichnet 46 Titel mit identifizierten Ersterscheinungsdaten von 1762 bis 1820. Die Überschrift der Auflistung lautet: „was wir fir bicher haben, wi' folgt!" Ein großer Teil der Titel umfasst belletristische Werke: v. a. unterhaltsame und öfters aufgelegte Schauspiele bekannter Stückeschreiber dieser Jahrzehnte (Christian Felix Weisse, Johann Heinrich Zschokke, Johann Friedrich Jünger, aber auch „Wilhelm Tell" von Friedrich Schiller) sowie Reisebeschreibungen, Erzählungen, Anekdotensammlungen und Romane. Nicht fehlen darf in einer solchen bürgerlichen und der aufgeklärten Stimmung dieser Jahrzehnte entsprechenden Sammlung die nützliche Literatur: Ratgeber in Erziehungs- und

Gesundheitsdingen (Joachim Heinrich Campe, Christoph Wilhelm Hufeland), ein geographisches Werk und ein Reiseführer, der Klassiker der Benimmbücher (Adolf Freiherr von Knigge), ein Kochbuch und Lehrbücher der französischen Sprache. Auch wichtige philosophische Werke der Zeit sind vertreten: zwei Titel von Immanuel Kant und ein Werk von Wilhelm Jerusalem, herausgegeben von Gotthold Ephraim Lessing. Auch das Jugendbuch, eine epochentypische Textsorte der Aufklärung, fehlt nicht.

Sehr wenige Werke haben einen eindeutig jüdischen Bezug. Die Liste verzeichnet die „Ritualgesetze der Juden ..." von Moses Mendelssohn und Hirschel-Lewin sowie ein „taitsch-jitisch Gebetbuch". Moses Mendelssohns zusammenfassende Übersetzung der jüdischen Gesetzesvorschriften in Sachen Erbschaften, Vormundschaftssachen, Testamente und Ehesachen war ein Unternehmen in direkter Zusammenarbeit mit den preußischen Behörden, die – entsprechend der Emanzipationspolitik der aufgeklärten Monarchien jener Jahrzehnte – an einer Übernahme vormaliger Agenden der innerjüdischen rabbinischen Gerichte durch das staatliche Gerichtswesen arbeiteten. Das Werk repräsentiert also ein emanzipatorisches Projekt und Moses Mendelssohn als den zentralen und prototypischen jüdischen Aufklärer: den Vermittler und Übersetzer zwischen jüdischer und nichtjüdischer Welt. Dieses „maskilische" Element erhöht das Profil dieser Bibliothek und macht sie zu einer spezifisch jüdischen Sammlung einer Zeit, in der die zentrale Frage lautete, ob es wohl möglich sei, zugleich Jude und Mitglied der bürgerlichen Gesellschaft zu sein.

Ein anderes Element repräsentiert das „taitsch-jitisch Gebetbuch" in dieser Sammlung. Es ist zum einen das einzige Werk mit einem eindeutig religiösen Inhalt und zum anderen der einzige Repräsentant der „alten" innerjüdischen Sprache: des Jiddischen oder „Jüdisch-Deutschen". Diese Sprache diente den Juden in Aschkenas – neben Hebräisch als kultureller Hochsprache – für Jahrhunderte als gruppeninterne Alltagssprache. Verfechtern des Konzeptes der jüdischen Besonderheit (wie z. B. Chattam Sofer, Oberhaupt der Pressburger Jeschiwa im frühen 19. Jahrhundert) war sie Garant der kohäsiven Kraft des Jüdischen. Gegner dieses Konzeptes und Befürworter der Integration der Juden in die bürgerliche Gesellschaft sahen in ihr ein zentrales Hindernis auf diesem Weg. Der Erwerb und die Verwendung der deutschen Sprache war eine der Forderungen und Voraussetzungen, an die der aufgeklärte Staat die Emanzipation der Juden und die Proponenten der bürgerlichen Gesellschaft die Anerkennung dieser Gruppe als bürgerlich knüpften.[26] Die innerjüdischen Kooperationspartner der aufgeklärten Staaten für das Unternehmen der Emanzipation der Juden waren die Maskilim, die Vertreter der jüdischen Aufklärung. Ihr Sprachenprogramm zielte auf die Pflege des Hebräischen als jüdische Hochsprache (auch außerjüdisch „geadelt" als Quellensprache der Bibel und Mitglied des humanistischen Sprachentriumvirats) und die Förderung der nationalen Sprache unter den Juden. Jiddisch (hörbar und daher Element einer äußeren Kenntlichkeit) galt ihnen als eine der Ursachen der jüdischen Absonderung, die es zu überwinden galt.

Die Sprachenpolitik war ein zentrales Feld der nichtjüdischen wie jüdischen Kräfte, die auf eine Integration der Juden in die entstehende staatsbürgerliche Gesellschaft auf nationaler Basis setzten. Eine jüdische Bibliothek des ausgehenden 18. Jahrhunderts, dieser sprachbewussten Jahrzehnte also, in der 45 von 46 Titeln deutschsprachige Werke darstellen (abgesehen von den Lehrwerken zur französischen Sprache, die aber auch eine nationale und nicht eine jüdische Sprache repräsentieren), von denen noch dazu lediglich zwei einen eindeutigen jüdischen Bezug haben, ist daher ein markantes Zeichen eines bürgerlichen und neuen jüdischen Selbstverständnisses in dem Sinne, wie die Maskilim es forderten. Ich zögere zwar, diese Bibliothek als maskilisch zu bezeichnen, da die Autoren und Werke dieser spezifischen jüdischen Öffentlichkeit – bis auf Moses Mendelssohn mit einem Titel – nicht vertreten sind. Sie entsprach aber in jeder Hinsicht der Programmatik maskilischer Sprachpolitik, die auf eine Überwindung der jüdischen Sondersprache und die Verwendung der nationalen Sprachen durch die Juden zielte. Diese Bibliothek bestand noch dazu in einer landjüdischen Gemeinde im katholischen Süden und nicht etwa in Berlin oder einer anderen norddeutschen Stadt, Hochburgen der Haskala in den letzten Jahrzehnten des 18. Jahrhunderts, was ihre historische Zeugniskraft noch erhöht. Zeitgenössische Reaktionen auf die Bibelübersetzung von Moses Mendelssohn zeigen nämlich, dass Lesekenntnisse des Deutschen unter Juden im ausgehenden 18. Jahrhundert zwar verbreitet, aber noch lange keine Selbstverständlichkeit waren.[27] In Hohenems konstatierte ein obrigkeitlicher Schulinspektionsbericht noch für das Jahr 1810, dass die Schreibkenntnisse im Deutschen der jüdischen Kinder der „Deutschen Schule" (Träger dieser Schule war die Jüdische Gemeinde) durchgehend mangelhaft seien; nur im Lesen seien einige Kinder „so ziemlich fertig". Demgegenüber seien die sprachlichen Fertigkeiten der von den sechs Privatlehrern unterrichteten Kinder vorzüglich.[28] Diese Privatlehrer arbeiteten in den Häusern der Söhne der Hoffaktoren.

Die bürgerliche Bibliothek der Hoffaktorenfamilie Levi in der Jüdischen Gemeinde Hohenems des 18. Jahrhunderts repräsentiert einerseits den Sprachwandel der Juden hin zum Deutschen als Alltags- und Kultursprache, andererseits aber auch eine Teilnahme an Entwicklungen der nichtjüdischen Welt, die weit darüber hinausreicht. Die Beschäftigung mit deutscher Literatur war eine Aktivität, die wichtige Institutionen der frühen bürgerlichen

Öffentlichkeit schuf: Periodika genauso wie Lesegesellschaften. Indem man über Literatur diskutierte, wurde man Teil einer sich als „universal" (d. h. sich nicht mehr an konfessionellen oder Standesgrenzen orientierenden) Diskursgemeinschaft. Wenn die 1813 gegründete jüdische Lesegesellschaft in der Präambel zu ihren Statuten auf die „brüderliche Eintracht", die „Liebe zur Wahrheit und den Wissenschaften" sowie auf das „Wohlwollen gegen alle Menschen" als „Hauptzüge" dieser Gründung verweist, zeigt sie deutlich, wes Kind sie ist. Egalitarismus (Stichwort: „brüderliche Eintracht"), Universalismus (Stichwort: „Wohlwollen gegen alle Menschen") und Wissenschaftlichkeit waren Leitmotive der neuen kulturellen und später politischen bürgerlichen Bewegung. Die Hohenemser Lesegesellschaft von 1813 reagierte zudem auf die Gründung der ersten (nichtjüdischen) Lesegesellschaft Vorarlbergs in Feldkirch im Jahr 1812. Ein Vergleich der Statuten der beiden Assoziationen macht das deutlich.[29] Die Gründung der jüdischen Assoziation – die in der Jüdischen Gemeinde Hohenems entstand, aber in den Statuten keinerlei Hinweis auf Zugehörigkeit zum Judentum als Voraussetzung für die Aufnahme enthält – ist also nachweislich das Resultat einer aufmerksamen Beobachtung der Vorgänge in der nichtjüdischen Gesellschaft. Zugleich ist die Entstehung dieser jüdischen Lesegesellschaften jedoch auch Ausdruck dafür, dass Egalitarismus und Universalismus zwar viel beschworene Ideale der bürgerlichen Bewegung waren, keinesfalls aber immer in die Realität umgesetzt wurden. Wohlstand und Geschlecht blieben entscheidende distinktive Kriterien; und dass auch Juden noch lange um ihre Aufnahme als „Gleiche" in viele aufklärerische Sozietäten zu kämpfen hatten, zeigt das Beispiel Ludwig Börnes, dem 1818 die Aufnahme in eine der Frankfurter Lesegesellschaften aufgrund seiner jüdischen Herkunft verwehrt worden war.[30]

Die Gründung von Lesegesellschaften – entweder in Form von Lesezirkeln oder eben Kabinetten mit eigenen Räumlichkeiten zur Versammlung – im ausgehenden 18. Jahrhundert ist eine Reaktion auf die wachsenden Informationsbedürfnisse der sich entfaltenden bürgerlichen Gesellschaft. Mit den vielen anderen Sozietäten, die Europa im 18. Jahrhundert wie ein dichtes Netz überzogen, zählten sie zu den wichtigen gesellschaftlichen Trägern der Aufklärungsidee. Diese Sozietäten und Vereine durchbrachen die traditionellen sozialen Grenzen der ständisch korporierten Gesellschaft, indem sie Menschen unterschiedlicher Stände und gesellschaftlicher Gruppen in einer Vereinigung zusammenführen sollten. Diesem politischen und gesellschaftlichen Ideal wurde zwar verbal viel Tribut geschuldet, die Handhabung sah aber oft anders aus; davon erzählen u. a. die jüdischen Lesegesellschaften. In Frankfurt bildeten sich 1801 bis 1804 vier solcher Assoziationen. Die älteste bekannte jüdische Lesegesellschaft in einem ländlichen Kontext entstand ca. 1805 im fränkischen Altenkunstadt.[31]

Für unsere Fragestellung, die auf die Funktion der Hofjuden in diesem Akkulturationsprozess zielt, ist das soziale Milieu von Bedeutung, in dem die Hohenemser Lesegesellschaft gegründet wurde. Die Herkunft ihrer Mitglieder im Gründungsjahr 1813 lässt sie eindeutig im hofjüdischen Milieu ansiedeln. In zweifacher Weise: Nicht nur, dass bei den beruflich Selbstständigen unter den Mitgliedern, also den Hausbesitzern und Handelsleuten, Söhne aus hofjüdischen Familien die Mehrheit bildeten; auch bei den Unselbstständigen – Kantoren, Lehrern, Privatlehrern, Commis, Schreibern – waren es Angestellte aus den wohlhabenden Hohenemser Familien (die Mehrzahl hofjüdischer Abstammung), die sich hier engagierten. Auffallend ist zum einen das jugendliche Alter der Mitglieder (45 % der Gründungsmitglieder sind unter 30 Jahre alt), zum anderen die Dominanz der Unselbstständigen. Das korrespondiert auch mit dem hohen „Ausländeranteil" unter den Mitgliedern, denn die Bediensteten der Elitefamilien (Privatlehrer, Commis, Schreiber) stammten in diesen Jahren nur selten aus der eigenen Gemeinde.[32] Traditionelle jüdische Vereine wie die Chewra Kaddischa wiesen ein völlig anderes Soziogramm auf. Dort dominierten die alten Eliten: die alteingesessenen wohlhabenden jüdischen Kaufleute und die Rabbiner.[33] Es passt ins Bild, dass zwar die Lehrer (Gemeinde- wie Privatlehrer) und der Kantor Mitglieder dieser Hohenemser Assoziation neuen Typs waren, den die Lesegesellschaft darstellt, nicht aber der Rabbiner. Mit der Auflösung der autonomen jüdischen Gemeinde, in der die Rabbiner als Rechtsgelehrte und Richter eine zentrale Rolle gespielt hatten, schwand auch die rabbinische Dominanz der jüdischen Gelehrtenschicht. Das 19. Jahrhundert ist – entsprechend der hohen Bedeutung, die der Bildung generell zukam – auch im Judentum das Jahrhundert der Lehrer sowie der Vorsänger und Kantoren. Auch im Berufsprofil des Rabbiners dominierten zunehmend diese Aktivitätsfelder. Das Soziogramm der Hohenemser Lesegesellschaft reflektiert deutlich diese Veränderungen. Sie existierte zwar nur für wenige Jahre, verkörperte aber Entwicklungen, die sich später generell durchsetzten.

Die Aufmerksamkeit für das soziale Segment der Unselbstständigen in Bildungsberufen in den jüdischen Gemeinden dieser zentralen Jahrzehnte der Akkulturation verdanke ich David Sorkin, für den die Maskilim – in ihrem Brotberuf oft Tutoren, Schreiber oder Handelsgehilfen in den Häusern der jüdischen Oberschicht – das jüdische Pendant zu den „Gebildeten" darstellen: eine der dynamischsten sozialen Gruppen des 18. und 19. Jahrhunderts, maßgeblich hervorgebracht durch die zunehmende Bedeutung der öffentlichen Verwaltung im Merkantilismus und den Jahrzehnten der Ausbildung der modernen Zentralstaaten.[34] Diese verdankten ihre gesellschaftliche Position nicht ihrer Geburt, sondern Bildung und individueller Leistung. Sie stellten eine wichtige Trägergruppe in der Entfaltung der bürgerlichen Gesellschaft.

Herausragendes Beispiel für die ‚typische' Sozialisation eines Maskil ist ‚der' jüdische Aufklärer schlechthin: Moses Mendelssohn. Aus einer armen jüdischen Familie aus Dessau stammend, zog er nach Berlin und wurde dort zunächst Privatlehrer und später Handelsgehilfe des wohlhabenden Seidenproduzenten Bernhard. Sein Biograph Isaak Abraham Euchel war Privatlehrer in der wohlhabenden Friedländer-Familie in Königsberg. Aaron Halle-Wolfssohn, Autor der maskilischen Zeitschrift *Ha-Meassef* und Mitarbeiter an der Bibelübersetzung Mendelssohns, kam 1785 nach Berlin, da hier die großen jüdischen Häuser gute Verdienstmöglichkeiten boten. Peter Beer, ein böhmischer Exponent der Haskala und in der Habsburgermonarchie tätig, war Hauslehrer in Prag und Wien. Herz Homberg wurde Hauslehrer bei Moses Mendelssohn in Berlin: eine Stellung, in der er sechs Jahre verbrachte, bevor er Josephs II. Experte für die Reform des jüdischen Bildungssystems in den östlichen Teilen der Monarchie wurde.

In Hohenems gibt es für diese frühe Zeit kaum Nachweise explizit maskilischen Wirkens. Am ehesten ist in diesem Zusammenhang noch Mayer Bretzfeld aus Bayreuth zu erwähnen: auch er Hauslehrer in einem wohlhabenden jüdischen Haus, bei Josef Wolf Levi (1773–1840), Sohn des Hoffaktors Wolf Josef Levi (ab 1813 Benjamin Löwengard) und Gründungsmitglied der Lesegesellschaft. 1813 erschien die von Bretzfeld zusammen mit Joseph von Obernberg verfasste Schrift mit dem Titel „Der Kultus der Juden". Das Werk lässt einen aufklärerischen Anspruch erkennen, auch wenn von „Reform" noch nicht viel zu spüren ist. In Hohenems wird Bretzfeld als intellektuell positioniert wahrgenommen, wenn auch nicht immer positiv konnotiert. So vermerkte 1810 der Jahresbericht der Schulaufsichtsbehörde, die auch die Privatlehrer inspizierte, dass sich Bretzfeld vor allen anderen Lehrern auszeichnete; aber auch der Lehrer der Gemeindeschule, der in diesen Jahren massive Auseinandersetzungen mit den wohlhabenden Gemeindemitgliedern und deren Hauslehrern führte, äußerte sich zu diesem „grosen Dichter, Räthselschreiber und Philosophen Bretzfeld", der sich nicht zum „gemeinen Schuldienst" herablassen wolle und sich darüber hinaus noch rühme, „mehr zu können als selbst der titl. Herr Landrichter".[35]

In Hohenems sind die wenigen Belege maskilischen Wirkens und einer expliziten Rezeption aufklärerischer Ideen im ausgehenden 18. und frühen 19. Jahrhundert eindeutig im hofjüdischen Milieu zu finden. Sowohl die Bibliothek deutschsprachiger Literatur „aller Geistesgrößen" dieser Zeit wie auch die Gründung einer Lesegesellschaft entsprechen einer Programmatik, wie sie in diesen Jahren von Kräften vertreten wurde, die für die Emanzipation und Integration der Juden in die bürgerliche Gesellschaft eintraten. Die Linien lassen sich weiter ziehen: Im Jahr 1839, als „fortschrittliche Kräfte" (in der Diktion Aron Tänzers) gegen „manche einflussreiche Konservative" sich für eine Liturgiereform einsetzten, ging der frühere Gemeindevorsteher Josef Löwenberg mit „gutem Beispiele" voran und verfügte in seinem Testament die Stiftung von 100 Gulden für die „Errichtung und Herstellung einer anständigen Kanzel in der hiesigen Synagoge". Josef war der älteste Sohn des Hoffaktors Lazarus Josef Levi, dem wir die bürgerliche Bibliothek zuschreiben; Josefs Hauslehrer, Rafael Josef Lemberger, war Gründungsmitglied der Lesegesellschaft von 1813. Dennoch wird die Gleichung „Hofjudenfamilie" = „maskilisch und reformorientiert" der Komplexität der Situation und der Dynamik dieses Akkulturationsprozesses nicht gerecht. Auch eine der von Tänzer wenig konkret beschriebenen Auseinandersetzungen zwischen „Traditionalisten" und „Fortschrittskräften" der frühen Jahrzehnte der Emanzipation spielt im hofjüdischen Milieu. Josef Levi-Hirschfeld (1779–1851) aus der Hofjudenfamilie Levi, und der gleichen Generation angehörend wie der Kanzelstifter Josef Levi-Löwenberg, wird von Tänzer als „noch ganz durchdrungen vom orthodoxen Geiste der alten Zeit" beschrieben, der sich aus religionspolitischen Gründen nicht nur mit dem liberal orientierten Rabbiner Abraham Kohn, sondern auch mit seinen Söhnen verkrachte.[36]

Das Problem mikrohistorisch arbeitender Studien betrifft die Frage der Repräsentativität der Untersuchung in besonderem Maße. Je detaillierter ein Mikrokosmos, wie eine einzelne jüdische Gemeinde ihn darstellt, beschrieben wird, desto dringender stellt sich die Frage nach einer überregionalen und strukturellen Einordnung des Beschriebenen. Betrachten wir das Ergebnis dieser Studie zum Abschluss also im Licht dieser Fragestellung: Das Erlernen nichtjüdischer Sprachen (Deutsch wie auch Französisch u. a.), wofür die Bibliothek der Levis spricht, ist kein Einzelfall. Rabbinische Kritik an der Wertschätzung der nichtjüdischen Sprachen und an weltlicher Bildung in wohlhabenden jüdischen Familien ist seit dem frühen 18. Jahrhundert belegt. Ende des 18. Jahrhunderts ist diese Form der Bildung bereits in vielen Familien der jüdischen Oberschicht zu finden.[37] Auch dass die Haushalte der jüdischen Oberschicht als ökonomische Basis für die „jüdischen Gebildeten" dienten, ist als Phänomen nicht auf Hohenems beschränkt, sondern vielerorts anzutreffen. Die jüdische Oberschicht bildete also ein soziales Feld, das Ideen der Aufklärung und der Moderne förderte und als Elite in ihren Gemeinden auch zu deren Verbreitung und Durchsetzung beitrug: nicht zuletzt, indem sie die ökonomische Basis für das Wirken der Maskilim, der Programmatiker und Praktiker des Neuen, stellte.[38]

Die Frage bleibt, ob man den Hofjuden eine entscheidende Rolle in diesen Jahrzehnten eines Paradigmenwechsels, der das Verhältnis von Juden und Nichtjuden grundsätzlich veränderte, zuschreiben kann; eine Rolle, die sich durch ihre Existenz an der Schnittstelle zwischen jüdischer und nichtjüdischer Gesellschaft der Vormoderne begründen lässt. Ein entscheidendes Element für die Rolle der Hofjuden in diesem Transformationsprozess könnte in ihrer langen Erfahrung, einer unter dem Strich doch positiv zu bilanzierenden Zusammenarbeit mit dem Staat zu finden sein. Hofjuden verdankten ihre besondere Existenz der Funktion, die der Hof ihnen gab, die Vorgängerinstitution des sich erst herausbildenden Zentralstaates. So asymmetrisch das Verhältnis zwischen Hofjuden und dem Hof in machtpolitischer und rechtlicher Hinsicht auch gewesen ist, sie erlebten diese Institution dennoch über lange Zeit als Basis ihrer Existenz und Voraussetzung der besonderen Rolle, die sie auch innerhalb der jüdischen Gemeinden einnahmen. Vielfach beruhte ihre Machtposition innerhalb der Gemeindeverbände, in denen die jüdischen Gemeinden existierten, auf dem besonderen Schutz, der ihnen als Funktionsträgern des Hofes zukam; und vielfach konnten sie die besonderen Beziehungen zum Hof in Auseinandersetzungen mit den nichtjüdischen Gemeinden und intermediären Herrschaftsträgern auch nutzen.[39] Die aufgeklärten Monarchien ihrerseits forderten und förderten in den Jahrzehnten der Emanzipation die rechtliche und ökonomische Integration der Juden; oft gegen die Interessen von Partikulargewalten, die ihre Machtbereiche gegen den sich ausweitenden Zuständigkeitsbereich des Zentralstaates zu verteidigen versuchten. Diese Nähe zum „fortschrittsfördernden" Staat ist auch ein Element maskilischer Praxis und Programmatik. Sei es Moses Mendelssohn, der den preußischen Staat in seinen Homogenisierungsbemühungen des Rechtsraumes und der Integration der Juden in diesen Raum unterstützte („Ritualgesetze der Juden ..."), oder Herz Homberg, der am Reformwerk Josephs II. mitarbeitete: Sie alle entsprachen der Aufforderung der maskilischen Zeitschrift *Sulamith*, die von den „Glaubensgenossen" verlangte, das von Regierungen und Behörden „beabsichtigte Gute" zu unterstützen.[40] Eine Analyse der Funktion der Hofjuden und der jüdischen Elite im Akkulturations- und Emanzipationsprozess der Juden im ausgehenden 18. und frühen 19. Jahrhundert muss diese Kooperationserfahrung mit dem Staat, die in der Vormoderne gewonnen wurde und in der Moderne unter geänderten Rahmenbedingungen weiterwirken konnte, im Auge behalten.

Anmerkungen

* Die Erschließung des Dokumentenbestandes Löwenberg, auf dem diese Arbeit beruht, wurde vom Jubiläumsfonds der Österreichischen Nationalbank und den American Friends of the Jewish Museum of Hohenems gefördert.

1 Siehe dazu MORDECHAI BREUER, Hofjuden und jüdische Gemeinde, in: MORDECHAI BREUER/MICHAEL GRAETZ, *Deutsch-jüdische Geschichte in der Neuzeit, Bd. 1: Tradition und Aufklärung 1600–1780*, München 1996, S. 118–122; sowie SABINE ULLMANN, Zwischen Fürstenhöfen und Gemeinde. Die jüdische Hoffaktorenfamilie Ulman in Pfersee während des 18. Jahrhunderts, in: *Zeitschrift des Historischen Vereins für Schwaben* 90 (1998), S. 159–185.

2 FRIEDRICH BATTENBERG, Zwischen Integration und Segregation. Zu den Bedingungen jüdischen Lebens in der vormodernen christlichen Gesellschaft, in: *Aschkenas* 6 (1996), S. 421–454.

3 GIACOMO MARRAMAO, *Die Säkularisierung der westlichen Welt*, Frankfurt a. M./Leipzig 1999, S. 22–28.

4 VICTOR KARADAY, *Gewalterfahrung und Utopie. Juden in der europäischen Moderne*, Frankfurt a. M. 1999, S. 55–58.

5 Als Belege für diesen Habitus gelten Portraits, die Hofjuden in höfischer Kleidung und bartlos, also entsprechend dem Habitus der nichtjüdischen Leitkultur ihrer Zeit, abbilden. Zahlreiche Hinweise auf der Halberstädter Tagung, die dieser Band dokumentiert. Vgl. auch die zahlreichen Porträts in VIVIAN B. MANN/RICHARD I. COHEN (eds.), *From Court Jews to the Rothschilds. Art, Patronage, and Power 1600–1800*, München/New York 1996.

6 Zu den jüdischen Kleiderordnungen, die in vielen Einzelheiten mit christlichen Verordnungen übereinstimmten, sowie rabbinischen Bemühungen gegen die „Modesucht" siehe BREUER/GRAETZ, *Deutsch-jüdische Geschichte in der Neuzeit* (wie Anm. 1), S. 171.

7 KARL HEINZ BURMEISTER, Die jüdische Gemeinde in Hohenems im 17. und 18. Jahrhundert, in: EVA GRABHERR (Hg.), *„... eine ganz kleine jüdische Gemeinde, die nur von den Erinnerungen lebt!". Juden in Hohenems*, Hohenems 1996, S. 15–22. FRIEDRICH BATTENBERG, Zur Vertreibung und Neuansiedlung der Juden im Heiligen Römischen Reich, in: MONIKA RICHARZ/REINHARD RÜRUP (Hgg.), *Jüdisches Leben auf dem Lande. Studien zur deutsch-jüdischen Geschichte*, Tübingen 1997 (Schriftenreihe wissenschaftlicher Abhandlungen des Leo-Baeck-Instituts 56), S. 9–35.

8 Belege für die Handelsverbindungen Sulzer und Hohenemser Juden in den südalpinen Raum und deren Agieren in einem größeren Netzwerk mit Zentrum Augsburg, BERNHARD PURIN, *Die Juden von Sulz. Eine jüdische Landgemeinde in Vorarlberg 1676–1744*, Bregenz 1991 (Studien zur Geschichte und Gesellschaft Vorarlbergs 9), S. 40, 86. Zu Triest und Ancona als Auswanderungs- und Heiratsorten Hohenemser Juden s. HANS GRUBER, *Kollektivbiographische Datenbank zur Bevölkerung der Jüdischen Gemeinde Hohenems 1780–1900*, unveröffentlichter Arbeitsbericht, Feldkirch 1996, S. 25–30, hier S. 13.

9 ARON TÄNZER, *Die Geschichte der Juden in Hohenems*, Meran 1905, unv. Nachdruck, Bregenz 1982, S. 479. KARL HEINZ BURMEISTER, „... daß die Judenschaft auf ewige Zeiten aus unseren Vorarlbergischen Herrschaften abgeschafft und ausgerottet bleibe ...". Die Judenpolitik der Vorarlberger Landstände, in: WERNER DREIER (Hg.), *Antisemitismus in Vorarlberg. Regionalstudie zur Geschichte einer Weltanschauung*, Bregenz 1988 (Studien zur Geschichte und Gesellschaft Vorarlbergs 4), S. 19–64.

10 Bestand Löwenberg, Jüdisches Museum Hohenems (= JMH). Die archivalische Erschließung der in hebräischen Buchstaben geschriebenen Korrespondenz dieses Bestandes in einer Datenbank wurde Ende des Jahres 2000 abgeschlossen.

11 Identifizierung durch die Genealogische Datenbank des JMH (Quelle: Genealogie George E. Arnstein). Kopie des Patentes von Veit Neuburger, ausgestellt am 29. Februar 1805 durch Karl Anselm von Thurn und Taxis, im Archiv des Leo Baeck-Institute, New York (Folio 13. 518:162).

12 Angaben zu Ephraim und Henle Ephraim nach der Datenbank des Hofjuden-Projekts. Zu Ephraim bar Tewli Ulmo als Besitzer der Handschrift HS 7058 im Germanischen Nationalmuseum siehe STEFAN ROHRBACHER, Medinat Schwaben. Jüdisches Leben in einer süddeutschen Landschaft in der Frühneuzeit, in: ROLF KIESSLING (Hg.), *Judengemeinden in Schwaben im Kontext des Alten Reiches,* Berlin 1995 (Colloquia Augustana 2), S. 80–109, hier S. 88.

13 TÄNZER, *Juden in Hohenems* (wie Anm. 9), S. 141 f.

14 Ebd., S. 138–164.

15 Zu den Ullmanns in Pfersee siehe ULLMANN, Zwischen Fürstenhöfen und Gemeinde (wie Anm. 1).

16 HANS GRUBER, *Von Häusern und Menschen. Zur Sozial- und Besitzgeschichte des Jüdischen Viertels in Hohenems im 19. Jahrhundert,* unveröffentlichter Bericht, Hohenems 1994, Karte 5.

17 SABINE FUCHS, Der Aufstieg ins Bürgertum. Die wirtschaftliche und soziale Dynamik der Hohenemser Judengemeinde im 19. Jahrhundert, in: GRABHERR (Hg.) *„... eine ganz kleine jüdische Gemeinde“* (wie Anm. 7), S. 67–77, hier S. 69.

18 TÄNZER, *Juden in Hohenems* (wie Anm. 9), S. 377.

19 Beitrag ARKADIJ RESNIK in der Liste *Geschichte und Kultur der Juden* vom 27. September 1998; zu finden unter [http://de.groups.yahoo.com/group/geschichte-juden/messages].

20 Abbildung der Portraits in GRABHERR, *„... eine ganz kleine jüdische Gemeinde“* (wie Anm. 7), Kat. Nr. 2/45 und 2/46; das Testament in KARL HEINZ BURMEISTER/ALOIS NIEDERSTÄTTER (Hgg.), *Dokumente zur Geschichte der Juden in Vorarlberg vom 17. bis 19. Jahrhundert,* Dornbirn 1988 (Forschungen zur Geschichte Vorarlbergs 9, ganze Reihe 16), S. 178 f. *Neumodisch* als zeitgenössische pejorative Beschreibung der Vertreter maskilischer Positionen findet sich z. B. in der Satire *Leichtsinn und Frömmelei* des Maskil AARON HALLE-WOLFSSOHN (1796).

21 Die Zuschreibung der Bibliothek beruht auf dem Hinweis bei TÄNZER (wie Anm. 9), S. 326, und der Analyse der Ausgaben der nachgewiesenen Titel. 34 von den 46 Titeln der Liste konnten anhand des *Gesamtverzeichnisses deutschsprachiger Schriften* (GV) und des Bestandkataloges der Österreichischen Nationalbibliothek (ÖNB) identifiziert werden. Die Ersterscheinungsdaten umfassen den Zeitraum von 1762 bis 1820, mit hoher Dichte in den 80er und 90er Jahren des 18. Jahrhunderts. Auch wenn man alle im GV und der ÖNB verzeichneten Auflagen auflistet, ergibt sich eine hohe Dichte an Titeln für die 80er und 90er Jahre. Das spricht für Lazarus Levi oder ein anderes Familienmitglied seiner Generation als Gründer der Bibliothek, die dann von Nachkommen erweitert worden sein dürfte.

22 CLIFFORD GEERTZ, Dichte Beschreibung. Bemerkungen zu einer deutenden Theorie von Kultur, in: DERS., *Dichte Beschreibung. Beiträge zum Verstehen kultureller Systeme,* Frankfurt a. M. 1987, S. 7–43, hier S. 18.

23 Zur Programmatik der Maskilim siehe die maskilisch ausgerichtete Zeitschrift *Sulamith. Eine Zeitschrift zur Beförderung der Kultur und Humanität unter den Israeliten* der Jahre 1806 bis 1810.

24 Karl Heinz Burmeister, Die Hohenemser Lesegesellschaft von 1813, in: *Alemannia Studens* 4 (1994), S. 45–54.
25 David Sorkin, *The Transformation of German Jewry, 1780–1840,* New York/Oxford 1987, S. 59.
26 Shulamith Volkov, The „Verbürgerlichung" of the Jews as a Paradigm, in: Jürgen Kocka/Allan Mitchell (eds.), *Bourgeois Society in Nineteenth-Century Europe,* Oxford 1993, S. 367–391, hier S. 373.
27 Siehe dazu Nils Römer, *Tradition und Akkulturation. Zum Sprachwandel der Juden in Deutschland zur Zeit der Haskalah,* Münster/New York 1995, S. 89.
28 K. B. Landgericht Dornbirn an K. B. General-Kommissariat Kempten, 29. Oktober 1810; zitiert nach Thomas Albrich, Bildung zwischen Aufklärung und Tradition. Lazar Levi Wälsch und die Anfänge der deutschen Schule „bey der Judenschaft in Hohenems", in: *Alemannia Studens 3* (1993), S. 5–19, hier S. 18.
29 Burmeister, *Lesegesellschaft* (wie Anm. 24), S. 48.
30 Gunnar Och, Jüdische Leser und jüdisches Lesepublikum im 18. Jahrhundert. Ein Beitrag zur Akkulturationsgeschichte des deutschen Judentums, in: *Menora* 2 (1991), S. 298–336, hier S. 323.
31 Zu Altenkunstadt siehe *Sulamith,* III. Jg., I. Bd., 1. H. (1810), S. 31–37.
32 Die Mitgliederliste von 1813, siehe Burmeister, *Lesegesellschaft* (wie Anm. 24), S. 50–51.
33 Tänzer, *Juden in Hohenems* (wie Anm. 9), S. 650.
34 Sorkin, *Transformation* (wie Anm. 25), S. 59.
35 Thomas Albrich, Zweierlei „Klassen"? Öffentliche Schule und Privatunterricht in der jüdischen Gemeinde Hohenems während der bayerischen Herrschaft (1806–1814), in: *Alemannia Studens* 4 (1994), S. 7–44, hier S. 21.
36 Tänzer, *Juden in Hohenems* (wie Anm. 9), S. 565 und 487.
37 Belege in: Uri R. Kaufmann, Das jüdische Schulwesen auf dem Lande. Baden und Elsaß im Vergleich, 1770–1848, in: Richarz/Rürup, *Jüdisches Leben auf dem Lande* (wie Anm. 7), S. 293–326, hier S. 296; Römer, *Akkulturation* (wie Anm. 27), S. 40–51.
38 Siehe dazu jetzt Rotraud Ries, Hofjuden als Vorreiter? Bedingungen und Kommunikationen, Gewinn und Verlust auf dem Weg in die Moderne, in: Arno Herzig/Hans Otto Horch/Robert Jütte (Hgg.), *Judentum und Aufklärung. Jüdisches Selbstverständnis in der bürgerlichen Öffentlichkeit,* Göttingen 2002, S. 30–65.
39 Ein Beispiel dafür ist die Hofjudenfamilie in Pfersee, der Vorortgemeinde von Augsburg. Siehe dazu Sabine Ullmann, *Nachbarschaft und Konkurrenz. Juden und Christen in Dörfern der Markgrafschaft Burgau 1650 bis 1750,* Göttingen 1999 (Veröffentlichungen des Max-Planck-Instituts für Geschichte 151).
40 *Sulamith,* III. Jg., I. Bd., 1. H. (1810), S. 3–6.

IV. VÄTER UND SÖHNE, AUFSTEIGER UND NACHFOLGER: WANDEL IN DER GENERATIONENFOLGE

Einführung

J. Friedrich Battenberg

> Manchmal denke ich, dass die Auseinandersetzung mit der nationalsozialistischen Vergangenheit nicht der Grund, sondern nur der Ausdruck des *Generationenkonflikts* war, der als treibende Kraft der Studentenbewegung [der Jahre 1968 ff.] zu spüren war. Die Erwartungen der Eltern, von denen sich jede *Generation* befreien muss, waren damit, dass diese Eltern im Dritten Reich oder spätestens nach dessen Ende versagt hatten, einfach erledigt.

Diese Äußerung Bernhard Schlinks in seinem 1995 erschienenen Roman „Der Vorleser"[1] macht im Hinblick auf den Umschlag und die Erneuerung eines Lebensgefühls deutlich, dass dieses eng mit der Abfolge von Generationen und ‚generationellen' Erfahrungen zu tun haben kann. Besonders das Aufbegehren der Jugend gegen ihre Väter wurde in der soziologischen Forschung stets vom Gesichtspunkt des Wechsels der Generationen her gesehen, bis hin zu Helmut Schelskys Gesamtcharakterisierung der Jugend der deutschen Nachkriegszeit als einer „skeptischen Generation".[2] Auch für die jüdische Jugendkultur der Jahrhundertwende (19./20. Jahrhundert) wurde von einem Generationenkonflikt gesprochen: Es habe sich hier eine jüngere Kultur der Jugend gebildet, die sich gegen die als typisch bürgerlich-kapitalistisch erkannten und denunzierten Phänomene der väterlichen, älteren Kultur, die mit Schlagworten wie „Materialismus", „Zweckrationalität" oder „Entfremdung" gekennzeichnet wurden, aufgelehnt habe.[3] Eine also irgendwie durch gemeinsame Merkmale ausgestattete Gesamtheit von Personen, wenn nicht gar eine Gruppe, wird einer anderen Gesamtheit gegenübergestellt, und zwar derart, dass das Selbstverständnis der einen von dem der anderen her definiert wird und nur relativ auf dieses bezogen werden kann. Die zusammenfassende Beurteilung erfolgt, ohne dass individuelle Lebensentwürfe und die ineinander verschobenen Lebenszyklen berücksichtigt werden, weil sie vor dem Hintergrund des Gesamtbilds nicht ins Gewicht fallen oder gar als gleichzeitige Erscheinungen des „Ungleichzeitigen" wegdisputiert werden können. Eine Generation in diesem Sinne ist nicht, oder nur in ganz geringem Maße, als biologische, sondern in erster Linie als kulturelle Kategorie zu sehen.[4]

Was für die jüngere Geschichte des vorigen Jahrhunderts gilt und seit eh und je in der belletristischen Literatur – etwa bei Ivan Turgenjev oder bei Thomas Mann – problematisiert worden ist,[5] sollte auch für die ältere Zeit der Vormoderne als Beurteilungskriterium in Erwägung gezogen werden. Dies ist in der historischen Forschung bislang noch kaum explizit thematisiert worden. Dass Generationenkonflikte in dynastischen Herrscherfamilien eine große Rolle spielten, ist aus den Quellen bekannt; man denke nur an das Verhältnis König Friedrichs des Großen von Preußen zu seinem Vater Friedrich Wilhelm I., das von zwei gegensätzlichen Lebensstilen bestimmt war. Um über diesen personal kondensierten Gegensatz hinaus zur Annahme zweier historisch wirksamer und sich in ihrem Lebensgefühl voneinander abhebender Generationen zu kommen, müsste man andere Vertreter des zeitgenössischen Hochadels vergleichend einbeziehen, um Generationszusammenhänge herstellen zu können. Hierzu aber fehlt es noch an Vorarbeiten. Entsprechende Analysen bieten sich für andere Elitegruppen des Ancien Régime an, also für die Mitglieder von sozial bestimmenden Gruppen oder Aggregationen, die gleiche oder ähnliche Ziele verfolgten und damit Machtpositionen einer Gesellschaft besetzen konnten.[6] Wenn es ein Kennzeichen der „Funktionselite" einer Gesellschaft ist, dass deren Mitglieder die für das Sozialsystem charakteristischen sozialen Prozesse entscheidend beeinflussen,[7] so könnte die Kategorie der „Generation" einen Beurteilungsmaßstab zur Bildung von historisch voneinander abgehobenen Stadien von Einflussmöglichkeiten bieten. Unter diesem Blickwinkel könnte beispielhaft die Wirksamkeit und Funktion der Hofjudenfamilien in der Vormoderne untersucht werden.

Wer sich für das 17. und 18. Jahrhundert näher mit den genealogischen Beziehungen der Hofjuden untereinander beschäftigt, wird immer wieder auf eine Abfolge von zwei oder drei Generationen innerhalb der Familiendynastien stoßen, die einer gewissen Gesetzmäßigkeit zu folgen scheint. Er wird feststellen, dass der Wechsel von einer Generation zur anderen vielfach Veränderungen mit sich brachte, die sich nicht aus dem bloßen Zeitablauf erklären lassen. Ohne Zweifel gab es – und zwar unabhängig von der methodischen Bewertung dieses Phänomens – Generationen der „Aufsteiger", die den Ruhm einer Faktorenfamilie begründeten; es gab führende, gleichsam marktbeherrschende Generationen, durch die die jüdische Wirtschaftselite erst eigentlich konstituiert wurde; und es gab schließlich Generationen von Absteigern, die die erreichten Standards nicht halten konnten und so zur Bedeutungslosigkeit verkamen oder zumindest in den Durchschnitt ihrer Zeit zurückfielen. Für das frühe 18. Jahrhundert denkt man dabei etwa an die miteinander verschwägerten Familien der Oppenheimer und Wertheimer, die mit Samuel Oppenheimer ihren Aufstieg begannen, in Samson Wertheimer ihren Höhepunkt erreichten und mit dessen Sohn Wolf Wertheimer wesentlich an Bedeutung einbüßen mussten. Man könnte für das späte 18. und frühe 19. Jahrhundert ebenso an die Frankfurter Familie der Rothschilds denken, die mit Meyer Amschel Rothschild die Gründergeneration verkörperte,[8] mit den fünf Brüdern Amschel, Salomon, Nathan, Carl und Jakob zum Höhepunkt und zu europaweiter Bedeutung gelangte, die in ihrer dritten Generation jedoch wieder zu einer durchschnittlichen Bankiersfamilie zurückfiel.[9] Doch auch die Clans der May und Mayer in Mannheim könnten in diese Reihe gestellt werden, auch wenn diese Familien selbst in ihren Glanzzeiten über einen gewissen regionalen Rahmen nicht herauskamen.

Es ist deshalb kein Zufall und wohl überlegt, dass der folgende Abschnitt mit Beiträgen zu den Familien Wertheimer, Rothschild und May/Mayer diese drei Dynastien exemplarisch für viele andere herausgreift, um anhand dieser Beispiele aus der Frühzeit, dem Höhepunkt und der Spätzeit des institutionalisierten Hofjudentums Kriterien für ein mögliches Generationenmodell der Hofjudenfamilien zu gewinnen. Es sind dies Stellungnahmen, die als ein Ergebnis aus dem in der Einleitung dieses Sammelbandes angesprochenen Forschungsprojekt entstanden (so der Beitrag Friedrich Battenbergs), die aus der Beschäftigung mit dem Hofjudentum im Rahmen der großen Frankfurter Rothschild-Ausstellung erwuchsen (so der Beitrag von Fritz Backhaus) und die schließlich einen Aspekt einer geplanten Dissertation zur jüdischen Wirtschaftselite Mannheims herausgreifen und vertiefen (so der Beitrag von Britta Waßmuth). In weiteren Beiträgen dieses Bandes wird der intergenerationelle Wandel ebenfalls an zentraler Stelle thematisiert bzw. hinterfragt, so von Michael Schmidt, Thekla Keuck, Eva Grabherr und Felicitas Heimann-Jelinek, während die Ergebnisse, die Rotraud Ries zum Thema „Generationenfolge" in Halberstadt vortrug, bereits an anderer Stelle publiziert wurden.[10] Auch wenn die hier vorgelegten drei Beiträge die Frage nach dem Wandel in der Generationenfolge mehr implizit enthalten und daneben durchaus weitere Probleme – etwa solche der Religiosität und der Akkulturation – ansprechen, die meist unabhängig von der Frage der Generationenveränderung diskutiert werden, so soll doch der im Titel dieses Abschnitts zum Ausdruck kommende soziologische Aspekt in dieser Einführung zusammenfassend im Vordergrund stehen.

Es wäre indes ein Missverständnis, wollte man das Problem des Generationenwechsels in der Geschichte individualpsychologisch klären, derart, dass es nur um die Auswirkungen von verschiedenen Lebensaltersstufen und um deren soziale Relevanz geht.[11] Der Auf- und Abstieg einer Familie wäre dann im klassischen „Generationenkonflikt" anzusiedeln, der Emanzipation der Söhne von ihren Vätern, und dem Versuch, die väterliche Erbschaft abzuwerfen oder eigenen Ideen anzupassen. Dann aber wäre die Generationenfolge nur als ein Kontinuum eines ewigen Aufwärts und Abwärts zu verstehen, in dem es zwar individuelle und familiäre Höhepunkte des geschäftlichen und persönlichen Erfolges gab, nicht aber allgemeiner zu verstehende Trends und Brüche. Gewiss: Der Wechsel von Generationen geschieht mit der Abfolge der Lebenszyklen ständig und für den Regelfall ohne zeitliche Konzentrationen, die man als übergreifende Einschnitte verstehen könnte. Doch wäre es zumindest einer Überlegung wert, ob sich nicht doch soziale Aggregate oder gar Gruppen zusammenfassen lassen, für die sich in einem weiteren Sinne und unter dem Gesichtspunkt kulturellen Zusammenhangs gemeinsame Generationsmerkmale feststellen lassen, die über die individuelle Familie hinausgehen. Für dieses – kulturalistische, nicht aber biologistische oder nur psychologistische – Verständnis wäre es durchaus nicht erforderlich, dass die „Gründergeneration" zeitgleich in allen einer Großgruppe angehörenden Familien sichtbar wurde, ebenso wenig wie sich der Niedergang in einem gleichsam synchronisierten historischen Prozess vollzogen haben musste. Aufsteiger- und Absteigergenerationen können vielmehr zeitverschoben über Jahrzehnte gemeinsame Merkmale aufweisen: Sie können als Ausdrucksformen des Gleichzeitigen im Ungleichzeitigen jeweils einer vorherrschenden Generation zugeordnet werden. Es erscheint so gerechtfertigt, dass sie durch diese innere Nähe in der rückschauenden Betrachtung unter einem leitenden Gesichtspunkt zusammengefasst werden können.

Im Allgemeinen wird das Problem der Generationenfolge bzw. des Generationswechsels im Zusammenhang mit zeitlichen Umbruchs- und Krisensituationen diskutiert. Es lässt sich beobachten, dass mit Antritt einer jeweils neuen Generation Strukturwandlungen einhergehen, die mit den neuen sozialen Orientierungen und Verhaltensweisen in Zusammenhang zu bringen sind.[12] Übergreifende gesellschaftliche Wandlungs- oder auch Modernisierungsprozesse, wie sie von Historikern in den Quellen wahrgenommen werden, dürfen von daher gesehen nicht nur als eigengesetzlich ablaufende strukturelle historische Prozesse gesehen werden,[13] sondern sie sind letztlich nur in ihrer Rückbindung an die maßgebenden Exponenten und Träger sachgerecht zu interpretieren. Die Entstehung des Bürgertums am Ende der Vormoderne im späten 18. Jahrhundert – um ein Beispiel für einen von den Trägergruppen abhängigen strukturellen Wandlungsprozess zu nennen – hatte auch damit zu tun, dass von einer jüngeren Generation adeliger Lebensstil und eine Lebensphilosophie, für die Umgangsformen und Exklusivität entscheidender waren als Leistung und Bildung, nicht mehr akzeptiert wurden.[14] Hinsichtlich der altständisch-patrizischen Elite der Städte des römisch-deutschen Reiches konnte beobachtet werden, dass diese in einem geradezu revolutionär verlaufenden Tempo Ausgang des 18. Jahrhunderts ebenfalls durch ein ‚neues' Bürgertum abgelöst wurde, das – in einer neuen Generation – die gewandelten Rahmenbedingungen der Gesellschaft besonders flexibel und erfolgreich zu nutzen vermochte.[15] Während das neue Bürgertum sich in offenen Gruppierungen wie den allgemeinen Lesegesellschaften fand und dort das Lebensgefühl einer neuen Generation zum Ausdruck brachte,[16] fand sich die nach dem Wiener Kongress von 1814 stärker in Erscheinung tretende Generation der Konservativen unter dem Zeichen des nach der Zurückdrängung Napoleons neu aufkommenden Patriotismus in den Gruppierungen der ‚Christlich-deutschen Tischgesellschaft' wieder.[17] In ihr wurden alle jene irrationalen und gegenaufklärerischen Strömungen aufgefangen, gebündelt und neu formiert, die der damaligen Zeitsituation und der besonderen generationsmäßigen Lagerung der jungen Konservativen entsprachen.[18]

Hinter all diesen, sich in neuen Organisationseinheiten und Gruppierungen niederschlagenden Umstrukturierungen und Krisensituationen standen, auch wenn sie im Laufe der Zeit durch menschliches Einzelhandeln nicht mehr beherrschbar waren und sich damit ihre eigenen Bedingungen schufen,[19] steuernde soziale Gruppen, womöglich sogar Einzelne, durch die die Leitmodelle und Orientierungsmuster einer Generation festgelegt wurden.[20] Von diesen konkreten Gruppen strahlten jene Ideen aus, die dann auch weitere Kreise zu werben imstande waren.[21]

Was also erscheint als das Spezifikum einer Generation vor dem Hintergrund der zeitlichen Abfolge zweier oder mehrerer derartiger, von steuernden Gruppen gebildeter Konfigurationen? Nach der Definition des Soziologen Karl Mannheim wird mit Generation eine Altersgruppe bezeichnet, deren Zusammenhang sich aus spezifischen gemeinsamen Erlebnissen und Erfahrungen innerhalb eines Kulturkreises ableiten lässt.[22] Es geht um eine gruppenspezifisch verwandte Situierung der Menschen im historisch-sozialen Raum, die durch eine bestimmte – weit gehend übereinstimmende – Art des Denkens, Erlebens und Verhaltens gekennzeichnet ist. Die so entstandene „Generationslagerung" erscheint jedoch nur als eine noch nicht geschichtswirksame Möglichkeit; erst durch einen Generationszusammenhang erreicht sie diejenige Verdichtung, die sich in einem politischen und sozialen Handeln niederschlägt.[23] Ein Generationszusammenhang kann dann angenommen werden, wenn gemeinsame geistig-soziale Gehalte, auch Orientierungen an derselben Problematik festzustellen sind.[24]

Folglich ist ein Generationenwechsel dadurch gekennzeichnet, dass eine jüngere Altersgruppe neue Erfahrungen sammelt und verarbeitet, Erfahrungen, die schließlich so gewichtig werden, dass die von einer älteren Gruppe vermittelten Erfahrungen verdrängt werden. So werden die Trägergruppen einer jeweiligen Generation zu wesentlichen Faktoren einer Entwicklung, durch die das latent vorhandene „endogene Wandlungspotenzial“[25] einer Gesellschaft aktiviert und zu einer Modernisierung bzw. einer Retardierung eingesetzt werden kann.

Einen solchen, soziologisch an sich klar beschriebenen historischen Prozess anhand des archivischen Quellenmaterials genauer zu identifizieren, fällt dennoch schwer, schon deswegen, weil Väter und Söhne uns nicht den Gefallen tun, jeweils etwa zur gleichen Zeit in einem etwa dreißigjährigen Abstand geboren zu werden. Es fällt weiter schwer, weil überhaupt erst die Gruppe als sog. „Generationseinheit“ definiert werden muss, für die das subjektive Empfinden eines Generationenwechsels ebenso wie das objektive Kriterium der Vergleichbarkeit der ausgewählten Probanden zutrifft. Hinsichtlich der Hofjuden kommt uns hilfreich entgegen, dass eine überregionale familiäre und geschäftliche Vernetzung ebenso wie die gemeinsame und als verpflichtend anerkannte Bindung an eine von der christlichen Umwelt verschiedene Tradition angenommen werden kann. Die Bezeichnung „Väter und Söhne“ betrifft also nicht nur die biologische Konfrontation, die man im Allgemeinen mit dem Begriff des Generationenkonflikts bezeichnet, sondern auch die Konfrontation zweier Gruppen, die miteinander durch eine gemeinsame Familien- und Geschäftstradition, und man könnte sogar annehmen: durch ein gemeinsames kulturelles „Familiengedächtnis“, miteinander verbunden sind.[26] Teil dieses Gedächtnisses, durch das Legitimationen und Deutungshilfen zur Bewältigung der jeweiligen Gegenwart der Generation gefunden wurden,[27] sind auch Fragen des Lebensstils, der sozialen Orientierungsbezüge und Verhaltensmuster, aber auch Schwerpunkte im alltäglichen Kampf um die Verteilung sozialer Positionen und um den für Juden besonders erschwerten Zugang zu den ökonomischen Ressourcen der Gesellschaft.

Beides, das eher Individuelle und das eher Strukturelle, muss dabei bedacht werden: die Veränderungen in Lebensstil und Verhaltensorientierung einer konkreten Hofjudenfamilie auf der einen Seite und der davon abhängige kollektive Veränderungs- und Wandlungsprozess, der sich aus verschiedenen ähnlichen oder sogar gemeinsamen Erfahrungen zusammensetzt, wenn diese in etwa in einem übereinstimmenden zeitlichen Zusammenhang dingfest gemacht werden können. Hierbei spielen dann wieder übergreifende gesellschaftliche Entwicklungen und Phänomene des „Zeitgeistes" eine Rolle, die nicht unbedingt mit den Juden zu tun haben, wie z. B. der Kampf um die Partizipation an politischen, ökonomischen und gesellschaftlichen Führungspositionen.

Der mit diesen wenigen Andeutungen eingeleitete Abschnitt kann somit nur dann einen unter dem Gesichtspunkt der Generationenabfolge definierten Sinn machen, wenn verschiedene Beispiele zusammengetragen werden, hinter denen unterschiedliche oder übereinstimmende Konfigurationen stehen, deren Bewertung und Einordnung erst gemeinsam möglich ist. Die folgenden drei paradigmatisch dazu eingebrachten Beiträge sollten dabei im Ergebnis durch die oben genannten weiteren Studien der Autoren dieses Sammelbandes ergänzt werden.

Anmerkungen

1 Bernhard Schlink, *Der Vorleser*, Roman, Zürich 1995, S. 161.

2 Helmut Schelsky, *Die skeptische Generation. Eine Soziologie der deutschen Jugend*, Düsseldorf/Köln 1963. Schelsky teilt die jüngere Geschichte der Jugend nach Generationen ein: die Generation der Jugendbewegung, die Generation der politischen Jugend und die skeptische Generation, ebd., S. 51 ff., 58 ff., 74 ff. Über den Einfluss dieses Buchs auf die Nachkriegsgesellschaft berichtet Walter Becker, Die skeptische Generation – nur ein Schlagwort, in: *Stuttgarter Zeitung* Nr. 277, vom 30. Nov. 1963, mit dem Vorschlag des Autors, doch besser von einer „verbrannten Generation" zu sprechen.

3 Avraham Barkai, Jüdisches Leben in seiner Umwelt, in: ders./Paul Mendes-Flohr, *Deutsch-Jüdische Geschichte in der Neuzeit*, hg. von Michael A. Meyer/Michael Brenner, *Bd. IV: Aufbruch und Zerstörung 1918–1945, mit einem Epilog von Steven M. Lowenstein*, München 1997, S. 50–73, hier S. 68 f.; Glenn Richard Scharfman, *The Jewish Youth Movement in Germany, 1900–1936: A Study in Ideology and Organization*, Ann Arbor 1991, S. 34; Miriam Gebhardt, *Das Familiengedächtnis. Erinnerung im deutsch-jüdischen Bürgertum 1890 bis 1932*, Stuttgart 1999 (Studien zur Geschichte des Alltags 16), S. 176 ff.

4 So Kurt H. Wolff, *Klassiker des soziologischen Denkens, Bd. 2: Von Weber bis Mannheim*, München 1978, S. 306, in Interpretation des Werkes von Karl Mannheim.

5 S. etwa Ivan S. Turgenjevs Roman *Väter und Söhne*, der die Konfrontation gegensätzlicher Generationen thematisiert: Hans Günther, in: Walter Jens (Hg.), *Kindlers Neues Literatur Lexikon*, Bd. 16, München 1991, S. 839 f. – In Thomas Manns *Buddenbrooks. Verfall einer Familie* stehen Aufstieg und Niedergang von vier Generationen einer bürgerlich-kaufmännischen Familie im Mittelpunkt: Obwohl mit Biologismen erklärt, geht es hier doch um kulturelle Strukturen, aber auch um Differenzierung und Steigerung, s. dazu: Eginhard Hora, in: Walter Jens (Hg.), *Kindlers Neues Literatur Lexikon*, Bd. 11, München 1990, S. 62 f.

6 Urs Jaeggi, *Die gesellschaftliche Elite. Eine Studie zum Problem der sozialen Macht*, Bern/Stuttgart 1960, S. 138 f.; Günter Endruweit, Elitebegriffe in den Sozialwissenschaften, in: *Zeitschrift für Politik* 26 (1979), S. 30–46, hier S. 42 f.

7 ENDRUWEIT, Elitebegriffe (wie Anm. 6), S. 43 f.; ANJA VICTORINE HARTMANN, Kontinuitäten oder revolutionärer Bruch? Eliten im Übergang vom Ancien Régime zur Moderne, in: *Zeitschrift für Historische Forschung* 25 (1998), S. 389–420, hier S. 411.

8 CHRISTIAN WILHELM BERGHOEFFER, *Meyer Amschel Rothschild, der Gründer des Rothschildschen Bankhauses*, Frankfurt a. M. 1922; AMOS ELON, *Der erste Rothschild. Biographie eines Frankfurter Juden*, Frankfurt a. M. 1998; FRITZ BACKHAUS, in: DERS./ ESTHER HASS/JUTTA SCHUCHARD, *„... da dergleichen Geschäfte eigentlich durch große Konkurrenz gewinnen." Meyer Amschel Rothschild in Kassel*, hg. v. d. Stadtsparkasse Kassel, Kassel 1994, S. 9–61 [der Aufsatz von Backhaus trägt den gleichen Titel wie der ganze Band].

9 Vgl. ANDREAS HANSERT, Zur Soziologie der dynastischen Machtstellung der Rothschilds, in: GEORG HEUBERGER (Hg.), *Die Rothschilds. Beiträge zur Geschichte einer europäischen Familie*, Sigmaringen 1994, S. 171–183. Entsprechend ist die klassische, zweibändige Biographie von EGON CAESAR CONTE CORTI aufgebaut: *Der Aufstieg des Hauses Rothschild 1770–1830*, Leipzig 1929; *Das Haus Rothschild in der Zeit seiner Blüte 1830–1871*, Leipzig 1928. Vgl. auch den Titel der populären Darstellung: M. E. RAVAGE, *Glanz und Niedergang des Hauses Rothschild*, Berlin-Zehlendorf 1931. Eine Übersicht über die Stammfolge der Familie findet sich bei: GEORG HEUBERGER (Hg.), *Die Rothschilds. Eine europäische Familie*, Sigmaringen 1994, S. 208.

10 BIRGIT KLEIN/ROTRAUD RIES, Zu Struktur und Funktion der jüdischen Oberschicht in Bonn und ihren Beziehungen zum kurfürstlichen Hof, in: FRANK GÜNTER ZEHNDER (Hg.), *Eine Gesellschaft zwischen Tradition und Wandel. Alltag und Umwelt im Rheinland des 18. Jahrhunderts*, Köln 1999 (Der Riss im Himmel. Clemens August und seine Epoche, Bd. 3), S. 289–315.

11 Dieses Verständnis herrscht auch in der soziologischen Forschung vor: MANFRED PRISCHING, *Soziologie. Themen – Theorien – Perspektiven*, 2. Aufl. Wien/Köln/Weimar 1992, S. 58 f., 362 f.

12 KARL-HEINZ HILLMANN, *Wörterbuch der Soziologie*, begr. von GÜNTER HARTFIEL, 4. Aufl., Stuttgart 1994, S. 271.

13 Zur Theorie autonomer historischer Prozesse s. CHRISTIAN MAIER, Fragen und Thesen zu einer Theorie historischer Prozesse, in: KARL-GEORG FABER/CHRISTIAN MAIER (Hgg.), *Historische Prozesse*, München 1978 (Theorie der Geschichte. Beiträge zur Historik 2), S. 11–66, hier S. 30, im Anschluss an: ARNOLD GEHLEN, *Studien zur Anthropologie und Soziologie*, Neuwied/Berlin 1963, S. 197 f.

14 Siehe ELISABETH FEHRENBACH, Einführung, in: DIES. (Hg.), *Adel und Bürgertum in Deutschland 1770–1848*, München 1994 (Schriften des Historischen Kollegs 31), S. VII-XV, hier S. IX f.

15 LOTHAR GALL, Stadt und Bürgertum im Übergang von der traditionalen zur modernen Gesellschaft, in: DERS. (Hg.), *Stadt und Bürgertum im Übergang von der traditionalen zur modernen Gesellschaft*, München 1993 (Stadt und Bürgertum 4), S. 1–12, hier S. 7.

16 KLAUS GERTEIS, Bildung und Revolution. Die deutschen Lesegesellschaften am Ende des 18. Jahrhunderts, in: *Zeitschrift für Kulturgeschichte* 53 (1971), S. 127–139; FRIEDRICH SCHÜTZ, Eine verbotene Mainzer ‚Allgemeine Lesegesellschaft' von 1832, in: *Archiv für hessische Geschichte* 36 (1978), S. 329–344. Eine der ersten Gesellschaften dieser Art war die 1782 gegründete ‚Gelehrte Lesegesellschaft' in Mainz, hierzu: HELMUT MATHY, Gelehrte, literarische, okkulte und studentische Vereinigungen und Gesellschaften in Mainz am Ende des 18. Jahrhunderts, in: *Jahrbuch der Vereinigung der ‚Freunde der Universität Mainz'* 18 (1969), S. 70–103; T[IMOTHY] C[HARLES] W[ILLIAM] BLANNING, *Reform and Revolution in Mainz*, Cambridge 1974, S. 195 f., 202, 297.

17 Deborah Hertz, *Die jüdischen Salons im alten Berlin*, Frankfurt a. M. 1991, S. 308 ff.

18 So die Beurteilung durch: Karl Mannheim, Das Problem der Generationen, in: *Kölner Vierteljahreshefte für Soziologie* 7 (1928), S. 158–185 und 309–330, hier S. 314. Wiederabdruck in: Kurt H. Wolff (Hg.), *Karl Mannheim: Wissenssoziologie. Auswahl aus dem Werk*, Berlin/Neuwied 1964, S. 509–565 (Text) und S. 703–705 (Bibliographie).

19 Jürgen Habermas, *Kultur und Kritik*, Frankfurt a. M. 1973, S. 364; Hermann Lübbe, Traditionsverlust und Fortschrittskrise. Sozialer Wandel als Orientierungsproblem, in: Günter Schulz (Hg.), *Wolfenbütteler Studien zur Aufklärung*, Bd. 1, Wolfenbüttel 1976, S. 27.

20 Terminologie nach: Jeannette Schmid, Die Wahrnehmung des Anderen. Sozialpsychologische Anmerkungen zu Ethnozentrismus und Marginalisierung, in: Marie Theres Fögen (Hg.), *Fremde der Gesellschaft. Historische und sozialwissenschaftliche Untersuchungen zur Differenzierung von Normalität und Fremdheit*, Frankfurt a. M. 1991 (Ius Commune, Sonderhefte 56), S. 147–167, hier S. 153.

21 Mannheim, Generationen (wie Anm. 18), S. 314.

22 Ebd., S. 175 ff., 309 ff., 313 ff.

23 Ebd., S. 313.

24 Prisching, *Soziologie* (wie Anm. 11), S. 58.

25 Alfred Bellebaum, *Soziologische Grundbegriffe*, 8. Aufl., Stuttgart u. a. 1980, S. 160 f.

26 Andrea Hopp, *Jüdisches Bürgertum in Frankfurt am Main im 19. Jahrhundert*, Stuttgart 1997, S. 19; zuletzt dazu: Gebhardt, *Das Familiengedächtnis* (wie Anm. 3), insb. S. 193 ff. Grundlegend hierzu insb.: Maurice Halbwachs, Das kollektive Familiengedächtnis, in: ders., *Das Gedächtnis und seine sozialen Bedingungen*, Frankfurt a. M. 1985, S. 203–242; ders., Das kollektive Gedächtnis und die Zeit, in: ders., *Das kollektive Gedächtnis*, Stuttgart 1967 (Frankfurt a. M. 1985), S. 78–126, insb. S. 117 ff.

27 Gebhardt, *Das Familiengedächtnis* (wie Anm. 3), S. 10 ff.

Ein Hofjude im Schatten seines Vaters – Wolf Wertheimer zwischen Wittelsbach und Habsburg

J. Friedrich Battenberg

I.

Wenn das System des Hoffaktorentums im römisch-deutschen Reich der Habsburger charakterisiert werden soll, so fallen einem zumeist die Namen der beiden großen Hofjuden Samuel Oppenheimer und Samson Wertheimer ein. Beide waren über Jahrzehnte die Einzigen, die den Kredit der österreichischen Dynastie garantieren konnten und wesentlich zur Stabilisierung der habsburgischen Herrschaft in Europa beigetragen haben,[1] auch wenn dies in vielen einschlägigen Gesamtdarstellungen noch nicht zur Kenntnis genommen wird.[2] Wenn sie in der einschlägigen Historiographie überhaupt als Heeres- und Hoflieferanten des Kaiserhauses benannt werden, so nur in einer beispielhaften Aufzählung einiger Namen, unter denen Wolf Wertheimer regelmäßig nicht dabei ist.[3] Selbst die so brillante Darstellung Jonathan Israels über das europäische Judentum im Zeitalter des Merkantilismus[4] übergeht ihn vollkommen. Dies verwundert insofern, als Letzterer weit mehr als die ersteren Gelegenheit hatte, in die europäische Politik gestaltend einzugreifen,[5] und mit dazu beigetragen hat, dass in dem zur Ideologie erhobenen Prinzip des Mächtegleichgewichts[6] auch Bayern und Österreich ihren Platz fanden.

Während der in der Kurpfalz aufgewachsene und als Heereslieferant Karl Ludwigs von der Pfalz berühmt gewordene[7] Samuel Oppenheimer (1630–1703) Pionierarbeit zu leisten hatte,[8] persönlich aber schließlich scheiterte,[9] konnte sein aus Mittelfranken stammender[10] ehemaliger Mitarbeiter und Geschäftspartner Samson Wertheimer (1658–1724) die Krise überwinden und ein vernetztes Kreditsystem in Zentraleuropa aufbauen, das wesentlich zum Aufstieg Österreichs nach der Abwehr der Türkengefahr beitrug.[11] Wolf Wertheimer konnte gleichsam das von der Großväter- und Vätergeneration aufgebaute Finanzimperium übernehmen und die Früchte ernten. Er wurde dadurch – nach dem Urteil Barouh Mevorahs[12] – „a typical representative of the Imperial Court-Jew class, and one of its most important members". Wenn er auch zweifellos ebenso wie sein Vater virtuos das sensible Instrumentarium des großen Darlehensgeschäfts beherrschte, so stand er doch am Ende seines Lebens vor einem Scherbenhaufen. Man wird David Kaufmann Recht geben, wenn er von ihm sagt:[13]

> Er ist gleichsam der typische Vertreter jener Classe armer Reicher, unglücklicher Glücklicher, die ihrer Zeit bewiesen, wie die vielbeneideten, weitausgreifenden Creditgeschäfte mit Höfen und Staaten nicht immer eine Quelle der Bereicherung waren, sondern gar den Ruin des Vermögens zur Folge hatten und mit der Erschütterung des Credites, der Ehre und des Gemüthes bezahlt werden mußten.

Doch kann man sich mit einem solchen resignierenden Urteil abfinden und das Scheitern Wolfs dem missgünstigen Schicksal zuschreiben? Ist nur die Tatsache, dass er sich in den Dienst eines bankrotten Kurfürstenhauses in München stellte, die eigentliche Ursache seines Scheiterns?[14] Oder gab es doch eine tiefere Ursache, die auch mit dem Wandel in der Generationenfolge zu tun hat? Wenn im Rahmen der folgenden Ausführungen in diesem Sinne einige Vermutungen geäußert werden, so soll zugleich vor einem Missverständnis gewarnt werden: Für den finanziellen Ruin des Oppenheimer/Wertheimer'schen Familienimperiums in der dritten Generation waren unterschiedlichste politische, ökonomische und persönliche Faktoren ursächlich, nicht zuletzt die Tatsache, dass sich dieses weiterhin prominente Bankhaus einem verstärkten Konkurrenzdruck ausgesetzt sah und in den Strudel der unberechenbaren Politik der europäischen Fürstenhäuser geriet. Der persönliche Faktor verkörpert in diesem Kriterien-Spektrum vielleicht nur einen kleinen Punkt. Aber er lässt doch einen Mentalitätswandel erkennbar werden, der zu einer veränderten Perzeption der politischen Realität beitrug und so einige finanzielle Operationen provozierte, die im Rahmen des verfügbaren Geschäftsvolumens nicht mehr abgesichert werden konnten. Was in der zweiten und dritten Generation der Rothschilds, wie Fritz Backhaus ausführt, zur erfolgreichen geschäftlichen Expansion führte, bedeutete im Falle des Hauses Oppenheimer/Wertheimer eine Überspannung der Kräfte, weil der Spielraum von Innovationen im System der europäischen Fürstenhöfe noch nicht groß genug war.[15] Man muss sich nur klarmachen, dass der Aufstieg der Rothschilds erst durch den Zusammenbruch des merkantilistischen Systems der Fürstenhöfe und durch die Bedürfnisse des entstehenden Bürgertums möglich wurde, durch Konstellationen also, die dem Haus Oppenheimer/Wertheimer noch nicht zur Verfügung standen.

II.

Der 1681 in Worms geborene Wolf Wertheimer hat in seiner Person gleichsam das geschäftliche und familiäre Erbe Samuel Oppenheimers und Samson Wertheimers in sich vereinigt. Letztere waren in den späten siebziger bzw.

den frühen achtziger Jahren in die kaiserliche Residenz nach Wien gekommen, um dort von Anfang an geschäftlich zur Belieferung des Hofes und des kaiserlichen Heeres zu kooperieren. Da Samuel häufig in kaiserlichem Auftrag im Reich unterwegs war, um seine Armeelieferungen zu überwachen, setzte er den um eine Generation jüngeren Samson zu seinem *substitutus et plenipotentiarius* ein, wie er in Urkunden seit 1687 verschiedentlich bezeichnet wurde.[16] Auf Druck der kaiserlichen Hofkammer begründeten beide 1695 eine gemeinsame Firma, die freilich dem älteren Samuel eine dominierende Rolle überließ, den jüngeren Samson aber zum eigentlichen Geschäftsresidenten in Wien machte.[17] Letzterer brachte in das gemeinsame Unternehmen ein weiteres Kapital ein, das im Verhältnis zu den eigenen Glaubensbrüdern schwer wog: Im Gegensatz zu Samuel brachte er eine überragende rabbinische Gelehrsamkeit mit, die ihm 1693 das Amt eines Rabbiners in Eisenstadt, später des ungarischen Landesrabbiners[18] und 1696 kraft kaiserlichen Privilegs das Rabbinat über alle Juden der habsburgischen Erblande verschaffte.[19] Man wird diesen innerjüdischen Autoritätsgewinn nicht unterschätzen dürfen, zumal sich von ihm auch die christlichen Geschäftspartner eine Akkumulation ökonomischen und sozialen Kapitals und damit eine Verbesserung des Darlehenspotenzials erhoffen konnten.

Erst nach dem Tod des in Konkurs gefallenen Samuel Oppenheimer 1703 konnte sich der inzwischen selbstständig handelnde Samson Wertheimer zusammen mit seinem 22-jährigen Sohn aus dem Schatten des Oppenheimerschen Finanzimperiums befreien. In einem umfassenden Privileg Kaiser Leopolds I. vom August 1703[20] wurde Samson, der bereits vorher den Titel eines Hoffaktors des Königs von Polen sowie der Kurfürsten von Mainz, Sachsen und der Pfalz erworben hatte, zum „Wirklichen Ks.lichen Oberfaktor", *supremum factorem aulicum*,[21] ernannt und mit umfassenden Gerichts-, Steuer- und Zollfreiheiten ausgestattet, mit dem Zusatz, dass er etwaige hebräische Bücher, die er für sein Judenrabbinat benötige, frei außer Landes transportieren lassen könne. Auffallend ist, dass seit diesem Privileg sein Sohn Wolf Wertheimer als geschäftlicher Teilhaber stets mitgenannt wurde. Obwohl Samson bis zu seinem Tode 1724 Seniorchef der Firma blieb und damit die Hauptlast der Verantwortung trug, scheint er sich mehr und mehr aus der aktiven Gestaltungsrolle zurückgezogen zu haben. 1709 teilte er dem Kaiser mit, dass er mit Wirkung von 1710 aus gesundheitlichen Gründen – er litt an der Gicht, die ihn häufiger ans Bett fesselte[22] – die Geschäftsleitung auf seinen Sohn übertragen habe.[23] 1713 schließlich zog er sich ganz von den Geschäften zurück und übertrug Wolf die Verantwortung für einen Teil seiner Agenten im Reich.[24] Es scheint allerdings, dass der Kredit der Firma weiterhin auf dem Namen Samsons beruhte. Dies ergibt sich etwa aus Notizen des Abraham Levi von seiner Wiener Reise aus dem Jahre 1719, die nur dessen Reichtum beschreibt, nicht den seines Sohnes.[25] Immerhin konnte Letzterer noch 1722 von zwei Angehörigen der wittelsbachischen Dynastie den Titel eines kurtrierischen Hoffaktors und eines kurbayerischen Hofjuweliers erlangen.[26] Schon vorher (wohl um 1705) hatte er sich ehelich mit der 14 Jahre jüngeren Lea Eleonora, einer Tochter Emanuels und Enkelin Samuel Oppenheimers,[27] verbunden.[28] So wurde Wolf zum eigentlichen Erben des Letzteren und konnte so das Ansehen der Familien Oppenheimer und Wertheimer in gleicher Weise auf sich vereinigen.

Nach dem Tode seines Vaters 1724 übernahm Wolf nach und nach dessen Faktorentitel und vermehrte diese noch um einige weitere. Schon im August 1724 erwirkte er seine Ernennung zum kaiserlichen Oberhoffaktor.[29] 1726 wurde er kurbayerischer, 1732 kurkölnischer und schließlich 1741 kursächsischer und zugleich königlich-polnischer Hoffaktor.[30] Doch schon vorher hatte er sich durch seine 1722 eingeleitete Münchener Mission[31] dem Einflussbereich und dem Schatten seines Vaters entzogen, der immer noch im Umkreis des Wiener Hofes mit dem offiziösen Titel eines „Judenkaisers" eine dominierende Autorität verkörperte.[32]

Das in der Forschungsliteratur ausführlich dargestellte[33] kurbayerische Abenteuer kann hier so weit skizziert werden, als es für das Verständnis der Persönlichkeit Wolfs wichtig erscheint. Anlass für die Münchener Kontakte waren die geplante Hochzeit des bayerischen Kurprinzen Karl Albrecht (des späteren Kaisers Karl VII.) mit Maria Amalia, der Tochter Kaiser Josephs I. Zu bestreiten waren Aufwendungen in Höhe von 1,2 Millionen Gulden – ein uns heute völlig unsinnig erscheinender Luxus, der aber gerade in dieser Zeit barocker Machtentfaltung und eines differenzierten höfischen Zeremoniells zur öffentlichen Darstellung des fürstlichen Ranges notwendig erschien.[34] Da der kurbayerische Hoffaktor Samuel Isaak Noe eine solche Summe nicht kreditieren konnte,[35] bot sich Wolf Wertheimer an, wohl vermittelt durch seinen Vater Samson bzw. den regierenden Kaiser Karl VI. persönlich, den Onkel der Braut. So erhielt Wolf – ausgestattet mit einem umfassenden kaiserlichen Pass- und Geleitbrief[36] – Gelegenheit, den Hauptschwerpunkt seines Geschäfts nach München zu verlegen, obwohl er weiterhin eine eigenständige Firma in Wien unterhielt.[37] Um die Exklusivität der neuen kurbayerischen Dienste und eine bessere Abwicklung des Geschäfts zu gewährleisten, wurde Wolf schon wenige Tage nach Abschluss des Darlehensvertrags zum Hofjuwelier ernannt mit gleichzeitig gewährtem Aufenthaltsrecht in München.[38] Als Wolf nach dem Tod seines Vaters dessen kaiserliche Faktortitel übernahm, zog auch Karl Albrecht wenig später gleich, indem er ihn als Oberhoffaktor ebenfalls rechtlich an die Spitze der kurbayerischen Hofjuden stellte.[39]

Da sich dieses durch die Verschreibung der gesamten in- und ausländischen Rent- und Kammergefälle an sich lukrative Darlehensgeschäft angesichts der Unfähigkeit der Münchener Hofkammer, den Zins- und Rückzahlungsverpflichtungen in ausreichendem Maße nachzukommen, nicht wie geplant entwickelte, wuchsen die Schulden bald zu einer Höhe von dreieinhalb Millionen Gulden an.[40] Dies zu verkraften überforderte auch die Möglichkeiten des Bankhauses Wertheimer, zumal auch die zahlreichen Interventionen Kaiser Karls VI. bei dem stets überschuldeten bayerischen Kurfürsten nur wenig Erfolg hatten. Mit Recht bemerkt Sundheimer, dass Wolf inmitten eines komplizierten Mechanismus von Kreditbeziehungen stand, sowohl als Schuldner wie als Gläubiger, mit der Folge, „dass eine Stockung in dem Räderwerk seiner finanziellen Beziehungen die schwersten Folgen heraufbeschwören musste".[41] Er wurde 1733 dazu veranlasst, sein Handlungsgeschäft in München zu sistieren – also auf neue Geschäfte zu verzichten und sich ganz auf die Eintreibung seiner Außenstände zu konzentrieren.[42] Am schmerzlichsten für ihn war, dass er aus dem zugunsten der Juden in Palästina gestifteten Kapital über 22 000 Gulden keine Zinsen mehr zu zahlen in der Lage war.[43] Hinzu kam das finanzielle Desaster des bayerischen Kurhauses, das durch die Übernahme der Kaiserwürde durch Karl Albrecht 1742 entstand und durch die militärische Vertreibung des nunmehrigen Kaisers Karl VII. seinen Höhepunkt erhielt[44] und das auch das zeitweilige Ausweichen Wolf Wertheimers nach Augsburg bzw. Kriegshaber 1744/45 zur Folge hatte. Seiner Beharrlichkeit über Jahrzehnte hinweg ist es zu verdanken, dass 1754 schließlich ein Vergleich mit dem neuen bayerischen Kurfürsten Maximilian III. Joseph zustande kam, der eine einigermaßen geordnete Schuldenregulierung und damit eine Sanierung des Hauses Wertheimer ermöglichte.[45]

Auch wenn ein Konkurs des Hauses Wertheimer abgewendet werden konnte, auch wenn Wolf Wertheimer seine persönliche und geschäftliche Ehre behielt und seine Reputation unter seinen jüdischen Glaubensgenossen ebenso wie am kaiserlichen Hof keine Schmälerung erlitt,[46] so konnte doch der alte Glanz des Hauses nicht ganz wiederhergestellt werden. Hatte er 1723 in Wien zusammen mit seinem Bruder Löw noch über 35 Bedienstete zu gebieten,[47] so verfügte er 1746 in seinem gemieteten Haus in München nur noch über seinen Buchhalter Hirschel Worms, je einen Schreiber, einen Geschäftsbedienten, einen Hausbedienten, einen Schächter und eine Köchin.[48] In Wien vertrat ihn in den dreißiger Jahren sein Buchhalter (*cassae administrator*) Gerson Süssmann.[49] Der Ruhm Samson Wertheimers, der das bayerische Debakel nicht mehr miterleben musste und der kraft seiner Gelehrsamkeit und überall wirksam werdenden Wohltätigkeit auch nach seinem

Tode 1724 die überragende Autorität blieb, überschattete denjenigen seines Sohnes. Als gern herangezogener politischer Vermittler und geschickter Diplomat im Interesse europäischer Fürstenhäuser ebenso wie seiner eigenen Glaubensgenossen war er zweifellos bedeutsamer als sein Vater.[50] Doch wog dies das Defizit nicht auf, das aus der Perspektive der jüdischen Gemeinschaft bestehen blieb. Auf seinem Grabstein, der ihm nach seinem Tode 1765 in Kriegshaber bei Augsburg errichtet wurde, wird diese Diskrepanz deutlich, wenn es hier heißt:[51]

> Hier ist geborgen Rabbi Simon Wolf, Sohn des Gaon, des Fürsten des Landes Israel, Rabbi Samson Wertheim – das Andenken des Gerechten sei zum Segen – aus Wien, gestorben in München Ausgang Sabbat und begraben am Sonntag den 20. Tewet 5525. Es sei seine Seele eingebunden in den Bund des Lebens.

III.

War dies vielleicht auch ein epigraphischer Niederschlag der gewandelten Mentalität eines Hofjuden der zweiten bzw. dritten Generation? War dies vielleicht die Quittung dafür, dass das Selbstbewusstsein, mit dem sich Wolf auf der politischen Bühne im Umgang mit den Fürsten bewegte, ihm die Rückbindung zu den eigenen Glaubensgenossen verlegte? Dieser Frage soll nun noch anhand einiger Begebenheiten nachgegangen werden, die mir für das Verhalten Wolf Wertheimers typisch zu sein scheinen.

Im Oktober 1720, noch zu Lebzeiten Samson Wertheimers, versuchte Isaak Speyer, der Wertheimer'sche Agent in der Reichsstadt Frankfurt,[52] mit Wolf Wertheimer geschäftlichen Kontakt aufzunehmen, zunächst ohne Erfolg. Er musste dem Frankfurter Gemeindevorsteher berichten, dass er sich auf Jagd befinde, und zwar ausgerechnet in der Bußwoche zwischen Rosch ha-Schana und Jom Kippur.[53] Kurze Zeit später konnte der Agent Genaueres berichten:[54] Wolf Wertheimer sei zehn Tage lang auf Jagd gewesen und habe viele Gäste bei sich gehabt, unter ihnen den Prinzen Eugen von Savoyen und den damals in Wien weilenden britischen Gesandten Lord Cadogan.[55] Im September 1721 wiederholte sich Ähnliches, als der Hoffaktor für über eine Woche mit dem kaiserlichen Obersthofmeister Fürst Anton Florian von Liechtenstein, einem der wichtigsten Vertrauten Kaiser Karls VI.,[56] auf Jagd war und deshalb in geschäftlichen Angelegenheiten nicht erreicht werden konnte.[57] Nun zählte die Jagd als ein Ausfluss der fürstlichen Regalien bekanntlich zum Signum der höfischen Kultur des Barock,[58] und so mag es nicht verwundern, dass auch bedeutendere Hofjuden am Jagdleben des Hofes teilnahmen. Wolf Wertheimer aber beteiligte sich nicht nur an den Festen des Hofes, sondern richtete derartige Vergnügungen, die an sich adeliges Vorrecht waren und von den Fürsten gezielt als Herrschaftsinstrument eingesetzt werden konnten,[59] selbstständig aus. Dies mag ihm zum Ausbau seines Kommunikationsnetzes und seiner geschäftlichen Chancen mit maßgebenden Hofleuten und Gesandten wichtig erschienen sein. Es drückte sich darin aber auch eine Imitation adeligen Lebensstils aus, für die er sogar die Missachtung jüdischer Tradition in Kauf nahm.

In zwei anderen Fällen ging es um die Praxis des Laubhüttenfestes. Für den September 1714 plante Wolf Wertheimer, in seinem Haus am Petersplatz in Wien,[60] das schon sein Vater von dem Hofkammerrat und Laxenburger Schlosshauptmann Jakob Matz von Spiegelfeld gemietet hatte,[61] die Errichtung einer neuen Sukka. Sein Vater hatte Sukkoth regelmäßig abseits der Öffentlichkeit auf dem Dach bzw. im Dachgeschoss dieser Wohnung gefeiert; doch damit wollte sich der Sohn nicht mehr zufrieden geben. Aus dem an die niederösterreichische Regierung gerichteten Protestschreiben seiner Vermieterin, der Witwe Maria Klara Matz von Spiegelfeld, lassen sich die Einzelheiten seines Vorhabens ermitteln.[62] Der junge Wertheimer, so beklagte sie sich, habe vor, außerhalb der von ihm bewohnten Wohnung „eine Hütten zu dem bevorstehenden Laubenfest aufzurichten“. Es sei aber eine ärgerliche Sache,

> daß dieser Jud seine abergläubigen Possen öffentlich und im Anngesicht aller im Hauß wohnenden Christen oder wohl gar zu unserm Despect treiben wolle, wo doch der vorhin lange Jahr im Hauß gestandene Jud Wertheimer der alte [d. h. Samson Wertheimer] dises jederzeit auf dem Haußtach ohne jemandem Irrung oder Ärgernus begangen hat, ich aber nunmehr diese Schwärmerey vor meinem Fenster nicht leiden will und als eine alte, kranke Frau davon gestört werde, auch zu befürchten, daß hieraus leichtlich ein höchst gefährlicher Aufstand sich eraignen könnte.

Ihre Klage hatte Erfolg, und Wolf Wertheimer musste auf das öffentliche Fest verzichten.

Vierzehn Jahre später, im Herbst 1728, erfahren wir erneut von einem öffentlichen Laubhüttenfest vor dem Hause Wolf Wertheimers, diesmal seiner Münchener Wohnung im Hause des Branntweinwirts Hillebrand.[63] In diesem Fall hatte der Vermieter die Errichtung einer Laubhütte gestattet, ohne den Stadtrat um Erlaubnis zu fragen. Auf Denunziation von Nachbarn griff der Magistrat den Verstoß gegen das Verbot der öffentlichen Religionsausübung auf und brachte die Sache an den kurfürstlichen Hofrat. Kurfürst Karl Albrecht belegte daraufhin den Hillebrand mit einer Strafe von 100 Speziesdukaten, die sinnigerweise zur Errichtung eines marmornen Bildnisses des Gekreuzigten am Gasteig verwendet werden sollten. Die Sanktion wurde damit begründet, dass Wolf Wertheimer „in seiner Behausung das Laubenfest fast wie öffentlich" gehalten habe und „auch hierzu sonderbare Zimmer, das Höfl und Tappezereyen hergelihen, und mit ihme [Hillebrand] und mehr[eren] anderen Juden in der aigens hierzu errichteten Laubenhütten gespeisst habe". Der Streit konnte nur dadurch beigelegt werden, dass der vom Kurfürsten zunächst verschonte Hoffaktor bereit war, die Strafgelder anstatt seines Vermieters zu zahlen.

Es scheint, dass diese beiden zuletzt geschilderten Begebenheiten keineswegs so verstanden werden dürfen, dass Wolf Wertheimer an der Tradition seiner Väter unbedingt festhalten wollte. Wenn er nur dieses im Sinn gehabt hätte, hätte er sich darauf beschränken können, im Kreise seiner Familie und seines Personals abseits der Öffentlichkeit zu feiern. Kennzeichen von Sukkoth ist gerade der intime, familiäre Charakter der Festwoche in häuslicher Atmosphäre, wenngleich Gäste aus der Nachbarschaft daran teilnehmen können.[64] Wenn Wolf Wertheimer gleichwohl an die Öffentlichkeit ging, und zwar offenbar unter Missachtung des in München wie in Wien gleichermaßen für Juden geltenden Verbots öffentlicher Religionsausübung, so kam dies einer Demonstration gleich, die auf die christliche Obrigkeit provozierend wirken musste. Offensichtlich war dieser vor dem Hintergrund eines ansehnlichen Vermögens nicht mehr bereit, in seiner Lebensweise diejenige Vorsicht walten zu lassen, die für seinen Vater noch selbstverständlich war. Der materielle Wohlstand erhöhte sein Selbstbewusstsein und ließ ihn die Aufhebung der rechtlichen Grenzen einfordern, die bisher noch der öffentlichen Ausübung der ihm von der Tora vorgeschriebenen Lebensweise entgegenstanden.

IV.

Am Ende dieses durch zufällige Aktenfunde bestückten Argumentationswegs soll noch einmal schärfer gefragt werden, ob Wolf denn nun wirklich den typischen Weg eines Hofjuden der zweiten oder gar dritten Generation repräsentiert. Man könnte nun erstens das aus den Quellen sichtbar gewordene unterschiedliche Verhalten der Großväter- und Vätergeneration gegenüber der Generation der Söhne – in die auch Löw, der jüngere Bruder Wolfs, der mit einer Tochter des Halberstädter Hofjuden Berend Lehmann verheiratet war,[65] einbezogen werden müsste – psychologisch mit dem Vater-Sohn-Konflikt erklären, mit dem verzweifelten Versuch eines fähigen Sohnes, sich dem Schatten eines übermächtigen Vaters zu entziehen. Ebenso gut aber könnte man zweitens auf die veränderten Zeitumstände und das unkalkulierbare Spiel der europäischen Mächte hinweisen, die unterschiedliche Reaktionen der Älteren und Jüngeren erforderten. Immerhin hatten Samuel Oppenheimer und Samson Wertheimer noch die erfolgreiche Türkenabwehr und den Wiederaufstieg des österreichischen Kaiserhauses zu einer der dominierenden Mächte Europas finanzieren können. Wolf Wertheimer hingegen investierte in eine vom Spanischen Erbfolgekrieg geschwächte Dynastie, die nach dem Scheitern des wittelsbachischen Kaisertums Mitte des 18. Jahrhunderts in eine biedere Mittelmäßigkeit zurückfiel und ihren späteren Wiederaufstieg unter Karl Theodor nur dynastischen Zufällen verdankte. Man könnte schließlich drittens darauf hinweisen, dass das barocke Hofzeremoniell, das soziale Zuordnungen und Hierarchisierungen in der höfischen Adelsgesellschaft des römisch-deutschen Reiches zuspitzte,[66] erst in der Zeit Wolf Wertheimers zu seinem Höhepunkt gelangte. Daraus könnte man folgern, dass die jetzt verstärkt geforderte, legitimierende Pflicht zur Repräsentation[67] alle Glieder des Fürstenhofes erfasste und zur öffentlichen Darstellung und Vermittlung an sich privaten Vergnügens und privater Religiosität zwang. Alle diese Möglichkeiten müssen im Auge behalten und zur Analyse herangezogen werden.

Wenn wir jedoch genauer hinsehen, reichen die individual-psychologischen, politisch-zeitbedingten und die höfisch-sozialen Erklärungsansätze zur sachgerechten Interpretation des Verhaltenswandels in der Familie der Oppenheimer/Wertheimer nicht aus. Nimmt man, wie es in den einleitenden Ausführungen dieser Sektion betont wird, die These ernst, dass jeder Generationenwechsel zugleich eine Änderung der gemeinsamen Erlebnisse und Erfahrungen innerhalb eines Kulturkreises mit sich brachte,[68] so können die Zufälligkeiten des individuellen Horizonts und des historischen Kontextes als Marginalfaktoren eines tieferen Struktur- und Mentalitätswandels in den Hintergrund gedrängt werden. Dem Wechsel der Generationen folgen soziale und teilweise strukturverändernde Wandlungsprozesse, die sich aus veränderten Auffassungen, Wertorientierungen und neuen Verhaltensweisen ergeben.[69] Diese in der soziologischen Forschung seit Karl Mannheim inzwischen unbestrittene Erkenntnis stößt bei ihrer Übertragung auf historische Tatbestände nur insofern auf Schwierigkeiten, als die überkommenen Quellen nur noch Beurteilungsfragmente zulassen. Man ist auf Vermutungen angewiesen, die freilich durch eine vergleichende Betrachtung ähnlicher Sachverhalte an Plausibilität gewinnen können.

Dies muss auch für die Abfolge der Generationen von Hofjudenfamilien gelten, wie sie hier am Bespiel des Hauses Oppenheimer/Wertheimer vorgestellt werden konnte. Dass sich die erste und zweite Generation dieser Dynastie, die Pionier- und Gründergenerationen also, die mit Samuel Oppenheimer und Samson Wertheimer repräsentiert werden, inmitten einer ihnen feindlich gesinnten christlichen Umwelt auf einen vorsichtigen Gebrauch ihrer Machtmittel beschränkten; dass sie ihrer Tradition eher unauffällig und mit umso größerer innerer Überzeugung folgten; dass sie sich weit gehend auf die geschäftliche Tätigkeit der Versorgung von Hof und Armee sowie der Kreditierung fürstlicher Unternehmungen beschränkten; und dass sie nur dort öffentlich repräsentierten, wo es ihren geschäftlichen Interessen entsprach[70] und wo sie sich auf legitimierende Privilegien berufen konnten: Dies alles war gewiss nicht eine Konsequenz historischer Zufälligkeiten. Der Unterschied zwischen beiden Vertretern der ersten und zweiten Generation bestand nur darin, dass der Erstere noch lavieren und geschäftliche Chancen erkunden musste, während der Letztere dessen Erfahrungen nutzen konnte, auf denen er ein stabiles Netzwerk geschäftlicher Verbindungen mit Chancen zur nahezu unbeschränkten Vermögensakkumulation aufbauen konnte. Wolf Wertheimer hingegen konnte wählen zwischen einem bloßen Verwalten der reichen Erbschaft und dem Bemühen zur Innovation und Expansion. Gewiss: Die Expansion auf Kurbayern hat ihm im Nachhinein den Vorwurf der Historiker eingebracht, er habe sein Erbe leichtfertig aufs Spiel gesetzt und sei deshalb gescheitert.[71] Diese Verurteilung aber erscheint ungerecht, wenn man sich klarmacht, dass jede neue Generation nach ihren eigenen Spielregeln antreten und handeln musste. Wolf versuchte nur, die Erfahrungen Samuel Oppenheimers und seines Vaters zu bündeln und auf dieser Grundlage einen eigenen Standpunkt zu finden. Eine Expansion schien möglich, weil das Grundkapital vorhanden war und die politischen Rahmenbedingungen sie zuzulassen schienen. Die Expansionsabsicht hatte notwendigerweise eine Aktivierung der politisch-diplomatischen Rolle zur Folge und damit eine drastische Erhöhung der eigenen Repräsentationsaufwendung. Dem christlichen Konzept der sakralen Herrschaft, das noch ungebrochen der barocken Fürstenherrschaft zugrunde lag,[72] konnte sich der junge Wertheimer nur erwehren, indem er ein eigenes, auf öffentliche Religiosität gesetztes Konzept entgegensetzte. Gewiss wäre es übertrieben, ihm die Instrumentalisierung seiner Religion für seine geschäftlichen Interessen zu unterstellen. Ansätze hierzu jedoch sind unverkennbar.

Am Ende indes stand die bittere Erfahrung der Fremdheit und Isoliertheit, die durch sein selbstbewusstes Auftreten in christlicher Umwelt erst recht zur Geltung kamen. In seinem 1762 errichteten Testament gab er dem seinen Kindern gegenüber mit den Worten Ausdruck:[73]

Nehmt euch nur von mir selbst ein Beispiel, wie viele Mühseligkeiten und Leiden mir zugekommen sind, dass ich fast den größten Teil meines Lebens auf einem fremden Platze und unter fremden Leuten zugebracht habe, und ohne Gottes unendliche Gnade ich dies alles nicht hätte ertragen können.

Das Schicksal Wolf Wertheimers ist insofern nicht nur ein individuelles, ein historisch akzidentielles, sondern zugleich das vielleicht typische Schicksal eines Hofjuden der zweiten bzw. der dritten Generation im barocken Zeitalter.

Anmerkungen

1 FRIEDRICH BATTENBERG, Hofjuden in Residenzstädten der Frühen Neuzeit, in: FRITZ MAYRHOFER/FERDINAND OPLL (Hgg.), *Juden in Residenzstädten der Frühen Neuzeit*, Linz/Donau 1999 (Beiträge zur Geschichte der Städte Mitteleuropas 15), S. 297–325, hier S. 299; JONATHAN I. ISRAEL, *European Jewry in the Age of Mercantilism, 1550–1750*, Oxford 1985, S. 124 ff., 132 ff.

2 So z. B. in KARL OTMAR VON ARETIN, *Das Alte Reich 1648–1806, Bd. 2: Kaisertradition und österreichische Großmachtpolitik (1684–1745)*, Stuttgart 1997.

3 So bei HEINZ SCHILLING, *Höfe und Allianzen. Deutschland 1648–1763*, Berlin 1989, S. 92; RUDOLF VIERHAUS, *Staaten und Stände. Vom Westfälischen bis zum Hubertusburger Frieden 1748 bis 1763*, Berlin 1984, S. 225; GÜNTER VOGLER, *Absolutistische Herrschaft und ständische Gesellschaft. Reich und Territorien von 1648 bis 1790*, Stuttgart 1996, S. 45. – Erwähnt werden namentlich aber regelmäßig nur Samuel Oppenheimer und Samson Wertheimer (bei SCHILLING im Text die Nachnamen, im Index die ganzen Namen). Die noch immer viel zitierte Monographie des FRANZ VON MENZI, *Die Finanzen Österreichs von 1701 bis 1740*, Wien 1890, geht zwar auf die beiden Hofjuden ein, bescheinigt ihnen aber – ganz im antisemitischen Geist der Lueger-Zeit – einen angeblich verderblichen Einfluss und Bereicherungsabsicht, ebd., S. 88, 133.

4 Nachweise wie Anm. 1.

5 Siehe etwa die Arbeit von: BAROUH MEVORAH, The Imperial Court-Jew Wolf Wertheimer as Diplomatic Mediator (during the War of the Austrian Succession), in: *Hierosolymitana* 23 (1972), S. 184–213.

6 VON ARETIN, *Das Alte Reich* (wie Anm. 2), S. 251, 261.

7 VOLKER SELLIN, *Die Finanzpolitik Karl Ludwigs von der Pfalz. Staatswirtschaft im Wiederaufbau nach dem Dreißigjährigen Krieg*, Stuttgart 1978, S. 199 ff.

8 Samuel Oppenheimer hatte nach der Vertreibung der Juden keinen Rückhalt in einer Gemeinde in Wien, s. J. FRIEDRICH BATTENBERG, Tolerierte Juden in Berlin. Zur Ansiedlung Wiener Juden in der Mark Brandenburg unter dem Großen Kurfürsten, in: JÖRG DEVENTER/SUSANNE RAU/ANNE CONRAD (Hgg.), *Zeitenwenden. Herrschaft, Selbstbehauptung und Integration zwischen Reformation und Liberalismus. Festgabe für Arno Herzig zum 65. Geburtstag*, Münster 2002, S. 71–91, hier S. 74 f.

9 MAX GRUNWALD, *Samuel Oppenheimer und sein Kreis*, Wien/Leipzig 1913 (Quellen und Forschungen zur Geschichte der Juden in Deutsch-Österreich 5), S. 150 ff.

10 Das repräsentative Palais Samson Wertheimers von 1711 in der Schustergasse in Marktbreit (bei Kitzingen) hat sich bis heute erhalten, s. TILMANN BREUER u. a. (Bearb.), *Franken. Die Regierungsbezirke Oberfranken, Mittelfranken und Unterfranken*, München 1979 (GEORG DEHIO, Handbuch der deutschen Kunstdenkmäler, Bayern 1),

S. 492. Historische Abbildungen des Palais im Leo Baeck Institute New York, AR 4136 (Michael Berolzheimer Collection) [jetziger Lagerort: Jüdisches Museum Berlin].

11 David Kaufmann, *Samson Wertheimer, der Oberhoffactor und Landesrabbiner (1658–1724) und seine Kinder*, Wien 1888 (Ders., Zur Geschichte jüdischer Familien 1), S. 19 f.

12 Mevorah, The Imperial Court-Jew (wie Anm. 5), S. 195.

13 Kaufmann, *Samson Wertheimer* (wie Anm. 11), S. 81.

14 So David Kaufmann, Art. „Wertheimer", in: *Allgemeine Deutsche Biographie*, Bd. 44, Leipzig 1898, S. 487–490, hier S. 489. Wie sehr das Schicksal der Hofjuden allerdings von Fürstendiensten im Rahmen merkantilistischer Politik abhängig war, konnte anhand des Beispiels der Berliner Hofjuden gezeigt werden: J. Friedrich Battenberg, Fürstliche Ansiedlungspolitik und Landjudenschaft im 17./18. Jahrhundert. Merkantilistische Politik und Juden im Bereich von Sachsen-Anhalt, in: *Aschkenas* 11 (2001), S. 59–85.

15 J. Friedrich Battenberg, Die jüdische Wirtschaftselite der Hoffaktoren und Residenten im Zeitalter des Merkantilismus – ein europaweites System?, in: *Aschkenas* 9 (1999), S. 31–66, hier S. 61 ff.

16 Kaufmann, *Samson Wertheimer* (wie Anm. 11), S. 4; Grunwald, *Samuel Oppenheimer* (wie Anm. 9), S. 218.

17 Grunwald, *Samuel Oppenheimer* (wie Anm. 9), S. 218 f.

18 Urkunde von 1693 Dezember 16, Druck: *Monumenta Hungariae Judaica*, Bd. 5, bearb. von Fülöp Grünwald und Sándor Scheiber, Budapest 1959, S. 469 ff., Nr. 836; die Einsetzung zum Rabbiner im gesamten Königreich Ungarn erfolgte 1698 Februar 25 (ebd., S. 500 f., Nr. 867). Die Bestellung durch die jüdischen Gemeinden zum Ungarischen Landesrabbiner kam schließlich mit Urkunde von 1717 August 26 (Krakauer Rabbinatsdiplom) zustande, Kaufmann, *Samson* (wie Anm. 11), S. 43 f. und S. 45, Anm. 2; Grunwald, *Samuel Oppenheimer* (wie Anm. 9), S. 242 (mit 1719). Abdruck dieser (hebräischen) Urkunde bei: David Kaufmann, *Urkundliches aus dem Leben Samson Wertheimers*, Wien 1892, S. 139–142.

19 Privileg von 1696 Dezember 24, Kaufmann, *Samson Wertheimer* (wie Anm. 11), S. 9.

20 Urkunde von 1703 August 29, Druck bei: Kaufmann, *Samson Wertheimer* (wie Anm. 11), S. 29–33.

21 So unter Bezugnahme auf das Privileg von 1703 in einem weiteren Privileg von 1721 November 28, Kaufmann, *Samson Wertheimer* (wie Anm. 11), S. 104 f.

22 Kaufmann, *Urkundliches* (wie Anm. 18), S. 97.

23 Grunwald, *Samuel Oppenheimer* (wie Anm. 9), S. 231 f.

24 Ebd., S. 235 ff.

25 Shlomo Berger, The Desire to Travel: A Note on Abraham Levy's Yiddish Itinerary (1719–1723), in: *Aschkenas* 6 (1996), S. 497–506; hierzu: Battenberg, Hofjuden in Residenzstädten (wie Anm. 1), S. 297 ff.

26 Bayerisches Hauptstaatsarchiv (Bay. HStA) München, Hofrat (HR) I, Nr. 432/148; Bernd Schedlitz, *Leffmann Behrens. Untersuchungen zum Hofjudentum im Zeitalter des Absolutismus*, Hildesheim 1984 (Quellen und Darstellungen zur Geschichte Niedersachsens 97), S. 179.

27 Schematische Darstellung der Verwandtschaftsbeziehungen bei: P.G.M. Dickson, *Finance and Government under Maria Theresia 1740–1789*, vol. 1, Oxford 1987, S. 145.

28 Zu Lea Eleonora Oppenheimer (1695–1742) s. I[srael] Taglicht, *Nachlässe der Wiener Juden im 17. und 18. Jahrhundert*, Wien 1917 (Quellen und Forschungen zur Geschichte der Juden in Österreich), S. 115 f., Nr. 51.

29 Urkunde von 1724 August 29, ungedruckt; Or. im Haus-, Hof- und Staatsarchiv Wien, Rep. II/23, Agententitel, Bd. 2, Bl. 247–252.

30 Urkunden von 1726 März 18, 1726 Juni 27, beide Bay. HStA München, HR I, Nr. 432/148; 1732 September 13, bei: HEINRICH SCHNEE, *Die Hoffinanz und der moderne Staat. Geschichte und System der Hoffaktoren an deutschen Fürstenhöfen im Zeitalter des Absolutismus, Bd. 4: Hoffaktoren an süddeutschen Fürstenhöfen nebst Studie zur Geschichte des Hoffaktorentums in Deutschland*, Berlin 1963, S. 192; 1741 Juli 31, Bay. Hauptstaatsarchiv München, HR I, Nr. 432/148.

31 Hierzu: PAUL SUNDHEIMER, *Die jüdische Hochfinanz und der bayerische Staat im 18. Jahrhundert*, Diss. München 1924. Mit Kürzungen und ohne Register unter gleichem Titel gedruckt in: *Finanz-Archiv* 41,1 (1924), S. 1–44, und Bd. 41,2 (1924), S. 1–50 (diese Ausgabe im folgenden mit „SUNDHEIMER, Die jüdische Hochfinanz 1 bzw. 2" zitiert).

32 So nach der Reisebeschreibung des Abraham Levi, Nachweise bei BATTENBERG, Hofjuden in Residenzstädten (wie Anm. 1), S. 297.

33 SUNDHEIMER, Die jüdische Hochfinanz 1 (wie Anm. 31), S. 24 ff.; danach: SELMA STERN, *The Court Jew. A Contribution to the History of Absolutism in Europe*, New Brunswick 1950 (ND 1985), S. 96 ff. [der Band liegt inzwischen unter dem Titel *Der Hofjude im Zeitalter des Absolutismus*, hg. v. MARINA SASSENBERG, Tübingen 2001, in deutscher Übersetzung vor. Die vorliegendem Beitrag beigefügten Zitate sind der englischsprachigen Originalausgabe entnommen]. SCHNEE, *Die Hoffinanz* 4 (wie Anm. 30), S. 192 f.

34 JÜRGEN FREIHERR VON KRUEDENER, *Die Rolle des Hofes im Absolutismus*, Stuttgart 1973 (Forschungen zur Sozial- und Wirtschaftsgeschichte 19), S. 20, 22; VOLKER BAUER, *Hofökonomie. Der Diskurs über den Fürstenhof in Zeremonialwissenschaft, Hausväterliteratur und Kameralismus*, Wien/Köln/Weimar 1997, S. 35 ff.

35 SUNDHEIMER, Die jüdische Hochfinanz 1 (wie Anm. 31), S. 2 ff.; STERN, *The Court Jew* (wie Anm. 33), S. 99 f.

36 Urkunde von 1722 Juli 4, Haus-, Hof- und Staatsarchiv Wien, Reichshofrat: Passbriefe, Fasz. 8, Bl. 287. Faksimile bei: FELICITAS HEIMANN-JELINEK, Österreichisches Judentum zur Zeit des Barock, in: KURT SCHUBERT (Hg.), *Die Österreichischen Hofjuden und ihre Zeit*, Eisenstadt 1991 (Studia Judaica Austriaca 12), S. 8–62, mit zugehörigen Abb. im Anhang, hier S. 25 mit Abb. 33.

37 So nach Eintrag in den Merkantilprotokollen (Niederösterreich. Landesarchiv St. Pölten) von 1725 April 18, Bd. 1, Bl. 929; s. BERNHARD WACHSTEIN, Die Wiener Juden in Handel und Industrie, nach den Protokollen des Niederösterreichischen Merkantil- und Wechselgerichtes, in: ARTHUR GOLDMANN/BERNHARD WACHSTEIN/I[SRAEL] TAGLICHT/MAX GRUNWALD, *Nachträge zu den zehn bisher erschienenen Bänden der Quellen und Forschungen zur Geschichte der Juden in Österreich*, Wien 1936 (Quellen und Forschungen zur Geschichte der Juden in Österreich 11), S. 265–360, hier S. 280, Nr. 3. 1727 wurde das Aufenthaltsrecht Wolf Wertheimers in Wien von Kaiser Karl VI. bestätigt und verlängert, s. GRUNWALD, *Samuel Oppenheimer* (wie Anm. 9), S. 258.

38 Patente von 1722 August 30, Bay. HStA München, HR I Nr. 432/148.

39 Patente von 1726 März 18 und Juni 27, ebd.

40 GRUNWALD, *Samuel Oppenheimer* (wie Anm. 9), S. 256; die genauen Berechnungen der jeweiligen Schuldenlasten befinden sich bei SUNDHEIMER, *Die jüdische Hochfinanz* 1 (wie Anm. 31), S. 27 ff.

41 SUNDHEIMER, Die jüdische Hochfinanz 1 (wie Anm. 31), S. 29.

42 Ebd., S. 34; STERN, *Court Jew* (wie Anm. 33), S. 97. Ihre Bemerkung, dass damit „the famous banking house of Samson Wertheimer ceased to exist", ist allerdings etwas übertrieben.

43 KAUFMANN, *Samson Wertheimer* (wie Anm. 11), S. 81; DERS., Art. „Wertheimer" (wie Anm. 14), S. 489.

44 Siehe Peter Claus Hartmann, *Karl Albrecht – Karl VII. Glücklicher Kurfürst, unglücklicher Kaiser*, Regensburg 1985; von Aretin, *Das Alte Reich* 2 (wie Anm. 2), S. 413 ff.

45 Sundheimer, Die jüdische Hochfinanz 1 (wie Anm. 31), S. 37; Kaufmann, Art. „Wertheimer" (wie Anm. 14), S. 490; Dickson, *Finance and Government* 1 (wie Anm. 27), S. 144; Peter Claus Hartmann, *Geld als Instrument europäischer Machtpolitik im Zeitalter des Merkantilismus. Studien zu den finanziellen und politischen Beziehungen der Wittelsbacher Territorien mit Frankreich und der Kaiser von 1714 bis 1740*, München 1978, S. 69, 115. Kurfürst Maximilian III. Joseph erreichte eine Sanierung des kurbayerischen Haushaltes vor allem durch wechselnde Subsidienverträge mit ausländischen Potentaten, s. Vierhaus, *Staaten und Stände* (wie Anm. 3), S. 312 f.

46 Dies ergibt sich etwa daraus, dass er weiterhin als *Stadlan* gefragt war. Er war etwa der Urheber aller bisher bekannt gewordenen Interventionen von kirchlicher und weltlicher Seite beim österreichischen Kaiserhaus, mit denen die Rückführung der vertriebenen Prager Juden bewirkt werden sollte; s. Bernhard Wachstein, Randbemerkungen zu meinen Inschriften des Alten Judenfriedhofes in Wien, in: Goldmann u. a., *Nachträge* (wie Anm. 37), S. 15–123, hier S. 64; S[alomon] H[ugo] Lieben, Briefe von 1744–1748 über die Vertreibung der Juden aus Prag, in: *Zeitschrift für die Geschichte der Juden in der Czechoslovakischen Republik* 4 (1932), S. 353–479, hier S. 362.

47 Grunwald, *Samuel Oppenheimer* (wie Anm. 9), S. 253, Anm. 3.

48 Nach einer Aufstellung von 1746 Juli 4 (Bay. HStA München, HR I, Nr. 432/148) lebte Wolf damals in München zusammen mit seinen beiden Söhnen, dem Buchhalter Hirschel Worms, dessen Ehefrau Sara, die Wolf zugleich als Haushälterin diente, dem Schreiber Josef Neustädter, dem Bedienten Aron, einem Schächter, dem Hausbedienten Jona und der Köchin Resl. Gemäß einer Liste von 1750 Mai 20 wurde außer seinem Sohn Emanuel nur noch der Buchhalter mit seiner Ehefrau und die Köchin Resl genannt: Leo Baeck Institute New York, AR 4136 (Michael Berolzheimer Collection) [heutiger Lagerort: Jüdisches Museum Berlin].

49 Z. B. Urkunde von 1731 Juni 19, *Monumenta Hungariae Judaica* 10, bearb. von Sándor Scheiber, Budapest 1967, S. 432 f., Nr. 536. Im Königreich Ungarn ließ sich Wolf Wertheimer gemäß einem von Kaiser Karl VI. ausgestellten Mandatarium von 1733 Februar 9 durch christliche Bevollmächtigte vertreten, Druck: *Monumenta Hungariae Judaica* 12, bearb. von Sándor Scheiber, Budapest 1969, S. 237, Nr. 205.

50 Mevorah, The Imperial Court-Jew (wie Anm. 5), S. 196.

51 Übersetzung des hebräischen Textes nach Michael Berolzheimer, Leo Baeck Institute New York, AR 4136 (Michael Berolzheimer Collection), Ms. S. 110 [heutiger Lagerort: Jüdisches Museum Berlin].

52 Isaak Wolf Speyer, gest. 1721, s. Berthold Baer, *Stammtafeln der Familie Speyer*, Frankfurt/Main 1896, S. 124.

53 Schreiben von 1720 Oktober 9, Kaufmann, *Urkundliches* (wie Anm. 18), S. 97.

54 Schreiben von 1720 Oktober 26, ebd., S. 97 f.

55 Zur Mission des mit Prinz Eugen vertrauten Lord W. Cadogan s. von Aretin, *Das Alte Reich* 2 (wie Anm. 2), S. 286 f.

56 Volker Press, Fürst Joseph Wenzel von Liechtenstein (1696–1772). Ein Aristokrat zwischen Armee, Kaiserhof und Fürstenhaus, in: ders., *Adel im Alten Reich. Gesammelte Vorträge und Aufsätze*, hg. von Franz Brendle/Anton Schindling, Tübingen 1998 (Frühneuzeit-Forschungen 4), S. 93–112, hier S. 94; Jacob von Falke, *Geschichte des fürstlichen Hauses Liechtenstein*, Bd. 3, Wien 1882, S. 9 ff.; Michael Hörrmann, Fürst Anton Florian von Liechtenstein (1656–1721). Bedingungen und Grenzen adeliger Familienpolitik im Zeitalter Karls VI., in: Volker Press/Dietmar

Willoweit (Hgg.), *Liechtenstein – Fürstliches Haus und staatliche Ordnung. Geschichtliche Grundlagen und moderne Perspektiven*, 2. Aufl., Vaduz/Wien 1988, S. 189–209.

57 Kaufmann, *Urkundliches* (wie Anm. 18), S. 98.

58 Richard Alewyn, *Das große Welttheater. Die Epoche der höfischen Feste*, 2. Aufl., München 1989, S. 22.

59 Helga Meise, Die Macht des Unvorhersehbaren. Höfische Zeremonielldarstellung zwischen Dokumentation und Satire, in: Bernhard Jahn/Thomas Rahn/Claudia Schnitzer (Hgg.), *Zeremoniell in der Krise. Störung und Nostalgie*, Marburg 1998, S. 46–60, hier S. 47.

60 Lage: Felicitas Heimann-Jelinek/Gabriele Kohlbauer-Fritz (Red.), *Jüdisches Wien, einst und jetzt*, hg. vom Jüdischen Museum Wien, Wien [ca. 1990], S. 4, Nr. 4, mit Plan Innere Stadt/Süd, S. 16 f. Die genaue Lokalisierung ist heute offenbar nicht mehr möglich.

61 A[lfred] F[rancis] Pribram (Hg.), *Urkunden und Akten zur Geschichte der Juden in Wien*, 1. Abt., Allg. Teil, 1526–1847 (1849), 1. Bd., Wien/Leipzig 1918 (Quellen und Forschungen zur Geschichte der Juden in Deutsch-Österreich 8), S. 268 f., Nr. 122 (1700 Juni 26).

62 Supplik von 1714 Sept. 18 (Präsentationsdatum), Stadt- und Landesarchiv Wien, Stadtrat, Alte Registratur, Nr. 103, zu 1714.

63 Stadtarchiv München, Polizeiverfassung/Polizeistatistik, Judenschaft, betr. Jahre 1715–1802, C II 2, Bd. 2; Abschriften und Kopien der einschlägigen Aktenstücke von April 1729 im Leo Baeck Institute New York, AR 3136 (Michael Berolzheimer Collection), Anhang des Ms. [heutiger Lagerort: Jüdisches Museum Berlin].

64 Oskar Wolfsberg, Sukkot, Schemini Azeret, Simchat Tora, in: Friedrich Thierberger (Hg.), *Jüdisches Fest, Jüdischer Brauch*, 1937 (ND Frankfurt/Main 1997), S. 313–327, hier S. 323.

65 Kaufmann, *Samson Wertheimer* (wie Anm. 11), S. 84 f. Zu Berend Lehmann s. die Monographie von Pierre Saville, *Le Juif de Cour. Histoire du Résident royal Berend Lehmann (1661–1730)*, Paris 1970; die jüngste Zusammenfassung findet sich bei: Michael Schmidt, Hofjude ohne Hof. Issachar Baermann-ben-Jehuda ha-Levi, sonst Berend Lehmann genannt, Hoffaktor in Halberstadt (1661–1730), in: Jutta Dick/Marina Sassenberg (Hgg.), *Wegweiser durch das jüdische Sachsen-Anhalt*, Potsdam 1998, S. 198–211.

66 Andreas Gestrich, *Absolutismus und Öffentlichkeit. Politische Kommunikation in Deutschland zu Beginn des 18. Jahrhunderts*, Göttingen 1994 (Kritische Studien zur Geschichtswissenschaft 103), S. 163 ff., 166 ff.

67 Volker Bauer, *Die höfische Gesellschaft in Deutschland von der Mitte des 17. bis zum Ausgang des 18. Jahrhunderts. Versuch einer Typologie*, Tübingen 1993 (Frühe Neuzeit. Studien und Dokumente zur deutschen Literatur und Kultur im europäischen Kontext 12), S. 124.

68 Andrea Hopp, *Jüdisches Bürgertum in Frankfurt am Main im 19. Jahrhundert*, Stuttgart 1997 (Frankfurter Historische Abhandlungen 38), S. 19; ausführlicher: Karl Mannheim, Das Problem der Generationen I und II, in: *Kölner Vierteljahreshefte für Soziologie* 7 (1928/29), S. 157–185 und 309–330.

69 Karl-Heinz Hillmann, *Wörterbuch der Soziologie*, 4. Aufl., Stuttgart 1994, S. 271; ähnlich Manfred Prisching, *Soziologie. Themen – Theorien – Perspektiven*, 2. Aufl., Wien/Köln/Weimar 1992, S. 58 f.

70 In diesen Zusammenhang sollte man auch den Gebrauch des Siegels einordnen, durch den Herrschaft und Prestige gegenüber den Kommunikationspartnern deutlich gemacht werden konnten. Für die Siegel Samuel Oppenheimers und Samson

Wertheimers s. DANIEL M. FRIEDENBERG, Two Baroque Seals of Famous Jews, in: *Judaism* 45, 1 (1996), S. 59–67, hier S. 59, 61.

71 So etwa FRIEDENBERG, Two Baroque Seals (wie Anm. 70), S. 63.

72 GESTRICH, *Absolutismus und Öffentlichkeit* (wie Anm. 66), S. 34 ff.

73 KAUFMANN, *Samson Wertheimer* (wie Anm. 11), S. 82 (17. Elul 5522). Das Testament ist im hebräischen Original und in deutscher Übersetzung veröffentlicht in: *Mitteilungen zur jüdischen Volkskunde* 17 (1914), S. 13–29, 55–61, hier S. 55–57.

Die Familien May und Mayer[1] in Mannheim

Britta Waßmuth

> […] und ich selbst habe bis zu meinem zehnten Jahre nach dem größten Teil die religiösen strengen Formen nachgelebt. […], und während ich noch bis zum zwölften Jahre den ganzen Tag über talmudischen Unterricht genoß, hatte ich nur wenige Stunden pro Woche Unterricht im Deutsch-Schreiben, Französisch und Geographie.[2]

Folgt man Heinrich Schnee und seinem Bild von den konvertierten Hofjudennachkommen, so passt die Schilderung Julius Lehmann Mayers (1802–1874) über seine Kindheit als Enkel des Mannheimer Hofjuden Mayer Elias zu Beginn des 19. Jahrhunderts nicht dazu. Das Zitat stellt einen Quasi-Automatismus infrage, der die Hofjuden der zweiten und dritten Generation den Verlockungen der christlichen Gesellschaft verfallen sah, und fordert zu einer kritischen und differenzierten Revision des von Schnee gezeichneten Bildes auf. Dies soll hier am Beispiel der Mannheimer Hofjudenfamilien May und Mayer geschehen, die jeweils verschiedene Phasen des Wirkens von Hofjuden in der kurpfälzischen Residenz im 18. Jahrhundert repräsentieren. Exemplarisch soll das wirtschaftliche und politische Umfeld, die ökonomische Position, das verwandtschaftliche Netzwerk, Stellung und Funktion dieser Hofjuden in der Judenschaft, die Ausbildung, der Lebensstil und seine Ausstrahlung auf die Umgebung untersucht und im intergenerationellen Vergleich analysiert werden. Bedingungen und Ausformungen eines Wandels im Laufe des 18. Jahrhunderts und der Einfluss der Generationenfolge auf diesen werden dabei im Mittelpunkt stehen.

Hofjuden in Mannheim trafen auf besondere Bedingungen und hatten bessere wirtschaftliche Entfaltungsmöglichkeiten als im übrigen Alten Reich. Seit der ersten Judenkonzession[3] von Kurfürst Karl Ludwig im Jahr 1660 erhielten die Juden außerordentliche Rechte zugestanden, welche auch von den nachfolgenden Kurfürsten bestätigt wurden.[4] Sie hatten einen Friedhof innerhalb der Stadt und eine eigene Synagoge. Sie durften nicht nur Häuser bauen, sondern waren dazu verpflichtet und wurden dabei nicht auf ein Ghetto beschränkt. Die Gemeinde besaß einen relativ großen Spielraum in der Selbstverwaltung. Die Mannheimer Judenschaft war organisatorisch unabhängig, gehörte nicht zur Kurpfälzer Landjudenschaft. Die pfälzischen

Kurfürsten waren bei den Sonderrechten für die Mannheimer Juden zuallererst an deren Wirtschaftskraft interessiert. Aus diesem Grund wurde auch nur vermögenden Juden der Schutz erteilt und ihre Zahl von 84[5] Familien im Jahre 1660 auf 200[6] Familien im Jahre 1717 erhöht. In diesem Umfeld entwickelte sich eine reiche und selbstbewusste jüdische Gemeinde, deren von Mittelschicht und Oberschicht dominierte Sozialstruktur sich deutlich von der der jüdischen Gesamtbevölkerung im übrigen Alten Reich unterschied und in der darüber hinaus Wirtschaftselite und Hofjuden während der Residenzzeit weit gehend identisch waren.

Neben den Judenkonzessionen war der wechselnde Status der Stadt und der jeweilige Herrscher für die Hofjuden von Bedeutung. Die kurpfälzische Residenz wurde erst 1720 durch Kurfürst Karl Philipp von Heidelberg nach Mannheim verlegt.[7] Trotz der zu Anfang engen Mannheimer Räumlichkeiten entfaltete sich ein kurfürstliches Hofleben[8] von barockem Stil. Karl Philipp liebte Musik und Theater und hatte eine Vorliebe für Pracht und Prunk.

Seine Nachfolge trat 1742 Karl Theodor an, dessen Hofhaltung zu Beginn, bedingt durch mangelnde Staatseinkünfte aufgrund des Österreichischen Erbfolgekrieges[9], noch bescheiden war. Ab 1750 entwickelte sich der Hof jedoch in barockem Glanz. Ausgerichtet nach burgundischem Hofzeremoniell gab es bis 1770 am kurpfälzischen Hof eine dichte Abfolge von Veranstaltungen und Festlichkeiten. Der Hof umfasste 1775 fast 1000[10] Personen und verursachte 1776 Kosten in Höhe von 967 257[11] Gulden.

Der Mannheimer Hof gehörte zwar nicht zu den größten des Alten Reiches, verursachte jedoch durch seinen Prunk und dessen Kosten die Notwendigkeit, sich Hofjuden zu verpflichten. Die kurpfälzischen Fürsten waren auf Hofjuden angewiesen, die wie die Familien May und Mayer finanzstark waren und über ein weit verzweigtes verwandtschaftliches und ökonomisches Netzwerk verfügten.

Familie May[12]

Die Familie May wurde durch Michael May in Mannheim begründet. Um 1680[13] in Innsbruck geboren, kam er spätestens 1716 nach Mannheim.[14] Bevor er kurpfälzischer Hoffaktor wurde, war er seit 1713 als kaiserlicher Hofjude und seit 1715 für den späteren pfälzischen Kurfürsten und damaligen kaiserlichen Statthalter in Tirol Karl Philipp tätig. Seine Übersiedlung nach Mannheim wurde vermutlich durch den schon bestehenden Kontakt zu dem neuen

Kurfürsten Karl Philipp und seinen Konkurs[15] in Innsbruck ausgelöst. Ca. 1722[16] zum kurpfälzischen Oberhof- und Milizfaktor ernannt, war Michael May den portugiesischen[17] Juden in Mannheim gleichgestellt, die zusätzlich zu den Privilegien der aschkenasischen Juden in Mannheim noch von Hausbau und Taschengeleit befreit waren. Außer ihm und seinen Erben wurden diese Sonderrechte keinem anderen Hofjuden in der Kurpfalz zuteil.

Michael May war in das europaweite Netzwerk der Innsbrucker Familie May eingebunden und baute sich durch die Heiratsverbindungen[18] (Abb. 15) seiner Kinder ein eigenes verwandtschaftliches Netz auf, das sich vor allem auf die Kurpfalz und Frankfurt konzentrierte und von dort über Wien, Hohenems, Prag, München, Fürth und Karlsruhe bis nach Hannover reichte. Es umfasste die wichtigen Mannheimer Hofjudenfamilien Reinganum und Sinzheimer und überregionale Hofjudenfamilien der Zeit wie die Nachkommen Samuel Oppenheimers und Leffmann Behrens, Familien, die in der Zwischenzeit allerdings an Bedeutung verloren hatten. Dies bestätigt Forschungsergebnisse, dass Hofjuden hauptsächlich Ehen untereinander schlossen bzw. mit Kindern aus der gelehrten und wirtschaftlichen Oberschicht insgesamt.[19] So heirateten eine Tochter, ein Sohn und eine Enkeltochter des Michael May in Rabbinerfamilien ein und drei Söhne, eine Tochter und eine Enkeltochter in Hofjudenfamilien.[20] In der dritten Generation wandelte sich dann das Bild, es gab so gut wie keine überregionalen Verbindungen mehr, sondern nur noch solche innerhalb der Mannheimer jüdischen Gemeinde und der Region Pfalzbayern und Baden.[21]

Michael May gelang es durch Heiratsverbindungen, sich in das Verwandtschaftsnetz der Mannheimer Gemeinde einzubinden und zugleich seine wirtschaftliche Position in Mannheim und der Kurpfalz zu stärken.[22]

Das Volumen der Geschäfte des Michael May lässt darauf schließen, dass er sehr vermögend war. Bis zu seinem Tod 1737 besaß er insgesamt 13[23] Häuser in Mannheim. Michael May lebte in einem Wohlstand, der für einen Hofjuden seiner Größenordnung *normal* war. Er scheint jedoch, im Gegensatz zu vielen anderen, auf typische Luxusgüter des Hofes verzichtet zu haben, *investierte* vielmehr in die Gründung einer Klaus und einer Stiftung für Brautausstattungen[24] in Mannheim. Zusätzlich stiftete er der Synagoge Silbergeräte und einen wertvollen Vorhang.[25] Auch seine Frau Rechle wird als „sehr fromm und wohltätig"[26] beschrieben. Der Eintrag im Mannheimer Memorbuch, der Michael May als Gemeindevorsteher und *Stadlan* rühmt, verstärkt diesen Eindruck.[27]

Michael May war über die Grenzen der Mannheimer Gemeinde hinaus als Fürsprecher bekannt und genoss hohes Ansehen. So ersuchte ihn der Gemeindevorstand von Worms 1734, sich bei dem gerade in Heidelberg weilen-

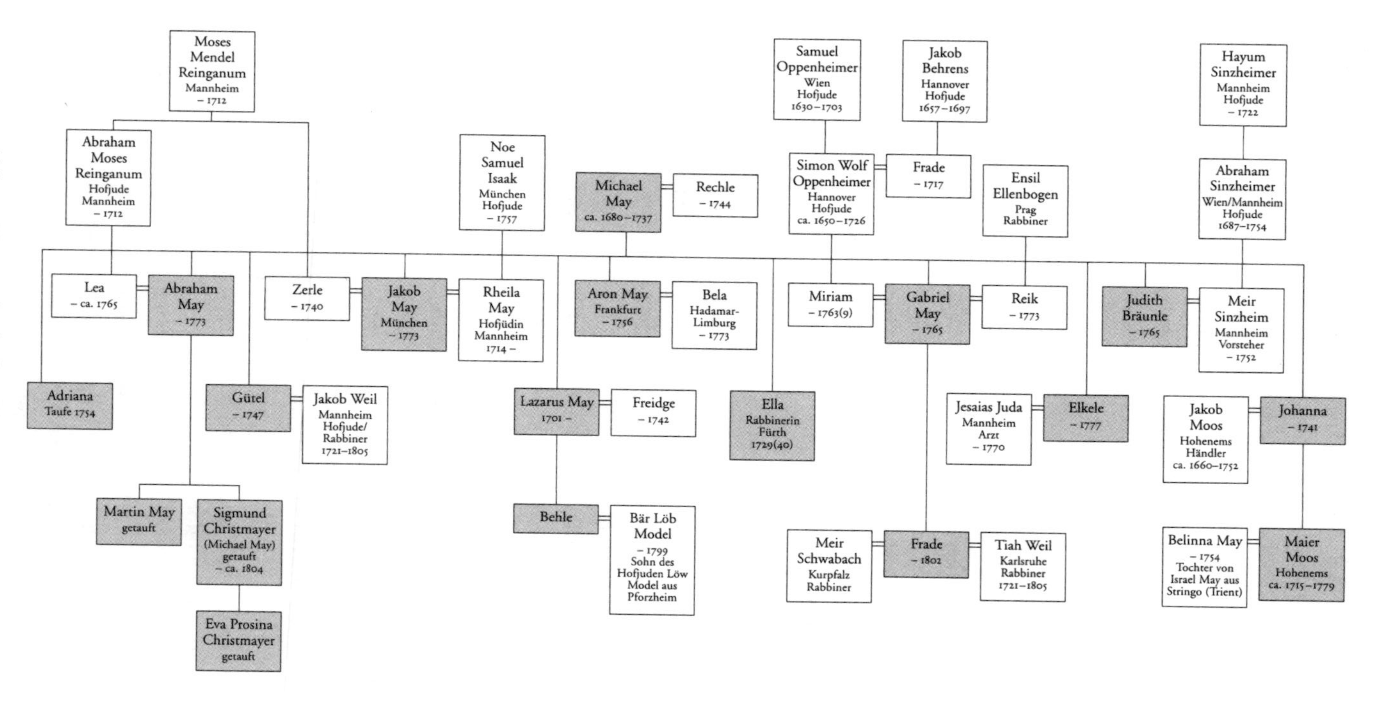

Abb. 15: Verwandtschaftstafel Familie May

den Herzog Karl Alexander von Württemberg zugunsten der Juden in Worms zu verwenden.[28] Sie sollten in ihren alten Privilegien geschützt werden. Bei einem Streit zwischen Moritz Baron von Schwaben und dem pfalz-sulzbachischen Hofjuden Moses Nathan Schwabach trat er als Vermittler auf, als er verhinderte, dass Ersterer zur Abwehr von Schuldforderungen mit dem Degen auf Letzteren einschlug.[29] Ansehen genoss Michael May auch in der christlichen Umwelt: Der Mannheimer Schlossbaumeister Froimon titulierte ihn z. B. mit *Herr*[30], einer Anrede, die einem Juden zu dieser Zeit in der Regel noch vorenthalten blieb.

Michael May war zu seiner Zeit der bedeutendste Hofjude in Mannheim und wurde im Hofkalender 1734 an erster Stelle genannt.[31] Er hatte in der Gunst des Kurfürsten Karl Philipp keine Konkurrenz zu fürchten. Anders sah es für seine Söhne aus. Mit dem Regierungswechsel 1742 und dem neuen Kurfürsten Karl Theodor ging die Ära der Familie May am kurpfälzischen Hof schon in der zweiten Generation zu Ende. Keiner seiner fünf[32] Söhne erlangte in Mannheim eine ähnliche Bedeutung wie der Vater. Seine Söhne Aron Michael May[33] und Jakob May[34] waren nicht in Mannheim ansässig, sondern in Frankfurt bzw. München. Sie hatten nur selten geschäftliche Kontakte nach Mannheim. Auch Michael Mays jüngster Sohn Lazarus May[35] spielte trotz Hoffaktorenpatent und Ansässigkeit in Mannheim für die Stadt und den Kurfürsten nur eine untergeordnete Rolle.

Von den beiden anderen in Mannheim ansässigen Söhnen Michael Mays wurde Abraham May erstmals 1726[36] in Mannheim erwähnt. Spätestens 1737[37], noch unter Karl Philipp, zum kurpfälzischen Hoffaktor aufgestiegen, erlangte er die Privilegien seines Vaters.[38] Durch seine Heirat[39] mit Lea, der Tochter des Abraham Moyses, eines Bruders des Hofjuden Lemle Moses[40], war er in die Mannheimer Judengemeinde integriert und konnte daraus geschäftlichen Vorteil ziehen, indem er die Verbindungen dieser alten Hofjudenfamilie in der Kurpfalz nutzte. In seiner Anfangszeit wurde er als Handelsmann und Kreditgeber 1728[41] in Mannheim mit gutem Vermögen eingeschätzt. Zu dieser Zeit besaß er auch zwei Häuser in Mannheim. Doch zeitgleich mit dem Regierungsantritt Karl Theodors in der Pfalz begann der Niedergang Abraham Mays in Mannheim. So beliefen sich seine Schulden 1745 auf 50 800 Gulden.[42]

Neben dem geschäftlichen Misserfolg muss Abrahams Verbundenheit zur Judenschaft, wenn nicht zum Judentum angezweifelt werden. Er wandte sich zwar nicht gänzlich von der Religion seiner Väter ab, in seiner Lebensweise gibt es jedoch erste Anzeichen für eine Distanzierung. Auch übte er kein Gemeindeamt aus, und zwei seiner vier Kinder traten in den siebziger Jahren des 18. Jahrhunderts zum katholischen Glauben über.[43]

Sein Bruder Gabriel May hingegen war der erfolgreichste der drei in Mannheim ansässigen Söhne Michael Mays und Nachfolger des Vaters. Erstmals 1728[44] in Mannheim erwähnt, sind Geburtsjahr und -ort unbekannt. Nach der Auszeichnung mit dem Titel kurpfälzischer Oberhof- und Milizfaktor im Jahr 1740[45] und der Ernennung zum kaiserlichen Hoffaktor im Jahr 1742[46] folgte 1756[47] als weiterer Titel der des kurpfälzischen Hofagenten. Zusätzlich wurde Gabriel 1755 zum Taschengeleitsadministrator ernannt.[48] An Sonderrechten genoss er die Privilegien seines Vaters und ab 1756[49], mit der Ernennung zum Hofagenten, die Befreiung vom Schutzgeld und der Nahrungsschatzung. 1762[50] wurde ihm zusätzlich die Freiheit von den bürgerlichen Geldern gewährt. Beide Sonderrechte wurden von Karl Theodor an alle seine damaligen Hofjuden vergeben. Das letzte Privileg beinhaltete auch die Zusicherung Karl Theodors, dass Gabriel Mays Kinder ebenfalls seine und seines Vaters Privilegien genießen sollten. Als kaiserlicher Hoffaktor durfte er zur Verteidigung ein Gewehr bei sich führen und war von allen Abgaben zu Wasser und zu Land befreit.

Hinsichtlich der Privilegien unterschied Gabriel May sich nicht von seinem Vater. Seine Bedeutung für den Kurfürsten Karl Philipp war jedoch eine andere. Erst in der Endphase der Regierung Karl Philipps für Warenlieferungen an den Hof und für Heereslieferungen[51] herangezogen, hatte auch er 1742 unter dem Regierungswechsel in der Kurpfalz zu leiden. Karl Theodor vertraute, trotz der Verleihung neuer Titel an Gabriel May, mehr auf die Hofjudenfamilien Ullmann und Mayer. Die Gunst einer Hofjudenfamilie am Hofe war eben immer auch individuell bedingt.

Auch hinsichtlich seiner privaten Geschäfte war Gabriel May weit weniger erfolgreich als sein Vater. 1728 und 1743 noch mit gutem Vermögen eingeschätzt, beliefen sich seine Schulden nach seinem Tod 1765 auf 17 991[52] Gulden. Zusätzlich blieb er an Hausschillingsgeldern ca. 9000[53] Gulden schuldig. In seinem Engagement für die Judenschaft trat er jedoch die direkte Nachfolge seines Vaters an. Gabriel May war Vorsteher der Mannheimer Gemeinde und wurde als *Stadlan* gerühmt.[54] Über die Aktivitäten seines Vaters hinaus förderte[55] er die jüdische Wissenschaft, stiftete 1740[56] ein Gebetbuch und trat als Mäzen[57] bei dem Druck eines Buches auf. Gabriel May hielt die jüdischen Feiertage streng ein und war der Familie eng verbunden.[58] Auch seine Kinder und Enkel blieben dem Judentum treu, spielten jedoch am Hof keine Rolle mehr und gingen in der Oberschicht der jüdischen Gemeinde auf.[59]

Michael May war ein Hofjude der *klassischen* ersten Phase des Hofjudentums. Eng an den Herrscher gebunden, setzte er sich für seine Gemeinde ein und genoss Sonderrechte. Da auch seine Söhne in der Mannheimer jüdischen Gemeinde einen starken Rückhalt[60] fanden, gerieten sie trotz geschäftlichen Misserfolgs und gesunkener Bedeutung am Hof nicht in die Bedrängnis, sich außerhalb des Judentums eine neue Identität zu suchen, sondern gingen in der jüdischen Oberschicht auf.[61] Erst in der Enkelgeneration verließen zwei Nachkommen die jüdische Gemeinschaft. Dass dies Söhne von Abraham May waren, der sein Judentum am wenigsten überzeugend gelebt zu haben scheint und den geringsten geschäftlichen Erfolg hatte, überrascht nicht.

Differenzierter ist der geschäftliche Erfolg der Söhne Michael Mays zu sehen. Ökonomisch erfolgreich waren nur die beiden Söhne Aron und Jakob May, die sich vor dem Aufstieg des Vaters in Mannheim selbstständig gemacht hatten. Nur ihren Nachfahren gelang in Frankfurt der Übergang vom Hofjuden zum Bankier und Fabrikanten.[62] Mit Abstrichen trifft dies auch auf Gabriel May zu, der jedoch durch den Regierungswechsel in der Kurpfalz an Bedeutung verlor. Abraham und Lazarus hingegen, beide in Wohlstand aufgewachsen, fehlte es an den für eine Hofjudenkarriere erforderlichen ökonomischen Qualitäten, Disziplin und dem nötigen Glück.

Familie Mayer

Erster Vertreter der Familie Mayer in Mannheim war Elias Hayum. Ca. 1707 in Bingen oder Pfersee geboren, wurde er 1740[63] in Mannheim in den Schutz aufgenommen. Vor seiner Ernennung zum kurpfälzischen Hoffaktor 1740[64] war er in Stuttgart ansässig und dort als Mitarbeiter von Joseph Süß Oppenheimer als Heeres- und Münzlieferant für Herzog Karl Alexander von Württemberg tätig.[65] Mit dem Sturz Oppenheimers wurde Elias Hayum, wie alle Juden, aus Stuttgart ausgewiesen. Durch seine Ehe mit Jitle, der Tochter des Frankfurter Hofjuden Marx Nathan, knüpfte er eine Verbindung[66] nach Frankfurt, die auch in den folgenden Jahren Bestand haben sollte (Abb. 16). So heirateten auch zwei seiner Töchter nach Frankfurt.[67] Die Verbindung seiner Tochter Kele mit Hilel Ullmann, dem Neffen des Mannheimer Hofjuden Jakob Ullmann, und die seiner Schwester Siela mit Lemle Reinganum, einem Neffen des ersten bedeutenden Mannheimer Hofjuden Lemle Moses Reinganum, sorgte für die nötige Verbindung zum kurpfälzischen Hof und zu der Oberschicht der Mannheimer jüdischen Gemeinde. Auffällig ist, dass keines seiner fünf Kinder in Hofjudenfamilien der ersten Generation einheiratete und damit ein überregionales Netzwerk wie die Familie May bildete.[68] Mayer Elias Frau stammte zwar aus Hamburg, gehörte jedoch keiner bekannten Hofjudenfamilie an. Es entstanden aus dieser Verbindung keinerlei

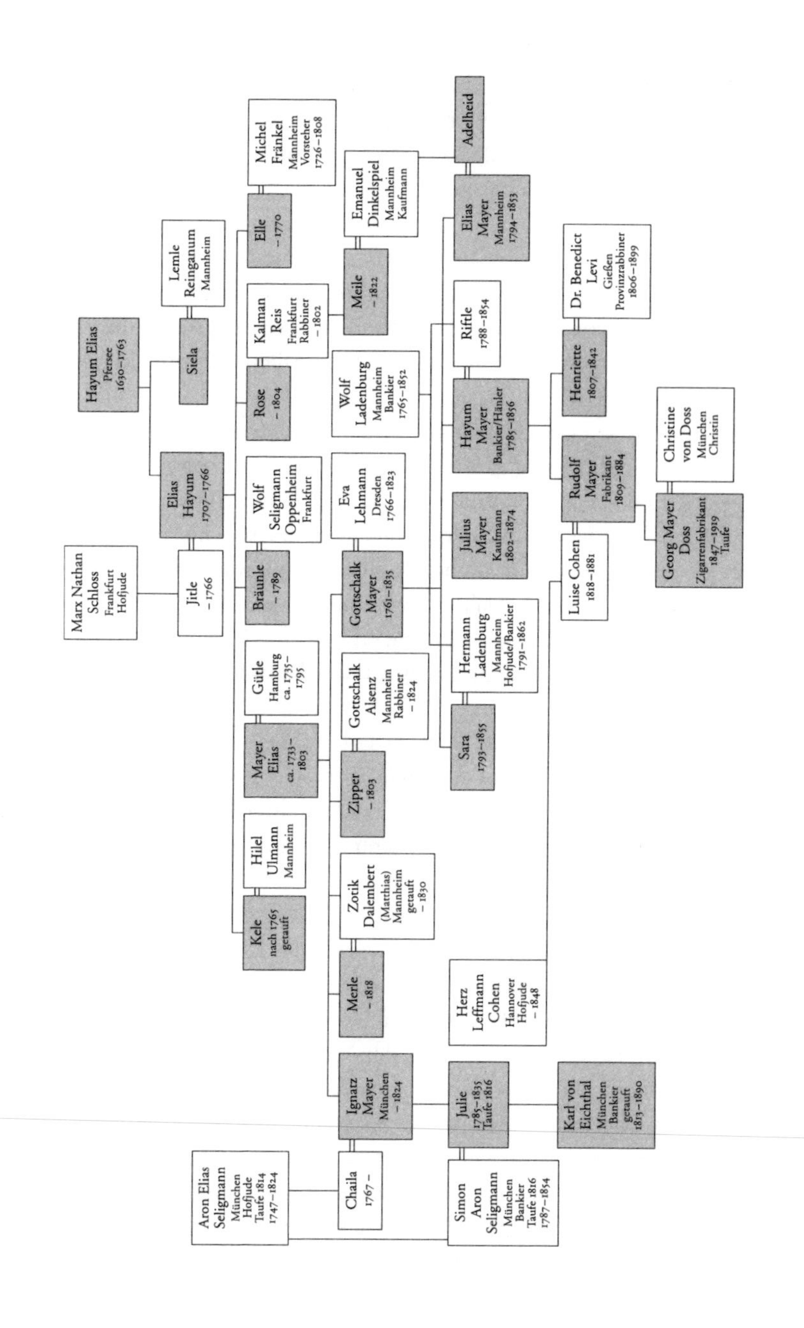

Abb. 16: Verwandtschaftstafel Familie Mayer

Handelsbeziehungen, die auf ein überregionales Netzwerk hindeuten. Nur die schon erwähnte engere Verbindung nach Frankfurt ist erkennbar. Auch die 3. Generation beschränkte sich auf Hochzeiten mit Angehörigen der Oberschicht der Mannheimer jüdischen Gemeinde und der aufstrebenden Hoffaktorenfamilie Seligmann[69], deren Aufstieg ebenfalls in Mannheim bzw. Leimen begann. Einzig Gottschalk Mayer ging eine auswärtige Verbindung ein. Bei der Familie Mayer zeichnet sich schon in der zweiten Generation ein Wandel hin zu regionalen Netzwerken ab. Zusätzlich zeigt sich in der vierten Generation auch anhand der Heiratspolitik der Übergang vom Hofgeschäft zum Bankwesen.

Der Aufstieg von Elias Hayum in Mannheim und am kurpfälzischen Hof ging trotz Schutzbrief und Hoffaktorenpatent langsam vonstatten. Anfang der vierziger Jahre des 18. Jahrhunderts auch in Mannheim aufgrund von finanziellen Schwierigkeiten von der Ausweisung bedroht, konnte er sein Geschäft schließlich doch in Mannheim aufbauen und wurde 1759[70] zum kurpfälzischen Hof- und Milizfaktor[71] ernannt. Er erhielt die Freiheit vom Schutzgeld und der Nahrungsschatzung und 1762[72] die Freiheit von den bürgerlichen Geldern, Privilegien, die allen kurpfälzischen Hofjuden von Karl Theodor gewährt wurden.

Als privater Geschäftsmann konzentrierte er sich auf das Kreditgeschäft und den Handel. Einen Einblick in sein Vermögen gewähren die Summen, die seine beiden Schwiegersöhne nach seinem Tod 1766 erbten: Wolf Seeligmann Oppenheimer und Callmann Jacob Elias erhielten jeweils ca. 14 000 Gulden.[73]

Elias Hayum war ein traditionsbewusster Jude, der in Mannheim besonders als Wohltäter auftrat. Ebenso wie Michael May gründete er eine Mitgiftstiftung und erhielt die Erlaubnis zur Errichtung einer Privatsynagoge, der so genannten Stuttgarter Schule. Zusätzlich hinterließ er der Synagoge nach seinem Tod einen rotsamtenen Vorhang, der Anfang des 20. Jahrhunderts noch immer dort hing.[74] Elias Hayum übte, wie bei Hofjuden häufig der Fall, das Amt des Vorstehers aus, wurde jedoch nach seinem Tod nicht als *Stadlan* gerühmt, da er anders als Michael May gegen Ende seines Lebens in Konflikt mit der Mannheimer jüdischen Gemeinde geraten war. Er fing an, sich selbst zu überschätzen und sich als Alleinherrscher darzustellen. So beschwerten sich Gemeindemitglieder 1765 in einem Schreiben an den Kurfürsten, dass Elias Hayum „hochmütig" geworden sei und sich aufführen würde, „als wolle er die Stelle eines Regenten einnehmen".[75] Weiter schrieben sie, „unter der Wolle des Schafes sei ein reißender Wolf verborgen"[76]. Der Streit mit der Gemeinde hatte sich bei der Vorsteherwahl 1765 entzündet, bei der Elias Hayum Vetternwirtschaft vorgeworfen worden war.

Elias Hayum ist ein Beispiel für einen Hofjuden, der sich von der Basis der Judenschaft entfernt hatte. Er versuchte seine Macht, die er durch seine Position als Hofjude erlangt hatte, innerhalb der Gemeinde auszunutzen, wurde von dieser jedoch zurückgewiesen.

Eine andere Entwicklung nahm sein einziger Sohn Mayer Elias, der in seiner Bedeutung als kurpfälzischer Hofjude und für die Mannheimer jüdische Gemeinde seinen Vater übertraf. Vermutlich 1733[77] in Stuttgart geboren, kam er als Kind mit seinem Vater 1740 nach Mannheim. In der Mannheimer jüdischen Gemeinde aufgewachsen und an den Geschäften seines Vaters beteiligt, wurde ihm 1759[78], im gleichen Jahr wie seinem Vater, das kurpfälzische Hof- und Milizfaktorenpatent verliehen. 1778 erhielt er zusätzlich ein Oberhoffaktorenpatent für die Kurpfalz, Oberpfalz, Neuburg, Sulzbach, Jülich und Berg mit einer lebenslangen Besoldung in Gold, Futter für zwei Pferde, Holz und Wein.[79] Bis dahin genoss er an Sonderrechten die in der Kurpfalz unter Karl Theodor für Hofjuden übliche Befreiung vom Schutzgeld und den übrigen herrschaftlichen Geldern,[80] die Schatzungsfreiheit in Mannheim,[81] die Freiheit[82] vom Judenzoll und das Recht,[83] bei seinen Reisen einen Jäger auf dem Bock zu haben. Nach dem Residenzwechsel nach München 1778 wurde er bei seinen Aufenthalten in der neuen Residenz durch die Hofökonomie versorgt.[84] 1797 erlangte er von dem Nachfolger Karl Theodors, dem Pfalzgrafen Maximilian, die Zusicherung, dass auch nach dessen Tod die Privilegien und Gehaltsbezüge weitergalten.[85] Dies wurde jedoch 1803 mit dem Übergang Mannheims an Baden hinfällig. Allein die Aufzählung seiner Privilegien zeigt die höhere Bedeutung am Hof gegenüber seinem Vater.

Mayer Elias gelang der Aufstieg durch die Belieferung des kurpfälzischen Kriegskontingents in der Reichsexekutionsarmee 1759.[86] Er hatte von der kurfürstlichen General-Staatskasse den Auftrag erhalten, die Truppen auszurüsten. Als ihm nach dem Krieg Bereicherung vorgeworfen wurde und eine unabhängige Abrechnung angefertigt wurde, in der die Höhe seiner anerkannten Forderungen eine halbe Million über der seiner eigenen Aufstellung lag, bat er trotz der Feststellung seiner Unschuld um seine Verabschiedung und war von da an nicht mehr als Heereslieferant tätig. Sein Ansehen bei Karl Theodor war jedoch ungebrochen. Er hatte das Recht[87] auf Immediatverkehr beim Kurfürsten, erlangte[88] für seine beiden Söhne ein Hoffaktorenpatent und beriet Karl Theodor beim Juwelenkauf. Auch nach der Verlegung der Residenz 1778 fuhr er mehrere Male zu Karl Theodor an den Münchener Hof und setzte seine Tätigkeit als Hofjude fort. Trotzdem blieb er als Jude und durch sein ‚jüdisches' Auftreten bei Hof ein Außenseiter. So verweigerte er sich aus religiösen Gründen der Bitte des Kurfürsten, sich den Bart abschneiden zu lassen.[89] Mehrmals nutzte er seine gute Stellung bei Hof für Belange der Gemeinde oder der Familie. So milderte Karl Theodor 1775 auf Bitten Mayer Elias' die Bestimmung, dass Juden das Wohnen in bestimmten Straßen Mannheims verboten sein sollte, dahin gehend ab, dass sie dort bleiben, aber keine neuen Häuser mehr bauen durften.[90] In einer Familienangelegenheit verhinderte er durch ein Immediatgesuch beim Kurfürsten, dass die Kinder seiner zum katholischen Glauben konvertierten Schwester Kele ebenfalls übertraten. Anschließend nahm er sie bei sich auf und übernahm ihre Erziehung.[91] Seine langjährige Tätigkeit als Vorsteher und *Stadlan* rundet das Bild ab.

Mayer Elias war ein Hofjude, der eine gewisse Annäherung an christliche und luxuriöse Lebensweise in sein Judentum zu integrieren verstand und seine Kinder in diesem Sinne erzog. Den Akkulturationsprozess setzten seine Kinder fort. Die Söhne Mayer Elias Gottschalk und Ignatz Mayer[92] erhielten zwar dank der Verdienste ihres Vaters ein kurpfälzisches Hoffaktorenpatent, waren jedoch auf Wunsch des Vaters nicht mehr als Heereslieferanten tätig.[93]

Für Gottschalk Mayer, 1761 in Mannheim geboren, diente das Hoffaktorenpatent als Mittel, dem eigenen Geschäft höheres Ansehen zu verleihen. Dies wird auch dadurch deutlich, dass er den Titel „pfälzischer Hoffaktor" trotz der Zugehörigkeit Mannheims zu Baden ab 1803 bis zu seinem Tode 1835 beibehielt. Er war damit der letzte in Mannheim ansässige Hoffaktor. Gottschalk Mayer entwickelte sich, ebenso wie sein Bruder Ignatz, vom ‚multifunktionalen' Hofjuden zum Kaufmann und Likörfabrikanten bzw. Händler. Diese ökonomische Anpassung der Gebrüder Mayer liegt wesentlich im Weggang des Hofes nach München und der dadurch notwendigen Konzentration auf andere geschäftliche Bereiche begründet – ein ökonomischer Umbruch, der natürlich die gesamte Mannheimer Bürgerschaft betraf. Gottschalk Mayer gelang die Integration von Jude-Sein und Aufstieg ins entstehende Großbürgertum im Zeitalter der beginnenden Emanzipation. So war er ab 1806[94] Vorsteher der jüdischen Gemeinde und 1809 zusammen mit Wolf Ladenburg einer von fünf Mannheimer Vertretern bei der ersten Landesdeputierten-Versammlung der badischen Juden in Karlsruhe. Gottschalk Mayer lebte ein weit gehend gesetzestreues Judentum, übte mehrere Stunden täglich Talmud und versäumte keinen Gottesdienst. Seine Kinder ließ er, wie das Anfangszitat belegt, traditionell erziehen. Zum Ende seines Lebens begann er mit dem Bau[95] einer Ortssynagoge in Ellerstadt, deren Fertigstellung er jedoch nicht mehr erlebte. Er soll „wie ein Gutsherr geachtet"[96] gestorben sein. Für die Integration von Widersprüchen der Zeit in sein Leben spricht, dass er mit einer Frau verheiratet war, die ganz im Geiste der Aufklärung erzogen worden war. Eva, die Tochter des Dresdener Hofjuden Moses Lehmann, sprach und schrieb reines Hochdeutsch, Französisch und Italienisch, spielte Klavier und war „in den feinsten weiblichen Arbeiten tüchtig, in ihrem Auftreten von feinem Anstand".[97] Dass sie unter 104 Frauen aus den ersten Familien der Stadt Mannheim als Bezirksvorsteherin des „Wohltätigkeitsvereins zu Mannheim im Notjahr 1817" firmierte[98], zeigt, dass auch sie der bürgerlichen Gesellschaft angehörte.

Der Religiosität des Vaters folgend, blieben auch die Kinder Gottschalks im Judentum verwurzelt. Der jüngste Sohn Julius Lehmann Mayer[99] stieg in das Geschäft des Vaters ein und gründete später die Weinhandlung Mayer und Nauen[100] in Mannheim.[101] Der älteste Sohn Hayum Gottschalk Mayer wurde Bankier und Tabakfabrikant und legte damit den Grundstein zum Wohlstand der Familie Mayer im 19. Jahrhundert. Dessen Enkel Georg Ludwig Mayer heiratete die Münchener Katholikin Christine von Doss und ging damit eine von 36 so genannten Mischehen im Großherzogtum Baden 1880 ein. Diese Heirat galt zwar nicht als ‚normal', aber die Familie war Ende des 19. Jahrhunderts so in den großbürgerlichen Kontext Mannheims integriert, dass die Hochzeit in beiden Familien keinen Anstoß mehr erregte.

Der Familie Mayer gelang es, sich in drei Generationen am kurpfälzischen Hof als Hofjuden zu halten. Ende des 18. Jahrhunderts mit Gottschalk und Ignatz Mayer jedoch in abgewandelter Form. Elias Hayum, der Begründer der Familie, wurde in seiner Bedeutung von seinem Sohn Mayer Elias übertroffen. Den Bürgern der Stadt fast gleichgestellt, blieb er doch durch seine ‚jüdische' Lebensweise am kurfürstlichen Hof immer ein Außenseiter. Wichtiger als die Tätigkeit für den Hof war ihm die Verbindung zur jüdischen Gemeinde. So ist es auch zu verstehen, dass er 1778 nicht mit dem Hof nach München ging. Auch die Söhne von Mayer Elias blieben Juden, näherten sich aber im Gegensatz zu ihrem Vater ganz allmählich innerhalb der jüdischen Oberschicht in Mannheim an das Mannheimer Bürgertum an und wurden auf der Ebene gesellschaftlicher Öffentlichkeit in dieses integriert. Dass dies schon zu Beginn des 19. Jahrhunderts stattfand, ist u. a. auf die Situation der jüdischen Gemeinde in Mannheim zurückzuführen. Früh mit weit gehenden Rechten ausgestattet, bot sie Raum für eine „mittelschicht-lastige"[102] jüdische Gesellschaft mit einer starken jüdischen Oberschicht, in der die Konversion als Mittel zum Aufstieg und zur Erlangung von Rechten nicht vonnöten schien. So war die Akkulturation der Familie Mayer also weniger Folge des Hofjude-Seins, sondern gehörte in den Kontext der Verbürgerlichung weiter Teile der jüdischen Gemeinde. Wie Tilde Bayer richtig ausführt, bildete Mannheim „also eine jener von Toury beschriebenen *Optimal-*

regionen, die bereits in der ersten Hälfte des 19. Jahrhunderts einen deutlich gestiegenen Anteil von Juden am Groß- und Mittelbürgertum und einen entsprechend niedrigen Anteil an den Unterschichten aufwiesen"[103]. Aus der Rolle der Hofjuden heraus entwickelte sich die Familie Mayer zu erfolgreichen Tabakfabrikanten, die im Laufe des 19. Jahrhunderts zu großem Wohlstand gelangten. Erst gegen Ende des 19. Jahrhunderts ließen sich in der 6. Generation Mitglieder der Familie Mayer taufen.

Die Familie Mayer zeigt somit auf fast beispielhafte Weise den Übergang von einer Hofjudenfamilie in eine jüdische Großbürgerfamilie.[104]

Fazit

Kennzeichnend für das Mannheimer Hofjudentum war nicht der Wandel, sondern die Kontinuität. Dies gilt v. a. für die relativ kurze eigentliche Phase des Hofjudentums während der Zeit von 1720 bis 1778, in der Mannheim Residenz war. Sowohl Michael May als auch Elias Hayum bzw. Mayer Elias waren eng an den Kurfürsten gebunden, setzten sich für ihre Glaubensgenossen ein, förderten die jüdische Wohlfahrt und Wissenschaft und wurden durch zahlreiche Privilegien von ihren Glaubensgenossen abgehoben. Auch hinsichtlich ihrer Bedeutung für den Kurfürsten unterschieden sich die Familien May und Mayer nur minimal. Sie waren jeweils die bestimmende Hofjudenfamilie des Kurfürsten und verloren ihre Bedeutung mit dessen Tod. Beide lösten die vorher bestimmende Hofjudenfamilie in Mannheim ab: die Familie May die Familie Reinganum und die Familie Mayer die Familie May. Politische und ökonomische Rahmenfaktoren bedingten diese Kontinuität und verursachten ebenso die ökonomische Umorientierung nach dem Abzug des Hofes 1778.

Diese Bedeutung äußerer, politisch-ökonomischer Bedingungen, die hier ersichtlich wird, gilt auch für den innerjüdischen Bereich. Ein linearer Wandel nach dem von Schnee gezeichneten Bild eines Quasi-Automatismus, der die Hofjuden der zweiten und dritten Generation der Attraktivität der christlichen Gesellschaft verfallen sah, ist bei den hier dargestellten Mannheimer Hofjudenfamilien von einer zur nächsten Generation nicht feststellbar. Die Wandlungsprozesse insgesamt im Mannheimer Hofjudentum lassen sich kaum auf ein Generationenmodell reduzieren. Beide Familien blieben durch den starken Rückhalt in der Mannheimer jüdischen Gemeinde ganz überwiegend dem Judentum treu. Die Gemeinde war für beide Hofjudenfamilien gesellschaftlich wichtiger als der Hof und schuf damit *sichere* Identitätsangebote. Die feste Bindung zur jüdischen Gemeinde wurde erleichtert durch deren vergleichsweise günstige Rechtsstellung, die schon seit dem Beginn des 18. Jahrhunderts Spielraum für gesellschaftliche und ökonomische Expansion gewährte. Dies sorgte dafür, dass sich schon Ende des 18. Jahrhunderts die Tätigkeiten der Familie Mayer im großbürgerlichen Kontext abspielen konnten und sie Anfang des 19. Jahrhunderts (jüdischer) Teil der bürgerlichen Gesellschaft wurde. Die Familie May trat hingegen Mitte des 18. Jahrhunderts aus dem Hofjuden-Status wieder in die jüdische Oberschicht der Stadt Mannheim zurück und wurde dort integriert. Auch Mannheim ist also ein deutliches Beispiel für den Konnex zwischen Hofjuden und jüdischer Oberschicht[105], der in einem breiteren Vergleich zu untersuchen wäre.

Die in der zweiten Hälfte des 18. Jahrhunderts in beiden Familien stattfindenden Taufen können nur bedingt als Folge von Hofjude-Sein und intensivierten Kontakten zu Christen interpretiert werden, da die Gründe der Übertritte aus den Quellen nicht zu erfahren sind. Ein für die ökonomische Oberschicht charakteristisches erhöhtes Spektrum individueller Entwicklungs- und Handlungsspielräume kann man hierbei jedoch sicher unterstellen.

Der größte Unterschied zwischen beiden Familien und damit eine Entwicklungstendenz zeigt sich hinsichtlich des Netzwerkes, das sie durch ihre Heiratsverbindungen knüpften.[106] Die Familie May band sich, neben der Verwandtschaft zur ansässigen Hofjudenfamilie Reinganum, in ein überregionales Netzwerk ein, wie es in der Institutionalisierungsphase des Hofjudentums üblich war. Erst in der dritten Generation Mitte/Ende des 18. Jahrhunderts und mit zunehmender Bedeutungslosigkeit überwogen Verbindungen in die Mannheimer Gemeinde. Die Familie Mayer beschränkte sich schon in der zweiten Generation auf ein regionales Netzwerk, indem sie in Familien der örtlichen jüdischen Oberschicht und in die Frankfurter Judengemeinde einheiratete. In beiden Mannheimer Familien ist also seit Mitte/Ende des 18. Jahrhunderts eine Reduktion der verwandtschaftlichen Netzwerke auf lokale bzw. regionale Größe zu beobachten. Die Klärung der Frage, ob dies auf die spezielle Mannheimer Entwicklung und den Abzug der Residenz zurückzuführen ist oder ob darin eine allgemeine Tendenz in der Entwicklung des Hofjudentums zu beobachten ist, muss jedoch einer breiteren vergleichenden Analyse mit Hofjuden anderer Territorien vorbehalten bleiben.

Anmerkungen

1 Seit 1809 nennt sich die Familie offiziell Maier, und ab 1855 wurde sie generell mit „y" geschrieben.
2 Paul Hirsch, Die Mannheimer Judenschaft am Ende des 18. Jahrhunderts, in: *Mannheimer Geschichtsblätter* 23 (1922), S. 178–190, hier S. 179.
3 Auch anderen religiösen Minderheiten wurden in Mannheim weit gehende Rechte zugestanden, um sie zum Ansiedeln zu bewegen. Katholiken durften jedoch unter Karl Ludwig und seinem Sohn keinen Gottesdienst in Mannheim abhalten.
4 Zur Geschichte der Juden in Mannheim vergleiche u. a. Leopold Löwenstein, *Geschichte der Juden in der Kurpfalz. Nach gedruckten und ungedruckten Quellen dargestellt,* Frankfurt a. M. 1895; Berthold Rosenthal, *Heimatgeschichte der badischen Juden*, Bühl/Baden 1927; Karl Otto Watzinger, *Geschichte der Juden in Mannheim, 1650–1945*, Stuttgart 1987.
5 General Landesarchiv Karlsruhe (GLA) 213/976.
6 GLA 213/977.
7 Da es zu diesem Zeitpunkt in Mannheim noch kein Schloss gab und mit dem Bau erst zum Zeitpunkt der Verlegung begonnen wurde, wohnte der Kurfürst bei seinen Aufenthalten in Mannheim für mehr als zehn Jahre in einem umfunktionierten Stadthaus, dem so genannten Oppenheimer Palast. Dieses Haus war von Emanuel Oppenheimer, dem Sohn des Wiener Hofjuden Samuel Oppenheimer, gebaut worden. Es war das einzige Haus in Mannheim, das den Ansprüchen des Kurfürsten genügte.
8 Der Hof verweilte jedoch nicht nur in Mannheim, sondern in den Sommermonaten auch in Schwetzingen.
9 1741–1748.
10 Stefan Mörz, *Haupt- und Residenzstadt. Carl Theodor, sein Hof und Mannheim*, Mannheim 1999 (Kleine Schriften des Stadtarchivs Mannheim 12), hier S. 63.
11 Mörz, *Haupt- und Residenzstadt* (wie Anm. 10), S. 83.
12 Der Mannheimer Zweig der Familie May stammt von der Innsbrucker Handelsfamilie May ab. In Innsbruck seit Mitte des 16. Jahrhunderts ansässig, bauten sie ein Handelshaus auf, dessen Beziehungen bis Norditalien und Süddeutschland gingen. Die ersten Familienmitglieder waren zwar noch nicht mit einem Hofjudentitel versehen, aber als solche tätig. Für die vorliegende Studie ist jedoch nur der Mannheimer Zweig der Familie berücksichtigt worden. Zur Familie May in Innsbruck siehe auch Gretl Köfler, Zur Geschichte der Juden in Tirol, II. Teil: Das Handelshaus May in Innsbruck, in: *das Fenster* 27 (1980), S. 2733–2735.
13 GLA 213/1165, 1174.
14 Felicitas Heimann-Jelinek, Österreichisches Judentum zur Zeit des Barock, in: Kurt Schubert (Hg.), *Die Österreichischen Hofjuden und ihre Zeit*, Eisenstadt 1991 (Studia Judaica Austriaca 12), S. 8–62, hier S. 41.
15 Der Konkurs wurde durch seinen Teilhaber Jakob Iseron ausgelöst. Dieser hatte mit entwendetem Siegel und gefälschter Unterschrift des Michael May in Verlustgeschäfte investiert. Sein Betrug wurde entdeckt, und Jakob Iseron kam ins Gefängnis. Die eingeklagten Wechsel und das Vorgehen weiterer, hellhörig gewordener Lieferanten führten daraufhin zum Konkurs des Michael May. Näheres dazu in Köfler, Zur Geschichte der Juden in Tirol (wie Anm. 12), S. 2735.
16 GLA 213/1165.
17 In Mannheim gab es in der zweiten Hälfte des 17. Jahrhunderts neben der aschkenasischen Judengemeinde eine portugiesische, die nochmals Sonderrechte besaß.
18 Vgl. Abb. 15.
19 Siehe dazu Michael Graetz, Court Jews in Economics and Politics, in: Vivian B.

MANN/RICHARD I. COHEN (eds.), *From Court Jews to the Rothschilds. Art, Patronage, and Power, 1600–1800,* München/New York 1996, S. 27–43.

20 Vgl. Abb. 15.

21 Diese Reduktion auf regionale Netzwerke galt auch für die Nachkommen der Familie May in Frankfurt a. M.

22 Wegen des beschränkten Platzes konnten im Stammbaum leider nicht alle Nachkommen des Michael May berücksichtigt werden. Neben den hier in Abb. 15 aufgeführten Personen heiratete fast die gesamte Enkelgeneration in Mannheimer jüdische Familien ein.

23 Nicht gleichzeitig.

24 Central Archives for the History of the Jewish People, Jerusalem (CAHJP) GS/1962 (dt. Register des Mannheimer Memorbuches).

25 Ebd.

26 Ebd.

27 Ebd.

28 LÖWENSTEIN, *Geschichte der Juden in der Kurpfalz* (wie Anm. 4), S. 174.

29 HEINRICH SCHNEE, *Die Hoffinanz und der moderne Staat. Geschichte und System der Hoffaktoren an deutschen Fürstenhöfen im Zeitalter des Absolutismus. Nach archivalischen Quellen,* Bd. 4, Berlin 1964, hier S. 12 f.

30 JÜRGEN RAINER WOLF, Jean Clemens Froimon (um 1686–1741) und der Bau des Mannheimer Schlosses für Kurfürst Karl Philipp von der Pfalz. Ein unbekannter Rechenschaftsbericht, in: *Mannheimer Geschichtsblätter* NF 1 (1994), S. 109–180, hier S. 147. Die Anrede „Herr" wurde in Mannheim sonst nur noch dem Hofjuden Lemle Moses zuteil.

31 Der Pfälzische Hofkalender von 1734, in: *Mannheimer Geschichtsblätter* (1912), S. 132–138 u. 150–158, hier S. 150.

32 Es gab vermutlich noch einen sechsten Sohn, Mayer May aus Pfalzbayern. Dies lässt sich aus den Quellen jedoch nicht definitiv belegen. Deshalb wurde auf seine Erwähnung im Stammbaum verzichtet.

33 Er ging von Innsbruck um 1740 direkt nach Frankfurt a. M. und begründete den Frankfurter Zweig der Familie. Ab 1756 war er kurtrierischer Hoffaktor. Er hatte vier Söhne, von denen Benedikt Aron May ins Bankgeschäft einstieg und Ende des 18. Jahrhunderts der drittreichste Frankfurter Jude war.

34 Heiratsverbindungen vgl. Abb. 15. Nach dem Tod seines Schwiegervaters Noe Samuel Isaak 1757 wurde er 1758 dessen Nachfolger als Hoffaktor am Münchener Hof. Seine Frau Rheila May war ebenfalls Hofagentin in München. Nach dem Tod ihres Mannes Jakob May 1776 übernahm sie 1778 dessen Geschäfte und Privilegien und tätigte noch 1798, 85-jährig, Geschäfte mit dem Staat.

35 Wahrscheinlich 1701 in Innsbruck geboren, wurde er 1722 in Mannheim in Schutz genommen. Er hatte den Titel eines Hof- und Milizfaktors, war mit den Privilegien seines Vaters ausgestattet und hatte 1727 die Stelle eines Einnehmers der Gemeinen Judenschaft inne.

36 Stadtarchiv Mannheim (StadtA Ma) Ratsprotokolle (RP) 1726/206.

37 StadtA Ma RP 1737/1273.

38 Seine Tätigkeiten als Hofjude scheinen sich auf Karl Philipp beschränkt zu haben. So wird er letztmals 1740 mit Proviantlieferungen erwähnt.

39 Vgl. Abb. 15.

40 Lemle Moses Reinganum war der Begründer der Ende des 17., Anfang des 18. Jahrhunderts bedeutendsten Mannheimer Hofjudenfamilie.

41 GLA 213/1044.

42 1745, StadtA Ma RP 1745/804; 1745, StadtA Ma RP 1745/855 u. 861.

43 Leider geht aus den Quellen nichts über die Hintergründe der Übertritte hervor.
44 GLA 77/3012.
45 StadtA Ma RP 1740/480.
46 Haus-, Hof- und Staatsarchiv (HHStA) Wien, Reichshofrat, Agententitel 2, Bl. 77–82; er wurde aus Dank für Warenlieferungen an den Kaiser bei dessen Besuch in Mannheim zum Hoffaktor ernannt.
47 GLA 77/1352.
48 GLA 77/6614.
49 StadtA Ma RP 1759/1473.
50 StadtA Ma RP 1762/1176.
51 Österreichischer Erbfolgekrieg.
52 StadtA Ma RP 1782/400.
53 StadtA Ma RP 1768/632.
54 GLA 213/553.
55 FRIEDRICH TEUTSCH, Geschichte der jüdischen Gemeinde vom Westfälischen Frieden bis zur Weimarer Republik im Spiegel des Quadrats F3, in: *Jüdisches Gemeindezentrum Mannheim. Festschrift zur Einweihung am 13. September 1987*, hg. v. Oberrat der Israeliten Badens, der Jüdischen Gemeinde Mannheim und dem Stadtarchiv Mannheim, Mannheim 1987, S. 17–38, hier S. 22.
56 MANN/COHEN, *From Court Jews to the Rothschilds* (wie Anm. 19), S. 174, Nr. 99.
57 LÖWENSTEIN, *Geschichte der Juden in der Kurpfalz* (wie Anm. 4), S. 240, Anm. 1.
58 Er sagte 1734 eine Vorladung des Mannheimer Rates ab, da er einen jüdischen Feiertag einhalten müsse, GLA 213/981.
59 Sein Sohn Wolf Gabriel May versuchte 1787 ein Hoffaktorenpatent zu erlangen. Sein Gesuch wurde zurückgestellt und nicht wieder aufgegriffen. Er wurde nur von allen Abgaben befreit.
60 Dasselbe gilt auch für die Frankfurter Familie. Auch hier hielt u. a. eine starke Gemeinde die Kinder und Enkel im Judentum.
61 Eine seiner sechs Töchter, Adriana, trat jedoch 1754 zum christlichen Glauben über. Die Gründe des Übertritts sind aus den Quellen nicht nachzuvollziehen.
62 ALEXANDER DIETZ, *Stammbuch der Frankfurter Juden. Geschichtliche Mitteilungen über die Frankfurter jüdischen Familien von 1349–1849, nebst einem Plane der Judengasse*, Frankfurt a. M. 1907, hier S. 197.
63 GLA 213/1041.
64 Ebd.
65 Elias Hayum war seit 1737 württembergischer Hofjude und Münzlieferant.
66 Vgl. Abb. 16.
67 Vgl. Abb. 16.
68 Vgl. Abb. 15 und Abb. 16.
69 Die Familie Seligmann stieg durch Aron Elias Seligmann auf. Dieser war ab 1779 für Karl Theodor tätig und wurde 1782 kurpfälzischer Hoffaktor. 1799 siedelte er nach München über und war dort für Maximilian I. Joseph tätig. Nach einem rasanten Aufstieg Anfang des 19. Jahrhunderts ließ er sich 1814 taufen.
70 StadtA Ma RP 1759/1329.
71 Als Lohn für Heereslieferungen im Siebenjährigen Krieg.
72 StadtA Ma RP 1762/1176.
73 GLA 213/4138.
74 PAUL HIRSCH, Drei kurpfälzische Hoffaktoren, in: *Mannheimer Geschichtsblätter* 23 (1922), S. 7–14; 35–42, hier S. 10.
75 GLA 213/1042.
76 Ebd.

77 Sigismund von Dobschütz, Die Vorfahren der Elisabeth Goldschmidt aus Kassel und Mannheim, in: *Hessische Familienkunde* 24, 4 (1998), S. 161–194, hier S. 176.
78 GLA 77/1352.
79 Ebd.
80 StadtA Ma RP 1760/191.
81 StadtA Ma RP 1766/1475.
82 Hirsch, Drei kurpfälzische Hoffaktoren (wie Anm. 74), S. 11.
83 Ebd.
84 Ebd., S. 13.
85 Ebd., S. 39.
86 Siebenjähriger Krieg 1756–1763.
87 Hirsch, Drei kurpfälzische Hoffaktoren (wie Anm. 74), S. 12.
88 GLA 77/1352.
89 von Dobschütz, Die Vorfahren der Elisabeth Goldschmidt (wie Anm. 77), S. 179.
90 GLA 77/3018.
91 Hirsch, Drei kurpfälzische Hoffaktoren (wie Anm. 74), S. 13.
92 Ignatz Mayer war bis 1805 in Mannheim ansässig und siedelte dann nach München über, wo er durch Heirat mit der Familie Seligmann verbunden war. Er spielte jedoch in München als Hofjude keine Rolle mehr und starb dort 1824.
93 So musste ein Geschäft der Söhne über bedeutende Lieferungen für die pfälzischen Truppen 1789 rückgängig gemacht werden. Pikanterweise bekam diesen Auftrag Aron Elias Seligmann, der Schwiegervater von Ignatz Mayer, der damit seinen Aufstieg am Münchener Hof startete und später geadelt wurde.
94 Löwenstein, *Geschichte der Juden in der Kurpfalz* (wie Anm. 4), S. 264.
95 von Dobschütz, Die Vorfahren der Elisabeth Goldschmidt (wie Anm. 77), S. 173.
96 Ebd.
97 Ebd.
98 Hirsch, Drei kurpfälzische Hoffaktoren (wie Anm. 74), S. 40.
99 Er schrieb die Erinnerungen an seinen Vater und Großvater nieder, die später von Paul R. Hirsch veröffentlicht wurden.
100 Die jüdische Oberschichtfamilie Nauen wurde in Mannheim durch ihr politisches Engagement in den Revolutionsjahren 1848/49 bekannt.
101 Hirsch, Drei kurpfälzische Hoffaktoren (wie Anm. 74), S. 7.
102 Tilde Bayer, *Minderheiten im städtischen Raum. Sozialgeschichte der Juden in Mannheim während der 1. Hälfte des 19. Jahrhunderts*, Stuttgart 2001, hier S. 173.
103 Ebd., S. 46.
104 Vgl. hierzu den Aufsatz von Thekla Keuck in diesem Band.
105 Siehe Rotraud Ries, Hofjuden: Funktionsträger des absolutistischen Territorialstaates und Teil der jüdischen Gesellschaft. Eine einführende Positionsbestimmung, in diesem Band.
106 Vgl. Abb. 15 und 16.

Die Rothschild-Brüder und die Bewahrung des Judentums

Fritz Backhaus

Die berühmteste jüdische Familie des 19. Jahrhunderts waren sicherlich die Rothschilds. Innerhalb von knapp zwei Jahrzehnten gelang den fünf Söhnen Mayer Amschel Rothschilds zu Beginn des 19. Jahrhunderts der Aufbau einer europaweit agierenden Bank, die die europäischen Staaten mit Anleihen und Krediten versorgte. In Frankfurt, London, Paris, Wien und Neapel residierten sie in prächtigen Schlössern; sie wurden nobilitiert und verkehrten mit den Spitzen der europäischen Gesellschaft.[1] Geboren wurden alle fünf Brüder in der Frankfurter Judengasse zwischen 1773 (Amschel) und 1792 (James/Jakob). In ihrer Jugend erlebten sie alle Restriktionen, die eine jüdische Existenz im Ancien Régime und insbesondere in Frankfurt prägten. Dieser später sehr lebhaft ausgemalte Gegensatz zwischen dem ‚dunklen' Ghetto ihrer Jugend und den ‚strahlenden' Schlössern ihrer späteren Jahre gehörte ebenso wie das Tempo und die scheinbare Rätselhaftigkeit ihres Aufstiegs zu den zentralen Elementen, aus denen der berühmte ‚Rothschild-Mythos' entstand, der sich auch heute noch mit dieser Familie verbindet.[2]

So ist es kein Zufall, dass sehr viel mehr populäre als wissenschaftliche Darstellungen erschienen sind, und zwar nicht nur in Buchform, sondern auch als Film, Theaterstück oder sogar Musical. Die Rothschilds haben zudem – als ein heute noch existierendes Privatunternehmen – den Zugang zu ihren Archiven lange Jahre sehr beschränkt oder sogar, wie bei der Schließung der Frankfurter Niederlassung 1901, einen großen Teil der Akten – insgesamt vier Eisenbahnwaggons voll – vernichtet.[3] Der Kundenschutz war so bis in die letzten Jahre hinein immer ein wichtigeres Ziel als die Förderung historischer Forschung. Hinzu kommt, dass die Rothschilds sehr früh die Bedeutung der Öffentlichkeitsarbeit entdeckt haben. Ein frühes Beispiel ist, dass bereits 1827 im honorigen Brockhaus-Lexikon ein Artikel über das „Haus Rothschild" erschien, dessen Text von der Familie lanciert und korrigiert worden war.

Die besondere Rolle der Rothschilds im Übergang vom Ancien Régime zur modernen Gesellschaft hat Hannah Arendt zu der These zusammengefasst,

> daß sie die entscheidende Veränderung [...] symbolisierten, [die sich] im Verhältnis der Juden zum Staat vollzog, als aus den Hofjuden der feudalen Herren und absoluten Monarchien die Staatsbankiers des 19. Jahrhunderts geworden waren [...]. Eine einzige Firma, die physisch in allen Finanzzentren vertreten war, vereinigte alle die vielfältigen, zufälligen und individuellen Verbindungen und Beziehungen des ehemaligen Hofjudentums mit all ihren Möglichkeiten der Nachrichtenbeschaffung und den ganz neuen Chancen einheitlicher Organisation. Die eigentlichen Staatsbankiers dieser Epoche waren die Rothschilds, alle anderen waren ihre Mittels- und Verbindungsmänner. Die Monopolstellung des Hauses Rothschild, um das sich das west- und mitteleuropäische Judentum zentriert, ersetzte bis zu einem gewissen Grade die alten Bande der Religion und Tradition, deren konservierende Kraft zum ersten Mal in Jahrtausenden ernstlich gefährdet war.[4]

Hannah Arendts These, die im Zusammenhang ihrer Überlegungen zur Entstehung des modernen Antisemitismus steht, soll hier nicht im Einzelnen diskutiert werden. Sie lenkt aber die Aufmerksamkeit auf zwei zentrale Momente der Rothschild-Geschichte: 1. auf die zeitliche Position ihres Aufstieges im Übergang vom Ancien Régime zur modernen Gesellschaft und 2. auf die Tatsache, dass sie – im Unterschied zu vielen ihrer Zeitgenossen – Juden blieben und auf die sozialen Vorteile einer Konversion verzichteten. Fragt man nach den Umständen ihrer Akkulturation im Zuge ihres rasanten Aufstiegs, so bildet der Umgang mit ihrem Judentum ein zentrales Problem – nicht nur in Bezug auf die Außendarstellung der Rothschild-Brüder, sondern auch für sie persönlich. In ihren täglichen Briefen untereinander wird deutlich, dass sie sehr genau die zahllosen Übertritte zum Christentum unter ihren Bekannten, Geschäftspartnern und Freunden beobachteten, die auch für sie mit Vorteilen verknüpft gewesen wären. Für die Rothschilds konnte ein solcher Übertritt eines Geschäftspartners allerdings Anlass zum Misstrauen bzw. zum zurückhaltenderen Umgang bei künftigen Geschäftsbeziehungen sein.[5]

Schaut man sich die ‚Selbstdarstellung' der Rothschilds im Brockhaus-Artikel von 1827 an, der von Friedrich von Gentz im Auftrag der Familie verfasst und von Salomon von Rothschild redigiert werden konnte, so versuchen sie hauptsächlich den üblichen, hier nicht ausgesprochenen Verdächtigungen entgegenzutreten, die erfolgreichen jüdischen Kaufleuten und Bankiers entgegengebracht wurden und die das öffentliche Bild der Rothschilds in Karikaturen, Zeitungsartikeln und literarischen Darstellungen immer stärker zu bestimmen begannen.[6] Nicht Betrug oder Spekulation habe ihren atemberaubenden Aufstieg begründet (wie sie unausgesprochen argumentieren), sondern nur die „einsichtsvolle Benutzung der Wege, die tausend anderen gleich ihnen offen standen, [...] wohlverstandener Unternehmungsgeist, geregelter gleichförmiger Gang, ächte Schätzung der Menschen und Dinge, bei festbegründetem Ruf unbescholtener Rechtlichkeit" haben das Haus Rothschild „groß und blühend" werden lassen. Insbesondere die Tugenden werden dabei in den Mittelpunkt gestellt, die die Rothschilds auch in ihrem neu erworbenen Adelswappen präsentierten: die Einmütigkeit der Familie insbesondere der fünf Brüder, der bürgerliche Fleiß und die *integritas*, d. h. die in langen Jahren erworbene Vertrauenswürdigkeit beim Kunden. Eine wichtige Rolle in diesem ‚Familienbild' spielt der Vater, dessen Ratschläge und Maximen als Grundlage des Erfolgs der Söhne präsentiert werden. Die Rothschilds zeigen sich so als traditionsbewusste Familie, die den allgemein anerkannten Tugenden verpflichtet ist. In dem vier Seiten langen Artikel sucht man jedoch vergeblich einen unmittelbaren Hinweis auf ihr Judentum oder die Position des Vaters innerhalb der jüdischen Gemeinde. So wird z. B. das Studium des Vaters auf einer Jeschiwa in Fürth folgendermaßen umschrieben:

> Seine Ältern [...] waren gottesfürchtige Leute, die, da sie frühzeitig an dem Knaben Spuren besonderer Fähigkeiten bemerkten, Alles daran wandten, ihm eine gute Erziehung zu geben. Zum Lehrfache bestimmt, betrieb er mit Fleiß die hierzu erforderlichen Wissenschaften auf der Schule zu Fürth und kehrte von dort in s. Vaterstadt zurück. Hier erwarb er sich eine gute Kenntnis der Antiken und alter Münzen [...].[7]

Offensichtlich soll der rasante geschäftliche Erfolg, das Hauptthema dieses Artikels, sorgsam vom Judentum der Familie getrennt und ausschließlich als Folge allgemein anerkannter kaufmännischer Handlungsmaximen präsentiert werden.

Warum blieben die Rothschilds Juden, obwohl sie in ihrer Außendarstellung das Jüdische äußerst zurückhaltend präsentierten? Die einfachste Antwort ist, dass sie in den 20er Jahren des 19. Jahrhunderts die reichsten Leute Europas geworden waren und es einfach nicht mehr nötig hatten zu konvertieren.[8] Die Anhänglichkeit an den streng religiösen Vater und an die traditionsbewusste Mutter, die noch bis 1849 lebte, wären so hinreichende Gründe gewesen, das Judentum nicht zu verlassen. In ihrer religiösen Lebensführung und in ihrer Ausbildung unterschieden sich jedoch die fünf Brüder sehr deutlich. Während die drei älteren ähnlich wie der Vater noch das traditionelle Bildungssystem der Judengasse genossen hatten, waren die über zehn Jahre jüngeren Kalman und Jakob – die ihre Namen später zu Carl und James modernisierten – bereits von Hauslehrern in den modernen Fächern unterrichtet worden. Die beiden jüngeren handhabten zentrale Gebote wie die Speisevorschriften oder die Sabbatruhe nur noch sehr lax, während die drei älteren orthodox lebten. Man könnte hier einen Generationsbruch sehen – nicht zwischen dem Vater und seinen Söhnen, sondern zwischen älteren und jüngeren Brüdern –, der dazu führte, dass im Zuge des sozialen Aufstiegs und der zunehmenden Bildung die religiöse Zugehörigkeit allmählich an Bedeutung verlor. Dass diese einfache These für die Rothschilds nicht stimmt, wurde spätestens 1839 deutlich, als die Hochzeitspläne Hanna Mayer von Rothschilds, der Tochter Nathans, mit Henry Fitzroy, dem jüngeren Sohn von Lord Southampton und Mitglied des Parlaments, bekannt wurden.[9] Was eigentlich innerhalb der Familie als Gipfel sozialen Aufstiegs und gelungener Akkulturation an den englischen Adel mittels Heirat hätte betrachtet werden müssen, löste unter den verbliebenen vier Familienoberhäuptern – Nathan selbst war 1836 gestorben – Empörung und geradezu tiefe Depression aus. Lassen wir den jüngsten Rothschild-Bruder sprechen, der ja bereits eine moderne Erziehung bei Hauslehrern wie Michael Hess, einem der Begründer des Frankfurter Philantropin, genossen hatte und seit seinem 19. Lebensjahr hauptsächlich in Paris lebte, das traditionelle gesellschaftliche Schranken kaum kannte. Auch er lehnte die Heirat seiner Nichte, die zwangsläufig mit ihrer Konversion verbunden gewesen wäre, empört ab und suchte mit allen zur Verfügung stehenden Mitteln Hanna Mayer von ihren Plänen abzubringen. Ihr wurden finanzielle Konsequenzen und der Abbruch des Umgangs angedroht. In einem Brief an Hannas Bruder begründete er seine harsche Reaktion:

> Es geht nicht darum, daß ich ein fanatischer Bewunderer des Judentums bin, wenn ich auch meinen Glauben behalten will, […] aber wir haben uns immer darum bemüht, Anhänglichkeit und Zugehörigkeitsgefühl in unserer Familie zu bewahren, und es ist seit jeher, seit ihrer frühesten Kindheit, mehr oder weniger abgemacht gewesen, daß unsere Kinder niemals den Wunsch haben sollen, sich außerhalb der Familie zu verheiraten. So kann das Vermögen immer in der Familie bleiben […] und Mayer wird Anselms Tochter heiraten, ebenso wie Lionels Tochter einen unserer Söhne heiraten wird, um den Namen Rothschild zu ehren.[10]

Zwei Gründe waren offensichtlich zentral für die Ablehnung der Heirat mit einem Spross des englischen Hochadels: die damit verbundene Aufgabe des Judentums durch Hanna und der von den fünf Brüdern gefasste Plan, die Familie und ihr immenses Vermögen durch ein Netz familieninterner Heiraten zusammenzuhalten. Die erste dieser Ehen hatte 1824 James selbst mit der Tochter seines älteren Bruders Salomon geschlossen, ihr folgten in den Jahrzehnten danach so viele weitere Eheschließungen, dass Heinrich Heine spöttisch bemerkte: „Unter diesen Rothschilden herrscht eine große Eintracht.

Sonderbar, sie heiraten immer unter einander, und die Verwandtschaftsgrade kreuzen sich dergestalt, daß der Historiograph einst seine liebe Not haben wird mit der Entwirrung dieses Knäuels."[11]

Mit dieser tatsächlich sehr verwirrenden Heiratspolitik versuchten die fünf Brüder ein Problem zu lösen, das ihnen spätestens seit den 1820er Jahren zu schaffen machte: Wie konnten sie den Zusammenhalt des Unternehmens trotz der großen geographischen Distanz der einzelnen Teilhaber und trotz der Tatsache sichern, dass jeder der Brüder mittlerweile so viel Geld besaß, dass er auch autonom als Bankier erfolgreich agieren konnte? Die Partnerschaftsverträge – erstmals mit dem Vater eingegangen und nach dessen Tod unter veränderten Konditionen erneuert – galten nur befristet und waren aufkündbar.[12] Im Zusammenhang damit steht das zweite Problem der Rothschilds: Wie findet man adäquate Heiratspartner – unter der Voraussetzung, dass Heiraten vor allem wichtige geschäftliche und gesellschaftliche, aber keine Gefühlsentscheidungen waren? Dass Heirat zum Problem wurde, war ebenfalls eine Folge des immensen Reichtums, aber ebenso auch eine Konsequenz ihrer Entscheidung, am Judentum festzuhalten. Dies reduzierte offensichtlich den Kreis infrage kommender Familien erheblich, da spätestens seit den 20er Jahren des 19. Jahrhunderts kaum eine jüdische Familie mehr mit den Rothschilds wirklich mithalten konnte. Während Mayer Amschels ältere Söhne noch Heiratspartner in dem recht großen Kreis jüdischer Geschäftspartner des Vaters in der Frankfurter Judengasse, in Hamburg oder auch in London finden konnten und z. B. die Heirat Nathans mit der Tochter des Londoner Bankiers Levy Barent Cohen für ihn eine gute Partie war, kam für seinen jüngsten Bruder James knapp zwanzig Jahre später offensichtlich nur noch die Tochter seines Bruders Salomon infrage.[13] Diese Heirat war der Auftakt für eine ganze Reihe von Verbindungen in den folgenden Jahrzehnten zwischen Cousinen und Cousins, die den Familienzusammenhalt stärken, Fremden den Zugang zur Firma verwehren und auch das Kapital zusammenhalten sollten. Voraussetzung dieser Strategie war die weitere Zugehörigkeit zum Judentum. Um Hannah Arendts These abzuwandeln: Das Judentum wurde der Kitt, der über einen erstaunlich langen Zeitraum das europaweite Familienunternehmen zusammenhielt. Bei den fünf Söhnen Mayer Amschel Rothschilds war diese Entscheidung sicherlich auch religiös oder zumindest in familiärer Anhänglichkeit begründet und schlug sich ebenfalls in der Rolle nieder, die sie im Kampf um die Emanzipation oder in ihrem Einsatz für verfolgte Juden spielten.[14] Als Mitglieder ihrer Gemeinden traten sie dagegen eher zurückhaltend auf und nahmen in den Auseinandersetzungen um Reform oder Orthodoxie durchaus individuelle Positionen ein. In Frankfurt engagierten sich die Söhne Carls sogar diame-

Abb. 17: Hochzeit von Anselm und Charlotte Rothschild in Frankfurt am Main 1826

tral: Meyer Carl und seine Frau standen mit dem liberalen Rabbiner Leopold Stein in engerer Verbindung, Wilhelm Carl dagegen mit Samson Raphael Hirsch, dem Begründer der Neo-Orthodoxie.[15] Gemeinsam suchten sie als Familie – unabhängig von ihren unterschiedlichen Positionen – mit ihrem Einfluss und ihrem Geld vor allem die Einheit der jüdischen Gemeinde zu wahren – sicherlich vor allem aus politischen Gründen. So trat Wilhelm Carl von Rothschild nicht aus der Frankfurter Gemeinde aus, obwohl er der wichtigste Förderer Samson Raphael Hirschs und der von diesem geführten Israelitischen Religionsgesellschaft war. Dass im Zuge fortschreitender Säkularisierung auch vielen Rothschilds die Frage zum Problem wurde, warum sie nicht wie ihre adeligen Standesgenossen Christen waren, zeigt in gewisser Weise die aus der Feder der Rothschild-Frauen stammende Literatur, so z. B. die 1861 von Louise von Rothschild erschienenen „Gedanken einer Mutter über biblische Texte" oder die 1867 aus dem Nachlass veröffentlichten „Briefe an eine christliche Freundin über die Grundwahrheiten des Judenthums" ihrer Tochter Clementine.[16] Bei den Rothschilds in England wie in Deutschland stieg offensichtlich das Bedürfnis, auch öffentlich den sittlich-moralischen Wert des Judentums und der Bibel zu verteidigen bzw. einer christlichen Umwelt die Gleichwertigkeit des Judentums zu vermitteln. Dieses apologetische Schrifttum zeigt, wie die eigentlich eher säkular motivierte

Entscheidung der Rothschild-Brüder, das Judentum zum ‚Kitt' ihres Familienunternehmens zu machen, bei ihren Kindern und Enkeln auf fruchtbaren Boden fiel und wie sie damit offensiv auf die Herausforderung reagierten, die die Moderne an das Judentum stellte.

Anmerkungen

1 Niall Ferguson, *The World's Banker. The History of the House of Rothschild*, London 1998; Georg Heuberger (Hg.), *Die Rothschilds. Eine europäische Familie* (zit.: *Die Rothschilds*), Sigmaringen 1994; ders. (Hg.), *Die Rothschilds. Beiträge zur Geschichte einer europäischen Familie* (zit.: *Die Rothschilds, Beiträge*), Sigmaringen 1994; Bertrand Gille, *Histoire de la Maison Rothschild, Tome I: Des Origines à 1848; Tome II: 1848–1870*, Genf 1965–1967 (Traveaux de Droit, d'Économie, de Sociologie et de Sciences Politiques 39, 65); Egon Caesar Conte Corti, *Der Aufstieg des Hauses Rothschild 1770–1830*, Leipzig 1927; ders., *Das Haus Rothschild in der Zeit seiner Blüte 1830–1871 mit einem Ausblick in die neueste Zeit*, Leipzig 1928.

2 Ferguson, *The World's Banker* (wie Anm. 1), S. 1 ff.; Fritz Backhaus, Die Rothschilds und das Geld, in: Johannes Heil/Bernd Wacker (Hgg.), *Shylock? Zinsverbot und Geldverleih in jüdischer und christlicher Tradition*, München 1997, S. 147–170; Cilly Kugelmann/Fritz Backhaus (Hgg.), *Jüdische Figuren in Film und Karikatur. Die Rothschilds und Joseph Süß Oppenheimer*, Frankfurt a. M. 1995 (Schriftenreihe des Jüdischen Museums Frankfurt am Main 2).

3 Christian Wilhelm Berghoeffer, Die Auflösung des Frankfurter Rothschild-Archivs, in: *Archivalische Zeitschrift* 7 (1931), S. 274–277.

4 Hannah Arendt, *Elemente und Ursprünge totaler Herrschaft*, Frankfurt a. M. 1962, S. 43 ff.

5 Ferguson, *The World's Banker* (wie Anm. 1), S. 176 ff.

6 F.A. Brockhaus (Hg.), *Allgemeine Deutsche Realencyclopädie für die gebildeten Stände*, Bd. 9, Leipzig 1827, S. 431–434; vgl. Ferguson, *The World's Banker* (wie Anm. 1), S. 11 ff.; Backhaus, Die Rothschilds und das Geld (wie Anm. 2); Klaus Herding, Die Rothschilds in der Karikatur, in: Kugelmann/Backhaus, *Jüdische Figuren* (wie Anm. 2), S. 13–63.

7 Brockhaus, *Realencyclopädie* (wie Anm. 6), S. 431 f.

8 Zur Vermögensentwicklung s. Ferguson, *The World's Banker* (wie Anm. 1), S. 1039 ff.

9 Ferguson, *The World's Banker* (wie Anm. 1), S. 337 ff.

10 Zit. nach Heuberger, *Die Rothschilds* (wie Anm. 1), S. 95.

11 Ebd., S. 94

12 Ebd., S. 51 f.; Ferguson, *The World's Banker* (wie Anm. 1), S. 78.

13 Ferguson, *The World's Banker* (wie Anm. 1), S. 195 f.

14 Vgl. z. B. Rainer Erb, Die „Damaskus-Affäre" 1840 und die Bedeutung des Hauses Rothschild für die Mobilisierung der öffentlichen Meinung, in: Heuberger, *Die Rothschilds, Beiträge* (wie Anm. 1), S. 101–116; Ferguson, *The World's Banker* (wie Anm. 1), S. 182 ff.

15 Heuberger, *Die Rothschilds* (wie Anm. 1), S. 179 f., 185 ff.

16 Bettina Kratz-Ritter, „Well-educated and seriously-minded daughters ...". Zu den literarischen Versuchen der Rothschild-Frauen um 1860, in: *LBI Information* 5/6 (1995), S. 138–156.

V. ZWISCHEN STADT UND LAND, ZWISCHEN HOF UND GEMEINDE: HOFJUDEN IN DEUTSCHEN KLEINTERRITORIEN

Einführung

Jörg Deventer

Amsterdam, Berlin, Frankfurt am Main, Hamburg, München, Wien – bisher beschäftigten sich die Aufsätze fast ausschließlich mit den in großen städtischen Zentren agierenden Hofjuden. Dies könnte den Eindruck erwecken, dass das Hofjudentum im frühneuzeitlichen Mitteleuropa ausschließlich eine Erscheinung in führenden Handels- und Hafenstädten, in weltläufigen Residenzen war.[1] Die drei in dieser Sektion gesammelten Beiträge – von Dina van Faassen über Mitglieder der jüdischen Elite in der nordwestdeutschen Grafschaft Lippe, von Dieter Blinn über die Hofjudenfamilie Wahl in dem im Südwesten gelegenen Fürstentum Pfalz-Zweibrücken und schließlich von Kerstin Hebell über die am Hof der süddeutschen Grafen von Hechingen agierende Hoffaktorin Chaile Raphael – machen jedoch darauf aufmerksam, dass dies im Deutschland des 17. und 18. Jahrhunderts keineswegs der Fall war.

In der Epoche zwischen der Reformation und dem Ende des Alten Reiches 1806/15 war Deutschland ein von zahllosen politischen, kulturellen, ökonomischen und religiösen Trennungslinien durchzogenes Konglomerat von nahezu 1800 Herrschaftseinheiten, ein buntscheckiges Gebilde, das aus großen, mittleren und kleinen, weltlichen und geistlichen Staaten, aus Freien und Reichsstädten sowie kleinen und kleinsten Herrschaftsgebilden wie denen der Reichsritter und Reichsäbte zusammengesetzt war.[2] In diesem komplexen politischen System, das Samuel Pufendorf 1667 mit Blick auf die unterschiedlichsten Erscheinungsformen von Staatlichkeit und Herrschaftsausübung einen „unregelmäßigen und einem Monstrum ähnlichen Staatskörper" nannte,[3] konnten sich während der Frühen Neuzeit nur die größeren Territorien – allen voran Brandenburg-Preußen und Österreich – zu modernen Staaten entfalten.[4] Im Zuge der Durchsetzung einer absolutistischen Regierungsweise wurden in diesen Territorien nach 1648 stehende Heere aufgestellt, der Einfluss der Landstände mehr oder weniger zurückgedrängt sowie zentrale und effektiv arbeitende Regierungs- und Verwaltungsapparate aufgebaut, die – gemäß den Grundsätzen des Merkantilismus und des Kameralismus – planend, lenkend und fördernd in die Wirtschaft des Landes eingriffen.

Verglichen mit dem Typ des absolutistischen Staates[5] war in geistlichen und weltlichen Kleinterritorien, Duodezfürstentümern und Herrschaften die Situation eine ganz andere. Von der Effizienz moderner Staatlichkeit waren diese Herrschaftsgebiete weit entfernt. Indem der Festigung und Intensivierung des Herrschaftsanspruchs der Landesfürsten durch den Widerstand der Stände enge Grenzen gesetzt waren,[6] blieben in diesen von aufgeklärten Zeitgenossen kritisierten und verspotteten Kleinterritorien Politik, Verwaltung und Wirtschaft weit gehend von traditionalen Strukturen geprägt.[7] Weil der landsässige Adel, die Städte und in den geistlichen Fürstentümern auch die Domkapitel gegenüber einem sich absolutistisch gebenden Grafen, Bischof oder Abt ein chronisches Misstrauen hegten und die Beamtenschaft wenig innovationsfreudig war, verliefen landesherrliche Vorstöße in Richtung merkantiler Wirtschaftsförderung mehr oder weniger fruchtlos im Sande, sodass Handel und Gewerbe im ausgehenden Ancien Régime noch weit gehend durch engstirnigen Zunftgeist bestimmt wurden.

Die so strukturierten klein- und kleinsträumigen Territorien und Herrschaftsgebilde, die im Alten Reich in einer breiten Zone von Schwaben über das Rheingebiet nach Westfalen, von der Wetterau nach Franken und an die Saale reichten,[8] hatten den Juden bereits im Zuge der spätmittelalterlichen Vertreibungen aus insgesamt 334 Städten und zahlreichen Territorien Ausweichmöglichkeiten und Rückzugsnischen geboten.[9] Und nachdem sich die Niederlassung im rural-kleinstädtischen Nexus bis zum frühen 17. Jahrhundert weiter fortgesetzt hatte – ein Trend, der sich in seinem historischen Verlauf als ein vielschichtiger und komplexer, in mehreren Schüben und regional unterschiedlichen Intensitätsgraden stattfindender Prozess darstellt[10] –, lebte das Gros der deutschen Judenheit zwischen 1650 und 1750, das heißt in der „klassischen" Phase des Hofjudentums, und auch noch über das Ende des Alten Reiches hinaus ganz überwiegend in Flecken, Dörfern, Kleinst- und Kleinstädten sowie Residenzstädtchen und -städten mindermächtiger geistlicher und weltlicher Potentaten.[11] Erst in der Mitte des 19. Jahrhunderts begann sich dies im Rahmen des Urbanisierungsprozesses der jüdischen Bevölkerung zu ändern.[12]

Die folgenden Beiträge machen auf einen für das Verständnis des Hofjudentums sehr wichtigen Aspekt aufmerksam: dass nämlich in der „wohl ausgeglichenste[n]" Periode der deutsch-jüdischen Geschichte von 1650 bis 1815[13] die in Kleinstaaten ansässigen Hoffaktoren zahlenmäßig einen erheblichen Bestandteil der jüdischen Oberschicht bildeten. Diesem Umstand hat die Forschung bislang kaum Rechnung getragen. Abgesehen von Arbeiten älteren und jüngeren Datums, die sich im Rahmen zeitlich übergreifender stadt-, landes- und regionalgeschichtlicher Detailstudien und überterritorialer Darstellungen mit „No-names" unter den Hofjudenfamilien beschäftigten,[14] konzentrierten sich Studien zur Geschichte der jüdischen Hoffaktoren bis in die 80er Jahre vornehmlich auf die prominenten, an politisch und ökonomisch ungleich bedeutenderen Fürstenhöfen tätigen Vertreter des Hofjudentums.[15] Erst im Zuge der Erforschung der Geschichte des frühneuzeitlichen Land- und Kleinstadtjudentums, die nunmehr vor gut zehn Jahren stärker in den Mittelpunkt des Interesses rückte,[16] wurde auch den an mittleren und kleineren Höfen agierenden Hofjuden größere Beachtung geschenkt. Mit vergleichsweise bescheidenen Privilegien und Sonderrechten ausgestattet, waren diese für Regenten tätig, die unangesehen ihrer mäßigen Einkünfte beträchtliche Mittel für die Ausstattung ihrer Residenzen aufwendeten, musste doch im Zeitalter des Absolutismus Größe und Aufwand eines Hofes die Geltung und Reputation des Herrschers dokumentieren.[17] Bei den mittlerweile vorliegenden Untersuchungen handelt es sich überwiegend um Darstellungen, in deren Mittelpunkt einzelne Hoffaktoren bzw. deren Familien und Nachkommen stehen.[18]

Auch die in dieser Sektion gesammelten Beiträge sind mikrohistorisch angelegt. Der Vergleich der quellenfundierten Einzelstudien, die sich mit hofjüdischen Familien im letzten Drittel des 18. und im frühen 19. Jahrhundert beschäftigen, macht vor allem deutlich, dass sich in den deutschen Kleinstaaten das Verhältnis zwischen Fürst und Hofjude, dessen Aufgaben und Verpflichtungen im Rahmen des zum Regenten bestehenden Dienstverhältnisses sowie sein geschäftliches Aktivitätsprofil höchst unterschiedlich gestalteten. Während für Letzteres Dieter Blinn zu dem Ergebnis kommt, dass sich die geschäftlichen und wirtschaftsreformerischen Aktivitäten der Homburger hofjüdischen Familie Wahl weit gehend auf das Territorium des Fürstentums Pfalz-Zweibrücken konzentrierten, führt Dina van Faassen in ihrer Studie über die Detmolder Hoffaktoren Raphael Levi, Joseph Leeser und Salomon Joel zahlreiche Beispiele von überregionalen ökonomischen Aktivitäten – namentlich im Fürstbistum Paderborn, in der Grafschaft Schaumburg-Lippe und in den preußischen Westprovinzen – an. Ganz anders nimmt sich schließlich der geschäftliche Aktionsradius von Mitgliedern der Familie Kaulla in der Grafschaft Hechingen aus, die an mehreren süddeutschen Fürstenhöfen als Hoffaktoren tätig waren (Hechingen, Donaueschingen, Stuttgart), intensive Kontakte nach Wien unterhielten und sich zu Unternehmensgesprächen in den europäischen Metropolen Paris und

London aufhielten. Insgesamt lassen die Befunde erkennen, dass der Typus der Niederlassungsorte, deren Funktionen innerhalb des frühneuzeitlichen Städtesystems[19] sowie das wirtschaftsgeographische und handelspolitische Umfeld für die sozio-ökonomischen Chancen und Grenzen ländlicher Hofjuden eine maßgebende Rolle spielten. Deutlich wird aber auch, dass in Kleinstaaten für einzelne Mitglieder einer minderberechtigten Randgruppe die Elemente unbedingte Loyalität gegenüber dem Regenten, Professionalität und Mobilität sowie die Verankerung in einem jüdischen Netzwerk ein Erfolgsrezept für wirtschaftlichen Aufstieg bilden konnten.

Die Frage nach den Beziehungen zur jüdischen Gemeinschaft bietet sich als zweiter gemeinsamer Aspekt an. Die in den drei Beiträgen angeführten Beobachtungen belegen, dass sich die kleinstädtischen Hoffaktoren sowohl auf individueller als auch auf kommunaler und territorialer Ebene für die jüdische Gemeinschaft stark engagierten. Die Lockerung oder Aufhebung von Niederlassungsbeschränkungen und wirtschaftlichen Restriktionen, die Übernahme von Führungspositionen in den Kleinstadtgemeinden oder den auf territorialer Ebene verfassten Landjudenschaften, die finanzielle Förderung von Institutionen gemeindlichen Lebens, die Gründung bzw. Unterstützung von Einrichtungen sozialer Wohlfahrt oder von Lehrhäusern – dies alles zeigt, dass den Hofjuden für die Konsolidierung und den Ausbau gemeindlichen jüdischen Lebens zentrale Bedeutung zukommt. Soll man aber daraus den Schluss ziehen, dass das Verhältnis zwischen Hoffaktoren und den übrigen Mitgliedern der jüdischen Gemeinschaft im Zeichen von Harmonie und Eintracht gestanden hätte? Auf keinen Fall. Die Befunde der Beiträge lassen vielmehr erkennen, dass sich das Mit- und Nebeneinander von Hofjuden und Schutzjuden in einem vielschichtigen und mitunter konfliktreichen Wechselspiel der Beziehungen entfaltete. „Die wenigen Äußerungen Saul Wahls über die Homburger Judengemeinde", beobachtet Dieter Blinn, „[...] lassen eher auf ein gespanntes Verhältnis schließen." Zu diesem Ergebnis kommt auch Dina van Faassen. In der von ihr untersuchten Grafschaft Lippe waren hierfür, so van Faassen, vor allem die Hofjuden verantwortlich, deren Amtsführung als Vorsteher der lippischen Land- bzw. der Detmolder Stadtjudenschaft dem von Seiten der „einfachen" Schutzjuden gegen die privilegierten Glaubensgenossen gehegten Verdacht der Geltungs- und Herrschsucht immer wieder neue Nahrung gab. Zusätzlich trugen dazu interne Positionskämpfe zwischen den Hoffaktoren bei, die zu „öffentlich ausgetragenen Rivalitäten und Diffamierungen" führten. Insgesamt spiegelt sich in den Befunden ein wachsendes soziales Gefälle zwischen den vielfach privilegierten und vermögenden Hoffaktoren und einer steigenden Zahl armer und mittelloser Juden wider. Deutlich wird aber auch die zwiespältige Rolle, die den

Hofjuden aus der Übernahme unterschiedlicher Funktionen – als Beauftragte der Landesherrschaft auf der einen Seite, als Fürsprecher der Judenschaft auf der anderen – erwuchs.

Der dritte übergreifende Aspekt bezieht sich auf die Einstellung zum Judentum und die private Lebensführung der Hofjuden. Einzelne in den Beiträgen angeführte Belege für eine äußerliche Annäherung an bürgerliche oder adelige Formen der Lebensgestaltung können nicht darüber hinwegtäuschen, dass die untersuchten Hofjudenfamilien in Detmold, Hechingen und Homburg im ausgehenden Ancien Régime nach wie vor die strengen Regeln der jüdischen Gesetze befolgten. „Es gab" – so beobachtet Dina van Faassen – „in den ‚Hofjuden'-Familien keine besondere Aufgeschlossenheit für das hofjüdische Leben oder Ähnliches, keine wachsende soziale oder kulturelle Nähe zum nichtjüdischen Umfeld [...]. Die Verbundenheit mit der Tradition lockerte sich ebenso wenig wie die zur Gemeinde."

Der gegenwärtige Forschungsstand zu den im ländlich-kleinstädtischen Milieu ansässigen Hofjuden lässt noch kaum überregional vergleichende Untersuchungen zu. Von daher sollen die Beiträge als überschaubare Ausschnitte und Beispielfälle begriffen werden, mit deren Hilfe auch übergeordnete Fragestellungen und Problemkreise zu Rolle(n) und Bedeutung der jüdischen Oberschicht im Modernisierungs- und Akkulturationsprozess des 18. und frühen 19. Jahrhunderts erörtert werden können.

Anmerkungen

1 Einen Überblick bietet Jonathan I. Israel, *European Jewry in the Age of Mercantilism 1550–1750*, 2. Aufl., Oxford 1989, S. 123–144; für Deutschland vgl. Mordechai Breuer, Frühe Neuzeit und Beginn der Moderne, in: ders./Michael Graetz, *Deutsch-Jüdische Geschichte in der Neuzeit, Band. 1: Tradition und Aufklärung, 1600–1780*, hg. v. Michael Meyer unter Mitwirkung von Michael Brenner, München 1996, S. 83–247, hier S. 106–125.

2 Hans-Ulrich Wehler, *Deutsche Gesellschaftsgeschichte, Bd. 1: Vom Feudalismus des Alten Reiches bis zur Defensiven Modernisierung der Reformära 1700–1815*, München 1987, S. 47 f.; Rudolf Vierhaus, Deutschland im Zeitalter des Absolutismus (1648–1763), in: *Deutsche Geschichte, Band 2: Frühe Neuzeit*, Göttingen 1985, S. 368 ff.; einen konzisen Überblick der politischen Organisation des Reiches um 1600 bietet Volker Press, *Kriege und Krisen. Deutschland 1600–1715*, München 1991, S. 80–135.

3 Samuel Pufendorf, *Die Verfassung des deutschen Reiches*, Übers., Anm. und Nachw. von Horst Denzer, Stuttgart 1976, S. 106.

4 Zum Folgenden Heinz Schilling, *Höfe und Allianzen. Deutschland 1648–1763*, Berlin 1994, S. 85 ff., 134 ff.; Peter Hersche, Intendierte Rückständigkeit: Zur Charakteristik des Geistlichen Staates im Alten Reich, in: Georg Schmidt (Hg.), *Stände und Gesellschaft im Alten Reich*, Stuttgart 1989, S. 133–149.

5 Zur neuerlichen Diskussion um den Begriff und das Deutungskonzept „Absolutismus"

vgl. Nicholas Henshall, *The Myth of Absolutism: Change and Continuity in Early Modern European Monarchy*, London 1992; Heinz Duchhardt, Absolutismus – Abschied von einem Epochenbegriff?, in: *Historische Zeitschrift* 258 (1994), S. 113–122; Ronald G. Asch/Heinz Duchhardt (Hgg.), *Der Absolutismus – ein Mythos? Strukturwandel monarchischer Herrschaft in West- und Mitteleuropa (ca. 1550–1700)*, Köln/Weimar/Wien 1996; Wolfgang Reinhard, *Geschichte der Staatsgewalt. Eine vergleichende Verfassungsgeschichte Europas von den Anfängen bis zur Gegenwart*, München 1999, S. 51; Georg Schmidt, *Geschichte des Alten Reiches. Staat und Nation in der Frühen Neuzeit 1495–1806*, München 1999, S. 204; Hans-Wolfgang Bergerhausen, Die „Verneuerte Landesordnung" in Böhmen: Ein Grunddokument des habsburgischen Absolutismus, in: *Historische Zeitschrift* 272 (2001), S. 327–351.

6 Press, *Kriege und Krisen* (wie Anm. 2), S. 332–334.

7 Die These von der Rückständigkeit der geistlichen Staaten hat in jüngster Zeit eine Teilrevision erfahren; vgl. Joachim Schmiedl, Rezension von Alwin Hanschmidt (Hg.), *Elementarschulverhältnisse im Niederstift Münster im 18. Jahrhundert. Die Schulvisitationsprotokolle Bernard Overbergs für die Ämter Meppen, Cloppenburg und Vechta 1783/84*, Münster 2000, in: *Perform* 2 (2001), Nr. 3 [01.05.2001], URL: www.sfn.uni-muenchen.de/rezensionen/rezp20010305.html (18.07.2001).

8 Schmidt, *Geschichte des Alten Reiches* (wie Anm. 5), S. 26.

9 Die Zahl nach Michael Toch, *Die Juden im mittelalterlichen Reich*, München 1998, S. 65; vgl. auch Markus J. Wenninger, *Man bedarf keiner Juden mehr. Ursachen und Hintergründe ihrer Vertreibung aus den deutschen Reichsstädten im 15. Jahrhundert*, Wien/Köln/Graz 1981; Friedrich Battenberg, *Das Europäische Zeitalter der Juden. Zur Entwicklung einer Minderheit in der nichtjüdischen Umwelt Europas, Band I: Von den Anfängen bis 1650*, Darmstadt 1990, S. 165; vgl. auch die Aufsätze von Alfred Haverkamp, Franz-Josef Ziwes, Rotraud Ries und Fritz Backhaus in: Friedhelm Burgard/Alfred Haverkamp/Gerd Mentgen (Hgg.), *Judenvertreibungen in Mittelalter und früher Neuzeit*, Hannover 1999 (Forschungen zur Geschichte der Juden. Abt. A: Abhandlungen 9).

10 Friedrich Battenberg, Aus der Stadt auf das Land? Zur Vertreibung und Neuansiedlung der Juden im Heiligen Römischen Reich, in: Monika Richarz/Reinhard Rürup (Hgg.), *Jüdisches Leben auf dem Lande. Studien zur deutsch-jüdischen Geschichte*, Tübingen 1997 (Schriftenreihe wissenschaftlicher Abhandlungen des Leo-Baeck-Instituts 56), S. 9–35; Stefan Rohrbacher, Die Entstehung der jüdischen Landgemeinden in der Frühneuzeit, in: Annette Weber/Evelyn Friedlander/Fritz Armbruster (Hgg.), *Mappot … gesegnet, der da kommt. Das Band jüdischer Tradition*, Osnabrück 1997, S. 35–41.

11 Arno Herzig, *Jüdische Geschichte in Deutschland*, München 1997, S. 74 ff.; Battenberg, *Das Europäische Zeitalter* (wie Anm. 9), S. 234 ff., 242–261; Stefan Rohrbacher, Stadt und Land: Zur „inneren" Situation der süd- und westdeutschen Juden in der Frühneuzeit, in: Richarz/Rürup, *Jüdisches Leben auf dem Lande* (wie Anm. 10), S. 37–58; zur historischen Kleinstadtforschung vgl. Holger Th. Gräf (Hg.), *Kleine Städte im neuzeitlichen Europa*, Berlin 1997.

12 Avraham Barkai, *Jüdische Minderheit und Industrialisierung. Demographie, Berufe und Einkommen der Juden in Westdeutschland 1850–1914*, Tübingen 1988; Steven M. Lowenstein, The Rural Community and the Urbanization of German Jewry, in: *Central European History* 13 (1980), S. 218–236.

13 Herzig, *Jüdische Geschichte* (wie Anm. 11), S. 139.

14 Heinrich Schnee, *Die Hoffinanz und der moderne Staat. Geschichte und System der Hoffaktoren an deutschen Fürstenhöfen im Zeitalter des Absolutismus*, 6 Bde., Berlin 1953–1967; ders., Heinrich Heines väterliche Ahnen als lippische Hoffaktoren, in:

Zeitschrift für Religions- und Geistesgeschichte 5 (1953), H. 1, S. 53–70; DERS., Stellung und Bedeutung der Hoffinanziers in Westfalen, in: *Westfalen* 34 (1956), S. 176–189; MICHAEL GUENTER, *Die Juden in Lippe von 1658 bis zur Emanzipation 1858*, Detmold 1973, S. 148–173; HANS-HEINRICH HASSELMEIER, *Die Stellung der Juden in Schaumburg-Lippe von 1648 bis zur Emanzipation*, Bückeburg 1967, S. 99–123; ADOLF ECKSTEIN, *Geschichte der Juden im ehemaligen Fürstbistum Bamberg*, Bamberg 1898, Reprint Bamberg 1988, S. 261–263; SIMSON HAENLE, *Geschichte der Juden im ehemaligen Fürstenthum Ansbach*, Ansbach 1867, Reprint Bamberg 1990, S. 70–99; LOUIS DÜRRWANGER, Der kurbayerische Hoffaktor Abraham Mendle aus Kriegshaber, in: *Zeitschrift des Historischen Vereins für Schwaben (und Neuburg)* 49 (1933), S. 163–167.

15 BERND SCHEDLITZ, *Leffmann Behrens. Untersuchungen zum Hofjudentum im Zeitalter des Absolutismus*, Hildesheim 1984; PETER BAUMGART, Joseph Süß Oppenheimer. Das Dilemma des Hofjuden im absolutistischen Fürstenstaat, in: KARLHEINZ MÜLLER/KLAUS WITTSTADT (Hgg.), *Geschichte und Kultur des Judentums*, Würzburg 1988, S. 91–110; BARBARA GERBER, *Jud Süß. Aufstieg und Fall im frühen 18. Jahrhundert. Ein Beitrag zur historischen Antisemitismus- und Rezeptionsforschung*, Hamburg 1990.

16 MONIKA RICHARZ, Die Entdeckung der Landjuden. Stand und Probleme ihrer Erforschung am Beispiel Südwestdeutschlands, in: *Landjudentum im süddeutschen und Bodenseeraum*, Dornbirn 1992 (Forschungen zur Geschichte Vorarlbergs 11), S. 11–21; DIES., Ländliches Judentum als Problem der Forschung, in: DIES./RÜRUP, *Jüdisches Leben auf dem Lande* (wie Anm. 10), S. 1–8; von neueren Studien seien nur genannt ROTRAUD RIES, *Jüdisches Leben in Niedersachsen im 15. und 16. Jahrhundert*, Hannover 1994; CILLI KASPER-HOLTKOTTE, *Juden im Aufbruch. Zur Sozialgeschichte einer Minderheit im Saar-Mosel-Raum um 1800*, Hannover 1996; JÖRG DEVENTER, *Das Abseits als sicherer Ort? Jüdische Minderheit und christliche Gesellschaft im Alten Reich am Beispiel der Fürstabtei Corvey 1550–1807*, Paderborn 1996; DERS., Organisationsformen der Juden in einem nordwestdeutschen Duodezfürstentum der Frühen Neuzeit, in: ROBERT JÜTTE/ABRAHAM P. KUSTERMANN (Hgg.), *Jüdische Gemeinden und Organisationsformen von der Antike bis zur Gegenwart*, Wien 1996, S. 151–172; STEFAN ROHRBACHER, Organisationsformen der süddeutschen Juden in der Frühneuzeit, in: ebd., S. 137–149; DERS., Medinat Schwaben. Jüdisches Leben in einer süddeutschen Landschaft in der Frühneuzeit, in: ROLF KIESSLING (Hg.), *Judengemeinden in Schwaben im Kontext des Alten Reiches*, Berlin 1995, S. 80–109; SABINE ULLMANN, Kontakte und Konflikte zwischen Landjuden und Christen in Schwaben während des 17. und zu Anfang des 18. Jahrhunderts, in: SIBYLLE BACKMANN u. a. (Hgg.), *Ehrkonzepte in der Frühen Neuzeit. Identitäten und Abgrenzungen*, Berlin 1998, S. 288–315; DINA VAN FAASSEN, *„Das Geleit ist kündbar“. Quellen und Aufsätze zum jüdischen Leben im Hochstift Paderborn von der Mitte des 17. Jahrhunderts bis 1802*, Essen 1999; vgl. auch die Aufsatzsammlungen RICHARZ/RÜRUP, *Jüdisches Leben auf dem Lande* (wie Anm. 10); ROLF KIESSLING/SABINE ULLMANN (Hgg.), *Landjudentum im deutschen Südwesten während der Frühen Neuzeit*, Berlin 1999; zur (mitunter dürftigen) Behandlung des ländlichen Judentums in neueren Gesamtdarstellungen der deutsch-jüdischen Geschichte vgl. JOHANNES HEIL, Deutsch-jüdische Geschichte, ihre Grenzen und die Grenzen ihrer Synthesen. Anmerkungen zur neueren Literatur, in: *Historische Zeitschrift* 269 (1999), S. 653–680, hier S. 666–668.

17 VOLKER BAUER, *Die höfische Gesellschaft in Deutschland von der Mitte des 17. bis zum Ausgang des 18. Jahrhunderts. Versuch einer Typologie*, Tübingen 1993 (Frühe Neuzeit 12), S. 93 f.

18 GEORG EGGERSGLÜSS, Hofjuden und Landrabbiner in Aurich und die Anfänge der Auricher Judengemeinde (ca. 1635–1808), in: HERBERT REYER/MARTIN TIELKE (Hgg.), *Frisia Judaica. Beiträge zur Geschichte der Juden in Ostfriesland*, 3., durchges. u. erw.

Aufl., Aurich 1991 (Abhandlungen und Vorträge zur Geschichte Ostfrieslands 67), S. 113–125; ELISABETH HANSCHMIDT, Jakob Löb Eltzbacher in Neuenkirchen. Bankier und Wechselier der Fürsten von Kaunitz-Rietberg, in: *Die Juden der Grafschaft Rietberg. Beiträge zur Synagogengemeinde Neuenkirchen*, hg. vom Heimatverein Neuenkirchen u. der Stadt Rietberg, Rietberg 1997, S. 50–69; KLAUS POHLMANN, *Der jüdische Hoffaktor Samuel Goldschmidt aus Frankfurt und seine Familie in Lemgo (1670–1750)*, Detmold 1998 (Panu Derech – Schriften der Gesellschaft für Christlich-Jüdische Zusammenarbeit in Lippe 15); BRIGITTE STREICH, Der Hoffaktor Isaac Jacob Gans (1723/24–1798). Ein Celler Jude am Ende des Ancien Régime, in: *Juden in Celle. Biographische Skizzen aus drei Jahrhunderten*, hg. von der Stadt Celle, Celle 1996 (Celler Beiträge zur Landes- und Kulturgeschichte, Schriftenreihe des Stadtarchivs und des Bomann-Museums 26), S. 67–87; SABINE ULLMANN, Zwischen Fürstenhöfen und Gemeinde: Die jüdische Hoffaktorenfamilie Ulmann in Pfersee während des 18. Jahrhunderts, in: *Zeitschrift des Historischen Vereins für Schwaben* 90 (1997), S. 159–185.

19 HEINZ SCHILLING, *Die Stadt in der Frühen Neuzeit*, München 1993 (Enzyklopädie deutscher Geschichte 24), S. 20.

„Hier ist ein kleiner Ort und eine kleine Gegend" – Hofjuden in Lippe

Dina van Faassen

Vorbemerkungen

Obwohl die Grafschaft Lippe (seit 1789 Fürstentum) im Teutoburger Wald mit rund 1200 qkm zu den kleineren Reichsterritorien zählte, vermochte das Land seine Selbstständigkeit bis 1947 zu bewahren. Die Wirtschaft des Kleinstaates wurde durch den Agrarsektor dominiert, neben dem im 18. Jahrhundert die Leinen- und Garnproduktion an Bedeutung gewann: 1805 entfielen auf sie z. B. 76 % der Ausfuhrerträge. Vorwiegend ländliche Massenproduktion und überregionale Absatzmärkte kennzeichnen Lippe als protoindustrielle Region. Die Bevölkerung wuchs zwischen 1700 und 1776 um rund 60 %, 1788 betrug die Bevölkerungszahl 70 189.[1]

Landesherr und Landstände – Ritterschaft und Städte – teilten sich die politische Herrschaft. Nach einer absolutistischen Phase unter den Grafen Friedrich Adolf (1697–1718) und Simon Henrich Adolf (1718–1734) und der von Schuldenkrisen geprägten Vormundschaftsregierung der Fürstin Johannette Wilhelmine (1734–1747) hatte sich das System des dualistischen Ständestaates unter Graf Simon August (1747–1782) wieder eingependelt. Nach dessen Tod folgten Jahrzehnte vormundschaftlicher Regierungen, nur kurz unterbrochen durch Fürst Leopold I. (1789–1790, 1794–1802). Der Einfluss der aufgeklärten Beamtenschaft wuchs weiter, unter Simon August begonnene Reformen wurden fortgesetzt (Reorganisation des Finanzwesens, Kataster- und Steuerreformen etc.). Die Regentin Pauline (1802–1820) strebte indessen wieder eine absolutistische Regierungsform an; nach außen hin wahrte sie die Souveränität des Landes, im Innern wurde die Modernisierung durch Bauernbefreiung, Sozial-, Schul- und Justizreformen und die rechtliche Besserstellung der Juden beschleunigt fortgesetzt.[2]

Die Zahl der in Lippe sesshaften Schutzjuden war bis 1789 auf 163 angestiegen, nachdem seit 1650 und nach der Vertreibung der Judenschaft von 1614 eine erneute Zuwanderung jüdischer Familien eingesetzt hatte. Die Residenzstadt Detmold entwickelte sich zum Zentrum jüdischen Lebens, um 1800 waren hier im Schnitt 19 Schutzjuden ansässig. Das jüdische Gewerbe (Handel, Geld- und Pfandleihe, Schlachten) war zwar die ökonomische Basis für alle Familien, dennoch differierten die Handelsbefugnisse örtlich stark. Ende des 18. Jahrhunderts verarmte die Judenschaft zunehmend: 1779 galten zwei Drittel der Schutzbriefinhaber als arm. Die Juden Lippes unterstanden mit denen des Hochstiftes Paderborn dem Warburger Landesrabbiner, eine lippische Landesjudenschaft ist seit 1708 quellenmäßig greifbar.

Obwohl die Geschichte der lippischen Juden seit den neunziger Jahren verstärkt erforscht wird,[3] steht eine umfassende Darstellung zu den Hoffaktoren noch aus. Ihre Geschichte wurde bislang v. a. für die frühe Phase untersucht.[4] Da sich die Frage der Interkulturalität von Hofjuden jedoch eher seit der zweiten Hälfte des 18. Jahrhunderts stellt, liegt der Schwerpunkt dieses Beitrags auf der Spätphase, dem letzten Drittel des 18. und dem beginnenden 19. Jahrhundert. Am Beispiel Raphael Levis (gest. 1805), Joseph Leeser Wertheims (gest. 1817) sowie Salomon Joel Herfords (gest. 1816) wird nach der ökonomischen und kulturellen Rolle lippischer Hofjuden gefragt werden. Die Beschränkung auf diese Personen leitet sich aus der Quellenlage ab: Im Gegensatz zu vielen anderen der in diesem Zeitraum in Detmold ansässigen Hofjuden[5] sind sie in den Quellen sehr präsent. Beachtung in der neueren Forschung fand indessen nur Salomon Joel Herford, der gemeinhin als der bekannteste lippische Hofjude gilt.[6] Die ausgewählten Personen erlauben es zudem, an einem ländlich-kleinterritorialen Beispiel das Verhältnis zwischen ökonomischer Tätigkeit, den Beziehungen zum Fürsten und seinen Beamten und den verliehenen Titeln zu definieren.

Ökonomische Aktivitäten der lippischen Hofjuden

Joseph Leeser wurde in Lippe geboren,[7] allerdings in keine reiche oder vornehme Familie, wie sich durch die Höhe der Einstufung zu den Schutzabgaben belegen lässt. 1762 hieß es in einer gegen Joseph Leeser angestellten Untersuchung wegen unerlaubter Münzausfuhren seitens des öffentlichen Anklägers, es sei stadtkundig, dass er „noch vor zwey Jahren bettelarm gewesen, aber [nun] ein luxurioses Leben führe". Er und sein älterer Bruder David handelten zunächst im Rahmen des elterlichen Geleites, das 1766 auf David transkribiert wurde. Joseph gelang es im gleichen Jahr ebenfalls, einen Schutzbrief zu erhalten.[8]

Raphael Levi zog aus Polen zu und erwarb 1755 das Geleit. Die geringe Ausstellungsgebühr von 78 Rtl. lässt vermuten, dass auch er als nicht sehr vermögend eingestuft wurde.[9]

Der aus dem preußischen Herford stammende Salomon Joel[10] erlangte 1779 den Schutz durch die Ehe mit der verwitweten Jette Spanier, geb. Meier. Vor der Heirat gab Herford an, mehrere Forderungen im Lippischen und Preußischen ausstehen zu haben. Insgesamt besitze er rund 1500 Rtl., Jette besitze eine kleine Barschaft und führe „einen guten Handel". 1780 überschrieb ihm sein Schwager Leeser Meier sein Vermögen unter der Bedingung, die Vormundschaft über seine und Jettes geisteskranke Schwester Lea zu übernehmen und auch ihn, da er gleichfalls kränklich sei, lebenslang zu versorgen.[11]

Für alle drei ist eine über Lippe hinausgreifende ökonomische Aktivität kennzeichnend. Der lippische Handelsraum war allein zu begrenzt, oder in Leesers Worten: „Hier ist ein kleiner Ort und eine kleine Gegend".[12] Leeser knüpfte Geschäftsbeziehungen ins Paderbornische, die er bis in die Spitze des Domkapitels ausbaute, und nach Schaumburg-Lippe. Den Titel eines dortigen Hofagenten führte er ab 1788. Neben Münzwechsel- und Kreditgeschäften mit Bürgertum und niederem Adel handelte er mit Luxuswaren und Landesprodukten (Getreide, Garn, Leinwand), oft in Zusammenarbeit mit dem Horner Schutzjuden Abraham Salomon.[13]

Salomon Joel hatte schon vor seiner Vergeleitung Kontakte im Lippischen und Preußischen unterhalten,[14] die er später ins Paderbornische und Rhedaische ausdehnte. Auch er handelte mit Waren des gehobenen Bedarfs und Landesprodukten und vergab Kredite. Sein Kundenkreis umfasste Angehörige des Bauernstandes und bürgerlicher Berufe; er diente sich zudem dem Adel als Mann für alle Gelegenheiten an, indem er Hilfe bei Rechtshändeln und Maklergeschäften anbot.[15]

Raphael Levi begann mit der Geldleihe und dem Handel mit Waren des täglichen Bedarfs, sein Kundenkreis war bald ebenso breit gestreut: Er reichte von jüdischen Schlächtern über lippische Bauern bis in höhere Kreise. Im Gegensatz zu Joseph Leeser betrieb er bis in die siebziger Jahre des 18. Jahrhunderts die Pfandleihe.[16]

Ein wichtiger Erwerbszweig für alle Genannten waren Heereslieferungen für die preußische Armee. Joseph Leeser und sein Bruder begannen ihre Laufbahn im Siebenjährigen Krieg mit Heulieferungen an preußische Truppen.[17] Raphael Levi arbeitete als Kreditgeber: So lieh er etwa der Stadt Detmold Gelder zur Bezahlung von Fouragekosten.[18] Salomon Joel konzentrierte sich seit den 1790er Jahren auf die Versorgung der preußischen Armee, für die er als „Königlich-Preußischer Entrepreneur" Mehl, Hafer, Fourage, Waffen und Pferde aus der Region Lippe/Paderborn lieferte. 1805 etwa zahlte ihm die Militärkasse „wegen der für die Königliche Preußische Armee requirirte Korn-, Mehl- und Fourageforderung auf Abschlag des von ihm angeschafften $^{1}/_{9}$ dieser Naturalien […] 18 000 Rtl.“. Diese Verbindung hielt sich bis über das Ende der napoleonischen Kriege, indem er z. B. Arbeiter für Festungsarbeiten in Minden anwarb.[19] Während Joseph Leeser gleichfalls als preußischer Armeelieferant fassbar wird, betätigte sich Raphael Levi lediglich als Zulieferer Salomon Joels.[20]

Alle drei waren Teil der lippischen jüdischen Wirtschaftselite, deren Vermögen sich anhand der Schutzgeldumlagen einschätzen lässt. Theoretisch sollte zwar jeder Schutzjude jährlich 8 Rtl. Schutzgeld zahlen, aufgrund wachsender Verarmung der Judenschaft wurde indessen seit 1732 die Quote Unvermögender auf Begütertere umgelegt. 1768 fanden sich im Umlageverzeichnis unter 120 Personen 16, die über 16 Rtl. entrichteten. David und Joseph Leeser sowie Raphael Levi gehörten zwar auch in diese Gruppe, Höchstsätze von über 20 Rtl. zahlten indessen in diesem Jahr fünf andere Juden, darunter der Hofjude Joseph Isaak sowie Abraham Salomon aus Horn.[21] Hausbesitz war unter den vermögenden Detmolder Juden üblich. Raphael Levi besaß Ende des 18. Jahrhunderts zwei Häuser in der Stadt sowie einen Krug samt Brauhaus in dem vor den Stadttoren gelegenen Dorf Berlebeck. Herford lebte in der vornehmen Detmolder Neustadt, Hofagent Leeser vor dem Hornschen Tor (1807).[22] Letzterer hatte sein Haus auf der Neustadt 1806 öffentlich verkaufen müssen. Dieser Vorgang spiegelt seinen Abstieg,[23] zu dem der zeitweilige Besitz des adlig-landtagsfähigen Gutes Schötmar beigetragen hatte. Als er 1789 mit dem Verkauf betraut worden war und der Käufer zurücktrat, trat Leeser in dessen Rechte ein. Das Gut ließ sich allerdings nicht sofort losschlagen, Verkauf und Zahlungen zogen sich bis 1808 hin. Bis dahin kam es nicht nur zu Prozessen mit Angehörigen der Vorbesitzerin und dem Adelskollegium, das nicht hinnehmen konnte, dass ihm inzwischen jedes vierte landtagsfähige Gut verloren gegangen war; das fehlende Kapital blockierte auch weitere Geschäfte, sodass Leeser ab 1802 verstärkt Kredite aufnehmen musste. 1817 starb er verarmt.[24]

Setzt man voraus, dass nur die Person als Hofjude gelten soll, die in einem auf Kontinuität angelegten Dienstleistungsverhältnis zu einem höfisch-strukturierten Herrschaftszentrum steht, so sind zwei der hier Vorgestellten trotz ihrer Titel im engeren Sinne keine Hofjuden, darunter auch der gemeinhin als bekanntester lippischer Hofjude geltende Salomon Joel.[25]

Dieses Resultat ergab die Analyse der Landrenteirechnungen der Jahre 1755 bis 1816,[26] die nicht nur im Zusammenhang mit der Rentkammer stehende – also öffentliche – Einnahmen und Ausgaben verzeichnen, sondern auch Ausgaben des Hofstaates.

Joseph Leeser lieferte einmal Silber an die Münze, 1790 vergab oder vermittelte er zwei Kredite.[27] Salomon Joel lieferte in zwei Jahren Silber an die Münze, kaufte 1790 im Auftrag der Kammer das Gut Belle an, besorgte 1814 ein Pferd für den Hof, sporadisch versorgte er seit 1804 das Sennergestüt Lopshorn mit Fourage;[28] nichts Gravierendes.

Als Hofjude, dessen Dienste kontinuierlich genutzt wurden, ist allein Raphael Levi zu bezeichnen. Als er für die Regierung zu arbeiten begann, war Lippes wirtschaftliche Lage, bedingt durch Schulden aus der Zeit vor 1750, desolat. Fast ein Sechstel der Gebiete war verkauft oder verpfändet, der übrige Teil mit Schulden belastet. Graf Simon August, der 1747 die Regierung übernahm, wünschte Lippe „in einem ganz anderen Zustande [zu] hinterlassen, als ich es […] angetroffen" habe. Sparsamkeit und Verzicht auf Luxus reichten zur Sanierung der Staatsfinanzen allerdings nicht aus. Die Kammerschulden beliefen sich um 1778 noch auf über 729 000 Rtl., zudem wurden rund 450 000 Rtl. zur Wiedereinlösung des Amtes Sternberg benötigt. Ungewollt hatte der Graf selbst zum Anwachsen der Verschuldung beigetragen, als er versucht hatte, der Inflation im Gefolge des Siebenjährigen Krieges dadurch zu begegnen, dass er „gutes lippisches Geld" prägen ließ. Diese Münzen mit ihrem hohen Edelmetallgehalt wurden im Ausland gern genommen, dafür strömten jedoch schlechtere ins Land. Der Kammer erwuchs dadurch zwischen 1763 und 1768 eine Neuverschuldung von mehreren 100 000 Rtl., die Gefahr der Reichsexekution drohte.

Zur Reorganisation des Finanzwesens waren dem Regierungsrat und späteren Kanzler Ferdinand Bernhard Hoffmann 1770 unbeschränkte Vollmachten gewährt worden sowie die Zusicherung, gräfliche Eingriffe in den Haushalt künftig zu unterlassen. Unter Hoffmann wurden in den nächsten Jahren durch Umschuldungen Zinsvergünstigungen erreicht, alte Schulden abgetragen, verpfändete Güter zurück- und neue hinzugekauft.[29]

Wenn zu diesem Zeitpunkt die Dienste von Hofjuden nicht für Luxuswarenlieferungen gefragt waren, so bestand doch Bedarf an guten Bankiers. Nachdem sich der seit 1766 akute Plan eines Gesamtkredits bei einem holländischen Finanzier über 410 000 Rtl. zu 3,5 % Verzinsung zerschlagen hatte,[30] schlug Raphael Levi 1770 vor, mit „seinem Correspondenten", dem kölnisch-münsterschen Hoffaktor Michael Meyer Breslauer, einen Kredit gleicher Zinshöhe von 450 000–500 000 Rtl. zu beschaffen. Auch dieses Projekt scheiterte, da sowohl der Graf als auch die Regierung Vorbehalte gegen den möglichen Kreditgeber, den Landgrafen von Hessen-Kassel, hatten. Man wolle keinen Kreditor, „wenn dieser ein sehr großer Herr wäre"; die Gefahr, dass ein Landesteil „aquiriert" werden könnte, war zu groß.[31]

Notwendige Gelder wurden nun durch Kleinkreditaufnahmen zusammengebracht, Arbeiten, die häufig Raphael zufielen und sich von 1771 bis 1790 kontinuierlich belegen lassen.[32] 1781 konnte durch Vermittlung Raphaels dann doch noch ein Kredit von 450 000 Rtl. aufgenommen werden, mit dem das Amt Sternberg wieder eingelöst wurde. Zudem belieferte er seit den 1780er Jahren regelmäßig die Münze.[33]

Privilegien und Titel

Noch vor dem Scheitern des Gesamtkreditprojekts ersuchte Raphael den Grafen um Vergünstigungen. Der Verlauf dieser Bittaktion ist in vieler Hinsicht kennzeichnend für die Stellung der lippischen Hofjuden in dieser Zeit.

Ursprünglich hätte Raphael anfallende Arbeiten umsonst verrichten, Auslagen allein tragen sollen. Ein Honorar in Höhe von 1 % der Anleihe war nur bei erfolgreicher Kreditaufnahme vorgesehen. Da er aber viel Zeit und Kosten investiert habe, wolle er um den Schutzgelderlass, ein Geleit für eines seiner Kinder und den Hofjudentitel bitten, mit dessen Hilfe er erfolgreicher arbeiten könne. Simon August schlug den Schutzgelderlass sofort ab, die Vergabe von Geleit und Titel wolle er dem Entscheid der Regierung überlassen, die beides 1771 auch gewährte.[34]

Trotz der geringen räumlichen Distanz, in der Graf und Hofjude lebten, gab es keine Form der Nähe, schon gar keine Immediatbeziehung. Ob der Hofjude als Mitarbeiter gebraucht werden konnte, interessierte den Herrscher nicht, das war Sache der Regierung bzw. des Kanzlers. Der Titel als solcher kostete die Regierung nichts, wurde aber seitens der Juden als nützliches Arbeitsmittel gewünscht. Privilegien wurden nicht gewährt – das zusätzliche Geleit hier einmal ausgenommen –, allein die Schutzgeldbefreiung, jedoch nicht die Befreiung von allen weiteren Abgaben der Juden, konnte Raphael später noch erringen.[35] Was als Privileg gedeutet werden könnte, war letztlich stets ein Kompensationsgeschäft: Z. B. wurden Raphael 1778 die Abzugsgelder für eine sich nach Frankfurt verheiratende Tochter erlassen, als er eine Summe von 6600 Rtl. für die Rentkammer ohne Honorar auslieh.[36]

Ähnlich müssen auch die Titel der beiden anderen verstanden werden: Joseph Leeser führte den Titel eines lippischen Hofagenten seit 1790,[37] Salomon Joel den des Hofagenten seit 1795, des Hofkommissärs seit 1804.[38]

Raphael gelang es, regional und überregional soziale und geschäftliche Beziehungen zu knüpfen, auf seine Kontakte zu Breslauer wurde hingewiesen. In Lippe arbeitete er eng mit Abraham Salomon aus Horn zusammen; ab 1789 belieferte er mit ihm sechs Jahre lang die Münze.[39] Abrahams Sohn Herz heiratete 1803 Raphaels jüngste Tochter Brandel.[40] Nicht nur Raphael, auch Salomon Joel und Leeser waren über ihre Ehefrauen mit örtlichen Schutzjuden verwandt.[41] In der Region war Nathan Spanier aus Bielefeld Raphaels wichtigster Partner, mit dem er seit 1761 „viel Handelsverkehr" hatte und den Großteil der lippischen Anleihen abwickelte.[42] Die Verbindung war so eng, dass auch bedeutende Gefallen gefordert werden konnten, etwa als bei Spaniers Tochter nach der Hochzeit Epilepsie festgestellt wurde und der Ehemann dies als Scheidungsgrund sah. Raphael sollte aufgrund seiner Kenntnisse der jüdischen Gesetze vor Ort in Berlin eine ehrenvolle Regelung erreichen, obwohl seine eigene Frau schwer krank war und während seiner Abwesenheit verstarb.[43]

Bei auswärts anfallenden Arbeiten stützte er sich in Hamburg auf den dortigen Bankier Poper, mit dem er „viele andere Geschäfte" hatte, während sein Schwiegersohn, da er „dort etabliert ist", die Frankfurter Aufgaben erledigte.[44] Dessen Frau Jette war aufgrund ihrer „Geschäftskenntnisse der Liebling des Vaters und [...] dessen Geheimsekretär" gewesen, sie habe auch die väterliche Privatregistratur geführt.[45] Der 1765 geborene Sohn Levisohn, der früh mit den Paderborner Geschäften betraut worden war, verheiratete sich 1795 mit Peschen (Pessel), der Tochter des Schweriner Hofagenten Ruben Michel.[46] Raphael selbst rühmte sich, Kontakte in allen großen Städten mit jüdischen Einwohnern zu haben, wie Berlin, Hamburg, Hannover, Celle und Braunschweig. Levisohn umschrieb dieses soziale Netzwerk mit den Worten, seine „Familie könne mehr ausrichten [...] als die ganze Judenschaft, indem sie Geld und gute Freunde hätten".[47]

Die Stellung der Hofjuden innerhalb der Judenschaft

Jeder der drei Vorgestellten strebte Führungsaufgaben in der Landesjudenschaft an. Die Brüder David und Joseph Leeser versuchten 1767 durch gezielte Mobbingaktionen in die Spitze der Landesjudenschaft vorzurücken und einen der drei Vorsteherposten zu besetzen; während dies David 1770 gelang,[48] konnte Joseph kein höheres Amt in der Landes- bzw. Detmolder Stadtjudenschaft gewinnen, taucht dafür in den Quellen jedoch stets als notorischer Querulant auf.[49] Raphael Levi erlangte 1774 einen landesjudenschaftlichen Vorsteherposten, stand jedoch im Ruf, Wahlen zu manipulieren, da er die Wahlmänner allzu freigiebig mit Branntwein traktiere.[50] Ab 1787 nahm er das Vorsteheramt zeitweilig allein wahr. Um Zwistigkeiten zu vermeiden, sollten aber alle Entscheidungen mit Vorwissen von vier landesjudenschaftlichen Deputierten getroffen werden.[51] Raphaels Amtsführung, z. B. sein Umgang mit landjudenschaftlichen Geldern, erregte oft Missfallen, ebenso ihm unterstellte Geltungs- und Herrschsucht oder Tendenzen, sich von der Gemeinde abzusondern: Mitte der 1770er Jahre begann er z. B. häusliche Gottesdienste abzuhalten.[52] Da die Missstimmung zwischen Vorsteher und Gemeinde bis 1782 weiter anwuchs, erregte dies bei Letzterer nun offensichtlich verstärkt Missfallen. Die Vorfälle kulminierten, als unter Führung Salomon Joels kurzerhand Kultgegenstände Raphaels – nach Ansicht der Gemeinde ein Geschenk an die Synagoge, Raphael zufolge zum zeitweiligen Gebrauch bestimmt – einbehalten wurden.[53]

Anders als die beiden Vorgenannten wird Salomon Joel, noch bevor er ein judenschaftliches Amt bekleidete, seit 1785 wiederholt als Fürsprecher der Judenschaft genannt. Oft findet sich etwa als Briefkopf „der Vorsteher Raphael und namens der Judenschaft Salomon Joel".[54] Ob er damit auf den direkten Wunsch mehrerer Schutzjuden hin handelte oder sich letztlich die Bezeichnung als Fürsprecher anmaßte, lässt sich aus den Quellen nicht ermitteln. Nachdem Salomon Joel seit 1787 Deputierter der Landesjudenschaft war, stand er ab 1804 der Detmolder Judenschaft vor und war seit 1808 landesjudenschaftlicher Vorsteher. Salomon wirkte zudem seit den achtziger Jahren als Mohel.[55]

Der Kampf um Ansehen in der Gemeinde führte zwischen den drei ‚Hofjuden' immer wieder zu öffentlich ausgetragenen Rivalitäten und Diffamierungen. Raphael galt als dahergelaufener Schulmeister, der „durch unsere gütige Aufnahme zu einem reichen [...] Manne geworden" sei und sich nun alle zu unterwerfen suche.[56] Salomon Joel war wiederum für Raphael ein Emporkömmling, „ein unbedeutendes Subject", das das Amt des landjudenschaftlichen Vorstehers an sich reißen wolle.[57]

Alle drei verfügten über die Mittel, um Gemeinde und Gemeindeeinrichtungen zu fördern, und stifteten für die Detmolder Synagoge Kultgegenstände.[58] Für Raphael Levi war die Unterstützung Armer und Gelehrter daheim und in der Fremde nicht nur eine Frage der Wohltätigkeit, sondern gehörte untrennbar zum standesgemäßen Leben.[59] Salomon Joel förderte Mittellose und richtete testamentarisch mehrere Stiftungen, etwa eine Schul-, Aussteuer- und Armenstiftung, und eine Militärunterstützungskasse ein.[60]

Die Hoffaktoren dieser Epoche unterstanden in gleichem Maße wie die Schutzjuden der rabbinischen Gerichtsbarkeit, anders als etwa im Hochstift Paderborn durfte der Landrabbiner bei judenschaftlichen Streitigkeiten (in Religionssachen) allerdings nur schlichten, nicht entscheiden.[61]

Lebensstil und -weise aller drei waren vorrangig von der jüdischen Lebenswelt geprägt, wichtig waren Stellung und Ansehen, die man innerhalb der jüdischen Gemeinde errang. Zu Christen bestanden wohl enge Geschäftsbeziehungen, aber keine nachweisbaren Freundschaften.

Die Haltung zur Frage der *bürgerlichen Verbesserung*

Zeigten sich innerhalb der lippischen ‚Hofjuden'familien Annäherungstendenzen an die christliche Umwelt? Wie reagierten die ‚Hofjuden' auf die Ideen der *bürgerlichen Verbesserung der Juden*?

Die Regierung befasste sich seit den 1780er Jahren mit dem Konzept der *bürgerlichen Verbesserung* und Berufsumschichtung. Raphael Levi, als landesjudenschaftlicher Vorsteher um seine Meinung gebeten, reagierte 1788 nach mehrmaligen Anfragen entschieden ablehnend: Aufgrund der antijüdischen Haltung der Zünfte werde ein Judenkind keine Lehrstelle erhalten, religiöses Leben sei mit dem Handwerk unvereinbar; schließlich werde eine Berufsumschichtung den Verarmungsprozess der Judenschaft verstärken. Er selbst hätte „aus patriotischem Eifer einen Juden die Verfertigung des Siegellacks erlernen lassen". Das Scheitern dieses Versuchs hatte ihn dann endgültig von der Sinnlosigkeit dieser neumodischen Ideen überzeugt. Die Ablehnung der Berufsumschichtung blieb bis zum Anfang des 19. Jahrhunderts die offizielle Sicht der jüdischen Führungsspitze und wurde auch von der Judenschaft geteilt.[62]

In der Familie Raphael Levis lässt sich kein Anzeichen beruflicher Umorientierung erkennen. Raphael Levisohn bemühte sich 1794 erfolglos, in Detmold eine „Privatleihbank", genau genommen eine Großpfandleihe, zu etablieren. Levisohn, der 1810 den Hofjudentitel erhielt, betrieb bis zu seinem Tod 1845 Geldleihe sowie Manufaktur- und Kolonialwarenhandel.[63] Joseph Leesers Bruder David hatte hingegen seit 1777 die Siegellackfabrikation erlernt, konnte sich hier aber nicht durchsetzen. 1790 war er einer von sechs Schutzjuden aus dem Raum Detmold, die „armuthshalber" nicht zu den Umlagen veranlagt worden waren.[64] Joseph Leeser äußerte sich, soweit bekannt, nicht zum Konzept der Berufsumschichtung.

Während der Regentschaft der Fürstin Pauline wurden seit 1802 Reformen vorangetrieben, durch die die Juden in einen Annäherungsprozess an die christliche Umwelt treten sollten. Besonderes Augenmerk galt dabei schulischen Fragen und der Verbreitung von Handwerken. 1805 fanden sich erstmals christliche Lehrherren, die junge Juden ausbilden wollten. Da Raphael kurz zuvor verstorben war, ließ man bei Salomon Joel Herford anfragen, ob er willens sei, „das Fortkommen seiner [...] Glaubensgenossen [...] ohne [...] Geleite" zu fördern.[65] Herford wurde hier nicht als Hofjude angesprochen, sondern als Vorsteher der Detmolder Gemeinde und langjähriger inoffizieller Sprecher der Judenschaft. Er selbst wollte zwar den Annäherungsprozess in Teilbereichen fördern, aus konservativer Grundhaltung heraus bemühte er sich aber gleichzeitig, die jüdische Identität zu wahren. Religion stabilisierte zudem für ihn die Gesellschaft, ein Großteil „der uncultivierten Juden wird bloß durch die Zügel der Religion an Moral und Tugend gehalten".[66]

Herford förderte die Berufsumschichtung zunächst durch Einzelmaßnahmen: Er handelte Lehrkontrakte aus und zahlte Lehrgelder. Ein weiteres Mittel war 1809 die Gründung eines eigenen Betriebes, einer Lohgerberei, der eine Vorreiterrolle zukommen und seinen Glaubensgenossen das Vorurteil nehmen sollte, mit Handwerken nichts verdienen zu können. Jüdische Lehrlinge sollten hier, wie christliche, problemlos eine Lehrstelle finden können. Auch in Herfords Familie wurden Beispiele gesetzt: Ein Neffe sollte die Uhrmacherei erlernen, der Stiefsohn Nathan Spanier Herford und zwei seiner Söhne machten eine Gerberlehre. Die Geruchsbelästigungen der Gerberei führten in der Folge dazu, dass der Konzessionsverlust permanent drohte; die Familie hielt indessen bis zum Verkauf 1834 an der Idee von der Vorbildfunktion des Betriebes fest.[67]

Während sich bezüglich der Berufsumschichtung die Ziele von Regierung und Vorsteher deckten, zeigt Herfords Verhalten bei der Förderung der schulischen Bildung, dass er den Annäherungsprozess auch deshalb unterstützte, um Einfluss auf dessen Art und Umfang nehmen zu können: An religiösen Werten sollte nicht allzu viel gedeutelt werden. So zögerte er auch nicht, den Vizerabbiner zu tadeln, der seiner Meinung nach mit jüdischer Tradition zu lasch umgehe. Herford versuchte, die Kompetenzen des Vorsteheramtes auszudehnen und eine Mitaufsicht über das Schulwesen auf dem Lande zu erreichen. Aus Sorge um den Bestand der Religion wünschte er, der jüdischen Seite Selbstgestaltungskompetenzen bei der Schulorganisation zu erhalten. Regierung und Fürstin wollten ihrerseits zwar mit Herfords Hilfe ihre Pläne zur Einbeziehung der Juden in das Schulwesen durchsetzen, aber keine Befugnisse gewähren. Seine Tätigkeit sollte sich auf Vorschläge beschränken, ihm sollte eine „leere Würde" belassen werden, „damit sein Geldbeutel sich nicht schließen möge".[68]

Herford befürchtete im Zuge schulischer Reformen eine Verwässerung der Religionsgrundsätze, denn die Regierung plante, jüdische Kinder zum Besuch bestehender Schulen zu verpflichten. 1808 kam es auf Betreiben Herfords zur Gründung einer jüdischen Schule in Detmold, die er unter der Bedingung finanziell absicherte, dass „dem Unterricht in der jüdischen Religion und in den jüdischen Wissenschaften [...] kein Eintrag geschehe". Während er an tradierten Formen religiöser Bildung festhalten wollte, drängte das Konsistorium auf staatsbürgerliche Erziehung.

Die Zurückdrängung religiöser Unterweisung ging Herford schließlich doch zu weit. Dies veranlasste ihn, testamentarisch eine Stiftung zu begründen, deren Erträge eine jüdische Schule finanzieren konnten, die bis 1913 in Detmold bestand.[69]

Resümee

Die lippischen Hofjuden dieser Zeit waren, bis auf einen, genau genommen keine Hofjuden, sondern über Lippe hinaus tätige Kreditoren und Kaufleute, die einen Titel wünschten, der ihnen geschäftliche Vorteile verschaffte. Der Hofjudentitel half innerhalb der Landesjudenschaft nicht unbedingt beim Erklimmen der Erfolgsleiter: So gelang David Leeser der Aufstieg in die Dreierspitze der Landesjudenschaft, seinem Bruder indessen nicht. Ohnehin muss man davon ausgehen, dass der Großteil der landjudenschaftlichen Vorsteher zwar zur jüdischen (Wirtschafts-)Elite gehörte, aber nicht zu den Hofjuden im engeren Sinn.

Mit dem lippischen Hofjudentitel waren in der Spätphase so gut wie keine Privilegien verbunden: Auch die ‚Hofjuden' waren in gleichem Maße der rabbinischen Gerichtsbarkeit unterworfen oder ihr entzogen wie die anderen Gemeindemitglieder. Es bestand keine Immediatbeziehung, keine unmittelbare Unterstellung unter das Hofgericht, es gab in der Regel keine Gehälter und nicht einmal Schutzgeldbefreiungen. Die Gründe sind in erster Linie wohl in der spezifischen Situation der Reorganisation der Staatsfinanzen zu suchen, die unter Graf Simon August begann und die auch für die Regentin Pauline eine Hauptaufgabe blieb.

Ein Rückblick auf die Phase vor 1750 kann den Wandel verdeutlichen, der im letzten Drittel des 18. Jahrhunderts im Verhältnis zwischen Hofjude und Hof bzw. der Regierung stattfand. Zwischen dem 1723 bestallten Hofjuden Joseph Isaak[70] und seinem Landesherrn herrschte ein sklavisch-enges Verhältnis. Nicht nur der Graf war zur Aufrechterhaltung seiner verschwenderischen Hofhaltung so stark auf Joseph angewiesen, dass er glaubte, nicht zu Tisch gehen zu können, wenn dieser nicht sofort Butter oder Wachskerzen liefere, von weiteren Warenlieferungen, finanziellen Leistungen, diplomatischen Tätigkeiten und der Leitung der 1725 gegründeten herrschaftlichen Tabakmanufaktur, die die Garantie für ein in Hannover aufgenommenes Kapital von 30 000 Rtl. darstellte, einmal abgesehen. Joseph war seinerseits der Gnade des Herrschers ausgeliefert, wie seine fünfjährige, bis 1738 andauernde Inhaftierung zeigt. Die zunehmende Abhängigkeit des Grafen von seinem Hoffaktor – dem er 1733 allein für die letzten drei Jahre 19 000 Rtl. schuldete –, seine Befürchtungen, sein Hofjude könne sich ins Ausland begeben, und letztlich sein Verdacht, Joseph habe bei der Verpfändung Sternbergs an Hannover gegen eine Summe von 460 000 Rtl. Gelder abgezweigt, hatten schließlich im Oktober 1733 unter dem Vorwurf, er habe „wider Eyd und Pflicht" mehr seinen eigenen Nutzen als den der Herrschaft verfolgt, zur Verhaftung des Hofjuden geführt.[71]

Für Raphael Levi existierte das sklavisch-enge Verhältnis, das für Joseph Isaak kennzeichnend war, nicht mehr. Seine Arbeit hatte sich nicht nur, bedingt durch die Reorganisationsarbeit Kanzler Hoffmanns, im Wesentlichen auf Kreditaufnahmen reduziert, sondern auch deutlich versachlicht. Zwischen Raphael und Hoffmann bestand eine reine Geschäftsbeziehung, obwohl auf Seiten Raphaels wohl durchaus Bestrebungen bestanden, ein engeres Verhältnis zum Hof herzustellen.[72]

Die Leeser-Brüder vermochten nicht, den Aufstieg aus kleinen Verhältnissen in dauerhaften Erfolg umzumünzen, beide starben verarmt. Deutlich wird, dass neben Geschäftstüchtigkeit vor allem die Fähigkeit entscheidend war, ein Netzwerk sozialer Kontakte aufzubauen und aufrechtzuerhalten, wie dies Raphael Levi offensichtlich vermochte und in das Joseph Isaak bereits hineingeboren worden war.[73]

Wenn sich das Bild der Hofjuden im Aufklärungszeitalter wandelte,[74] so lässt sich Entsprechendes in Lippe nicht oder nur marginal ausmachen. Es gab in den ‚Hofjuden'familien keine besondere Aufgeschlossenheit für das höfische Leben oder Ähnliches, keine wachsende soziale oder kulturelle Nähe zum nichtjüdischen Umfeld, keine enge Freundschaft mit Christen oder gar Konversionen, auch nicht in der nächsten Generation. Die Verbundenheit mit der Tradition lockerte sich ebenso wenig wie die zur Gemeinde. Wenn Lebensstil und Auftreten der Hofjuden kritisiert wurden, bezog sich dies nie auf die Abkehr von Traditionen, sondern auf Herrschsucht oder ähnliches Fehlverhalten.

Wenn Herford Regierungspläne zur *Annäherung* und *bürgerlichen Verbesserung* unterstützte, tat er dies auch, um religiöse Traditionen und jüdische Identität weitestgehend in die neue Zeit hinüberzuretten.[75]

Alles in allem war für die vorgestellten Personen die ländlich-konservative, traditionell-religiös bestimmte Lebensführung noch prägend.

Anmerkungen

1 Vorbemerkung: Archivsignaturen beziehen sich, falls nicht anders vermerkt, auf das Nordrhein-Westfälische Staatsarchiv Detmold.
MICHAEL FRANK, *Dörfliche Gesellschaft und Kriminalität. Das Fallbeispiel Lippe 1650–1800*, Paderborn u. a. 1995, S. 48 ff.; JOHANNES ARNDT, *Das Fürstentum Lippe im Zeitalter der Französischen Revolution 1770–1820*, Münster/New York 1992; MARTIN KUHLMANN, *Bevölkerungsgeographie des Landes Lippe*, Remagen 1954 (Forschungen zur deutschen Landeskunde 76).

2 FRIEDRICH WILHELM BARGE, *Die Grafschaft Lippe im Zeitalter der Grafen Friedrich Adolf und Simon Henrich Adolf (1697–1743)*, Diss. masch., Bonn 1953; ARNDT, *Fürstentum Lippe* (wie Anm. 1), S. 463 ff.

3 Als Vorläufer muss die Arbeit Guenters gelten: MICHAEL GUENTER, *Die Juden in Lippe von 1648 bis zur Emanzipation 1858*, Detmold 1973 (Sonderveröffentlichungen des Naturwissenschaftlichen und Historischen Vereins für das Land Lippe 20). Überblick über die jüdische Geschichte ebd., sowie in: DINA VAN FAASSEN/JÜRGEN HARTMANN, *„... dennoch Menschen von Gott erschaffen" – Die jüdische Minderheit in Lippe von den Anfängen bis zur Vernichtung*, Bielefeld 1991. Literaturüberblick in ULLA EHRLINGER/HERMANN HERMES/KURT SCHEIDELER, *Jüdisches Leben in Westfalen und Lippe – eine Bibliographie*, Warburg 1995 (Warburger Schriften 20).

4 Hier ist auf den für Simon VI. (1579–1613) tätigen Isaak von Salzuflen hinzuweisen, vgl. DINA VAN FAASSEN, Die lippischen Juden zur Zeit Simons VI. und Simons VII., in: *AKK Architektur, Kunst und Kulturgeschichte in Nord- und Westdeutschland* 5 (1994), H. 1, S. 3–13; H. 2, S. 43–50; sowie KLAUS POHLMANN, *Juden in Lippe in Mittelalter und Früher Neuzeit. Zwischen Pogrom und Vertreibung 1350–1614*, Detmold 1995 (Panu Derech. Schriften der Gesellschaft für Christlich-Jüdische Zusammenarbeit in Lippe 13). Die Resultate beider Arbeiten wurden von Aschoff dahin gehend zusammengefasst, es handele sich bei Isaac um den „ersten Hofjuden von Westfalen", DIETHARD ASCHOFF, Juden in Westfalen zur Zeit Philipp Nicolais, in: PETER KRACHT (Hg.), *Die Pest, der Tod, das Leben – Philipp Nicolai – Spuren der Zeit*, Unna 1997, S. 156 ff., hier S. 160–163. Eine Studie über den 1722 verstorbenen Samuel Goldschmidt bietet KLAUS POHLMANN, *Der jüdische Hoffaktor Samuel Goldschmidt aus Frankfurt und seine Familie in Lemgo 1670–1750*, Detmold 1998 (Panu Derech. Schriften der Gesellschaft für Christlich-Jüdische Zusammenarbeit in Lippe 15). Vgl. zudem den viele Ungenauigkeiten enthaltenden Abriss in HEINRICH SCHNEE, *Die Hoffinanz und der moderne Staat. Geschichte und System der Hoffaktoren an deutschen Fürstenhöfen im Zeitalter des Absolutismus*, Berlin 1955, Bd. 3, S. 98 ff., sowie DERS., Stellung und Bedeutung der Hoffinanziers in Westfalen, in: *Westfalen. Hefte für Geschichte, Kunst und Volkskunde* 34 (1956), S. 176–189, hier S. 183–188.

5 Vgl. die Aufstellung *Lippische Hofjuden* bei Guenter, der für den hier behandelten Zeitraum 15 weitere Hofjuden nennt, GUENTER, *Juden in Lippe* (wie Anm. 3), S. 182 f.

6 Vgl. ebd., S. 166; sowie JÖRG DEVENTER, Herford, Salomon Joel, in: JULIUS H. SCHOEPS (Hg.), *Neues Lexikon des Judentums*, Gütersloh/München 1992, S. 191. Beachtung fand Herford vor allem aufgrund der Rolle, die er als Gesprächspartner der lippischen Regierung in der Frühphase der *bürgerlichen Verbesserung der Juden* spielte. Vgl. dazu etwa KARL ROSENTHAL, *Aufklärungspädagogik und jüdisches Bildungswesen – Ein Beitrag zur jüdischen Schulgeschichte von 1775 bis 1825*, Diss., Köln 1925; KLAUS POHLMANN, „Die bürgerliche Verbesserung der Juden": Konzeption, Maßnahmen der Regierung und jüdische Initiativen, in: JOHANNES ARNDT/PETER NITSCHKE (Hgg.), *Kontinuität und Umbruch in Lippe – Sozialpolitische Verhältnisse zwischen Aufklärung und Restauration: 1750–1820*, Detmold 1994 (Lippische Studien 13), S. 273 ff.; sowie DERS., *Die Verbreitung der Handwerke unter den Juden*, Detmold 1993 (Panu Derech. Schriften der Gesellschaft für Christlich-Jüdische Zusammenarbeit in Lippe 8).

7 L 92 A, Tit. 152, Nr. 15, II; Personenstandsarchiv Detmold, P 2, Nr. 1. Joseph Leeser wurde 1740 in Detmold geboren, er starb am 3. August 1817.

8 Bezüglich der Einstufung von Josephs Familie als einer nicht sehr vermögenden vgl. die *Repartitionen des Juden Schutz- und Synagogen Geldts in der Graffschaft Lippe* in L 37, XIX, III, Nr. 1m; diese Quelle erlaubt für den Zeitraum von 1756 bis 1768 Rückschlüsse auf die Vermögensverhältnisse der lippischen Juden; Zitat aus L 83 A, 12. J. 326. L 92 Z, I a, 1766.

9 Raphael wurde 1730 in der polnischen Stadt Samter geboren, er starb im März 1805, L 92 Z, I a, 1755; L 77 A, Nr. 5332, fol. 195; L 83 A, 12. H. 368; L 83 A, 12. R. 177.

10 Salomon Joel, geb. 1753, Sohn Joel Philipps, entstammte einer von fünf um 1770 in Herford lebenden Schutzjudenfamilien, die sich bereits seit 1650 dort nachweisen lässt. Herford starb am 21. September 1816 am Schlagfluss, L 86, Nr. 1146; CHRISTINE BRADE u. a. (Hgg.), *Juden in Herford. 700 Jahre jüdische Geschichte und Kultur in Herford*, Bielefeld 1990 (Herforder Forschungen 4), S. 37; Personenstandsarchiv Detmold P 2, Nr. 1.

11 L 77 A, Nr. 5385, Zitat ebd.; Jette starb 1829 im Alter von 76 Jahren, Personenstandsarchiv Detmold, P 2, Nr. 1. Die Schenkung sollte später noch für Unfrieden sorgen: Leeser Meier klagte über Tätlichkeiten Herfords gegen ihn, L 86, Nr. 1431; L 83 A, 12. H. 388; L 86, Nr. 1431.

12 Brief Josephs an seinen Hamburger Gläubiger Levi Herz, Oktober 1796, L 83 A, Nr. 12. J. 315, Zitat ebd.

13 Bezeichnung „Gräflich Schaumburg Lippischer Hofagent" (nicht identisch mit Lippe-Detmold) in: L 83 A, 12. B. 208, fol. 21; Joseph betonte 1774, anders als das Gros der Detmolder Juden betreibe er keine Pfandleihe, L 37, XIX, V, zu Nr. 3 h Varia. Zu seinen wirtschaftlichen Aktivitäten vgl. L 83 A, 12. J. 326; L 83 A, 12. J. 15; L 83 A, 12. J. 269; L 83 A, 12. J. 21; L 83 A, 12. J. 49; L 83 G, Nr. 335; L 83 A, 12. K. 100; L 83 A, 12. H. 100; L 83 A, 12. R. 38; L 83 A, 12. J. 123; FRITZ VERDENHALVEN, Die Straffälligkeit in Lippe in der 2. Hälfte des 18. Jahrhunderts, in: *Lippische Mitteilungen aus Geschichte und Landeskunde* 43 (1974), S. 62–144, hier S. 126.

14 Vgl. Anm. 11.

15 Einem von seinem Stiefsohn 1817, nach seinem Tod, erstellten Verzeichnis zufolge lebten Herfords Kunden vorwiegend in Lippe. Nach einem ersten Überschlag beliefen sich die Aktiva auf 67 191 Rtl., Passiva sowie für Stiftungen/Legate bestimmte Gelder auf fast 90 000 Rtl., L 79 III, 151, Nr. 1, Bd. 1. Vgl. auch: *Lippische Intelligenzblätter* 1780, 20. Januar, S. 20; *Fürstlich Lippische Intelligenzblätter* 1795, Juni, S. 203; L 83 A, 12. H. 370; Nordrhein-Westfälisches Staatsarchiv Münster (StA MS), Haus Küchen (Dep.), Nr. 845. Hinweis auf Maklergeschäfte z. B. ebd., Nr. 929: 1804 erwarb Herford

für den Detmolder Konsistorialsekretär im Amt Vechta ein Gut für 50 000 Rtl.; JÜRGEN KINDLER/WOLFGANG A. LEWE/HEINRICH BOLLWEG, *Die Geschichte der Rhedaer Judengemeinde*, Rheda 1988 (Rhedaer Schriften 2), S. 70–73: Herford handelte für den Grafen von Bentheim-Tecklenburg-Rheda und Hohenlimburg mit Schutzbriefen.

16 Vgl. dazu L 83 A, 10. R. 70; L 92 P, Tit. 6, Nr. 7; L 83 A, 12. J. 7, fol. 122 ff.; L 83 A, 11. R. 141; L 83 A, 12. R. 175; L 37, XIX, V, zu 3 h Varia.

17 L 83 A, 11. S. 483.

18 L 83 A, 12. J. 7.

19 Aufkäufe wurden vor Ort durch Unterbeauftragte getätigt. Zu den Heereslieferungen vgl. L 83 A, 12. E. 95; L 83 A, 12. H. 391; *Fürstlich Lippische Intelligenzblätter* 1795, Juni, S. 202; ebd., 1816, Juli, S. 233, 243; StA MS, Fürstentum Paderborn, Geheimer Rat, Nr. 2316; Zitat aus L 77 A, Nr. 2773.

20 L 83 A, 12. R. 186; L 83 A, 12. H. 391.

21 VAN FAASSEN/HARTMANN, *Jüdische Minderheit* (wie Anm. 3), S. 13; L 37, XIX, III, Nr. 1 m.

22 Das Recht des Hausbesitzes unterlag in Lippe vor Ort gewohnheitsrechtlichen Regelungen; Detmold betreffend vgl. DINA VAN FAASSEN, *Die Geschichte der Detmolder Juden vom Spätmittelalter bis 1900*, Detmold 1991 (Ms.), Kap.: Wohnverhältnisse, Haus- und Grundbesitz bis zum Beginn des 19. Jahrhunderts, L 77 A, Nr. 4638. Dass ein Jude in Detmold zwei Häuser besaß, war die Ausnahme. In Raphaels Fall hatte die Stadt 1761 zugestimmt, da er ihr während der Kriegszeit verschiedene Dienste geleistet hatte, L 83 A, 12. J. 7, fol. 122 ff.; D 106 Detmold, Nr. 2; *Lippische Intelligenzblätter* 1805, S. 197.

23 *Lippische Intelligenzblätter* 1806, 8. Februar.

24 L 84, IV, Nr. 4; L 83 A, 12. D. 118; L 83 A, 12. J. 315; L 10, Nr. 269; L 10, Nr. 263; L 6, Nr. 265; Personenstandsarchiv Detmold, P 2, Nr. 1; KURT WALLBAUM (Bearb.), *Rittergut und Schloß Schötmar 1664–1985. Ein Beitrag zur Ortsgeschichte in Wort und Bild*, Detmold 1988 (Lippische Heimatbücher), S. 49 ff.; JÖRG MICHAEL ROTHE, Ritterschaft und Rittergüter in Lippe, in: NEITHARD BULST (Hg.), *Die Grafschaft Lippe im 18. Jahrhundert: Bevölkerung, Wirtschaft und Gesellschaft eines deutschen Kleinstaates*, Bielefeld 1993, S. 269 ff., hier S. 279.

25 Vgl. GUENTER, *Juden in Lippe* (wie Anm. 3), S. 166, sowie DEVENTER, Herford (wie Anm. 6), S. 191.

26 L 92 Z, I a, Jahrgänge 1755–1816.

27 L 92 Z, I a, 1765. Es handelt sich bei den Krediten um je 6000 und 2000 Rtl., L 92 Z, I a, 1790.

28 L 92 Z I a, 1790, 1810, 1814. Belege zu den Münzlieferungen in L 92 Z, I a, 1785 f. Zum Sennergestüt: L 92 Z, I a, 1804–1806, 1808, 1809. Ab 1806 wird auch Salomons Stiefsohn Nathan Spanier als Futterlieferant des Gestüts genannt, L 92 Z, I a, 1806, 1807 f., 1810 f., 1813 f.

29 Vgl. ARNDT, *Fürstentum Lippe* (wie Anm. 1), S. 126 ff.; BERBELI SCHIEFER, Simon August Graf zu Lippe, in: *Westfälische Lebensbilder*, Bd. VIII, Münster 1959, S. 67 ff., hier S. 67–75, Zitate ebd.; EVA-MARIA UMLAND, *Finanz- und Kammerwesen in Lippe im 18. Jahrhundert,* Bielefeld 1986 (MS), S. 17 ff.

30 Aufgrund zahlloser Verpfändungen hatte man die tatsächlichen Landeseinkünfte nicht angeben können, ARNDT, *Fürstentum Lippe* (wie Anm. 1), S. 128.

31 Verhandlungen in L 83, 12 B, vol. V, Nr. 9, Zitate ebd.

32 Zuweilen wird geäußert, es habe nach dem gescheiterten Plan von 1770 keine Zusammenarbeit mit Raphael bis 1781 gegeben, auch dann habe Hoffmann erst das „eingewurzelte Mißtrauen der Regierung gegen den Juden Levi […] überwinden müßen". So etwa bei BERBELI SCHIEFER, *Die Grafschaft Lippe unter der Regierung Simon Augusts*

(1734–1782), Göttingen 1958 (Ms.), S. 92, Zitat ebd. Im Anschluss daran UMLAND, *Finanz- und Kammerwesen* (wie Anm. 29), S. 2. Dass Raphael hingegen regelmäßig für die Regierung arbeitete, belegen die Landrenteirechnungen, vgl. L 92 Z, I a, Jg. 1771–1790.

33 Kanzler Hoffmann betonte 1781, es sei „eine der frohesten Erfahrungen", dass „dieser gute Teil der Grafschaft" wieder eingelöst worden sei, D 72, Nachlass v. Hoffmann, Nr. 11; SCHIEFER, *Grafschaft Lippe* (wie Anm. 32), S. 92; UMLAND, *Finanz- und Kammerwesen* (wie Anm. 29), S. 22. Zu Münzlieferungen vgl. L 92 Z, I a, 1784 ff.; Raphael ersteigerte zudem 1788 im Auftrag der Kammer die Friedamadolphsburg, L 92 A, Tit. 179, Nr. 2 und wickelte 1789 bei der Erhebung in den Reichsfürstenstand anfallende Geldüberweisungen ab, L 74, Nr. 50; 1769 zahlte er eine größere Summe für eine Apanageforderung von 17 243 Rtl. an Ludwig Henrich Adolph, Bruder Simon Augusts und späterer vormundschaftlicher Regent. Der Betrag wird nicht genannt, indessen seitens des Empfängers die Mühe betont, die „die prompte Beschaffung einer so ansehnlichen Summe bey diesen geldlosen Zeiten" erfordert habe, L 92 P, Tit. 20, 3, Nr. 3.

34 L 83, 12 B, vol. V, Nr. 9; Bitten Raphaels vom März 1771 und Resolution des Grafen vom 30. März des Jahres in: L 77 A, Nr. 5385.

35 Seit 1785 war Raphael Levi der einzige von 118 Schutzjuden, der vom Schutzgeld befreit war. Dies beinhaltete jedoch nicht die Befreiung von anderen den Juden auferlegten Abgaben, L 92 A, Tit. 152, Nr. 11; L 77 A, Nr. 5379.

36 L 13, Bd. 41, 13. Juli; L 92 A, Tit. 152, Nr. 37, fol. 18. Zu dieser Art von Kompensationsgeschäften vgl. auch: L 14, Bd. 15 (1768), fol. 245: Aaron Detmold zu Frankfurt versprach 1768, die Bestellung nach Detmold gehender Briefe gegen die Verleihung des lippischen Hofagententitels gratis zu übernehmen.

37 L 83 A, 12. R. 186; L 83 A, 12. J. 269.

38 *Fürstlich Lippische Intelligenzblätter* 1795, Juni, S. 202; GUENTER, *Juden in Lippe* (wie Anm. 3), S. 166, führt als Jahr der ersten Nennung des Hofkommissärtitels irrtümlich 1806 an; vgl. dazu L 92 Z, I a, 1804.

39 L 83 A, 12. R. 176.

40 L 92 A, Tit. 152, Nr. 15, Vol. I.

41 L 83 A, 12. R. 180. Joseph Leeser heiratete 1767 Jütgen Israel, Tochter eines lippischen Schutzjuden, L 92 Z, I a, 1767. Der Ehe entsprangen vier Kinder, in zweiter Ehe heiratete er Hanna David Michel aus Hannover, L 77 A, Nr. 5332.

42 L 83 A, 12. S. 498 I, Zitat ebd. Die Geschäftsbeziehung setzte sich nach Spaniers Tod mit dessen Sohn und Witwe fort, ebd. Die Minden'sche Kammer hielt Spanier in den sechziger Jahren des 18. Jahrhunderts für den einzigen vermögenden Juden der Judenschaft Ravensbergs, Tecklenburgs und Lingens, BRADE, *Juden in Herford* (wie Anm. 10), S. 36.

43 Vorfall aus dem Jahr 1784 in L 83 A, 12. S. 498 I.

44 L 83 A, 12. R. 176, Zitate ebd.

45 L 83 A, 12. D. 26, Zitat ebd.

46 L 77 A, Nr. 5332; L 77 A, Nr. 5385.

47 L 83 A, 12. S. 498 I; L 83 A, 12. R. 180, Zitat ebd.

48 1767 standen an der Spitze der Landesjudenschaft Abraham Salomon, Ephraim Samson und Meyer Levi(n), gegen Letzteren richtete sich gezielter Psychoterror der Leeser-Brüder: Ihm wurde Gewalt angedroht, in seinen Gebetsmantel während des Gottesdienstes Löcher geschnitten, die Wand bei seinem Synagogenplatz mit Galgen bemalt. Sie drohten Meyers Sohn, ihn „beym Kopf und Füßen [zu] nehmen und aus der Synagoge [zu] werfen". Als Meyer daraufhin „kreischte und tobte", wurde ihm vorgehalten, er solle als Vorsteher auf gebührliches Betragen achten, etc., L 83 A, 11.

M. 174, Zitate ebd.; 1770 bestand die Vorsteherschaft aus Abraham Israel, David Leeser und Ephraim Samson, L 83 G, Nr. 335.

49 Vgl. die Vorfälle in L 83 A, Nr. 12. J. 80; L 83 A, 12. R. 180.

50 L 83 A, 12. H. 368. Die Judenschaft drang mit ihren Beschwerden über die Vorsteherwahl von 1780 nicht durch, die Regierung ließ 1782 verlauten, man lasse die Unordnungen auf sich beruhen, L 83 A, 12. J. 133. Seit 1776 nahm Raphaels Geschäftsfreund Abraham Salomon gleichfalls ein Vorsteheramt wahr, L 83 A, 12. J. 57.

51 L 83 A, 12. M. 167.

52 L 83 A, 12. J. 133; L 83 A, 12. H. 358.

53 L 83 A, 12. R. 180; L 83 A, 12. R. 169.

54 Vgl. z. B. L 13, Bd. 49; L 13, Bd. 48; L 13, Bd. 50.

55 L 83 A, 12. H. 368; L 77 A, Fach 164, Nr. 8; L 83 A, 12. S. 507; L 77 A, Nr. 5349. 1808 wurden die Vorsteher der Landesjudenschaft nicht mehr von Wahlmännern, sondern von allen Schutzjuden gewählt. Auf Salomon Joel entfielen dabei mit 63, Herz Ruben mit 53 die meisten Stimmen. Beide galten damit als gewählt, vgl. L 77 A, Nr. 5348.

56 Zitat aus einem Schreiben Joseph Leesers an die Regierung vom Juli 1778, in: L 83 A, Nr. 12. J. 80; Vorwürfe bezüglich Raphaels Geltungs- und Herrschsucht von jüdischer Seite auch in: L 83 A, 12. R. 169; L 83 A, 12. R. 180.

57 L 83 A, 12. H. 368, Zitat ebd.

58 L 83 A, 12. R. 169. Zu Herfords Stiftungen an die Detmolder Synagoge vgl. den Testamentsnachtrag vom 27.1.1809 in: L 79 III, 151, Nr. 1, Bd. 1, fol. 47. Ein vager Hinweis, dass Leeser zur Errichtung einer Andachtsstätte im Dorf Schötmar beitrug, findet sich bei Hermann G. Rau, Stadtdokumente. Beiträge zur jüdischen Geschichte. Aus der Geschichte der Synagoge zu Schötmar, in: *Stadtmagazin Salzuflen* 4 (1988), H. 8, August.

59 „Man muß“, so Raphael 1784, „seine Ehre in acht nehmen und nach Standesgebühr an diese Leute spendieren“, L 83 A, 12. S. 498 I.

60 Vgl. die Testamente vom 31.8.1808 und 12.11.1808, Abdruck in: Klaus Pohlmann, *Vom Schutzjuden zum Staatsbürger jüdischen Glaubens. Quellensammlung zur Geschichte der Juden in einem deutschen Kleinstaat (1650–1900)*, Lemgo 1990 (Lippische Geschichtsquellen 18), S. 183–194.

61 Vgl. L 77 A, Nr. 5346, Entscheidung des Landesherrn vom 4. März 1777 ebd.

62 Zitat aus einem Schreiben der Vorsteher der Landesjudenschaft vom 21.6.1788 in: L 77 A, Nr. 5379, fol. 12–16. Allgemein Pohlmann, Bürgerliche Verbesserung (wie Anm. 6), S. 279 ff.; ders., *Verbreitung der Handwerke* (wie Anm. 6), S. 17 ff.; zur Ablehnung der Berufsumschichtungsidee vgl. L 77 A, Nr. 5425, fol. 32 ff.

63 L 77 A, Nr. 5385; L 86, Nr. 1798 a; *Fürstlich Lippische Intelligenzblätter* 1816, November, S. 365; Personenstandsarchiv Detmold, P 2, Nr. 1.

64 L 13, Bd. 42, 1779, Nr. 1348; L 18, Nr. 90, fol. 41–46; L 77 A, Nr. 5375, fol. 30.

65 Zitat aus einem Schreiben vom 26.3.1805 in: L 77 A, Nr. 5381, fol. 246. Allgemein: Pohlmann, *Verbreitung der Handwerke* (wie Anm. 6), S. 26 ff.

66 Zitat aus einem Schreiben vom Februar 1808 in: L 77 A, Fach 146, Nr. 8. Allgemein zur Haltung Salomon Joel Herfords vgl. Pohlmann, Bürgerliche Verbesserung (wie Anm. 6), S. 289 f.

67 L 92 A, Tit. 181, Nr. 17; L 77 A, Nr. 4534; van Faassen/Hartmann, *Jüdische Minderheit* (wie Anm. 3), S. 31 ff.; van Faassen, *Detmolder Juden* (wie Anm. 22), Kap.: Die Herfordsche Lohgerberei.

68 Klaus Pohlmann, Das jüdische Schulwesen in Lippe im 19. und 20. Jahrhundert, in: *Lippische Mitteilungen aus Geschichte und Landeskunde* 57 (1988), S. 251–341, hier S. 258 ff.; Zitat aus einem Schreiben Fürstin Paulines an das Konsistorium vom 21.7.1808, in: L 77 A, Nr. 5362, fol. 44.

69 Zitat aus der Stiftung Herfords vom 31.8.1808, Abdruck in POHLMANN, *Schutzjuden* (wie Anm. 60), S. 183 ff.; POHLMANN, *Bürgerliche Verbesserung* (wie Anm. 6), S. 295; VAN FAASSEN/HARTMANN, *Jüdische Minderheit* (wie Anm. 3), S. 35.

70 Geb. 1693/1694 in Detmold, vergeleitet 1719, 1723 Ernennung zum Hofjuden mit einem Gehalt von 200 Rtl., gest. im Dezember 1770; vgl. allg. GUENTER, *Juden in Lippe* (wie Anm. 3), S. 91, 157–162; VAN FAASSEN, *Detmolder Juden* (wie Anm. 22), Kap.: Lippische Hofjuden; SCHNEE, *Hoffinanz*, (wie Anm. 4), S. 102 ff.

71 Zitat aus L 82, Nr. 369, fol. 125 f.; allg. VAN FAASSEN, *Detmolder Juden* (wie Anm. 22), Kap.: Lippische Hofjuden; VAN FAASSEN/HARTMANN, *Jüdische Minderheit* (wie Anm. 3), S. 19; sowie den viele Ungenauigkeiten enthaltenden Abriss bei SCHNEE, Bedeutung der Hoffinanziers (wie Anm. 4), S. 184–188.

72 Dies belegen u. a. die Feierlichkeiten anlässlich der Heirat Fürst Leopolds mit Pauline von Anhalt 1796, zu der die Detmolder Juden in ihrer Gesamtheit und Raphael Levi als Einzelperson je ein Festgedicht drucken ließen. Während die Judenschaft Leopold als Landesvater von Juden und Christen pries (Lippische Landesbibliothek Detmold, LC 88, an 4), nutzte Raphael die Gelegenheit, sich als treuen Hofjuden ins Bild zu setzen, ebd., LC 88, an 3.

73 VAN FAASSEN, *Detmolder Juden* (wie Anm. 22), Kap.: Hofjuden; vgl. auch POHLMANN, *Samuel Goldschmidt* (wie Anm. 4).

74 Vgl. dazu MORDECHAI BREUER, Frühe Neuzeit und Beginn der Moderne, in: DERS./ MICHAEL GRAETZ, *Deutsch-Jüdische Geschichte in der Neuzeit, Bd. 1: Tradition und Aufklärung, 1600–1780*, München 1996, S. 83–247, hier S. 123 ff.

75 POHLMANN, Jüdisches Schulwesen (wie Anm. 68), S. 251 ff.; DERS., Bürgerliche Verbesserung (wie Anm. 6), S. 295; VAN FAASSEN/HARTMANN, *Jüdische Minderheit* (wie Anm. 3), S. 35.

„Man will ja nichts als Ihnen zu dienen, und das bisgen Ehre" – Die Hofjuden Herz und Saul Wahl im Fürstentum Pfalz-Zweibrücken

Dieter Blinn

Am 27. Oktober 1761 kam es in dem Dorf Bessungen unweit Darmstadt nach längeren Verhandlungen zum Abschluss eines Vertrages zwischen den Bevollmächtigten des Pfalzgrafen Christian IV. von Pfalz-Zweibrücken eines- und dem hessen-darmstädtischen Hof- und Kammeragenten Herz Wahl Dessauer anderenteils. Gegenstand des Kontrakts war die Einweihung des Fürsten in des Letztgenannten „besitzendes arcanum, Vermittelst welchem man in Zeit von einigen Tagen im Guß und Fluß aus der Marck feinem Silber Ein Loth Reichs-Probenmäßiges Gold Ausbeute und Überschuß erhalten kann", wofür ihm die Summe von 120 000 Gulden sowie die Aufnahme in pfalz-zweibrückische Dienste zugesichert wurde.[1]

Ein aufgeklärter Monarch, ein jüdischer Hofagent, die Suche nach dem Stein der Weisen – eine Konstellation, die befremdet und Fragen aufwirft: Wer waren, woher kamen Herz Wahl und sein Sohn und Nachfolger Saul Wahl? Wie gestaltete sich beider Tätigkeit als Alchimisten und Hofagenten in einem Kleinstaat, der sich nach verheerenden Kriegen und Verwüstungen des 17. Jahrhunderts noch immer in einer Phase des Aufbaus und der wirtschaftlichen Konsolidierung befand? Welche Position nahmen sie ein innerhalb ihrer jüdischen und nichtjüdischen Lebenszusammenhänge, deren sozialer Rahmen Kleinstädte mit eher antijüdisch eingestellter Bevölkerung waren? Und: Welche Folgen hatte dies für ihr Selbstverständnis als Juden und als Hofbediente? Antworten auf diese Fragen zu finden ist Zweck der folgenden Darlegungen.

Rahmenbedingungen: Judenfeindliche Ideologie und pragmatische Judenpolitik

Das Fürstentum Pfalz-Zweibrücken – 1410 entstanden aus der Erbteilung der wittelsbachischen Lande durch König Ruprecht, in seinem Kernbestand die Ämter bzw. Oberämter Zweibrücken, Lichtenberg, Meisenheim und Bergzabern umfassend, mit für den Südwesten des alten Reiches typischer territorialer Zersplitterung zwischen Blies und Alsenz, Moder und Mosel, trotz der Bescheidenheit der Verhältnisse, was Ausdehnung, Bevölkerungszahl, wirtschaftliche Ressourcen betraf, in politischer Hinsicht durch die Aussicht auf das pfalz-bayerische Erbe nicht eben unbedeutend[2] – hat seit der *Ausschaffung* der Juden durch den Pfalzgrafen Wolfgang im Jahre 1557 und dessen letztwillig verfügtem, allerdings nie in letzter Konsequenz befolgtem Verbot, künftig Juden die Niederlassung im Fürstentum zu gestatten (1568), als ein traditionell judenfeindlicher Reichsstand zu gelten.[3] Juden waren allenfalls geduldet, im Rahmen des restriktiv gehandhabten landesherrlichen Schutzes jedoch scharfer Kontrolle und massiver rechtlicher Diskriminierung ausgesetzt – auch wenn gerade in der 2. Hälfte des 18. Jahrhunderts einige Erleichterungen zu verzeichnen sind, womit die Bürokratie auf den unverzichtbaren Beitrag der Juden zur Funktionsfähigkeit der agrarisch strukturierten Wirtschaft des Kleinstaates reagierte. Auch eine gewisse Selbstverwaltung war den pfalz-zweibrückischen Juden zugestanden, deren Strukturen sich an elsässische Vorbilder anlehnten, allerdings weitaus stärker im Sinne des Herrschaftsinteresses funktionalisiert waren; deren wichtigste Institution bildete das Amt des Judenoberschultheißen als des Sprachrohrs und verlängerten Armes der Regierung gegenüber der Judenschaft.[4] Die Juden, in den sechziger und siebziger Jahren des 18. Jahrhunderts kaum 500 Personen bei einer Gesamtbevölkerungszahl von ca. 60 000, wohnten in den Oberämtern Lichtenberg, Meisenheim und Bergzabern und dem 1755 von Nassau-Saarbrücken und Nassau-Weilburg eingetauschten Amt Homburg.[5] Einzig in der Residenzstadt Zweibrücken und dem dazugehörenden Oberamt durften sich – mit Ausnahme eben der Hoffaktoren – keine Juden niederlassen.[6]

Die ideologischen Vorgaben des Wolfgangischen Testaments mögen ein Grund dafür sein, dass in Pfalz-Zweibrücken lange Zeit keine Hofjuden wirkten, sieht man von gelegentlichen Hoflieferungen durch Juden ab. *Hofjude* im eigentlichen Sinne – geht man von einer Minimaltypologie aus, die etwa die Kriterien: auf längere Sicht oder Kontinuität hin angelegtes Dienstleistungsverhältnis zu einem Fürsten oder höfischen Herrschaftszentrum, dazu Titel, Privilegierungen verschiedenster Art, Besoldung, überregionale verwandtschaftliche und geschäftliche Vernetzung als Konstituenten enthält – waren erst nach der Jahrhundertmitte Herz Wahl, der 1761 in die Dienste Christians IV. trat, sowie sein Sohn Saul, der ihm 1765 als pfalz-zweibrückischer Hof- und Kammeragent nachfolgte.[7]

Die Familie

Der Name Wahl ist im mittel- und osteuropäischen Judentum keineswegs unbedeutend. Vor allem hat man an Saul Wahl aus Brest-Litowsk, den legendären *Interrex Poloniae* des Jahres 1587, zu denken, der vorgeblich nach dem Tode Stephan Bathorys für einen Tag zum polnischen König gewählt wurde und während seiner Regentschaft den Juden manche Wohltaten erwiesen haben soll.[8] Er entstammte der berühmten Familie Katzenellenbogen, deren frühe Vertreter im 15. und 16. Jahrhundert in Padua ansässig waren und zu den führenden Gestalten jüdischer Frömmigkeit und Gelehrsamkeit zählten. Ein Familienzweig, nämlich die Nachkommen von Saul Wahls Enkel Juda Wahl, der mit einer Nachfahrin des ebenso berühmten Moses Isserles verheiratet war – einer ihrer Söhne hieß ebenfalls Saul –, lebte seit dem späten 17. Jahrhundert in Dessau.[9] Da Herz Wahl konsequent, Saul Wahl jedenfalls in seiner frühen Zeit den Beinamen *Dessau* oder *Dessauer* führte, darf beider Herkunft aus Dessau als sicher gelten. Zieht man darüber hinaus die jüdische Sitte in Betracht, Vornamen auf die dritte Generation zu vererben, so ist die Annahme gerechtfertigt, dass Herz Wahl der Sohn, Saul Wahl der Enkel jenes 1717 in Dessau verstorbenen Saul Wahl ist, dessen Tochter Rachel Sara die Mutter Moses Mendelssohns war.[10] Herz Wahl wäre demnach ein Onkel, Saul Wahl ein Vetter des jüdischen Aufklärers – wiewohl letzte Sicherheit fehlt, da beide größte Zurückhaltung übten, wenn es um ihre Herkunft und Verwandtschaft ging. Deshalb lassen sich auch die unmittelbaren Familienverhältnisse bislang nur lückenhaft rekonstruieren (Abb. 18): Herz Wahl hatte neben dem erstgeborenen Saul einen zweiten Sohn namens Israel, der zu Beginn der Zweibrücker Tätigkeit noch nicht volljährig war und später wohl in die Dienste des Herzogs von Sachsen-Hildburghausen trat,[11] und eine Anfang der sechziger Jahre ebenfalls noch unmündige Tochter.[12] Über seine Frau ist nichts bekannt, Saul Wahl nennt sie 1770 seine „alte Mutter“.[13] Saul Wahl selber heiratete während seiner Zweibrücker Zeit eine Frau namens Freidge, mit der er drei oder vier Söhne hatte; der älteste, Herz Saul mit Namen, dürfte im Dezember 1767 geboren sein.[14] Die Spur der Familie verliert sich Ende der neunziger Jahre in Pirmasens.

Der gelernte Kaufmann wider die ökonomischen Dilettanten: Saul Wahl als pfalz-zweibrückischer Hofjude

Über die Frühzeit Herz Wahls gibt es nur spärliche Nachrichten. Beziehungen zur kurpfälzischen Hofjuden-Dynastie May dürften das Sprungbrett für seine eigene Karriere gewesen sein,[15] die ihn zunächst nach Darmstadt führte. Es darf vermutet werden, dass er die Position eines hessen-darmstädtischen Hof- und Kammeragenten wie später in Zweibrücken als – um es vorsichtig zu formulieren – Experte für Edelmetalle erhalten hatte: Der Darmstädter Hof war bekannt sowohl für seine Geldknappheit als auch für die Hinneigung einiger Landgrafen zur Alchimie.[16] Jedenfalls scheint der Ruf Herz Wahls und seines ältesten Sohnes als Alchimisten und Metallveredler[17] die Aufmerksamkeit des Pfalzgrafen Christian IV. von Pfalz-Zweibrücken (1740–1775)[18] erregt zu haben, der durch seine Schwester Karoline Henriette, die Gemahlin des nachmaligen Landgrafen Ludwig IX. (1768–1790), über die Verhältnisse in Darmstadt informiert gewesen sein dürfte, wenn ihm die Wahls nicht schon in Mannheim begegnet waren. Der Pfalzgraf, selber passionierter Alchimist,[19] ließ Anfang der 60er Jahre in Darmstadt Verhandlungen mit Herz Wahl (und dem mit diesem assoziierten Kammerdiener Ludwig Knaus[20]) aufnehmen, welche die Übergabe eines alchimistischen Geheimrezepts zur Edelmetallgewinnung bezweckten und zu dem eingangs zitierten Vertrag führten. In einem Zusatzabkommen wurde Herz Wahl zum pfalz-zweibrückischen Hof- und Kammeragenten mit jährlicher Besoldung in Höhe von 1000 Gulden ernannt.[21] Er begab sich vertragsgemäß im Sommer 1762 ins Zweibrückische, nachdem er in Bessungen weitere, anscheinend zu allgemeiner Zufriedenheit ausgefallene Proben seines Könnens geliefert und auch bereits einige Abschlagszahlungen auf die vertraglich zugesagte Summe erhalten hatte.[22] Im Oktober jenes Jahres erreichte er von Christian IV. die Genehmigung eines umfangreichen Privilegienkatalogs, wodurch er über die Stellung eines Schutzjuden weit hinausgehoben wurde: Er erhielt zusätzlich zu Titel und Besoldung die Zusicherung allzeitiger Befreiung von Schutzgeld und Leibzoll, Freizügigkeit, freie Religionsausübung, Bevorzugung bei Hofgeschäften sowie ein *privilegium fori.*[23] Seinen Wohnsitz schlug Herz Wahl in Homburg auf, wo sich die von der Residenzstadt aus nächstgelegene jüdische Gemeinde befand, und zwar im dortigen Amtshaus, wo ein alchimistisches Laboratorium eingerichtet wurde.[24] Dessen Fertigstellung erlebte er allerdings nicht mehr: Nach längerer Krankheit starb er bereits Ende Dezember 1764 und wurde – wie bei den Homburger Juden üblich – in Blieskastel begraben. In seiner von Saul Wahl mitgeteilten Abschiedsrede betonte er seine Frömmigkeit und Bescheidenheit, die ihn auf viele Reichtümer

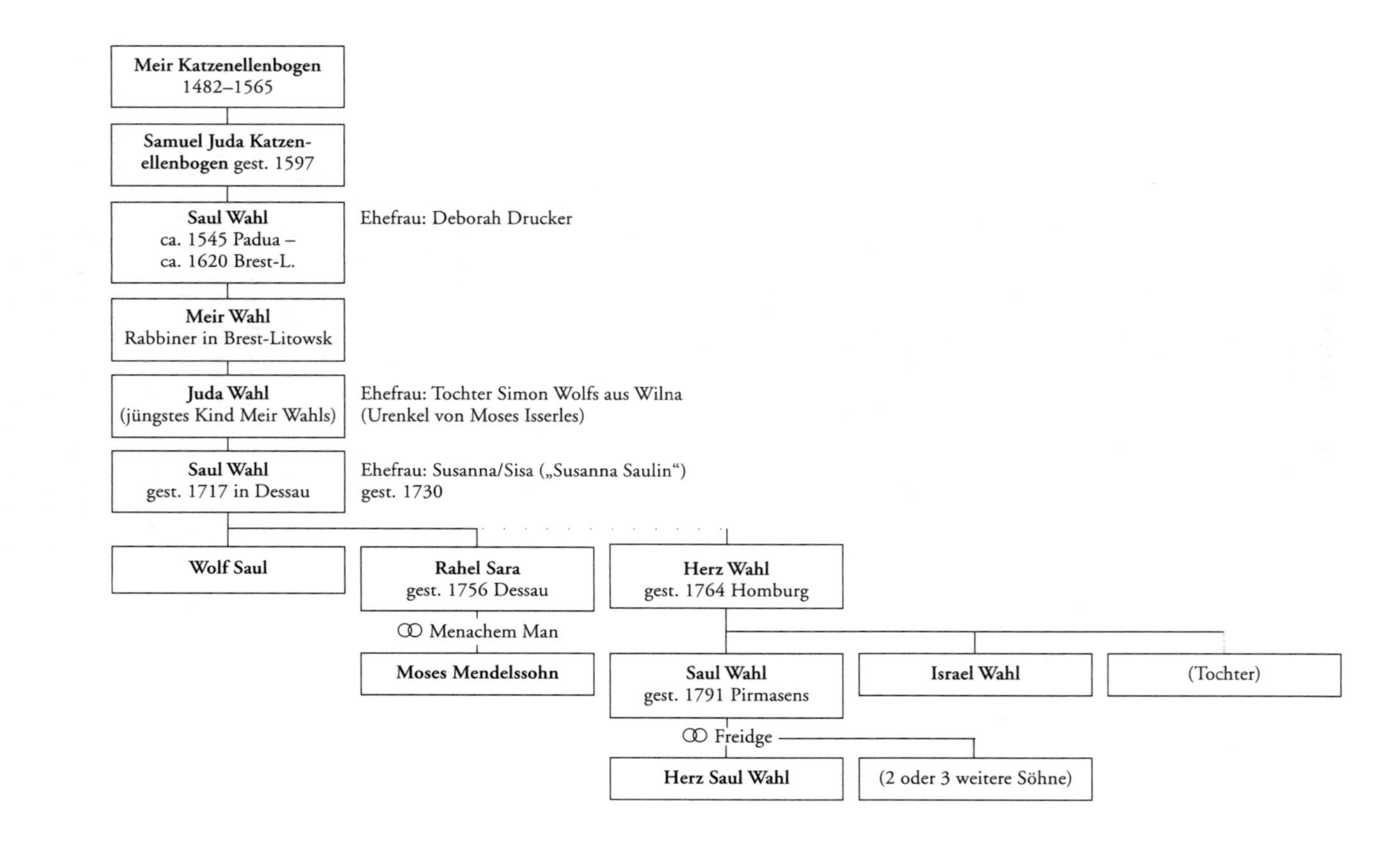

Abb. 18: Verwandtschaftstafel Herz und Saul Wahl

habe verzichten lassen, und ermahnte seinen ältesten Sohn, gleichfalls das „gros werden" zu vermeiden[25] – dieser Tenor erinnert merkwürdig an die letzten Worte des vorhin erwähnten Eintagskönigs Saul Wahl, der gleichfalls Bescheidenheit und Vermeidung von Überheblichkeit als Lebensmaximen herausgestellt hatte.[26]

Schon in die von Christian IV. approbierte Privilegienforderung hatte Herz Wahl die Klausel aufgenommen, seinem „so sehr nötig brauchenden ältesten Sohn, nahmens Saul, einen gleichmäßigen anständigen titul und besoldung [...] gnädigst zu conferiren".[27] Nach seinem Tod übernahm denn auch Saul Wahl ohne Übergangsschwierigkeiten Titel und Funktion eines pfalz-zweibrückischen Hof- und Kammeragenten – allerdings mit einigen nicht unwesentlichen Abänderungen: So wurde die Besoldung auf 400 Gulden gekürzt[28] und eine Reihe anderer Vorrechte seines Vaters wieder aufgehoben.[29] Anders als diesem war Saul Wahl eine Zeitspanne von mehr als zehn Jahren vergönnt, während deren er ein breit gefächertes Spektrum unterschiedlichster Aktivitäten zu entfalten vermochte.

Durch Saul Wahls gesamte Amtszeit zieht sich die Beschäftigung mit Edelmetallproduktion, -augmentation und -transmutation auf alchimistischem Wege. Seine Versuche mit Erzen, Kies, Rheinsand, Silber und Gold unternahm er zunächst in dem neuen Laboratorium im Homburger Amtshaus, nach seinem Umzug nach Zweibrücken 1770 wurde ihm auch dort eine eigene Experimentierstätte eingerichtet.[30] Immer wieder berichtete er von Fortschritten bei seinen Bemühungen,[31] musste sich allerdings ständig der Konkurrenz der übrigen Alchimisten an Christians IV. Hof erwehren – allen voran des Geheimrats und Oberbergdirektors Dr. Stahl[32], aber auch des Regierungsrats Johann Wilhelm Wernher d. Ä.[33], die teils aus eigenem Interesse, teils in des Fürsten Auftrag alchimistische Experimente durchführten – und seine eigenen Kenntnisse hervorheben. Dabei spielte er in einem Schreiben an Christian IV. vom 26. Oktober 1767 – da er durch Verleumdungen Stahls „täglich mehr aus Ihrem [d. h. des Pfalzgrafen] Credit" komme – einen besonderen Trumpf aus, indem er auf den Briefbogen ein Siegel aufdrückte und dazu bemerkte: „[S]o lange ich dieses siegel führen darff alls ein recipirter rosen Creützer, so lange bin ich in mich über zeigt, das ich auch ein chymicus bin."[34] Mehrere Male begleitete er Christian IV. nach Paris, wo er den Kontakt zu französischen Alchimisten suchte und fand.[35] Immerhin scheint sein Ruf auf dem Gebiet der Rheinsand-Goldwäscherei überregional gewesen zu sein, denn im März 1770 erbat und erhielt der Kurfürst von Mainz seinen „Beyrath" für die Errichtung einer Goldwaschanlage an den Rheinufern.[36] Dass sich Saul Wahl angesichts dieser intensiven Beschäftigung mit Metallurgie auch auf dem Gebiet des Münzwesens engagierte, scheint

Abb. 19: Siegel Saul Wahls (oben) und Herz Wahls (unten)

einleuchtend.[37] 1765 erhielt er das Monopol des Silberhandels und der Belieferung der fürstlichen Münze mit Silber.[38]

Indessen ließ Saul Wahl von Beginn seines Wirkens als Hofagent an keinen Zweifel daran, dass er sich nicht auf die Betätigung als Goldmacher und Münzentrepreneur werde beschränken lassen. Seine Ambitionen waren sehr viel weiter gesteckt und zielten auf eine grundlegende Reform des gesamten, seiner Einschätzung nach maroden Wirtschaftssystems, dessen Sanierung Christian IV. bereits in den 50er Jahren in Angriff genommen hatte – übrigens lassen sich des Pfalzgrafen alchimistische Passionen durchaus in dessen ökonomisches Konzept einordnen, im Hinblick auf das Ziel nämlich, durch die Edelmetallproduktion von kostspieligen Importen unabhängig zu werden und der erst seit kurzem wieder betriebenen Zweibrücker Münze zu neuer Blüte zu verhelfen.[39] Saul Wahl schaltete sich mit zahlreichen Eingaben und Promemorien in diesen ökonomischen Reformprozess ein. In einem gutachtlichen Bericht an Christian IV. vom 25. Mai 1769 fasste er seine Vorstellungen und Pläne zusammen: Für ihn lagen „die ursachen [...] klar am tage, warum alls das comertz und credit wesen jezo so darnieder lieget [und] woher der geld mangel rühret, [...] weillen vor unnöthige waaren zuviel gelde auser lande gehet, und hingegen wir sich bis dato nicht dazu geschückt haben, auf eine holländische arth frembt geld hierein zu ziehen“. Er zielte also auf eine aktive Handelsbilanz ab, und zwar nicht nur durch Beschränkung des Imports, sondern vor allem durch Förderung und Ausweitung des Außenhandels und eine gesteigerte Binnennachfrage; dabei ging er von der selbstverständlichen Interdependenz aller Wirtschaftssektoren aus, weshalb er „das commertz- mit dem manufactur und landwesen [habe] vereinigen“ müssen.[40] Vergleicht man dieses Konzept mit den Theorien führender Kameralisten, so vertrat Wahl eine fortschrittliche Richtung, die anders als die reinen Monetaristen die Vermehrung des Staatsschatzes nicht als Selbstzweck betrachtete, sondern vielmehr dem angesammelten Geld die wichtige Funktion der Beförderung des allgemeinen Wohlstandes zuschrieb.[41] Diese Leitlinien deckten sich durchaus mit dem volkswirtschaftlichen Ansatz Christians IV., dessen wirtschaftspolitische Maßnahmen auf eine gleichmäßige Förderung von Landwirtschaft, Industrie und Handel abzielten.[42]

Saul Wahls Pläne, mittels deren er sein Konzept zu realisieren gedachte, sind schier zahllos. Ein Hauptaugenmerk galt den Manufakturen des Landes, für die er verschiedene, an betriebswirtschaftlichen Erfordernissen orientierte Reformvorschläge ausarbeitete, vor allem für die beiden Wollmanufakturen in Zweibrücken und Homburg, aber auch die Zweibrücker Tabakfabrik und das Schönauer Eisenwerk.[43] Auch die Anlage neuer Manufakturen projektierte er bzw. konnte er verwirklichen, etwa eine Garnspinnerei im Homburger Amtshaus, eine Keramikmanufaktur oder eine Fabrikationsstätte für Pfeifenköpfe.[44] Im Rahmen der angestrebten Importsubstitution und zur Deckung vor allem des höfischen Bedarfs legte er nach seinem Umzug nach Zweibrücken in der Nähe des Schlosses eine Perlenzucht an, von deren positiven Ergebnissen er öfter voller Stolz berichtete.[45] Ebenfalls zur Einschränkung des Imports setzte er im Januar 1770 eine Verbrauchssteuer auf Kaffee in Höhe von sechs Kreuzern je Pfund durch, wogegen die Krämerzunft, deren Mitglieder durch die Verteuerung des Kaffees erhebliche Umsatzeinbußen in Kauf nehmen mussten, Sturm lief; in Homburg war sogar zu vernehmen, „man wolle ihm den caffé aus den rippen [...] schlagen".[46] Ein besonderes Anliegen war ihm auch die Errichtung einer Kreditanstalt, die gegen hinterlegte Pfänder Geld verleihen und mit einem eigenen, aus Kuratelgeldern zu speisenden Fonds ausgestattet werden sollte; ähnlich hartnäckig verfolgte er die Einführung einer Klassenlotterie.[47] Auf agrarischem Gebiet experimentierte Saul Wahl mit neuen Anbau- und Düngemethoden für Gerste, auch mit Flachs und Hanf und der Verarbeitung der daraus gesponnenen Garne,[48] wobei er auch hier seine chemischen Kenntnisse nutzen konnte.[49] Gerade darin wird im Übrigen deutlich, dass man Saul Wahl keinesfalls gerecht wird, wenn man ihn auf den skrupellosen und gewinnsüchtigen Fürstenalchimisten reduziert; vielmehr verkörpert er angesichts seiner ernst zu nehmenden Bemühungen um Erforschung und Erkenntnis der Naturzusammenhänge und deren möglichst vielfältige Nutzbarmachung durchaus den Typus des aufgeklärten Rationalisten, in dessen Denk- und Vorgehensweise sich das Zeitalter der exakten Naturwissenschaft ankündigt.

Bei alldem hat Saul Wahl immer wieder betont, dass er im Gegensatz zu den – nach seiner unverhohlen geäußerten Einschätzung – Dilettanten in Regierung und Kommissionen[50] als ausgewiesener Experte zu gelten habe, als – um es mit seinen eigenen Worten zu formulieren – ein Mensch, „der profesion von der handlung machet und es gelernet, der nicht mit der feder das handlen verrichten kann".[51] Verständlich ist auch von daher seine wiederholt vorgebrachte Forderung, selber in eines der Gremien aufgenommen zu werden, in denen die wirtschaftspolitisch relevanten Themen diskutiert und Entscheidungen getroffen wurden.[52]

Die Beispiele dieser weit gespannten Interessen und Aktivitäten ließen sich beliebig vermehren,[53] auch aus dem politisch-diplomatischen Bereich, in den sich Saul Wahl durchaus einschaltete, etwa wenn es um die Arrondierung des Territorialbestandes ging, die er unter ökonomischen Gesichtspunkten für dringend geboten hielt;[54] auch bei der Besetzung wichtiger Posten versuchte er seinen Einfluss geltend zu machen.[55] Indessen darf nicht übersehen werden, dass vieles, wenn nicht das meiste davon nicht über das Projekt- und Planungsstadium hinauskam: Zu groß waren allem Anschein nach die Widerstände in der Beamtenschaft, wo vieles von dem, was Wahl vortrug, verschleppt oder nicht zur Kenntnis genommen wurde;[56] und auch der Pfalzgraf selber war letztlich mehr an der erhofften Gold- und Silberausbeute interessiert als an den zukunftsweisenden Reformvorhaben seines Hofagenten.

Der Hofjude unter Christen und Glaubensgenossen

Saul Wahl hat nie verkannt und dies immer wieder ausgesprochen, dass er trotz – oder besser: gerade wegen – seiner weit reichenden Privilegien auf die Gunst des Pfalzgrafen angewiesen war und dass seine Position keine anders geartete Verankerung im politisch-gesellschaftlichen Baugefüge des Kleinstaates besaß. Dies musste ihm umso dringlicher bewusst werden, je heftiger die Anfeindungen gegen ihn wurden sowohl seitens der Bürokratie, der er als Emporkömmling, vor allem aber als betrügerischer Projektemacher galt, dem die unmittelbare Beziehung zum Landesherrn geneidet wurde,[57] als auch seitens der mehrheitlich reformierten Stadtbürgerschaft, die ihn als traditionellen Juden, zudem unliebsamen Konkurrenten ablehnte.[58] „Ich habe gar zu viele feinde",[59] beschwerte er sich im Mai 1773 gegenüber dem Pfalzgrafen, und schon ganz früh – noch zu Lebzeiten seines Vaters – klagte er, dass „mein hertz schon zu voll mit pfeillen steket, die von allen seithen auf mir abgeschossen worden".[60] Seinem Selbstverständnis als Hofjude verlieh er in seiner Korrespondenz mit Christian IV. verschiedentlich Ausdruck, etwa wenn er dankbar hervorhob, dass dieser ihn „alls ein Jude [...] das an schauen und sprechen gewerdiget" [gewürdigt] habe[61], oder bei anderer Gelegenheit, sozusagen seine innere Befindlichkeit zusammenfassend:

> über lege ich aber [...] wie alles und das bisgen leben wo ich habe, ich Ihnen zu verdanken habe, das ich von einem geschlecht bin von dem man einen betrügerischen vorurtheil heget, und ich Ihnen! vor mich habe, der alles und alles ein siehet [...] und Endlich alles auch Erkeünet [erkennet?], so höre ich nicht auf mein leib und leben geschweige äusere vortheile auf zu opfern.[62]

Auch wenn man die stets mitschwingende appellative Funktion derartiger Aussagen und Texte in Rechnung stellt, so dokumentieren sie dennoch, wie sehr Wahl das Wissen um seine Abhängigkeit von der Person des Fürsten verinnerlicht hatte. Andererseits lassen sich seine nachgerade hektischen Bemühungen, seine Aktivitäten auch außerhalb des sozusagen intimen, zunächst nur ihn und den Pfalzgrafen angehenden Bereichs der Alchimie zu entfalten und dadurch einer breiten Öffentlichkeit die Nützlichkeit seiner Kenntnisse unter Beweis zu stellen, so gesehen auch dadurch erklären, dass er versuchte, seine Person und Funktion aus dieser ausschließlichen und nur auf Zeit Sicherheit gewährenden Bindung an den Landesherrn zu lösen und dauerhaft in der Verfassung zu verankern – seine Forderung, ihn mit Sitz, Stimmrecht und Besoldung in die Landesökonomiekommission aufzunehmen, erscheint insofern nur folgerichtig.[63] Seine Anstrengungen blieben allerdings größtenteils vergeblich: Er vermochte weder die Vorurteile seiner Umgebung in nennenswertem Maße aufzubrechen noch die politischen Strukturen in seinem Sinne zu verändern, sodass er schließlich doch auf Gedeih und Verderb allein der fürstlichen Gunst ausgeliefert war. Als Handlungsmaxime blieb ihm letztlich nichts als das wohl auch resignativ gemeinte: „Man will ja nichts als Ihnen zu dienen, und das bisgen Ehre."[64]

Merkwürdig verschwommen erscheint Saul Wahls Stellung innerhalb der jüdischen Gemeinde. Es gibt keinerlei Hinweise darauf, dass er jemals Leitungsfunktionen ausgeübt hätte, genauso wenig wie übrigens sein Vater, der immerhin Ambitionen in dieser Richtung verfolgt zu haben scheint.[65] Die wenigen Äußerungen Saul Wahls über die Homburger Judengemeinde, deren Mitglied er zeit seines Wirkens in Zweibrücken war,[66] lassen eher auf ein gespanntes Verhältnis schließen[67] – vielleicht mit ein Grund, weshalb er 1770 seinen Wohnsitz nach Zweibrücken verlegte.[68] Ansonsten schweigen die ohnehin eher spärlichen Quellen zur Homburger Judengemeinde beharrlich über Saul Wahl, mit Ausnahme eines feierlichen Gottesdienstes im Juli 1767, den die Juden von Homburg unter der Leitung Wahls aus Anlass der Genesung des Erbprinzen Friedrich Michael abhielten.[69] Auch aus der jüdischen Selbstverwaltung scheint sich Saul Wahl herausgehalten zu haben oder nicht in der Lage gewesen zu sein, dort mitzureden: Der Judenoberschultheiß amtierte seit Oktober 1761 bis zum Untergang des Fürstentums;[70] es gibt keine direkten Zeugnisse dafür, dass beide je miteinander zu tun gehabt hätten.[71] Die Interpretation dieses Befundes ist nicht eben einfach angesichts der Tatsache, dass anderen Hoffaktoren gewissermaßen wie von selbst Leitungsaufgaben in ihren jeweiligen Gemeinden zugefallen waren.[72] Möglicherweise steckt dahinter der Argwohn seitens der Schutzjuden, der amtsbedingte Kontakt mit höfischer Gesellschaft und höfischem Leben sei mit jüdischer Religiosität nicht vereinbar, vielleicht auch verbunden mit einem gewissen Konkurrenzdenken, das dem vielfach privilegierten Glaubensgenossen die bevorzugte Stellung und die wirtschaftlichen Möglichkeiten neidete. Nichtsdestoweniger zögerte Saul Wahl nicht, sich sowohl für eine Verbesserung der

Situation der rechtlich benachteiligten Schutzjuden allgemein wie auch für die Belange Einzelner in konkreten Fällen einzusetzen. Schon sein Vater hatte erreicht, dass die Artikel der Homburger Metzgerzunft um Bestimmungen für das Viehschächten erweitert wurden, sodass jeder jüdische Haushalt mit koscherem Fleisch versorgt werden konnte.[73] Saul Wahl sorgte für eine Verlegung des Zweibrücker Wochenmarktes von Samstag auf Montag, damit er auch von jüdischen Händlern besucht werden konnte;[74] wahrscheinlich gehen auch die einschlägigen Artikel der Viehmarktverordnung von 1773[75] auf seine Initiative zurück (Befreiung vom Leibzoll für jüdische Viehhändler sowie deren Versorgung mit koscherem Fleisch und Wein).[76] Beharrlich setzte er sich für eine Reduzierung des Schutzgeldes ein, damit – so seine auch in diesem Fall ganz kameralistische Argumentation – Juden aus den Nachbarterritorien „henein zu uns ziehen, marken [Märkte] florierten desto besser, samt gantzen handel, ohmgeld und Zelle [Zölle] vermehrten sich auch, und die würklich wohnende Kehmen beßer auf […]";[77] ein Erfolg war diesen Vorstößen allerdings erst zu Beginn der Regentschaft Karls II. August beschieden, als Saul Wahl seinen Posten bereits verloren hatte.[78] Im Jahre 1772 verwandte er sich mehrfach für Samuel David aus dem leiningischen Wallhalben, der um den Schutz zu Homburg nachgesucht und gegen dessen Aufnahme die Stadtbürgerschaft vehement protestiert hatte;[79] durch Wahls Vermittlung konnte er sich mit seinem Pferdehandel in der Stadt etablieren und im Jahre 1781 selber zum privilegierten und besoldeten Hoflieferanten aufsteigen.[80]

Eine viel deutlichere Sprache reden die Quellen, wenn es um Saul Wahls Einstellung zum Judentum und seine persönliche Religiosität geht: Er war ein frommer und pflichtbewusster Jude, der auf die ungestörte und gesetzeskonforme Ausübung seines Glaubens größten Wert legte. Zahlreich sind die Fälle, wo er darauf beharrte, religiöser Gründe wegen seinen Dienstpflichten nicht nachzukommen, etwa zu Neujahr, zum Laubhüttenfest, zu Ostern – Feiertage, die er in aller Regel in Blieskastel beging.[81] Nachgerade flehentlich bat er den Pfalzgrafen, seinen Salz- und Tabakladen „auf mein schabaß und feüer täge" geschlossen halten zu dürfen, andernfalls müsste er einen kostspieligen Gehilfen engagieren, der für ihn den Verkauf erledigte.[82] Die penible Befolgung der jüdischen Reinheitsgesetze trug ihm einen Dauerkonflikt mit der Zweibrücker Metzgerzunft ein, deren Angehörige sich entgegen der herrschaftlichen Anordnung öfter weigerten, ihn in ihren Schlachthäusern schächten zu lassen.[83] Auch die intensiven Kontakte zur nichtjüdischen Umwelt scheinen seine Einstellungen nicht erschüttert zu haben, man kann im Gegenteil vermuten, dass die vielfältigen Erfahrungen von Argwohn, Missgunst und Feindseligkeit, über die er sich oftmals beklagte und die ihm als

Juden galten, ihn in seiner Haltung nur bestärkten – „ich will als Jud Jud bleiben in meiner niedrige demuth", schrieb er an Christian IV.[84] und machte damit deutlich, in welchem Ausmaß Religiosität ein integraler Faktor seines Selbstverständnisses war. Aufgeklärt-rationales Gedankengut, wie es bei seiner Beschäftigung mit Naturkunde und Technik durchaus eine Rolle spielte, scheint auf seine religiöse Einstellung keinerlei Einfluss ausgeübt zu haben. Modifiziert wird dieses Bild allenfalls, wenn man den persönlichen Lebensstil Saul Wahls betrachtet. Hier scheint er durchaus an der bürgerlichen und aristokratischen Umgebung, in der er sich tagtäglich bewegte, Maß genommen zu haben, was etwa die standesgemäße Kutsche, die Ausstattung seiner Wohnung, seine Kleidung oder die Beteiligung am Glücksspiel betraf.[85] Möglicherweise findet auch Saul Wahls eher befremdliche Affinität zu Rosenkreuzertum und Freimaurerei – wenn sie denn nicht in dessen theoretischer wie praktischer Beschäftigung mit Alchimie begründet liegt – in dieser Orientierung an bürgerlichen oder adligen, jedenfalls außerhalb des traditionellen Judentums angesiedelten Formen der Lebensgestaltung ihre Erklärung.[86]

Vom privilegierten Hofjuden zum verarmten Schutzjuden

Nirgends wird Saul Wahls instabile, allein von seinem fürstlichen Dienstherrn abhängige Stellung deutlicher als beim Tode Christians IV., der überraschend am 5. November 1775 verstarb. Sein Neffe und Nachfolger Karl II. August (1775–1795)[87] setzte unverzüglich ein groß angelegtes Revirement ins Werk, von dem auch die Geheimwissenschaftler betroffen waren, die sein Onkel an den Hof geholt und protegiert hatte.[88] Gegen Saul Wahl wurde vor dem Oberamt Zweibrücken ein Verfahren eröffnet, und zwar wegen angeblicher Unregelmäßigkeiten beim Salzverkauf. Wahl verließ das Fürstentum überstürzt – Anfang 1776 befand er sich im niederländischen Nimwegen[89] –, seine Mobilien wurden versiegelt, seine Frau unter Hausarrest gestellt; erst nachdem man ihm freies Geleit zugesichert hatte, kehrte Wahl zurück, um sich gegen die Vorwürfe zu rechtfertigen.[90] Der Pfalzgraf erließ ihm zwar Ende Dezember 1776 die inkriminierten Forderungen der fürstlichen Monopolverwaltung, allerdings unter der ausdrücklichen Bedingung, „daß derselbe dagegen von allen und jeden an Uns formierenden vorgebl. Ansprüchen gäntzl. abstehen, und sich mit seiner famille von hier wegbegeben auch Uns auf keinerley Art weiter behelligen [...] solle".[91] Saul Wahl zog mit Frau und Kindern nach Pirmasens, wo ihm der Nachfolger seines früheren Dienstherrn, Landgraf Ludwig IX., den Schutz gewährt hatte unter der üblichen

Bedingung, ein Haus zu bauen und zum Unterhalt der jüdischen Gemeinde beizutragen.[92] In zahlreichen Schreiben bot er Karl II. August immer wieder seine Dienste an,[93] vermochte jedoch nicht mehr Fuß zu fassen. Erfolge hatte er lediglich bei seinen Bemühungen, in Zweibrücken einen Kleiderhandel zu eröffnen, der allerdings starker Konkurrenz wegen nicht florierte.[94] Aufs Äußerste beunruhigt zeigte sich die Regierung nach Wahls wiederholtem Hinweis auf die Privilegien Christians IV., deren Originalurkunden er noch in Händen habe. Seine missliche finanzielle Lage ausnutzend, brachte sie Wahl im Sommer 1779 dazu, diese gegen einen Betrag von 132 Gulden auszuliefern und zu versichern, den Inhalt zu verschweigen und keine Abschriften zurückzubehalten – ein beredtes Zeugnis dafür, wie sehr man sich mittlerweile von dem Alchimisten auf dem Zweibrücker Fürstenthron zu distanzieren suchte.[95]

Trotz dieser und gelegentlicher anderer Zuwendungen verschlechterte sich die wirtschaftliche Lage der Familie dramatisch, verschiedentlich drohten Klagen und Pfändung – Saul Wahl konnte die Wirte in Zweibrücken und Homburg, bei denen er logierte, nicht mehr bezahlen[96] –, im März 1787 stand gar die Ausweisung aus Pirmasens bevor, weil er die Kaution auf seinen noch immer nicht begonnenen Hausbau nicht aufbringen konnte.[97] Ohne dass er bei den verantwortlichen Stellen und Personen in Zweibrücken auf Verständnis oder Bereitschaft zum Helfen gestoßen wäre, ist Saul Wahl wohl im Sommer 1791 völlig verarmt gestorben.[98] Seine Witwe und sein ältester Sohn wandten sich weiterhin an den Pfalzgrafen um Unterstützung;[99] gewissermaßen als *ultima ratio* legten sie Anfang 1793 eine Versicherung Christians IV. vor, Saul Wahls Erben testamentarisch mit einer Pension in Höhe von 1000 Gulden bedenken zu wollen.[100] Die Regierung, die darin eine plumpe Fälschung sah und urteilte, „des Saul Wahlischen Betrügerischen Geist scheinnet seit seinem Tod auf seine Wittwe und Kinder künftig zu ruhen“,[101] verlangte die Vorlage des Originals, wozu man allem Anschein nach aber nicht in der Lage war. Freidge Wahl und ihre Söhne führten weiterhin ein kümmerliches Leben in Pirmasens – besonders betroffen von Plünderungen durch Revolutionssoldaten im Verlauf des Jahres 1793[102] –, bevor sich, wie angedeutet, ihre Spuren gegen Ende des Jahrhunderts verlieren.[103]

Fazit

Im Vergleich mit anderen Reichsständen zeigt das Wirken der jüdischen Hofagenten Herz und Saul Wahl im Fürstentum Pfalz-Zweibrücken Parallelen und Unterschiede. Eher untypisch, wenn auch nicht singulär, ist der späte Beginn der Tätigkeit von Hofjuden überhaupt, die in anderen, größeren Reichsterritorien bekanntlich schon mit der politischen und ökonomischen Konsolidierungsphase unmittelbar nach dem Ende des Dreißigjährigen Krieges einsetzt. In Pfalz-Zweibrücken, dessen bäuerliche Bevölkerung wie auch politisch-soziale Eliten eher antijüdisch eingestellt sind, beginnt sie dagegen erst mit dem Engagement Herz und Saul Wahls ein Dezennium nach der Mitte des 18. Jahrhunderts. Ursächlich hierfür sind neben wirtschaftlichen Problemen des Kleinstaates in erster Linie die persönlichen Liebhabereien des Landesherren auf dem Gebiet der Geheimwissenschaften, zu deren Verwirklichung er – für den als Agnostiker religiöse oder konfessionelle Erwägungen keine Rolle spielen – neben einer Reihe anderer Personen zwei in seinen Augen ausgewiesene Experten an seinen Hof holt, deren naturwissenschaftliche Kenntnisse und Begabungen – wiewohl als Arkanisten und im zeittypischen Gewande der Alchimie – sich tatsächlich als überdurchschnittlich erweisen. Deren Stellung als Hofjuden definiert sich zunächst und vorwiegend durch die persönliche Bindung an den Landesherren, die im besonderen Fall durch die Akzentuierung der gemeinsamen Betätigung auf dem Gebiet der alchimistischen Geheimwissenschaft eine zusätzliche Intensivierung erfährt; rechtlich manifest wird dieses Verhältnis durch die Gewährung von Privilegien, wodurch die Hofjuden weit aus der Gruppe der Schutzjuden herausgehoben sind. Damit korrespondieren die vielfältig ausdifferenzierten wirtschaftlichen und unternehmerischen Aktivitäten gerade Saul Wahls, der sich durch die Entfaltung sozusagen universaler Talente seinem Landesherren unentbehrlich zu machen sucht – wenn auch dahinter das Motiv einer Emanzipation von der allzu einseitigen Bindung an den Fürsten, stattdessen das Streben nach einer versachlichten Position innerhalb des Staates und seiner Bürokratie vermutet werden kann. Dessen geographische und mentale Kleinräumigkeit allerdings lassen seine weit ausgespannten und ins 19. Jahrhundert vorausweisenden Ambitionen auf naturwissenschaftlichem und ökonomischem Gebiet ins Leere laufen und führen letztlich nach dem Tode seines fürstlichen Dienstherren zu seinem Scheitern.

Auffällig ist Saul Wahls gesetzestreues Judentum, das gegenüber Tendenzen der Moderne resistent zu sein scheint. Man kann es zunächst durchaus gewissermaßen als Rückzug auf sicheres Terrain interpretieren, als eine Reaktion auf die vergeblichen Versuche, in die führenden Kreise von Stadt- und

Hofgesellschaft aufzusteigen, deren Lebensformen immerhin ansatzweise kopiert werden. Berücksichtigt man allerdings die Amplitude seiner Wirksamkeit, die den individuellen Rahmen geschäftlicher Interessen und auch die enge Bindung an den Landesherren als Vertragspartner und Alimentator weit hinter sich lässt, stattdessen Wohl und Nutzen von Staat und Gesellschaft allgemein ins Zentrum rückt, so wird dahinter ein neues Ideal von Humanität erkennbar, das die Grenzen von traditioneller jüdischer Gesellschaft und Religiosität übersteigt. Vielleicht findet hierin Saul Wahls befremdliche Stellung innerhalb der jüdischen Gemeinde ihre Ursache, verstärkt durch den Argwohn gegenüber dem kulturellen „Grenzgänger", was ihn allerdings nicht von der Betätigung im Sinne des herkömmlichen *Stadlans* abgehalten zu haben scheint.

Insgesamt gesehen hat das Wirken Herz und Saul Wahls in Pfalz-Zweibrücken durch das abrupte Ende nach dem Tod ihres fürstlichen Auftraggebers, verbunden mit einem nachhaltigen Richtungswechsel vor allem auch in der Wirtschaftspolitik, eher episodenhaften Charakter, längerfristig wirksame Veränderungen in Politik und Gesellschaft – wiewohl auf Seiten Saul Wahls durchaus intendiert – wird man ihm kaum zuschreiben können. Wenn in den späten siebziger und den achtziger Jahren gerade auf dem Gebiet des Judenrechts und der Judenpolitik Verbesserungen zu verzeichnen sind, so stehen dahinter aktuelle fiskalische Motive. Die rechtliche Gleichstellung der Juden als Voraussetzung für deren kulturelle Assimilation und gesellschaftliche Akzeptanz leistet ohnehin erst die Französische Revolution, unter deren Ansturm seit dem Frühjahr 1793 auch das Fürstentum Pfalz-Zweibrücken zusammenbricht. Saul Wahl, dessen Leben und Wirken vom Hofjuden zurück zum Schutzjuden führt, hat daran keinen Anteil. Nichtsdestoweniger bereichert er sowohl als Individuum unverwechselbaren Charakters wie als Typ des in enger persönlicher Bindung an den Fürsten existierenden und wirkenden Hofagenten das bunt schillernde Mosaik, welches das Phänomen des Hofjudentums insgesamt darstellt und innerhalb dessen er seinen originären Platz findet.

Anmerkungen

1 Bayerisches Hauptstaatsarchiv München, blauer Kasten (künftig: BayHStAMü Kbl) 406/10, fol. 125–127.

2 Johann Georg Lehmann, *Vollständige Geschichte des Herzogtums Zweibrücken und seiner Fürsten,* München 1867; Hans-Walter Herrmann, Das Herzogtum Pfalz-Zweibrücken, in: ders./Kurt Hoppstädter/Hans Klein (Hgg.), *Geschichtliche Landes-*

kunde des Saarlandes, Bd. 2: Von der fränkischen Landnahme bis zum Ausbruch der Französischen Revolution, Saarbrücken 1977, S. 344–375; HANS AMMERICH, *Landesherr und Landesverwaltung. Beiträge zur Regierung von Pfalz-Zweibrücken am Ende des Alten Reiches*, Saarbrücken 1981 (Veröffentlichungen der Kommission für Saarländische Landesgeschichte und Volksforschung 11).

3 Noch immer wäre eine Gesamtdarstellung der Geschichte der Juden in Pfalz-Zweibrücken erst zu schreiben. Vgl. einstweilen DIETER BLINN, *Juden in Homburg. Geschichte einer jüdischen Lebenswelt 1330–1945*, Homburg/Saarpfalz 1993, vor allem S. 13–49; DERS., Judenrecht im Fürstentum Pfalz-Zweibrücken. Quellen zum Recht für Juden eines Reichsterritoriums vom 16. bis zum 18. Jahrhundert. Eine Dokumentation, in: *Zeitschrift für die Geschichte der Saargegend* 62 (1994), S. 31–114, hier vor allem die Einleitung S. 31–53.

4 DIETER BLINN, Salomon Meyer Levi. Letzter Judenoberschultheiß des Fürstentums Pfalz-Zweibrücken, in: *Jüdische Lebensgeschichten aus der Pfalz*, hg. vom Arbeitskreis für neuere jüdische Geschichte in der Pfalz, Speyer 1995, S. 35–53.

5 Die Zahlen stammen aus der zeitgenössischen, sehr lesenswerten, allerdings (nach derzeitigem Kenntnisstand) nur in unvollständiger Abschrift erhaltenen *Beschreibung des Fürstentums Zweybrüken*, die der im Ruhestand lebende reformierte Pfarrer von Niederkirchen, JOHANN KARL BONNET, Ende der 80er Jahre des 18. Jahrhunderts verfasst hat (Bibliotheca Bipontina Zweibrücken, Signatur Zwe 3/141).

6 BLINN, *Juden in Homburg* (wie Anm. 3), S. 18 (mit Anm. 4).

7 In der Literatur ist beiden bisher kaum Beachtung geschenkt worden: HEINRICH SCHNEE behandelt sie kursorisch, ohne auf Persönlichkeiten und Funktion näher einzugehen, lediglich der vertraute Umgang mit dem Landesherren wird hervorgehoben (*Die Hoffinanz und der moderne Staat. Geschichte und System der Hoffaktoren an deutschen Fürstenhöfen im Zeitalter des Absolutismus, Bd. 4: Hoffaktoren an süddeutschen Fürstenhöfen nebst Studien zur Geschichte des Hoffaktorentums in Deutschland*, Berlin 1963, S. 186 f.). Nur wenig ausführlicher, dabei einseitig den Aspekt betrügerischer Gold- und Projektemacherei betonend, ist EMIL HEUSER, *Der Alchimist Stahl im Herzogtum Pfalz-Zweibrücken. Ein Stück Kulturgeschichte aus alten Akten*, Neustadt an der Haardt 1911, S. 4 f. und 47 ff. (dass Herz und Saul Wahl Vater und Sohn sind, ist ihm entgangen). Die Lokal- und Regionalgeschichtsschreibung, die dem 18. Jahrhundert als vorgeblicher Blütezeit der Aufklärung in Zweibrücken unter vielerlei Gesichtspunkten breitesten Raum gewährt, hat das Thema (Hof-) Juden konsequent vermieden; vgl. etwa: *Zweibrücken 600 Jahre Stadt 1352–1952. Festschrift zur 600-Jahrfeier*, Zweibrücken 1953, und JULIUS DAHL/KARL LOHMEYER (Hgg.), *Das barocke Zweibrücken und seine Meister*, 2. Aufl., Waldfischbach (Pfalz) 1957. Einige mangelnder Quellenstudien halber nur vorläufige Bemerkungen bei BLINN, *Juden in Homburg* (wie Anm. 3), S. 36–41.

8 Zum ereignisgeschichtlichen Hintergrund und zur Wertung der Legende unter quellenkritischen und literaturwissenschaftlichen Aspekten vgl. PHILIPP BLOCH, Die Sage von Saul Wahl, dem Eintagskönig von Polen, in: *Zeitschrift der Historischen Gesellschaft für die Provinz Posen* 4 (1889), S. 233–258. Nach Bloch lieferte erst die volksetymologische Deutung des Namens Wahl, in dem er die polnische Entsprechung (wól) von hebr. schor (= Ochs; wegen der Verbindung Saul Wahls zur litauischen Judenfamilie Schorr) sieht, den Anlass zur Bildung der Legende. Anderen zufolge kommt der Name vom poln. Adjektiv wlach (= welsch); vgl. *Jüdisches Lexikon. Ein enzyklopädisches Handbuch des jüdischen Wissens in vier Bänden*, Bd. 4, Berlin 1927, Sp. 1277 f., s. v. *Wahl, Saul (Judycz)*.

9 Zu Geschichte und Bedeutung der Familie MAX FREUDENTHAL, *Aus der Heimat Mendelssohns. Moses Benjamin Wulff und seine Familie, die Nachkommen des Moses Isserles*, Berlin 1900.

10 Ebd., S. 118; dort wird (in Anm. 6) ein Herz Wahl neben Wolf Saul und Rahel Sara als Kind Saul Wahls genannt. Über die Verbindung zu Mendelssohn DERS., Die Mutter Moses Mendelssohns, in: *Zeitschrift für die Geschichte der Juden in Deutschland* 1 (1929), S. 192–200. Vgl. auch JACOB JACOBSON (Hg.), *Jüdische Trauungen in Berlin 1759–1813. Mit Ergänzungen für die Jahre von 1723 bis 1759*, Berlin 1968 (Veröffentlichungen der Historischen Kommission zu Berlin 28), S. 96–98. – In der Literatur zur jüdischen Gemeinde Dessaus kommt Herz Wahl ansonsten nicht vor; vgl. WERNER GROSSERT, Dessau, in: JUTTA DICK/MARINA SASSENBERG (Hgg.), *Wegweiser durch das jüdische Sachsen-Anhalt*, Potsdam 1998, S. 40–57.

11 Jedenfalls fungierte Israel Wahl 1766 für diesen als Kapitalvermittler (Thüringisches Staatsarchiv Altenburg, Herzogl. Geh. Archiv Loc. 66 Nr. 6).

12 BayHStAMü Kbl 419/48, fol. 43v.

13 Ebd. 406/18, fol. 153r.

14 Vgl. die Einwohnerlisten des hessen-hanau-lichtenbergischen Amts Lemberg, in denen Saul Wahl seit 1780 mit seiner Familie unter den Schutzjuden von Pirmasens verzeichnet ist, wobei die Angaben über die Zahl der Söhne zwischen einem und vier schwanken (Landesarchiv Speyer [künftig: LASp] C 20 Nr. 162 f.); der Name der Frau in LASp B2 Nr. 3384, fol. 46v, der des Sohnes in Stadtarchiv Pirmasens (künftig: StadtAPs) A 8 Nr. 12, fol. 111.

15 Herz Wahl Dessauer ist für 1753 und 1754 als konzessionsmäßiger Schutzjude zu Mannheim bezeugt (Badisches Generallandesarchiv Karlsruhe, Pfalz Generalia 77/2030 u. 7269). Nach der Aussage Saul Wahls war sein Vater Buchhalter bei Michael May (LASp B2 Nr. 3384, fol. 98v). Herz Wahl selbst behauptete, er habe dessen Sohn Gabriel erzogen (BayHStAMü Kbl 419/48, fol. 44r), was immerhin seltsam klingt, da beide wohl eher gleichaltrig waren. LEOPOLD LÖWENSTEIN zufolge war der spätere Mannheimer Klausrabbiner Moses Moses zuvor Hauslehrer bei Herz Wahl in Dessau (*Geschichte der Juden in der Kurpfalz*, Frankfurt a. M. 1895, S. 229).

16 JULIUS REINHARD DIETERICH, Landgraf Ernst Ludwig und die Goldmacher, in: *Hessische Heimat* 1 (1919), S. 15–33. Über die Finanzlage Hessen-Darmstadts JÜRGEN RAINER WOLF, Joseph Süß Oppenheimer („Jud Süß") und die Darmstädter Goldmünze. Ein Beitrag zur hessen-darmstädtischen Finanzpolitik unter Landgraf Ernst Ludwig, in: *Neunhundert Jahre Geschichte der Juden in Hessen. Beiträge zum politischen, wirtschaftlichen und kulturellen Leben*, Wiesbaden 1983, S. 215–261. – Merkwürdigerweise sind im Hessischen Staatsarchiv Darmstadt (künftig: HessStADa) keinerlei Dokumente über Herz und Saul Wahl zu finden; auch die einschlägige Literatur kennt beide nicht; vgl. etwa JÜRGEN RAINER WOLF, Zwischen Hof und Stadt. Die Juden in der landgräflichen Residenzstadt des 18. Jahrhunderts, in: ECKHARD G. FRANZ (Hg.), *Juden als Darmstädter Bürger*, Darmstadt 1984, S. 48–77. Saul Wahl selber erwähnte die Existenz einer Goldsandbank am Rhein unweit Rüsselsheim, die er und sein Vater entdeckt hätten, „da wir noch zu Darmstadt wohnten" (BayHStAMü Kbl 406/18, fol. 35r), was darauf hindeuten mag, dass die Edelmetallgewinnung auch in Darmstadt ihr eigentliches Metier war.

17 Dass sich Juden auf alchimistischem Gebiet betätigten, mag befremden, mehr noch, dass ein jüdischer Kaufmann allein seiner angeblichen alchimistischen Künste wegen in fürstliche Dienste aufgenommen wurde. Bei der Ausleuchtung der geistesgeschichtlichen Hintergründe wird man an die Kabbala denken, die im Gedankensystem der Alchimisten eine große Rolle spielte – wobei das, was diese als Kabbala ausgaben, mit der jüdischen Mystik und Geheimlehre nicht eben viel zu tun hatte. Hierzu GERSHOM SCHOLEM, *Alchemie und Kabbala*, Frankfurt a. M. 1994, der die prinzipielle Unvereinbarkeit zwischen Kabbala und Alchimie betont (S. 89) und darauf hinweist, „dass Nachweise über Juden, die der Alchemie oblagen", sehr selten seien

(S. 92); die Wahls sind ihm anscheinend unbekannt. Im Gegensatz dazu kann Raphael Patai eine ganze Reihe jüdischer Alchimisten benennen: *The jewish alchemists. A history and source book*, Princeton 1994. Vgl. auch *Encyclopaedia Judaica*, Bd. 2, Jerusalem 1971, Sp. 542–549, s. v. *alchemy*.

18 Kurt Baumann, Herzog Christian IV. von Pfalz-Zweibrücken 1722–1775, in: *Deutscher Westen – Deutsches Reich. Saarpfälzische Lebensbilder*, Bd. 1, Kaiserslautern 1938, S. 103–117; Adalbert Prinz von Bayern, *Der Herzog und die Tänzerin. Die merkwürdige Geschichte Christians IV. von Pfalz-Zweibrücken und seiner Familie*, Neustadt a. d. W. 1966. – Eine neuere Biographie dieses ohne Zweifel bedeutendsten Zweibrücker Fürsten des 18. Jahrhunderts fehlt.

19 Zur Betätigung des Pfalzgrafen auf alchimistischem Gebiet vgl. Heuser, *Alchimist Stahl* (wie Anm. 7), und ders., *Die Pfalz-Zweibrückische Porzellanmanufaktur. Ein Beitrag zur Geschichte des Porzellans und zur Kulturgeschichte eines deutschen Kleinstaates im 18. Jahrhundert*, Neustadt an der Haardt 1907, S. 131 ff. – In der Person Christians IV., der als Prototyp des aufgeklärten Herrschers gilt, manifestiert sich das komplizierte Verhältnis zwischen Aufklärung bzw. Aufgeklärtheit und dem Faszinosum des Irrationalen. Darin stellt er keine singuläre Erscheinung dar (vgl. das vorhin über die Landgrafen von Hessen-Darmstadt Gesagte), sondern repräsentiert durchaus den mentalen Habitus einer ganzen Epoche. Vgl. hierzu etwa Karl R. H. Frick, *Die Erleuchteten. Gnostisch-theosophische und alchemistisch-rosenkreuzerische Geheimgesellschaften bis zum Ende des 18. Jahrhunderts. Ein Beitrag zur Geistesgeschichte der Neuzeit*, Graz 1973, S. 215; ähnlich Christoph Meinel (Hg.), *Die Alchemie in der europäischen Kultur- und Wissenschaftsgeschichte*, Wiesbaden 1986 (Wolfenbütteler Forschungen 32), S. 9 f. – Zur „Fürstenalchemie" im 18. Jahrhundert vgl. Richard Scherer, *Alchymia. Die Jungfrau im blauen Gewande. Alchemistische Texte des 16. und 17. Jahrhunderts*, Mössingen-Talheim 1988 (Talheimer Texte aus der Geschichte 1), S. 23 ff.

20 Er war Kabinett- und Hofuhrmacher und wurde von Landgraf Ludwig VIII. 1749 zum wirklichen Kammerdiener (HessStADa D 8 Konv. 261, Fasz. 1), im Januar 1765 zum Hofkammerrat ernannt (ebd. Konv. 262, Fasz. 2). Seine Beziehungen zu Herz Wahl bleiben dunkel, er hat allem Anschein nach in Zweibrücken nie eine Rolle gespielt. Noch im Februar 1775 korrespondierte er mit Saul Wahl, dem er ein Rezept für „Bournetische Pillen" schickte (BayHStAMü Kbl 406/18, fol. 252 f.).

21 BayHStAMü Kbl 406/10, fol. 129r; Ludwig Knaus erhielt den Hofratstitel mit gleicher Besoldung, scheint dieses Amt allerdings nie ausgeübt zu haben.

22 Etwa BayHStAMü Kbl 406/10, fol. 139r. (Quittung über empfangene 5000 Gulden).

23 BayHStAMü Kbl 405/38. Das von Herz Wahl in der ersten Person sprechende, undatierte Konzept trägt den eigenhändigen Vermerk Christians IV. „alles hierin begehrte wird vollkommen bewilliget" mit Datum 31. Oktober 1762 und Unterschrift. Im Fasz. 406/17 findet sich ein von Herz Wahl selbst formulierter Entwurf für eine Privilegierung, die inhaltlich der vom Pfalzgrafen approbierten Fassung im Wesentlichen entspricht (fol. 1 f.).

24 BayHStAMü Kbl 419/48, fol. 22.

25 Ebd., fol. 43 f. Im genannten Dokument auch der Hinweis auf Blieskastel als Begräbnisstätte. Bei der Suche nach seinem Grab half Martina Strehlen in dankenswerter Weise; leider war es nicht mehr aufzufinden.

26 Vgl. Bloch, Sage (wie Anm. 8), S. 248.

27 BayHStAMü Kbl 405/38.

28 LASp B 3 Nr. 32, S. 107.

29 Etwa was die freie Wohnung, die herrschaftliche Kutsche oder die Bevorzugung bei Hofgeschäften betrifft. Das erwähnte Konzept Herz Wahls (s. Anm. 23) trägt bei den entsprechenden Punkten den Randvermerk „cessat".

30 Die Baurechnungen verzeichnen Ausgaben für Laboratorien im Gebäude der Münze, der Tabakfabrik sowie im „Sundahlischen Garten" (LASp B 3 Nr. 394 ff.).

31 Etwa BayHStAMü Kbl 419/48, fol. 47.

32 Zu ihm die genannten Arbeiten von HEUSER (vgl. Anm. 7 und 19).

33 JULIUS DAHL, Zwei vergessene bedeutende Zweibrücker Hofbeamte, in: *Heimatkalender für die Stadt und den Landkreis Zweibrücken* Jg. 1961, S. 96–100.

34 BayHStAMü Kbl 406/10, fol. 369r. Die Rosenkreuzer waren ein dezidiert antijüdischer Zweig der Freimaurerei und nahmen Juden allenfalls in Ausnahmefällen und nur in der ersten Zeit nach ihrer Entstehung Anfang der 60er Jahre des 18. Jahrhunderts auf. Vgl. FRICK, *Die Erleuchteten* (wie Anm. 19), S. 303 ff.; HORST MÖLLER, Die Bruderschaft der Gold- und Rosenkreuzer. Strukturen, Zielsetzung und Wirkung einer anti-aufklärerischen Geheimgesellschaft, in: HELMUT REINALTER (Hg.), *Freimaurerei und Geheimbünde im 18. Jahrhundert in Mitteleuropa*, 4. Aufl., Frankfurt a. M. 1993, S. 199–239. Zur Bedeutung der Alchimie für die Rosenkreuzer vgl. CHRISTOPHER McINTOSH, The alchemy and the *Gold- und Rosenkreuz*, in: Z.R.W.M. VON MARTELS (ed.), *Alchemy revisited. Proceedings of the international conference on the history of alchemy at the University of Groningen, 17–19 april 1989*, Leiden u. a. 1990, S. 239–244.

35 Im Sommer 1775 etwa übermittelte ihm der Leibarzt des Herzogs von Orléans das Rezept einer für die Transmutation von Metallen notwendigen, „ésprit universel" genannten Substanz, BayHStAMü Kbl 419/38, fol. 72 f.

36 LASp B 2 Nr. 3384, fol. 3 ff. Er hatte eigenen Angaben zufolge eine Maschine erfunden, mit deren Hilfe man auch aus der Flussmitte Sand und Kies gewinnen könne (ebd., fol. 47 f.). Die kurmainzische Parallelüberlieferung ist im Staatsarchiv Würzburg nicht mehr vorhanden.

37 Zur Beziehung zwischen Alchimie und Münzwesen WOLF-DIETER MÜLLER-JAHNCKE/JOACHIM TELLE, Numismatik und Alchemie. Mitteilungen zu Münzen und Medaillen des 17. und 18. Jahrhunderts, in: MEINEL, *Alchemie* (wie Anm. 19), S. 229–275; dort (S. 259 ff.) auch über „alchimistische" Münzen des Landgrafen Ernst Ludwig von Hessen-Darmstadt.

38 BLINN, Judenrecht (wie Anm. 3), S. 93 (Dok. Nr. 84). Schon im November 1762 hatte er den Pfalzgrafen über eine Methode zur Erhöhung des Schlagschatzes unterrichtet (BayHStAMü Kbl 406/10, fol. 172v). Ob er etwas mit der Verrufung Zweibrücker Münzen bei der Probe des Oberrheinischen Kreises in Frankfurt im Jahre 1767 zu tun hat, ist ungewiss; vgl. HANS SCHULER, Die Münzen und Medaillen der Birkenfelder Linie des Hauses Wittelsbach vor Erlangung der Königswürde, in: DAHL/LOHMEYER, *Das barocke Zweibrücken* (wie Anm. 7), S. 645–732, hier S. 668.

39 Zur ökonomischen Reformpolitik Christians IV. vgl. ALFRED REUTER, *Der Merkantilismus im Herzogtum Pfalz-Zweibrücken. Die wirtschaftliche Entwicklung eines deutschen Kleinstaates in der zweiten Hälfte des 18. Jahrhunderts*, Diss. Frankfurt a. M. 1931; HANS FORSTER, Grundzüge des Merkantilismus im Herzogtum Pfalz-Zweibrücken, in: DERS. (Hg.), *Studienbuch Donnersbergkreis*, Tl. 1, Bad Kreuznach 1983 (Heimatkundliche Schriftenreihe des Donnersbergkreises 1), S. 39–194. Die Errichtung der Landesökonomiekommission als Koordinierungsstelle vor allem der agrarpolitischen Reformen verlief annähernd zeitgleich mit den Verhandlungen in Darmstadt; vgl. AMMERICH, *Landesherr* (wie Anm. 2), S. 89 ff. – Beachtung verdient in diesem Zusammenhang, dass einer der wichtigsten Theoretiker des Kameralismus, Johann Joachim Becher nämlich, ebenfalls Alchimist war; vgl. PAMELA H. SMITH, Consumption and credit: The place of alchemy in Johann Joachim Becher's political economy, in: VON MARTELS, *Alchemy revisited* (wie Anm. 34), S. 215–228; HANS FENSKE, Johann Joachim Becher (1635–1682), in: KURT BAUMANN (Hg.), *Pfälzer Lebensbilder*, Bd. 2, Speyer 1970, S. 136–161.

40 BayHStAMü Kbl 406/18, fol. 93r.

41 Vgl. Jörg-Peter Findeisen, *Fürstendienerei oder Zukunftsweisendes unter feudalem Vorzeichen. Wirtschaftspolitische Reformpublizistik in Schwedisch-Pommern zwischen 1750 und 1806,* Sundsvall 1994 (Politik och Historia 1), vor allem S. 28 ff.; Rainer Gömmel, *Die Entwicklung der Wirtschaft im Zeitalter des Merkantilismus 1620–1800,* München/Wien 1998 (Enzyklopädie deutscher Geschichte 46), S. 41 ff.

42 Vgl. Forster, Grundzüge des Merkantilismus (wie Anm. 39), S. 62 ff. Es ist gewiss kein Zufall, dass Christian IV. im Jahre 1770 – nachdem Wahl mit zahlreichen Gutachten und Eingaben sich in diesem Sinne geäußert und entsprechende Forderungen erhoben hatte – die mehr physiokratisch orientierte Landesökonomiekommission aufhob und deren Aufgabenbereich der neu errichteten Polizeikommission zuwies, deren Kompetenzbereich sozusagen gesamtwirtschaftlich abgesteckt wurde. Vgl. Ammerich, *Landesherr* (wie Anm. 2), S. 91, und Frank Konersmann, Faktoren, Formen und Phasen der inneren Staatsbildung im Herzogtum Pfalz-Zweibrücken, in: *Mitteilungen des Historischen Vereins der Pfalz* 87 (1989), S. 161–198, hier S. 174 ff.

43 Zum Beispiel BayHStAMü Kbl 406/18, fol. 39r, 45, 47r, 202; 419/48, fol. 58r; 406/11, Prod. 8. An der Entfernung des betrügerischen Direktors der Tabakfabrik Philipp Jakob Nack im November 1772 war er maßgeblich beteiligt: BayHStAMü Kbl 406/18, fol. 104r, und Stadtarchiv Zweibrücken (künftig: StadtAZw) Regierungsprotokoll 1772, Nr. 3872 f.

44 BayHStAMü Kbl 405/45–I, Prod. 63; 406/18, fol. 28r (Saul Wahl hatte nach eigener Aussage „von purer landes producten tiegelmaß Componirt“, die ein besonders haltbares und widerstandsfähiges Steingut ergebe – wahrscheinlich machte sich gerade auf diesem Gebiet die Konkurrenz zu Stahl bemerkbar, der in seinem Laboratorium auf dem Gutenbrunnen bekanntlich kein Gold, dafür aber Porzellan fabrizierte); 406/9, Prod. 75.

45 Etwa BayHStAMü Kbl 406/11, Prod. 3. Er übersandte dem Pfalzgrafen „ein perlen ohrboutoliken die gemacht mit eigner hand von unsere perlen, der frau gräffin [der Gräfin von Forbach, Christians IV. morganatischer Ehefrau, d. Verf.] zu schüken“.

46 BayHStAMü Kbl 406/18, fol. 177; eine Eingabe der Zweibrücker Krämerzunft vom 8. Februar 1770 mit der Bitte um Aufhebung der Steuer in LASp B 2 Nr. 3720, fol. 64–69.

47 BayHStAMü Kbl 405/41, fol. 62–73; 406/18, fol. 192 f. Unklar ist, ob die Häuserlotterie, die Christian IV. zur Finanzierung der Gebäude in der neu angelegten Unteren Vorstadt durchführte, auf Wahls Initiative zurückgeht.

48 BayHStAMü Kbl 419/48, fol. 54r und 56r. Er hatte eine Methode entwickelt, durch die Stoffe aus Flachs und Hanf wie Seide glänzten; eine Probe davon übersandte er der Redaktion der Leipziger Intelligenzblätter, die eine entsprechende Annonce veröffentlichte (Jg. 1767, S. 422).

49 Um nur noch ein Beispiel zu nennen: Er hatte eine besonders wetterfeste und glänzende grüne Farbe erfunden, für deren Produktion und Vertrieb er noch kurz vor Christians IV. Tod das Monopol erhielt: BayHStAMü Kbl 406/18, fol. 28r.

50 So klagte er in einem Schreiben an Christian IV. im August 1771: „[W]as machet die policey Commission nicht vor böke in Comerce sachen, warum, weillen Sie niemanden bey sich haben der zu commerce und negotien wesen aufgelegt ist oder verstünde“ (BayHStAMü Kbl 406/18, fol. 165v).

51 Ebd., fol. 177v. Über Wahls Ausbildung ist nichts bekannt.

52 Etwa BayHStAMü Kbl 406/10, fol. 355r. Hierher gehören auch seine Anstrengungen, einen Direktorenposten in einer der Manufakturen zu erhalten (etwa ebd. 406/18, fol. 45).

53 Ein Verzeichnis seiner *Arcana*, die mit einer Ausgabe von nur 200 fl. zu realisieren

seien, umfasst etwa 100 Projekte aus den Gebieten Ökonomie, Kameralia, Polizei u. a. (BayHStAMü Kbl 406/18, fol. 41 ff.).

54 So schlug er dem Pfalzgrafen im Juni 1771 einen Gebietstausch mit Kurtrier in der St. Wendeler Gegend vor, worüber er bezeichnenderweise mit dem „factotum von dem primier minister H. v. Hoenstein von Coblentz" in Korrespondenz stehe (BayHStAMü Kbl 406/18, fol. 24 f.).

55 Den Saarbrücker Regierungspräsidenten von Günderode etwa brachte er für die Stelle des Kanzleidirektors ins Gespräch: BayHStAMü Kbl 406/18, fol. 65r.

56 Derartige Vorwürfe richtete er vor allem gegen seinen Alchimie-Konkurrenten Regierungsrat Wernher: Er lasse Wahls Vorlagen „seiner ministerial maxime nach liegen, bis gras drüber wachset, machet hernach eine andre soose dran und giebt es vor seiner infention aus" (BayHStAMü Kbl 406/18, fol. 221r). Ende August 1778, bereits nach seiner Entfernung aus dem fürstlichen Dienst, fasste er in einer Bittschrift an Christians IV. Nachfolger seine Erfahrungen zusammen: „Schon in voriger Regirung hat man ein gesehen wie das Commerce allhier auf sehr üblen fuß stehe, und bin ich manchmahlen veranlast worden heilsame vorschläge destwegen zu thun, die aber wie die mehrste meiner sachen Supprimirt geblieben" (LASp B 2 Nr. 5357, fol. 193r).

57 Etwa BayHStAMü Kbl 419/48, fol. 49 f. (im Zusammenhang mit Münzgeschäften).

58 Auseinandersetzungen ergaben sich – wie bereits angedeutet – mit der Krämerzunft, in die er auf fürstliche Anweisung und gegen den massiven Protest der Zunftgenossen im Dezember 1772 aufgenommen worden war (StadtAZw Regierungsprotokoll 1772, Nr. 4580), nachdem er im Januar desselben Jahres den Salz- und Tabaksdebit erhalten hatte (BayHStAMü Kbl 406/45–I, Prod. 62; 406/18, fol. 130r). Notorisch war sein Konflikt mit der Zweibrücker Metzgerzunft, deren Angehörige ihn beim Schächten zu schikanieren pflegten (etwa BayHStAMü Kbl 406/18, fol. 80; StadtAZw Ratsprotokoll 1774, S. 160 ff. und 855 f.).

59 BayHStAMü Kbl 406/18, fol. 65v.

60 Ebd., fol. 217r.

61 Ebd., 419/48, fol. 54r.

62 Ebd., 406/18, fol. 96.

63 Ebd., 406/10, fol. 355r.

64 Ebd., fol. 405r. Das Schreiben an Christian IV. mit dieser Äußerung trägt kein Datum, lässt sich aber in die Spätphase von Wahls Amtszeit datieren (ca. 1773/74).

65 In dem von Christian IV. genehmigten Privilegienkatalog hatte Herz Wahl jurisdiktionelle Kompetenzen über die Juden gefordert, „die weg[en] weithen absenz derer Rabinere, gar übel disciplinirer seyend, so daß fast mit Ihnen nicht wohl zu leben ist". Konkret ging es um die Verhängung von Geldstrafen bis zu einer Höhe von 20 Reichstalern, die zwischen dem Fürsten und der Juden-Almosen-Kasse zu teilen gewesen wären (BayHStAMü Kbl 405/38). Es gibt keinerlei Anzeichen dafür, dass Herz oder Saul Wahl jemals ein entsprechendes Amt ausgeübt hätten. – Die Rabbiner kamen in der Tat von auswärts, für die nördlichen Oberämter in aller Regel aus Bingen, für die Territorien unter französischer Souveränität und wohl auch für das Oberamt Bergzabern aus dem Elsass, vgl. Blinn, Judenrecht (wie Anm. 3), S. 58 (Dok. Nr. 9) und 71 (Dok. Nr. 71).

66 In der zweiten Hälfte der 60er Jahre des 18. Jahrhunderts lebten in Homburg etwa drei oder vier jüdische Familien. Gemeindliche Strukturen waren allenfalls ansatzweise ausgebildet; ein eigener Rabbiner ist erst seit 1785 bezeugt, vgl. Blinn, *Juden in Homburg* (wie Anm. 3), S. 22 ff. und 44 ff.

67 So beklagte er sich über „die unruhige Juden von Homburg, in denen noch die affaire wegen der schule steket" – allem Anschein nach ging es also um Differenzen religiös-

kultischer Natur, ohne dass die Hintergründe bekannt wären (BayHStAMü Kbl 406/18, fol. 61 f.).

68 LASp B 3 Nr. 32, S. 202.

69 Zweibrücker Wochenblatt vom 21.7.1767. Über die Krankheit des Erbprinzen von Bayern, *Herzog* (wie Anm. 18), S. 48; er starb am 15. August desselben Jahres.

70 Blinn, *Juden in Homburg* (wie Anm. 3), S. 41 ff.; ders., Salomon Meyer Levi (wie Anm. 4), S. 45 ff.

71 Vermutlich ergab sich Kontakt, eher noch Konfrontation, anlässlich des projektierten Ankaufs der halben Herrschaft Reipoltskirchen Ende der 60er Jahre. Saul Wahl engagierte sich sehr in dieser Angelegenheit, bot dem Pfalzgrafen auch immer wieder seine Hilfe bei der Beschaffung der Kaufsumme an, ohne dass er allerdings zum Zuge gekommen wäre. Die Regierung bediente sich vielmehr des Judenoberschultheißen Salomon Meyer und anderer Juden als Unterhändler (LASp B 2 Nr. 6377, fol. 2 ff.), was Wahl äußerst gekränkt zu dem Kommentar veranlasste, „[…] warum sollen andere Juden drein gezogen werden mir die Descretion vor den [sic] Maul wek zu fischen, da ich doch schon vor ¾ Jahren der erste anträger an Ew. Hochfürstliche durchlaucht gewesen bin, und bis zur stunde beßere dienst dabey thun kann alls diese land laüffers alle, die doch nur gegrisch [Geschrei] in der welt machen" (BayHStAMü Kbl 406/10, fol. 389r). Dass Saul Wahl bei diesem Geschäft sozusagen ausgebootet wurde, mag daran liegen, dass einer seiner Hauptgegner in der Bürokratie, Regierungsrat Wernher nämlich, als Kommissar in der Reipoltskircher Angelegenheit fungierte (LASp B 2 Nr. 6377, fol. 8v). – Zur komplizierten Territorialgeschichte vgl. Gerhard Köbler, *Historisches Lexikon der deutschen Länder. Die deutschen Territorien vom Mittelalter bis zur Gegenwart*, 4. Aufl., München 1992, S. 498 s. v. *Reipoltskirchen*.

72 Vgl. etwa Mordechai Breuer/Michael Graetz, *Deutsch-jüdische Geschichte in der Neuzeit, Bd. 1: Tradition und Aufklärung 1600–1780*, München 1996, S. 118 ff.

73 BayHStAMü Kbl 406/18, fol. 80; Blinn, Judenrecht (wie Anm. 3), S. 92 f. (Dok. Nr. 83).

74 Zweibrücker Wochenblatt 1773, Nr. 6; BayHStAMü Kbl 406/18, fol. 51v.

75 Blinn, Judenrecht (wie Anm. 3), S. 98 f. (Dok. Nr. 97).

76 BayHStAMü Kbl 406/18, fol. 52r.

77 Ebd., fol. 140r. Bei anderer Gelegenheit kam Saul Wahl auf den Herzog von Sachsen-Gotha zu sprechen, der den „fluch, den ein alter Herzog auf seine nachköhmlinge gelegt hat der Juden annehme", von drei Universitäten habe prüfen lassen, ob er daran gebunden sei oder nicht, und alle drei hätten „Ihme aber braff absolvirt, und so gab er Ihnen [den Juden] schul, begräbnus und ist eine handels stadt seit 3 Jahren" – die Anspielung auf Pfalzgraf Wolfgang und dessen testamentarischen „Fluch" ist mehr als deutlich (ebd., fol. 37r).

78 Vgl. Blinn, *Juden in Homburg* (wie Anm. 3), S. 18 f.; ders., Judenrecht (wie Anm. 3), S. 105 (Dok. Nr. 114) und S. 112 ff.

79 Blinn, *Juden in Homburg* (wie Anm. 3), S. 23; BayHStAMü Kbl 406/18, fol. 74r.

80 Schnee, *Hoffinanz*, Bd. 4 (wie Anm. 7), S. 186; Blinn, *Juden in Homburg* (wie Anm. 3), S. 41.

81 Nur einige Beispiele: Im April 1764 ist er wegen der Osterfeiertage für acht Tage unabkömmlich (BayHStAMü Kbl 406/18, fol. 179r); Anfang Juni 1768 kann er „wegen meine pfingst feüer täge" eine Denkschrift nicht rechtzeitig übergeben (ebd. 419/48, fol. 67r); Mitte Oktober 1772 hält er sich wegen des Laubhüttenfestes acht Tage lang bei Juden in Blieskastel auf (ebd. 406/18, fol. 173r).

82 BayHStAMü Kbl 406/18, fol. 52r.

83 Vgl. o. Anm. 58.

84 BayHStAMü Kbl 406/18, fol. 94r.

85 BayHStAMü Kbl 406/18, fol. 61 f. und 208r; 491/48, fol. 22; 406/10, fol. 352v.

86 Abgesehen von seiner behaupteten Mitgliedschaft bei den Rosenkreuzern stand Wahl in Kontakt mit einem prominenten Freimaurer, Johann Wilhelm von Assum (möglicherweise Mitglied im Orden der Asiatischen Brüder, der auch Juden offen stand), den er zur Verwirklichung seiner Lotteriepläne 1773 von Darmstadt nach Zweibrücken holte (BayHStAMü Kbl 405/38, fol. 79 ff.). Über von Assum Frick, *Die Erleuchteten* (wie Anm. 19), S. 465.

87 Kurt Baumann, Herzog Karl August II. von Pfalz-Zweibrücken, in: *Saarbrücker Hefte* 6 (1957), S. 49–67.

88 Vgl. Heuser, *Alchimist Stahl* (wie Anm. 7), S. 50 ff.; Ammerich, *Landesherr und Landesverwaltung* (wie Anm. 2), S. 171. – Damit verbunden war ein politischer Kurswechsel, die reformorientierte Wirtschaftspolitik Christians IV. wurde nicht weiter verfolgt; vgl. Forster, Grundzüge (wie Anm. 39), S. 65.

89 BayHStAMü Kbl 406/10, fol. 351 ff.

90 LASp B 2 Nr. 3384, fol. 18.

91 Ebd., fol. 28r. Reichlich spät, im März 1778, konzipierte der geheime Konferenzrat Ludwig von Esebeck die Verfügung der Entlassung Wahls aus fürstlichen Diensten, „weillen Höchstdieselben ihn ferner beyzubehalten und zu salariren vor ohnnöthig erachtet […]", mit dem maliziösen Beisatz: „da höchstdieselben diesen zu demjenigen, warum er von höchstdero H. Reg. Vorfahrens Christmildesten Gedächtnüßen angenommen worden, fernerhin zu verwenden sich nicht gdgst. bewogen sehen" (ebd., fol. 44r); hinter der geschraubten Formulierung steckt selbstredend eine Anspielung auf Wahls alchimistischen Aufgabenbereich.

92 S. o. Anm. 14; Immobilienbesitz wird nirgends verzeichnet, Saul Wahl dürfte demnach zum Neubau eines Hauses nicht imstande gewesen sein.

93 Unter anderem brachte er sein Lombard-Projekt erneut zur Sprache, ebenso die Pfeifenfabrik, deren Errichtung an Kapitalmangel scheiterte (LASp B 2 Nr. 5273, fol. 161r; Nr. 3384, fol. 82 und 97r). Interessant ist, dass Wahl auch bei diesen Vorstößen seine chemisch-alchimistischen Kenntnisse ins Spiel brachte, etwa „die grose wissenschaft […] schriften vom papier so abzuwischen, daß das papier unverändert bleibt samt der unterschrift, neben dem gegen müttel" (ebd., fol. 98r); noch in seinem letzten erhaltenen Schreiben (vom 7. Januar 1791) an Regierungsrat Kroeber preist er die Vorzüge der Chemie, mit deren Hilfe sich viele Verbesserungen auf ökonomischem Gebiet erzielen ließen (ebd., fol. 103r).

94 LASp B 2 Nr. 3384, fol. 33r und 77r.

95 Ebd., fol. 66.

96 Ebd., fol. 82v.

97 Ebd., fol. 77, die Datumszeile fol. 94r.

98 Terminus ante ist der 8. Oktober 1791, als das Amt Lemberg das Gesuch der Witwe Saul Wahls um Befreiung vom Schutzgeld ablehnte (LASp C 20 Nr. 1532).

99 Etwa LASp B 2 Nr. 3384, fol. 104 ff.

100 Ebd., fol. 113r.

101 Ebd., fol. 112, aus der Feder von Regierungsrat Kroeber.

102 StadtAPs A 8 Nr. 12, fol. 164r. Sie hatten anscheinend alle Habseligkeiten verloren und konnten die Miete nicht mehr zahlen; da sie ihr Wohnungsgeber, der Kaufmann Gottlieb Petsch, darüber hinaus des Diebstahls bezichtigte, wurde eine Hausdurchsuchung vorgenommen und die gesamte Familie arretiert (ebd., fol. 111). Gegen die Verbalinjurien Petschs, der sie im Sommer 1794 auf offener Straße als „Diebes Waare" und „Carnailles zeüg" beschimpft hatte, zog Herz Saul Wahl vor der Pirmasenser Munizipalität gerichtlich zu Felde (ebd., fol. 194 f.).

103 Die letzte Nachricht findet sich in den Rechnungsbüchern der Stadtgemeinde Pir-

masens: Am 13. Februar 1798 vereinnahmte die Stadtkasse 3 Batzen „vor ein paß von Hertz und Josef Wahl“ (StadtAPs K Nr. 7, fol. 23r). – In den Standesamtsprotokollen über die Annahme fester Vor- und Familiennamen vom Oktober 1808 erscheint der Name Wahl nicht mehr (ebd., A Nr. 7); die Familie hat die Stadt demnach vorher verlassen.

Madame Kaulla und ihr Clan – Das Kleinterritorium als individuelle Nische und ökonomisches Sprungbrett

Kerstin Hebell

I.

Spricht man von Frauen in Hoffaktorenstellungen, wendet man sich in jedem Falle Ausnahmeerscheinungen zu. Zwar war die Mithilfe der jüdischen Frau im Geschäft nicht unüblich, und auch in Hoffaktorenkreisen wurden immer wieder Frauen tätig. Jedoch handelte es sich meist um Witwen, die lediglich Geschäfte des verstorbenen Mannes fortführten und Privilegien übernahmen, bis diese auf mündig gewordene Söhne oder Schwiegersöhne übertragen werden konnten. Die in der Forschungsliteratur oft angeführten Ausnahmen hierfür sind Johannka Meislin[1] zu Beginn des 17. Jahrhunderts in Prag, Esther Liebmann[2] (2. Hälfte 17. Jahrhundert bis 1713) in Preußen, Cecilia Hinrichsen[3] (1. Hälfte des 18. Jahrhunderts) in Mecklenburg und Blümchen Herz[4] (2. Hälfte des 18. Jahrhunderts) in Hessen-Kassel. Sie alle waren Ehefrauen von Hoffaktoren, die außergewöhnlich selbstständig Unternehmungen ausführten und spätestens als Witwen eigenständig Patente und Titel erlangten.[5] In jedem Fall wäre aber eine Aufzählung ohne den Namen der Chaile (Karoline) Raphael, genannt Kaulla, (1739–1809) aus der Hohenzollern-Residenz Hechingen unvollständig.

Chaile Raphael ist als doppelte Ausnahme zu sehen: Sie stieg als junge Frau in das Hofgeschäft ein, erhielt Hoffaktorenpatente und gründete auch noch selbst ein Unternehmen, während ihr Ehemann sich gänzlich zu Tora- und Talmudstudien zurückzog, also am wirtschaftlichen Leben keinen Anteil hatte. Das Handelshaus „Kaulla & Kompanie“ wurde unter ihrer Leitung so erfolgreich, dass ihr Name Chaile oder Kaule (gewandelt zu „Kaulla“ oder „Kaula“)[6] zum Familiennamen avancierte. Dabei trat der Name des Ehemanns in den Hintergrund.[7] Auch durch die Tatsache, dass Geschwister und angeheiratete Geschäftspartner wie Pfeiffer-Kaulla[8] oder Regensburger-Kaula[9] den Namen führten, wird also der große wirtschaftliche Erfolg und der damit verbundene „gute“ Name Chailes dokumentiert. In der Geschichte des Hoffaktorentums ist sie die einzige Frau, die in dieser Form namensgebend wirkte.

Der Familie Kaulla gelang in der zweiten Hälfte des 18. Jahrhunderts der Aufstieg zu einem der großen Handelsunternehmen Süddeutschlands, das während der napoleonischen Kriege für Württemberg große Bedeutung erlangte und zu Beginn des 19. Jahrhunderts nach Stuttgart übersiedelte.

Wie sich der Aufstieg der Familie im Verlaufe von fünfzig Jahren im Kleinterritorium Hohenzollern-Hechingen vollzog und welche Faktoren den Aufstieg begünstigten, soll im Zentrum der folgenden Ausführungen stehen. Zu diesem Zweck wird auf der Grundlage einiger einführender Informationen zur Geschichte des Territoriums die Stellung der Familie Kaulla am Hof und zum Fürsten ebenso untersucht werden wie die Bedeutung der Qualität dieser Beziehung für die Rahmenbedingungen des ökonomischen Aufstiegs der Firma und das Wohlergehen der Judenschaft.

II.

Süddeutschland bot im 18. Jahrhundert durch viele Kleinterritorien ein zerrissenes, uneinheitliches Bild agrarkultureller Prägung. Dies galt auch für Hohenzollern. Denn nach dem Dreißigjährigen Krieg hatte der gesamte südwestdeutsche Raum an den Kriegsfolgen, wie z. B. schlechten Bodenverhältnissen und geringer Bevölkerungsdichte, zu leiden. Die Bevölkerungszahlen glichen sich erst langsam wieder denen der Vorkriegszeit an. Während des 18. Jahrhunderts kam es dann zu größerem Bevölkerungszuwachs vorwiegend in den unteren sozialen Schichten. Die Folge war eine zunehmende Verarmung innerhalb der mehrheitlich dörflichen Strukturen. Truppenaushebungen und deren Konsequenzen, Reparationszahlungen und damit verbundene Abgabensteigerungen wie auch das Hungerjahr 1770 verstärkten die Verarmungstendenzen, die sich schließlich bis ins 19. Jahrhundert fortsetzten.

Hohenzollern bestand im 18. Jahrhundert aus zwei katholischen Herrschaftsgebieten, den Linien Hohenzollern-Sigmaringen und Hohenzollern-Hechingen. Auch in diesen Kleinterritorien fand die Armut des Gesamtraums ihre Entsprechung. Wenn man von Manufakturansätzen und einer Beschäftigung über die Landwirtschaft hinaus sprechen will, trifft dies eher noch auf Sigmaringen als auf Hechingen zu. Während der Sigmaringer Hof über einen ausgeglichenen Finanzhaushalt verfügte, litt die Hechinger Linie seit dem 16. Jahrhundert unter wachsendem Schuldendruck.

Die kleine Residenzstadt Hechingen hatte Mitte des 18. Jahrhunderts etwa 2500 Einwohner, zu Beginn des 19. Jahrhunderts dann ca. 3200. Auch hier ist die soziale Situation des Gesamtterritoriums wiederzuerkennen. Eine zahlenmäßig kleine Oberschicht pflegte unabhängig von der Religionszugehörigkeit geschäftlichen und freundschaftlichen Umgang mit Familie und Hof des Fürsten,[10] während der Großteil der Einwohner zunehmend verarmte. Die angespannte ökonomische Situation, die sich zum Ende des 18. Jahrhunderts verstärkte, entlud sich in massivem Unmut der Christen gegenüber den ansässigen Juden. Deren Zahl hatte sich seit der Judenausweisung aus Württemberg infolge des Oppenheimer-Prozesses nach 1738 auch in Hechingen vermehrt, wobei es sich mehrheitlich um wenig begüterte Familien handelte.[11] Diese wurden von der christlichen Bevölkerung wie andernorts als Konkurrenz und Bedrohung empfunden.

Obwohl durch die Verwandtschaftsverhältnisse der Hohenzollern eine Verbindung zu Preußen bestand, gehörten die Sigmaringer und Hechinger Fürsten eher in die geographische wie militärische Nähe zu Österreich. Prinz Joseph Wilhelm von Hohenzollern-Hechingen (1717–1798) diente wie sein Vorgänger Friedrich Ludwig (1686–1750) als Offizier in der kaiserlichen Armee und war mehr bei Hof als im eigenen Territorium anzutreffen. Dies sollte, als Joseph Wilhelm nach dem Tode seines Vetters 1750 in Hechingen die Regierung übernahm, Auswirkungen auf die Judenpolitik haben. Denn noch im gleichen Jahr drohte den Hechinger Juden die Ausweisung, da sich der Fürst in Wien mit einer Hofdame Maria Theresias, der Gräfin Folch von Cordona und Sylva, verheiratete, welche die Ausweisung zur Heiratsbedingung gemacht hatte. Mit ihrem plötzlichen Tod noch während der Reise in ihre neue Residenz wurde diese Abmachung jedoch gegenstandslos. Der Fürst versprach, keine Vertreibung mehr vorzunehmen, und untermauerte dies 1754 mit einem neuen Schutzbrief.[12]

III.

Die Familiengeschichte der Kaullas in Hechingen begann um die gleiche Zeit. 1747 zog Raphael Isaak ben Benjamin, Chailes Vater, zuvor Gemeindevorsteher in der Reichsstadt Buchau und Landesvorsteher für Haigerloch, nach Hechingen. Er wurde als Hoffaktor für Hohenzollern-Sigmaringen und bald auch für Hechingen tätig. Die Mutter Rebecca entstammte ebenfalls einer Hoffaktorenfamilie. Laut Heinrich Schnee gehörte sie der Familie Regensburger an;[13] nach Michael Berolzheimer war sie die Tochter des Moses Jakob Wassermann aus Hechingen.[14] Dessen Familie stellte den Hechinger Judenvorsteher.[15]

Chaile, die den Namen ihrer Großmutter trug,[16] war 1739[17] noch in Buchau geboren worden. Sie war die älteste der Geschwister Jeanette (Lea), Hannele, Jacob (1750–1810), Hirsch (1756–1798) und Maier (ca. 1757–1815).[18] Jeanette heiratete den Hoffaktor Salomon Isaak Regensburger in Augsburg, später Hechingen, Hannele den Kallmann aus Gunzenhausen. Hirsch

Raphael zog als Hofagent nach Hessen-Darmstadt, und Maier ging als Hoffaktor nach Hanau, worauf sein Beiname Maier „Hanau" Raphael Bezug nimmt. Zeitweilig agierte er jedoch von Hechingen aus. Für die Hechinger Gemeinde relevant wurden Jakob und Maier, sodass ich in der Folge neben Chaile nur auf sie eingehen werde.

Wie in Oberschichtfamilien üblich, ließ die Familie Raphael ihren Kindern eine sorgfältige Erziehung zukommen: Sie hatten einen jüdischen Haus- und einen Christen als Deutschlehrer.[19]

1757 wurde die achtzehnjährige Chaile Raphael mit dem Pferdehändler[20] Akiba Salomon Auerbach verheiratet; zu dieser Zeit dürfte sie bereits im Geschäft des Vaters mitgearbeitet haben. Gründe für die Zusammenarbeit mit Töchtern waren in jüdischen Familien fehlende männliche Nachkommen oder, wie in Chailes Fall, ein großer Altersabstand zu den jüngeren Brüdern, beides gepaart mit unternehmerischer Notwendigkeit zur Mithilfe im Geschäft.[21] Meist fand ein Vater-Tochter-Arrangement sein Ende mit dem Einstieg eines Schwiegersohns in das Unternehmen.[22] Nicht so im Fall Chailes, deren ökonomische Begabung sich früh gezeigt haben dürfte und dringend gebraucht wurde. Denn sie musste mit dem Rückzug ihres Mannes zu den Studien die wirtschaftlichen Belange der Familie[23] übernehmen und nach dem Tod ihres Vaters 1760 das Geschäft fortführen. Ein genaues Datum für den Beginn ihrer Tätigkeit ist zwar nicht überliefert. Da sie jedoch 1768 zur Faktorin des Fürstenbergischen Hofes in Donaueschingen ernannt wurde und dies in der Regel bereits eine mehrjährige Tätigkeit voraussetzte, müssen die Anfänge von Chailes eigenständigen Unternehmungen spätestens einige Jahre zuvor innerhalb der ersten Ehejahre gelegen haben.[24] Neben Pferden, Waren zur Hofhaltung und Juwelen lieferte Chaile auch Silber an den Hof. Zugleich entstanden bereits Kontakte nach Württemberg, wo sie 1770 zur „Herzöglich Württembergischen Hoffaktorin" ernannt wurde.[25]

Ihre Handelsreisen unternahm Chaile in der Anfangszeit selbst, immer begleitet von ihrem Hausrabbiner und einem Schächter.[26] Als das Geschäft expandierte, holte die ‚nebenbei' fünffache Mutter[27] ihren 1750 geborenen Bruder Jakob in die Firma. Dieser wurde Teilhaber und vertrat „Kaulla & Cie." zunehmend nach außen. Auch er wurde 1780 zum Fürstenbergischen Hoffaktor ernannt.[28] Als Joseph Wenzel von Fürstenberg 1783 starb und sein Nachfolger die Hoffaktorenpatente nicht verlängerte, mussten sich die Geschwister jedoch ein neues Betätigungsfeld suchen. Sie fanden es an ihrem Wohnort Hechingen.

IV.

Der Aufstieg und Erfolg der Geschwister Kaulla in Hechingen ist zum großen Teil mit ihrer Kompetenz im Pferdehandel zu erklären. Fürst Joseph Wilhelm wurde neben einer verschwenderischen Hofhaltung eine besondere Leidenschaft für Pferde und die Jagd bescheinigt. Zudem versuchte er im Laufe seiner Regentschaft unterschiedliche Projekte bis hin zu alchimistischen Experimenten zu realisieren, die selten von Erfolg gekrönt waren,[29] jedoch stets neuer Geldmittel bedurften. In jedem Fall lagen seine Ausgaben weit über den Einkünften seines ärmlichen Territoriums, was trotz der reichhaltigen Hinterlassenschaft seiner ersten Frau zu einer immer weiter steigenden Verschuldung führte, die sich unter seinem Nachfolger und Neffen Hermann Friedrich Otto (1798–1810) 1803 auf 300 000 fl. belief.[30] Das war die Chance für die Familie Kaulla, auch ins Kreditgeschäft einzusteigen.

Trotz der intensiven Geschäftsbeziehungen zum Hof und zum Fürsten[31] lassen sich Einfluss und Bedeutung der Familie Kaulla nicht allein auf eine ökonomische Abhängigkeit reduzieren. Chaile Raphael wird als charismatische Frau beschrieben, in jungen Jahren von anziehendem Äußeren[32], die es verstand, Menschen für sich einzunehmen. Auch wenn ihr Bruder die Familie nach außen vertrat, wurde selbst am württembergischen Hof bemerkt, dass Chaile das eigentliche Firmenoberhaupt war.[33] Jakob Kaulla wurde auf seinem Grabstein in Hechingen wie sein Bruder Maier Kaulla zwar als *Stadlan*[34] gerühmt, daneben aber nicht etwa als *das* Haupt der Familie, sondern als *ein* Haupt der Familie bezeichnet.[35] Die Verteilung der Führungspositionen in der Familie fand also auch hier ihren Niederschlag.

Zum Fürstenhaus bestanden vielfältige ökonomische und informelle Beziehungen. So war etwa Wolf Kaulla, ein Sohn der „Madame", am Marstall des Hechinger Hofes angestellt. Er hatte sich in seinen Jugendjahren nicht so sehr für die Arbeit in der Firma interessiert, sondern galt als besonderer Pferdekenner und passionierter Reiter. Dies deckte sich mit den Interessen des Fürsten, für den er „die Charge des Stallmeisters versah".[36] Jacob Kaulla hingegen wird als väterlicher Freund und Berater des 1798 an die Regierung kommenden Hermann Friedrich Otto bezeichnet.[37]

So nimmt es nicht wunder, dass sich die außerordentliche Stellung der Familie und das selbstbewusste Auftreten der Madame auch in zeitgenössischen Stellungnahmen (kritisch) widerspiegeln. Ein Reisebericht von 1799 vermutet, dass „der Madame Kaulla wohl mehr als das halbe Fürstentum verpfändet sei". „Sie spiele die große Dame und unterhalte eigene Equipage."[38] Der Dichter Achim von Arnim berichtete in einem Brief an Jacob Brentano von einer Posse in Hechingen, „wo das jüdische Handelshaus Kaulla sich in ungeheurem Reichtum erhob, während das Fürstenhaus Hohenzollern verarmte".[39] Auch im Stadtbild nahm sich der Besitz der Familie dominierend aus. Sie besaßen verschiedene Häuser, 1838 mit einem Versicherungswert von nahezu 30 000 fl. bemessen – alle städtischen Gebäude wurden demgegenüber insgesamt auf ca. 26 000 fl. veranschlagt.[40]

V.

Immer noch und unbezweifelt blieben die Kaullas jedoch auch Teil der Hechinger Judenschaft, deren Stellung von ihren Kontakten, ihrem Ansehen und Einfluss profitierte.

Fürst Joseph Wilhelm hatte nach seiner österreichischen Heiratsepisode versprochen, dass die Juden seines Territoriums keine Ausweisung mehr fürchten mussten.[41] Aber nur zwei Jahre später (1752) drohte die christliche Bevölkerung Hechingens mit Pogromen gegen die „Schacherjuden" und verlangte die generelle Ausweisung der Juden aus der Stadt.[42] Daraufhin wies Joseph Wilhelm die finanzschwachen Mitglieder der jüdischen Gemeinde an, in eine ehemalige Kaserne außerhalb der Stadt zu ziehen, die so genannte Friedrichstraße. Dort entstand ein Ghetto mit Mietwohnungen, Synagoge, Badehaus, Matzenbäckerei etc.

Zehn wohlhabende Familien und Hausbesitzer durften jedoch in Hechingen in der so genannten Oberstadt bleiben,[43] namentlich erwähnt die Familien Wassermann, Levi und Kaulla.[44] Der Minjan in der dortigen Synagoge blieb also gewahrt.

Die Spannungen zwischen christlicher Bevölkerung und Judenschaft setzten sich trotz dieser Maßnahme über Jahre fort und wurden durch die zunehmende Verarmung noch verstärkt. So vermerkt die Hechinger Pfarrchronik 1771: „Wenn Serenissimus die Judenschaft, die in Hechingen in einer Stärke von mehr als 300 vertreten ist, aus der Stadt hinausjage, dürften vielleicht manche Viktualien von den Christen wohlfeiler zu bekommen sein."[45]

Gleichwohl handhabte der Fürst die Wohnvorschriften locker, die Zahl der Judenfamilien in der Oberstadt lag bereits 1775 wieder bei 39 Familien.[46] Anordnungen, um den Zuwachs zu unterbinden, lassen allenfalls Beruhigungsmaßnahmen für die christliche Bevölkerung vermuten, denn ihnen folgten keine Taten. Durch das gute Einvernehmen zwischen dem Fürsten und der Familie Kaulla begann sich trotz aller Spannungen nach 1783 die Situation der Juden in Hechingen zu verbessern. So schildert der Hechinger Rabbiner Samuel Mayer:

> Endlich gestaltete sich ihr (der Israeliten) Geschick freundlicher und milder. Kaulla nämlich, die Tochter des durch einen unglücklichen Fall in Sigmaringen schnell verstorbenen Raphael, wurde in den Zeiten des Reichskrieges, durch ihre bedeutende Verbindung mit vielen Großen der Erde, eine sehr angenehme Frau. Sie erhob sich aus dürftiger Niedrigkeit zur glänzenden Höhe, daß sie saß neben den Fürsten der Völker. Sie war eine Deborah der Zeit, eine Mutter in Israel, denn sie durfte sicher wohnen im Land, in den letzten Jahren des Fürsten, der sehr wohltätig und ein Gönner der Israeliten wurde, so daß er z. B. an jedem Versöhnungstage die Synagoge besuchte.[47]

Auch auf christlicher Seite wird der besondere Einsatz des Fürsten für die Juden vermerkt. 1784 berichtet das „Journal von und für Deutschland": Der Fürst habe im Winter neben den üblichen Holz- und Getreidespenden für die christlichen Armen den Judenschultheiß angewiesen, Holz und Getreide auch unter seinen Religionsverwandten zu verteilen, damit „die armen Nachkommen der Kinder Israels […]" nicht „[…] bey der allgemeinen Noth hungern, und unter dem Clima seines Landes frieren müßten".[48]

Politisch wurde die jüdische Gemeinde durch den Parnass oder auch Judenschultheißen vertreten. Den Hechinger Oberschultheißen ernannte der Fürst, für den Unterschultheißen besaß die Gemeinde zumindest ein Vorschlagsrecht. Bis zum Beginn des 19. Jahrhunderts wurde das Amt des Oberschultheißen fast ausschließlich von Mitgliedern der Familie Kaulla bekleidet. Denn dem Vater Raphael Isac folgten Jakob Kaulla und mit Mayer Kaulla der Sohn Chailes.[49] Das Amt des Unterschultheißen bekleidete Emanuel Levi aus einer weiteren Hoffaktorenfamilie Hechingens. Den Schultheißen stand ein Kollegium aus Gemeindemitgliedern zur Seite, in dem mit Abraham Weil oder Aron Liebmann unter anderem eingeheiratete Firmenmitarbeiter des Hauses Kaulla, z. T. spätere Hoffaktoren,[50] vertreten waren.

Als 1784 die Rabbinerstelle in der Gemeinde nach langer Vakanz neu zu besetzen war, gab auch hier die Familie Kaulla den Ton an. Mithilfe des Fürsten erreichte sie, dass ihr Hausrabbiner Löb Aach zum Gemeinderabbiner gewählt wurde. Fürst Joseph Wilhelm hatte gedroht, Löb Aach andernfalls selbst einzusetzen.[51]

Auch wenn sich die Familie Kaulla in politischen Gemeindebelangen immer wieder aufgrund ihrer Nähe zum Fürsten durchsetzen konnte, blieb das Urteil der jüdischen Zeitgenossen positiv, da die Geschwister als sehr freigebig galten und sich immer wieder für jüdische Belange einsetzten. Neben Spenden für die Gemeinde in Hechingen gaben sie auch konfessionsunabhängig Almosen,[52] und Chaile ließ Bedürftigen jeden Freitag Öl, Mehl und Wein zukommen.[53] Des Weiteren begründeten die Geschwister ein Hospiz für jüdische Vaganten.[54] Auf Bitten der „Madame Kaulla" durfte der Friedhof der Gemeinde, der unter einem Galgenhügel gelegen war, 1798 zumindest von einem Bretterzaun umgeben werden,[55] „damit die Schweine nicht mehr die Grabstätten zerwühlten und die Steine umwarfen".[56] Allerdings hatte Chaile bereits 1765 eine erste Eingabe in dieser Sache gemacht, und die Klagen über den Zustand des Friedhofs reichen noch weiter zurück.[57] Im Jahr 1800, schon unter Fürst Hermann Friedrich Otto, wurde einem Gesuch Jakob Kaullas nachgegeben, den „immer wieder entwendeten Bretterzaun durch eine Steinmauer zu ersetzen und den Galgen zu entfernen".[58] Im gleichen Jahr erreichte Jakob Kaulla die Ausstellung eines milden Schutzbriefs auf 40 Jahre.[59] Die Befreiung der Hohenzollern-Hechinger Juden vom Militärdienst gegen Zahlung einer Gebühr wurde den Kaullas wie ihre anderen „Erfolge" hoch angerechnet. Beide Geschwister wurden geachtet aufgrund ihrer gesetzestreuen Lebensweise. So soll Jakob Kaulla trotz aller Reisen nicht ein einziges Mal die religiösen Vorschriften verletzt haben.[60] Im Jahre 1802 wurde ihm die Rabbinerwürde in der Meisl-Synagoge in Prag verliehen.[61]

Im Jahr 1803 gründeten Chaile Raphael und ihr Bruder ein *Beit Midrasch*, ein Lehrhaus. Dazu bauten sie das Haus „in der Müntz" um, welches 1757 noch von ihrem Vater erworben worden war. Es hatte schon die Privatsynagoge und das Badehaus der Familie beherbergt und erhielt nun noch Schulräume und Wohnungen für die drei Stiftsrabbiner, die von den Kaullas unterhalten wurden.[62] Die Rabbiner und einige Schüler hatten Freitische im Hause der Familie.[63] Eine weitere Spende war die bedeutende Bibliothek der Stiftung, die später in den Besitz des württembergischen jüdischen Oberkirchenrats überging.[64] Löb Aach wurde Direktor der Lehranstalt, die sich einen Ruf über die Grenzen des Fürstentums hinaus erwarb.[65] Nach dem Wegzug der Familie aus Hechingen und dem Tode Chailes und ihres Bruders Jakob erlahmte jedoch das Interesse der Familie an der Stiftung. Durch Tod frei werdende Rabbinerstellen wurden nicht mehr besetzt. In den zwanziger Jahren des 19. Jahrhunderts häuften sich die Streitigkeiten der Gemeinde Hechingen mit der Erbengemeinschaft Kaulla. Auch wenn die Lehranstalt über eine Synagoge und ein Badehaus verfügte, wurden diese vorzugsweise privat von Familienmitgliedern genutzt. Nach Ermessen des Rabbiners sollte dort jedoch ein allen zugängliches Badehaus entstehen.[66] Dies, wie auch eine von Akiba Auerbach testamentarisch verfügte Spende von 5000 fl. zum Synagogenbau,[67] führte zu jahrelangen Streitigkeiten, die im Jahr 1853 mit dem Verkauf des ehemaligen Stiftungshauses und der Auflösung der Stiftung endeten. Die frei gewordenen Gelder flossen in andere, nun württembergische Stiftungen.

VI.

Die expansive Entwicklung ihres Handelshauses verdankte Chaile nicht dem Hechinger Fürstenhaus, sondern ihren intensiven Kontakten nach Württemberg und Wien sowie der Zeit der napoleonischen Kriege. Durch die Fürsprache der Hechinger und fürstenbergischen Souveräne knüpfte Chaile Geschäftsbeziehungen zu Erzherzog Karl an, dem Kommandeur der Reichsarmee. Der erste große Auftrag wurde 1790 erteilt, als das Handelshaus k.k. Regimenter in den Niederlanden[68] verpflegen sollte. In der Folge übernahm das Unternehmen die gesamte Verproviantierung der Reichsarmee im süddeutschen Raum und teilweise darüber hinaus.[69] Getreide und andere Güter kaufte die Firma Kaulla in Süddeutschland und in Innsbruck[70] an und lieferte sie über Mitarbeiter bis in Mannheimer und Trierer Magazine, von wo sie weitergeleitet wurden. Das Handelshaus Kaulla genoss einen guten Ruf, und der Erfolg führte zu Beginn des 19. Jahrhunderts zu einer ökonomischen Potenz, die im südwestdeutschen Raum nur noch von der Familie Seligmann übertroffen wurde. Verbunden damit war eine rege Reisetätigkeit: Jakob Kaulla führte Verhandlungen in Wien, Paris und London sowohl für das Unternehmen wie auch für verschiedene Höfe, für die er tätig war. Für Herzog Friedrich von Württemberg erlangten die Kaullas in den 90er Jahren besondere Bedeutung, da es im Territorium eine starke Opposition durch die Landstände gab, die einen Friedensschluss mit Napoleon zum Wohle der Bevölkerung erreichen wollten und aus diesem Grund Gelder für militärische Zwecke blockierten oder Zugeständnisse in anderen Bereichen forderten. Einzelne Projekte ließen sich, an den Landständen vorbei, nur noch durch Finanzierung des Kaulla'schen Handelshauses bewerkstelligen.[71] Auch Kontributionszahlungen an Frankreich wurden durch die Kaullas vorfinanziert.[72] Im Jahre 1800 wurde Jakob zum württembergischen Hofbankier ernannt[73] und übernahm auf seinen Reisen zunehmend diplomatische Tätigkeiten.[74]

Diese Aktivitäten setzte die Folgegeneration fort. Ein wichtiges Ziel der Hechinger Familie war es auch nach dem Tode Chailes und Jakobs, nach dem Bündnis zwischen Württemberg und Frankreich die Beziehungen zwischen Österreich und dem Herzog von Württemberg zu normalisieren, um größere politische Verstimmungen abzuwenden. Die Bemühungen gipfelten 1812 in den Sondierungsverhandlungen, die Württemberg die Rückführung ins Österreichische Bündnis ermöglichten und von Salomon Jakob und Wolf Kaulla, den Söhnen Jakobs und Chailes, vorgenommen wurden.[75]

Die wirtschaftliche Expansion des Familienunternehmens gipfelte in der 1802 durch Herzog Friedrich und das Geschwisterpaar gegründeten württembergischen Hofbank. Die Einlagen von 300 000 fl. teilten sich der Herzog und die Kaullas. Auch wenn das Bankhaus als „Hofbank“ bezeichnet wurde, war es die Privatbank der Familie, bis 1817 alle höfischen und staatlichen Stellen angewiesen wurden, ihre Geschäfte über das Institut abzuwickeln, das nun in „Königliche Hofbank“ umbenannt wurde.

Trotz aller Verdienste gelang es der Familie jedoch lange Zeit nicht, am Ort ihrer wirtschaftlichen Erfolge, in Stuttgart, Fuß zu fassen. Nachdem Herzog Friedrich am 2. November 1797 Madame Kaulla das Wohn- und Aufenthaltsrecht für Stuttgart und Ludwigsburg verliehen hatte, musste er dies auf Druck der Landstände nur einige Monate später, am 4. April 1798, wieder zurücknehmen.[76] Ebenso besaß der im Jahr 1800 zum Hofbankier ernannte Jakob als Angestellter des Hofes zwar das Aufenthaltsrecht für Stuttgart, er durfte jedoch offiziell kein Haus erwerben.[77] Hechingen blieb also auch zu dieser Zeit noch der zentrale Ort der Familie Kaulla und ihres Aufstiegs.

Das von Napoleon erzwungene Bündnis Württembergs mit Frankreich brachte zu Beginn des 19. Jahrhunderts die Wende. Es verhalf Herzog Friedrich zu Gebietsgewinnen, zur Kur- und schließlich im Jahr 1806 zur Königswürde. In den hinzugewonnenen Territorien „Neu-Württembergs“ führte Friedrich eine staatliche Neuordnung durch, die er nach seiner Krönung auf das ganze Land ausdehnte. Hierdurch schaltete er den Einfluss der Landstände aus.

Dies machte den Weg frei dafür, dass 1806 fünf Mitglieder der Familie Kaulla, darunter Chaile und Jakob, das Wohnrecht und die Gleichstellung in Württemberg erlangen konnten.[78] Mit dem darauf folgenden Umzug nach Stuttgart endete die Hechinger Zeit für den Großteil der Familie. Von dort aus waren sie in den folgenden Generationen durch gut gewählte Heiratsverbindungen als Bankiers oder Privatiers, als Akademiker oder Adelige europaweit vertreten. Sie verbanden sich mit bekannten finanzstarken Familien wie den Beifuß (Paris), Benda (Genf), Biedermann (Wien), Heine (Hamburg/München), Hirsch auf Gereuth (München), Hohenemser (Frankfurt), Königswarter (Wien), Samson (Braunschweig), Schnapper (Frankfurt) und Warburg (Hamburg).[79]

Chaile Raphael Kaulla starb 1809, ausgezeichnet mit der österreichischen Gnadenkette,[80] ihr Bruder 1810 als kaiserlich österreichischer Rat.[81] Beide wurden auf dem Hechinger Judenfriedhof beigesetzt, was ein letztes Mal die Verbundenheit zum Ort ihres Aufstiegs dokumentiert (Abb. 20).

VII.

Anhand des Aufstiegs der Familie Kaulla im Kleinterritorium Hohenzollern-Hechingen gewinnt man Einblick in das Zusammenspiel von fürstlicher Förderung und Gunst, wirtschaftlichem Erfolg und den dadurch ermöglichten Verbesserungen für die jüdische Gemeinde in Hechingen. Zu Beginn steht eine Familie, die schon zur südwestdeutschen jüdischen Oberschicht zu zählen ist, da Raphael Isac mit seinen Verbindungen nach Sigmaringen und Hechingen höfische Kontakte besaß und in der jüdischen Gesellschaft als Vorsteher einer großen jüdischen Gemeinde (Buchau) und als Landesvorsteher für Haigerloch eine exponierte Position innehatte. Auf dieser Basis erhielten Chaile und ihre Geschwister eine sorgfältige Erziehung und Vorbereitung für die wirtschaftlichen Tätigkeiten in Hechingen, Stuttgart, Hanau, Darmstadt etc. Wirtschaftliche Unabhängigkeit erlangte die älteste Tochter jedoch erst durch ihre geschlechtsuntypische Eigeninitiative.

Verfolgt man den wachsenden Erfolg der Familie und der Firma, lässt sich der Aufstieg durchaus mit anderen süddeutschen Familien wie den Seligmanns oder Hirschs vergleichen. Mit dem Unterschied, dass es sich bei dem Firmenoberhaupt um eine Frau handelte. Chaile, die Firmengründerin, besaß die wirtschaftliche Begabung und die Persönlichkeit, Chancen zu erkennen und zu nutzen. Zum einen holte sie ihren fähigen Bruder Jakob in die Firma, zum anderen knüpfte sie die Beziehungen zum Hof in Donaueschingen, in Hechingen und Württemberg wie auch in Wien. Diese wurden in späteren Jahren zwar vornehmlich von ihrem Bruder ausgestaltet, jedoch unter ihrer Federführung, was ihre Position als inoffizielles Firmen- und Familienoberhaupt deutlich macht. Einzigartig in der Geschichte des Hoffaktorentums ist ihre namengebende Funktion für die gesamte Familie. Als der Hechinger Hof vermehrt zum Ausgangspunkt der Firmenunternehmungen wurde, schlug sich die fürstliche Gunst immer stärker in Verbesserungen für die jüdische Gemeinde nieder. In der Hechinger jüdischen Gesellschaft nahmen die Kaullas auch dadurch eine herausragende Stellung ein. Andere Hofjudenfamilien waren mit ihnen verwandt (Regensburger) oder arbeiteten mit dem Handelshaus zusammen (Liebmann), was eine Interessengemeinschaft vermuten lässt. Weitere Hoffaktorenfamilien (Levi und Bacher) verfügten weder über ähnliche finanzielle Potenz noch über eine vergleichbar enge Verbindung zum Souverän. Diese Konkurrenzlosigkeit verschaffte der Familie in Gemeinde und Gesellschaft einen großen Einfluss und Handlungsspielraum, wobei sie nicht in einen despotischen Ruf geriet, wie er vergleichsweise Elkan Reutlinger in Karlsruhe anhaftete.

Außer wirtschaftlichem Gespür besaßen die Geschwister Kaulla jedoch

Abb. 20: Grabanlage der Familie Kaulla

auch einen untrüglichen Sensus, zur richtigen Zeit am richtigen Ort zu sein. Die Kreditierung der kostspieligen Lebensweise von Fürst Joseph Wilhelm von Hohenzollern-Hechingen und des aufwendigen, geradezu anachronistischen absolutistischen Repräsentations- und Legitimationsbedürfnisses von König Friedrich zu Beginn des 19. Jahrhunderts war zwar einträglich. Doch hätten die Kreditgeschäfte mit beiden Höfen allein nicht zu dem wirtschaftlichen Erfolg führen können. Es sind die Heereslieferungen für Württemberg und das Reich, die der Familie Kaulla während der napoleonischen Kriege den großen ökonomischen Erfolg brachten. Zunehmende diplomatische Aufgaben zeugen von der Akzeptanz, die die Familie an den verschiedenen Höfen genoss.

Allerdings zeigt die politische Situation in Württemberg auch die Bedeutung Hechingens als „Nische". Durch die landständische Opposition an der Niederlassung in Stuttgart gehindert, bot Hechingen den Kaullas eine günstige Ausgangsbasis in territorialer Nähe zum größeren Württemberg. So wurden die Vorteile des Kleinterritoriums wie die Konkurrenzlosigkeit der Familie Kaulla am Hof und in der Gesellschaft, die informell-freundschaftlichen Beziehungen und die damit verbundene Förderung durch den Fürsten so lange genutzt, bis der Weg ins größere Territorium 1806 geebnet war.

Vergleiche zu Aufsteigerfamilien größerer Territorien wie z. B. Preußens lassen sich nicht ohne weiteres ziehen, da der gesamte süddeutsche Raum einer wesentlich restriktiveren Judengesetzgebung unterlag, was anhand von Privilegien oder der Bemühungen um Gleichstellung nachzuweisen ist. Vor diesem Hintergrund zeigt jedoch das Beispiel der Familie Kaulla auch, dass eine Kombination von Fähigkeiten, besonderer Gunst und Verbindungen zu Machtzentren ebenfalls einen Aufstieg ermöglichte und Restriktionen zu einem guten Teil kompensieren konnte.

Anmerkungen

1 Heinrich Schnee, *Die Hoffinanz und der moderne Staat. Geschichte und System der Hoffaktoren an deutschen Fürstenhöfen im Zeitalter des Absolutismus. Nach archivalischen Quellen*, Bde. 1–6, Berlin 1953–1964, hier Bd. 1, S. 184: Sie war zu Beginn des 17. Jahrhunderts „selbständige Unternehmerin und Hofjüdin".

2 Ebd., S. 66: Nach dem Tod ihres Mannes, Jost Liebmann, übernahm sie dessen Privilegien und agierte eigenständig.

3 Schnee, *Hoffinanz* (wie Anm. 1), Bd. 2, S. 298 f.: Sie erhielt am 24. Mai 1710 die Privilegien des verstorbenen Ehemannes Michael Hinrichsen zuerkannt und wurde gemeinsam mit ihrem Geschäftspartner Bendix Goldschmidt am 2. Nov. 1715 zu „Fürstlich Mecklenburgischen Hofjuwelieren und Hofjuden" ernannt.

4 Ebd., S. 320: Sie durfte als Witwe den Titel „Proviantlieferantin" führen und stieg am 7. Juli 1754 zur „Hof- und Kammeragentin" für Hessen-Kassel auf.

5 Natürlich gab es noch weitere Hoffaktorinnen, wie z.B. Anna und Marianna Lehmann aus Sachsen, ebd., S. 204; Philippine Kaskel, ebd., S. 253 f., oder Rosina Mendle aus München, siehe: FRIEDRICH BATTENBERG, Hofjuden in Residenzstädten der frühen Neuzeit, in: FRITZ MAYRHOFER/FERDINAND OPLL (Hgg.), *Juden in der Stadt*, Linz 1999, S. 297–325, hier S. 322, um nur einige zu nennen. Jedoch sind mit den fünf im Text genannten Frauen mit Sicherheit die in wirtschaftlicher Hinsicht bedeutendsten aufgezählt.

6 Einheitlich „Kaulla" wird die Schreibweise erst im 19. Jahrhundert. Allerdings benutzten die Familienzweige in Bayern (zurückgehend auf Hirsch Raphael und Veit Kaula) die Schreibweise mit einem „l". Siehe Leo Baeck Institute (LBI), New York, Michael Berolzheimer Collection, AR 4136, Stammbaum (künftig: BEROLZHEIMER, Stammbaum), S. 1–36, hier S. 11–13, 21–23.

7 Dies war nicht völlig ungewöhnlich. Abgesehen von der Variante, in welcher ein Mann in eine angesehene Familie einheiratete und sich des schon bekannten Namens der Familie seiner Frau bediente, nennt Michael Berolzheimer als weiteren Grund den größeren wirtschaftlichen Erfolg der Frau: „Wie dies auch sonst bei deutschen Juden geschah, wenn durch den frühen Tod des Ehemannes oder durch größere Tüchtigkeit diese zur Ernährerin der Familie wurde", ebd., S. 1.

8 SCHNEE, *Hoffinanz* (wie Anm. 1), Bd. 4, S. 165, Marx Pfeiffer-Kaulla.

9 ECKHART G. FRANZ, Die Darmstädter Kaullas. Vom Hofagenten zum frühindustriellen Unternehmer, in: DERS. (Hg.), *Juden als Darmstädter Bürger*, Darmstadt 1984, S. 214–217, hier S. 215; Michael Regensburger unterzeichnete mit Regensburger-Kaula oder auch nur mit Kaula.

10 MANUEL WERNER, Die Juden in Hechingen als religiöse Gemeinde, T. 1–2, in: *Zeitschrift für Hohenzollerische Geschichte* 20 (1984), S. 103–213; 21 (1985), S. 49–169.

11 WERNER, Juden in Hechingen (wie Anm. 10), T. 2, S. 144.

12 Ebd., S. 145.

13 SCHNEE, *Hoffinanz* (wie Anm. 1), Bd. 4, S. 151.

14 BEROLZHEIMER, Stammbaum (wie Anm. 6), S. 1.

15 OTTO WERNER, Die jüdische Gemeinde in Hechingen bis zum Jahr 1933, in: *1200 Jahre Hechingen. Beiträge zur Geschichte, Kunst und Kultur der Stadt Hechingen*, Hechingen 1987, S. 177–216, hier S. 186.

16 BEROLZHEIMER, Stammbaum (wie Anm. 6), S. 1.

17 Lt. Berolzheimer ist ihr Geburtsjahr 1740, siehe ebd., S. 1, wahrscheinlich handelt es sich um einen Umrechnungsfehler.

18 Das Geburtsdatum ist nicht vorhanden, jedoch ist auf seinem Grabstein vermerkt, dass er 1815 im 58. Jahr verstarb, HEINRICH KOHRING, Die Inschriften der Kaulla – Grabdenkmäler auf dem jüdischen Friedhof in Hechingen, in: *Zeitschrift für Hohenzollerische Geschichte* 21 (1985), S. 171–213, hier S. 198. Kohring vertritt wie auch BEROLZHEIMER, Stammbaum (wie Anm. 6), gegen Schnee die Ansicht, dass Maier Hanau Kaulla der Bruder und nicht der Sohn der Madame war.

19 SCHNEE, *Hoffinanz* (wie Anm. 1), Bd. 4, S. 150.

20 JOACHIM HAHN, Karoline Kaulla, in: FRITZ KALLENBERG (Hg.), *Hohenzollern*, Sigmaringen 1996, S. 449–451, hier S. 450.

21 ROTRAUD RIES, Hofjudenfamilien unter dem Einfluss von Akkulturation und Assimilation, in: SABINE HÖDL/MARTHA KEIL (Hgg.), *Die jüdische Familie in Geschichte und Gegenwart*, Wien 1999, S. 79–105, hier S. 87, bemerkt, dass Frauen von Hofjuden durch den ökonomischen Erfolg nicht mehr wirtschaftlich tätig sein mussten und von daher möglicherweise Wissen verlernten. Dies würde den Schluss zulassen, dass auch Töchter

dieses Wissen nicht mehr erhielten. Dabei gilt es jedoch zu differenzieren: Nicht jeder Titelinhaber hatte gleiche ökonomische Voraussetzungen. Gerade Hofjuden in Kleinterritorien oder zu Beginn der Karriere, also in der „Aufstiegsgeneration", verfügten weder über die gleiche wirtschaftliche Potenz noch über eine vergleichbare Absicherung wie erfolgreich gewordene, allen bekannte Hoffaktoren der Großterritorien.

22 Als Gegenbeispiel hierfür kann auch dienen: SCHNEE, *Hoffinanz* (wie Anm. 1), Bd. 2, S. 297. Dieser erwähnt die Tochter (ohne Namen) des Anhalt-Bernburgischen Münzfaktors Moses Isaak, die in der ersten Hälfte des 18. Jahrhunderts zusammen mit ihrem Vater die dortige Münze belieferte und nach der Verheiratung zusammen mit ihrem Vater und dem Ehemann Dr. Salomon Gumpertz weiter Geschäfte tätigte.

23 Schon Selma Stern dokumentiert, dass Frauen intensiv studierender Ehemänner durchaus die aktive Rolle im Broterwerb einnahmen, SELMA STERN, Die Entwicklung des jüdischen Frauentypus seit dem Mittelalter, in: *Der Morgen* 1 (1925), S. 324–337, hier S. 335.

24 SCHNEE, *Hoffinanz* (wie Anm. 1), Bd. 4, S. 150.

25 HEINRICH SCHNEE, Die Hoffaktoren-Familie Kaulla an süddeutschen Fürstenhöfen, in: *Zeitschrift für Württembergische Landesgeschichte* 20 (1962), S. 238–257, hier S. 244.

26 SCHNEE, *Hoffinanz* (wie Anm. 1), Bd. 4, S. 151.

27 Kinder: Mayer, Wolf, Raphael, Michle und Veit. Heinrich Schnee geht von mindestens sechs Kindern aus, wobei er den Bruder Maier Hanau als Sohn anführt; siehe dazu Fußnote 18.

28 SCHNEE, Die Hoffaktoren-Familie Kaulla (wie Anm. 25), S. 241.

29 FRITZ KALLENBERG, Hohenzollern-Hechingen: Pracht ohne Macht, in: DERS., *Hohenzollern* (wie Anm. 20), S. 80.

30 HEINRICH SCHNEE, Madame Kaulla, in: MAX MILLER/ROBERT UHLAND (Hgg.), *Lebensbilder in Schwaben und Franken*, Bd. 9, Stuttgart 1963, S. 85–104, hier S. 88.

31 Ebd.; Schnee führt Kreditzahlungen an den Fürsten auf, allein im Jahr 1796 fast 40 000 fl., in Einzelbeträgen von 15 000 fl., 10 000 fl., 10 500 fl. und 4000 fl.

32 SCHNEE, Die Hoffaktoren-Familie Kaulla (wie Anm. 25), S. 253.

33 SCHNEE, *Hoffinanz* (wie Anm. 1), Bd. 4, S. 157, Kriegsrat Düngen bezeichnete sie ausdrücklich als „eigentlich das Haupt des Kaullaischen Hauses".

34 Fürsprecher, Vermittler zwischen Fürst und Gemeinde; KOHRING, Inschriften der Kaulla-Grabdenkmäler (wie Anm. 18), S. 182 f.; zum einen stellt Kohring fest, dass aus den Taten, für die Jakob Kaulla auf dem Grabstein gelobt wird, die Rolle des Fürsprechers und Vermittlers hervorgeht, zum anderen stellt er dies mit der Titulatur Fürst und Edler (*sar we nagit*) in einen Zusammenhang, mit der die Juden des arabischen Raumes *Stadlanim* bezeichnet hätten. Siehe ebd., S. 187. Der Ausdruck findet sich sowohl bei Jakob als auch bei Maier Hanau Kaulla.

35 KOHRING, Inschriften der Kaulla-Grabdenkmäler (wie Anm. 18), S. 181, 188; zum Realitätsbezug von Grabinschriften siehe den Beitrag von MARTINA STREHLEN, Spuren der Realität in der Erinnerung? Zu Grabsteininschriften und Memorbucheinträgen für Hofjuden, in diesem Band.

36 Jakob Kaulla – ein württembergischer Rothschild, dargestellt von einem Zeitgenossen, in: *Feiertagsschrift der Israelitischen Kultusvereinigung Württemberg und Hohenzollern* 1961, S. 30–34, hier S. 33.

37 WERNER, Juden in Hechingen (wie Anm. 10), T. 1, S. 131.

38 WERNER, Jüdische Gemeinde (wie Anm. 15), S. 181. Allerdings wird das Zitat P. Hauntingers mit der Aufzählung ihrer Mildtätigkeit fortgeführt: „Zu ihrem Lobe sagt man durchgängig, daß sie den Armen ohne Unterschied der Religion, auch den Herrn Franziskanern, sehr viel Gutes thue und reichlich Almosen austeile."

39 WERNER, Juden in Hechingen (wie Anm. 10), T. 1, S. 133.

40 OTTO WERNER, Der Gebäudebesitz der Hechinger Juden im Jahre 1838, in: *Hohenzollerische Heimat* 1 (1984), S. 11–12, hier S. 12.
41 Bezugnahme auf den Schutzbrief von 1754.
42 WERNER, Juden in Hechingen (wie Anm. 10), T. 1, S. 123, 138–140, 157.
43 Ebd., T. 2, S. 145.
44 Staatsarchiv Sigmaringen, Ho 1 C2 6 f, Nr. 6.
45 WERNER, Juden in Hechingen (wie Anm. 10), T. 2, S. 146.
46 KOHRING, Inschriften der Kaulla-Grabdenkmäler (wie Anm. 18), S. 183, zitiert nach: LUDWIG EGLER/RUDOLPH EHRENBERG, *Chronik der Stadt Hechingen*, Hechingen 1906, 2. Aufl., Hechingen 1980, S. 164.
47 WERNER, Juden in Hechingen (wie Anm. 10), T. 1, S. 130 f.
48 Ebd., T. 2, S. 103.
49 Geht hervor aus Staatsarchiv Sigmaringen, Rep. Ho 6, Bd. 1, 94, Kriegssachen Nr. 407. Dort wird erwähnt, dass Isac Emanuel Levy 1807 Oberschultheiß wurde, nachdem Mayer Kaulla die Schutzentlassung erhalten hatte. Aus anderen Akten lässt sich eine Tätigkeit des Letzteren in der angegebenen Funktion mindestens bis 1802 zurückverfolgen.
50 Aron Liebmann wurde 1807 zum Hoffaktor ernannt, SCHNEE, *Hoffinanz* (wie Anm. 1), Bd. 4, S. 155.
51 WERNER, Juden in Hechingen (wie Anm. 10), T. 2, S. 57 f.
52 Ebd., S. 134.
53 Ebd., T. 1, S. 132.
54 HAHN, Karoline Kaulla (wie Anm. 20), S. 450.
55 WERNER, Juden in Hechingen (wie Anm. 10), T. 1, S. 168.
56 Ebd., S. 167.
57 Ebd., S. 167 f.
58 Ebd., S. 168.
59 Ebd., S. 131.
60 Ebd., S. 158.
61 SCHNEE, *Hoffinanz* (wie Anm. 1), Bd. 4, S. 163 f.; und WERNER, Juden in Hechingen (wie Anm. 10), T. 2, S. 76, und S. 77, Anm. 588.
62 Ebd., T. 1, S. 152.
63 Jakob Kaulla (wie Anm. 36), S. 33.
64 WERNER, Juden in Hechingen (wie Anm. 10), T. 2, S. 127, 130.
65 Ebd., S. 129.
66 Ebd., S. 158.
67 SCHNEE, *Hoffinanz* (wie Anm. 1), Bd. 4, S. 162.
68 Ebd., S. 153.
69 HAHN, Karoline Kaulla (wie Anm. 20), S. 450.
70 SCHNEE, Madame Kaulla (wie Anm. 30), S. 89.
71 Ebd., S. 91. Siehe zu den württembergischen Landständen auch PAUL SAUER, *Napoleons Adler über Württemberg, Baden und Hohenzollern: Südwestdeutschland in der Rheinbundzeit*, Stuttgart 1987, Kapitel IV und V.
72 SCHNEE, *Hoffinanz* (wie Anm. 1), Bd. 4, S. 156 f.
73 DERS., Madame Kaulla (wie Anm. 30), S. 92; die Ernennung erfolgte am 9. Februar.
74 SCHNEE, *Hoffinanz* (wie Anm. 1), Bd. 4, S. 159; und DERS., Madame Kaulla (wie Anm. 30), S. 92.
75 Jakob Kaulla (wie Anm. 36), S. 34; und PAUL SAUER, *Napoleons Adler* (wie Anm. 71), S. 229, 281.
76 SCHNEE, *Hoffinanz* (wie Anm. 1), Bd. 4, S. 154.
77 DERS., Madame Kaulla (wie Anm. 30), S. 94.

78 Ebd.

79 Siehe dazu Berolzheimer, Stammbaum (wie Anm. 6).

80 Schnee, *Hoffinanz* (wie Anm. 1), Bd. 4, S. 155, am 9. Dezember 1807.

81 Werner, Juden in Hechingen (wie Anm. 10), T. 1, S. 131; die Ernennung erfolgte aufgrund der für die Armee geleisteten Dienste am 5. August 1801.

VI. DER REICHE UND VERLUSTREICHE WEG IN DIE MODERNE: KOMMENTARE, EXEMPEL UND PERSPEKTIVEN

The Messages from the Roosters

Deborah Hertz

Many times during this conference Selma Stern, Asriel Schochat, Heinrich Schnee and Hannah Arendt have been on my mind. I found myself wishing that they could have been with us here in Halberstadt. Surely, each would have delighted in our research. Still, each would feel unhappy in one way or another. Selma Stern and Asriel Schochat would be disappointed to have been ignored altogether.[1] Heinrich Schnee would undoubtedly chafe at our dismissal of his work as antisemitic. And Hannah Arendt would want to remind us of her class analysis of the Court Jews.[2] Here in the renovated study room of the former *yeshiva*, our conversations were often punctuated by the crowing of the roosters from the garden outside. Perhaps there is reincarnation after all. I imagine that Stern, Schochat, Schnee, and Arendt have been reborn in the form of the angry roosters whose lusty cries have added to our discussions in such a provocative manner.

Were they really here with us we would need to remind them that each generation must write its own version of the past. Indeed, the history of the Jews which is being created now in Germany makes a powerful impression on those who visit from abroad. Once upon a time refugees in New York and Jerusalem carried German-Jewish history in their suitcases. That time is gone. Our field is clearly booming. The history that is being written by historians who live in Germany today is a moving kind of *Wiedergutmachung.* Indeed the building in which we meet is itself a demonstration of reclamation and reconstruction. This center of religious learning became, during the dark years of the Third Reich, a factory employing slave labor. Now these walls shelter research which leads to important new knowledge. This new knowledge can also provide therapeutic solace to those who agonize about the Nazi past. Many Jewish intellectuals in the far corners of the world watch what is happening here in Germany today with profound feelings, among them heartfelt admiration.

I have tried during the last three days to understand the sources of the pulsating intellectual energy here in the former *yeshiva.* I note the nostalgic tone of many papers. As I know so well from my own attraction to the Jewish salons of eighteenth-century Berlin, when we return to the Court Jews we arrive at a place in the German-Jewish past where we can breathe freely. Antisemitism is not a dominant theme. Indeed, the story of the Court Jews offers us an even more innocent historic episode than do the salons. Among the Court Jews we discover many loyal, steadfast religious personalities. In this epoch we can avoid altogether the stress of problematic social integration. Of course individual Court Jews maintained relationships with the princes and nobles whose needs created their roles in the first place. But most Court Jewish families remained apart from aristocratic society. Thus passing and conversion and intermarriage and upward mobility can happily remain outside our frame of reference when we study the Court Jews. Another way we are drawn into the world of the Court Jews is, frankly, the vicarious pleasure some of us undoubtedly experience when we explore their vast wealth and their tasteful cultural consumption. In spite of these pleasures, we should beware a too cozy empathy with the Court Jews. It behooves us to listen to the message sent by the Hannah Arendt rooster. For her class critique of the Court Jews has an enduring resonance that is relevant indeed to our understanding of this chapter of the German-Jewish past. As was her way when she wrote Jewish history, Arendt was unsentimental when she examined how some Court Jews made their fortunes. She reminded us that sometimes Court Jews were asked by a ruling prince or a king to help balance the state budget by creating a coin inflation. In such cases they minted so-called debased coins, which contained insufficient silver. The individuals who received such coins in good faith could discover to their dismay that the coin was worth considerably less than they had assumed when they accepted it. The Court Jews were able to carry out such a coin inflation because they not only leased the mints, but were also positioned at the summit of a network of peddlers who distributed the coins up and down the highways and byways of central Europe.

We need to understand why some Court Jews agreed to help their patrons in this way. Was it a foregone conclusion on all sides that this sort of popularly despised project was necessary to maintain one's status as a Court Jew? Now for some this is not a proper academic line of inquiry. They might well argue that it is far outside of the historian's mandate to blame a deceased Court Jew for just how it was that they became rich. Perhaps. But more is at stake than moral judgement. As historians, we do need to know how much room for decision there was in the decision to carry out the assignment of minting debased coins.

Did the Court Jews involved in the coin inflation wonder about the consequences of how they were becoming rich? And if they did, how large was their scope for choice? Could one politely decline to carry out the patron's coin inflation? In our conference here we have heard, in Britta Waßmuth's paper, about the Court Jew Mayer Elias who refused to shave off his beard because his prince thought it looked too traditional.[3] We must wonder about how frequent it was that Court Jews felt secure enough to turn down a request from their prince. The conundrum about Jewish cooperation with the coin inflation reminds us how important it is to take Jewish agency seriously. The Court Jews would, I think, be pleased with this approach. They saw themselves as powerful agents in their own destiny and we should honor that agency now that they are so cold in their graves.

Another neglected historian reborn as a rooster sounding off from the courtyard is undoubtedly Asriel Schochat. For Schochat initiated a debate among Israeli historians which has striking relevance for understanding how Jewish life was changing in the German lands during the eighteenth century. Several historians here in Halberstadt have worked to reconstruct the religious habits and practices of the Court Jews, notably Martina Strehlen's analysis of graveyard epitaphs and memoir book inscriptions.[4] This is the kind of work which would have surely warmed Schochat's heart. In Schochat's 1960 book, *Im hilufei Tekufot* ("Across the Changing Epochs"), he argued that Jewish life became less traditional very gradually during the eighteenth century.[5] Schochat truly went against conventional wisdom when he argued that Moses Mendelssohn's work did not begin the process of modernization. Rather, for Schochat Mendelssohn's ideas should be understood as the articulation of gradual shifts in daily life habits. Schochat was making a case that study of social practices as well as erudite texts can help us understand how German Jewry was evolving in this century. Much of the research presented at this conference seems to weigh in on Schochat's side of the debate. But much more work remains to be done. Indeed, revisiting the Schochat thesis is an important task, now that so much new primary material is being excavated from the archives.

The last chorus of messages from the farmyard here in Halberstadt comes not from angry historians. Rather these cries come from angry chickens, who speak for the female Court Jews, both those whose names we know and those still obscure and unknown. They are angry not only because they have been absolutely ignored. They are also disappointed because we have not used their lives to transform our larger picture of Court Jewish society. We have learned from Kerstin Hebell's paper on Madame Kaulla that wealthy Jewish women could indeed become Court Jews in their own names.[6]

Esther Liebmann and Glückel von Hameln are two more women from the era who enjoyed considerable economic independence while still married, and about whom we continued to learn more.[7] The key phrase here is "still married." We have known for a long time that in this era widows, Jewish and Christian alike, were sanctioned, indeed encouraged by their communities to engage in paid labor, so as to support their families after the death of their spouse. But we need to learn more about Jewish women of all class ranks who found ways to make significant contributions to their family's livelihood while their husbands were still alive. We know that beginning in the late medieval centuries married Christian women were leaving the guilds, and tending to concentrate on domestic rather than productive roles. We still do not know whether and if the pattern of married Jewish women working differed radically from the pattern for Christian women in similar classes and regions.

Much more research awaits us. One important source is the published records of the visitors to the Leipzig fair. This records contained in this remarkable volume lists whether the women who visited the fair as businesswomen were widowed or married, as well as much other fascinating material.[8] Future research into the public financial work of female Court Jews will expand our knowledge of the Jewish past in the early modern centuries. We will be able to use this new knowledge to interpret how distinctive Jewish women's labor patterns were in this era. In his recent book "Unheroic Conduct", Daniel Boyarin suggests that Jewish families operated according to a different hierarchy of gender status. Boyarin suggests that whereas women's secondary status in Christian families derived from their exclusion from production, in Jewish families women suffered because of their exclusion from study and prayer. Boyarin argues that among Christian families, when productive and reproductive work were no longer performed in homes, women's status deteriorated. In Jewish families, where study legitimated male dominance, Boyarin argues that married women participated actively in public commercial roles long after Christian women of parallel classes had begun to concentrate only on domestic roles.[9] The point is that more knowledge of wives of Court Jews will help us evaluate whether and if so how Boyarin's model helps us organize our knowledge of this past.

The papers delivered here in Halberstadt make it very clear that we will be learning much more about the lives of individual Court Jews in the years to come. By listening to at least some of the angry rooster historians, we shall ensure that we can use our new knowledge to revise and renew our larger picture of Jewish life in early modern central Europe. Perhaps at the next conference here at Halberstadt our roosters will listen in silence and our discussions will proceed undisturbed.

Footnotes

1 SELMA STERN's massive publication on the theme was her: *Der Preußische Staat und die Juden*, T. 1–4 in 7 Bänden, Tübingen 1962–1975 (Schriftenreihe Wissenschaftlicher Abhandlungen des Leo-Baeck-Instituts 7, 8, 24, 32). A summary of the Court Jewish era can be found in her: *Der Hofjude im Zeitalter des Absolutismus*, hg. von MARINA SASSENBERG, Tübingen 2001. For biographical information, see MICHAEL SCHMIDT, Selma Stern (1890–1981): Exzentrische Bahnen, in: BARBARA HAHN (Hg.), *Frauen in den Kulturwissenschaften: Von Lou Andreas-Salomé bis Hannah Arendt*, München 1994, S. 204–218. I am grateful to Michael Schmidt for bringing this article to my attention.

2 HEINRICH SCHNEE's history of the Court Jews is: *Die Hoffinanz und der moderne Staat. Geschichte und System der Hoffaktoren an deutschen Fürstenhöfen im Zeitalter des Absolutismus. Nach archivalischen Quellen*, Bde. 1–6, Berlin 1953–1967; HANNAH ARENDT discussed Court Jews in Chapter Two of her: *Elemente und Ursprünge Totaler Herrschaft*, Frankfurt 1955, S. 25–29.

3 See BRITTA WASSMUTH, Die Familien May und Mayer in Mannheim, in this volume, S. 265 f.

4 MARTINA STREHLEN's article in this volume is called: Spuren der Realität in der Erinnerung? Zu Grabinschriften und Memorbucheinträgen für Hofjuden.

5 ASRIEL SCHOCHAT's book was published in Hebrew in Jerusalem, 1960, and has never been translated into English. Recently the book has appeared in a German translation. See ASRIEL SCHOCHAT, *Der Ursprung der jüdischen Aufklärung in Deutschland*, Frankfurt/Main 2000 (Campus Judaica 14). For a summary of Schochat's views, see JACOB KATZ, *Out of the Ghetto: The Social Background of Jewish Emancipation 1770–1870*, New York 1978, S. 34–37 [Dt.: *Aus dem Ghetto in die bürgerliche Gesellschaft. Jüdische Emanzipation 1770–1870*, Frankfurt a. M. 1986].

6 The paper as presented at the conference in Halberstadt was "Madame Kaulla und ihr Clan. Das Kleinterritorium als individuelle Nische und ökonomisches Sprungbrett", S. 332–348 of this volume. A gold etching of Madame Kaulla and her family by Goog in 1795 shows them all dressed in aristocratic fashions. The etching is reproduced in NACHUM GIDAL, *Jews in Germany from Roman Times to the Weimar Republic*, Köln 1998, S. 125, and on the cover of this volume. See also the entry on Chaile Kaulla in: JUTTA DICK/MARINA SASSENBERG (Hgg.), *Jüdische Frauen im 19. und 20. Jahrhundert: Lexikon zu Leben und Werk*, Reinbek bei Hamburg 1993, S. 207–209. Finally, see HEINRICH SCHNEE, Madame Kaulla. Deutschlands bedeutendste Hoffaktorin und ihre Familie, 1739–1809, in: *Lebensbilder aus Schwaben und Franken*, Bd. 9, Stuttgart 1963, S. 85–104.

7 On Esther Liebmann, see my: The Despised Queen of Berlin Jewry: The Life and Times of Esther Liebmann. In: VIVIAN B. MANN/RICHARD I. COHEN (eds.), *From Court Jews to the Rothschilds. Art, Patronage, and Power 1600–1800*, Munich/New York 1996, S. 67–78. For a stimulating recent analysis of Glikl bas Juda Leib, see NATALIE ZEMON DAVIS, "Arguing with God" in her book: *Women on the Margins: Three Seventeenth-Century Lives*, Cambridge, Mass. 1995; and MONIKA RICHARZ (Hg.), *Die Hamburger Kauffrau Glikl. Jüdische Existenz in der Frühen Neuzeit*, Hamburg 2001.

8 See MAX FREUDENTHAL, *Leipziger Messgäste. Die jüdischen Besucher der Leipziger Messen in den Jahren 1675 bis 1764*, Frankfurt a. M. 1928 (Schriften der Gesellschaft zur Förderung der Wissenschaft des Judentums 29).

9 See DANIEL BOYARIN, *Unheroic Conduct: The Rise of Heterosexuality and the Invention of the Jewish Man*, Berkeley, ca. 1997. For comparisons to Christian women, see DANIEL RABUZZI, Women as Merchants in Eighteenth-Century Northern Germany: The Case of Stralsund, 1750–1830, in: *Central European History* 28 (1995), S. 435–456. I am grateful to Maria Benjamin Baader for this reference.

Hofjuden und Identitätswandel – ein Konstrukt? Die Deszendenz der Familie Wertheimer

Felicitas Heimann-Jelinek

Mit der zweiten Generation der jüdischen Hoffaktoren begannen sich zwar latente Spannungen zwischen den überkommenen jüdischen Gesellschaftsstrukturen und einer kulturellen wie sozialen Annäherung an die nichtjüdische Umwelt abzuzeichnen. Doch scheint fraglich, inwieweit diese Spannungen wesentlich über einen Generationenkonflikt und über die allgemeine Anpassung an „moderne" Prozesse und Werte hinausgingen und so als Problem der jüdischen Hoffaktoren zu definieren sind und nicht als ein generelles.

Waren die jüdischen Hoffaktoren einerseits auch durch juristische wie soziale Regulationen in gewisser Weise ghettoisiert und auf die eigene Gesellschaft verwiesen, so lebten sie doch – insbesondere in Wien – inmitten barocker Pracht und erfuhren bei ihren geschäftlichen Aufenthalten bei Hofe und in den entsprechenden aristokratischen Kreisen, was allgemeine Bildung, säkulare Wissenschaft, soziales Ansehen und höfischer Lebensstil bedeuteten. Die Bestrebung der jüdischen Wirtschaftselite, an all diesen aristokratischen Werten teilzuhaben, war „normal" in dem Sinne, als man damit noch nicht von der Norm abweichen musste. Das heißt, solange die Umsetzung dieses Bestrebens der Teilhabe innerhalb der eigenen Traditionsgrenzen blieb und – wie Jacob Katz es formulierte – lediglich als „Abweichung, die von dem Traditionssystem neutralisiert wurde", nicht aber als eine, „die das System als solches unterminierte",[1] verstanden wurde, musste in der Teilhabe am Wertesystem der nichtjüdischen Gesellschaft keine Gefahr gesehen werden.

Barocker Kunststil und barocke Architektur, höfische Kleidung und höfisches Mobiliar, Fortbewegungsmittel und Freizeitgestaltung wurden als kultureller Idealtypus des 18. Jahrhunderts in allen Handschriften, Druckwerken und in Gemälden ‚verbildlicht', so auch in hebräischen Handschriften. Insbesondere die handgeschriebenen und -illustrierten *Pesach Haggadot*, aber auch Illustrationen zur Mischna und Segensspruch-Sammlungen des 18. Jahrhunderts spiegeln die vornehme Hofwelt des Barock wider: So kann man die „Vier Söhne" durchaus vor einem typischen barock geschwungenen und marmorverkleideten Palais dargestellt sehen.[2] Da finden sich die Innenräume jüdischer Wohnungen mit Kunstwerken ausgestaltet, mit Stuck versehen und mit Gemälden an der Wand.[3] Das Sedermahl wird in zahlreichen dieser Handschriften von Herren mit Dreispitzen auf ihren gelockten Perücken und feinen Damen mit hohen Hauben eingenommen;[4] der Auszug aus Ägypten – Frauen und Männer gleichermaßen aufgeputzt und maniriert die Schritte setzend – mutet zumeist mehr wie ein Auszug zum Tanzabend denn aus Sklaverei an;[5] Joseph fährt seinem Vater Jakob aus Ägypten in einer vornehmen Kutsche entgegen[6], so wie sie Berend Lehmann und auch Samson Wertheimer benutzten und wie sie heute noch in Schönbrunn in der Wagenburg zu bewundern ist.

Dieser in den hebräischen Handschriften imaginierte Luxus schloss religiöse Observanz nicht aus, im Gegenteil. Diese Handschriften waren für einen ganz bestimmten religiösen Zweck geschaffen und wohl in ihrer Formensprache, nicht aber in ihren Inhalten an die veränderte Umwelt respektive an die veränderte Wahrnehmungsmöglichkeit der Umwelt adaptiert. Und auch realer zur Schau gestellter Luxus widersprach nicht *per se* religiösen Vorschriften. Der Reisende Abraham Levi aus Lippe-Detmold staunte nicht wenig über den demonstrierten Wohlstand der wenigen in Wien zugelassenen Juden:

> [...] der große achtbare weitberühmte Herr Reb Samson Wertinheim, welchen man mit dem gemeinen Sprichwort wegen seines Reichtums den Judenkaiser heißt [...] hat 10 kaiserliche Soldaten alle Zeit vor seinem Tor Wache halten [...] hat gar viele Paläste und Gärten in Wien, auch hat er viel Güter und Häuser in Deutschland sowie zu Frankfurt am Main und zu Worms und in vielen anderen Plätzen [...]. Er kommt gar oft zum Kaiser [...]. Herr R. Mendel Oppenheimer, welcher gleich R. Samson mit zehn Soldaten bedient wird, hat auch einen Lustpalast in Wien und noch mehrere Häuser und Gärten draußen vor der Stadt [...]. Er speiset alle Tage an einer Tafel mit Silbergeschirr die armen sowie die fremden Juden.[7]

Innerhalb der jüdischen Gesellschaft war die Übernahme der kulturellen barocken Werte also so lange kein Problem, als sie jene Grundsätze der Tradition nicht tangierten, die jüdisches Leben normierten.

Auf der anderen Seite, der nichtjüdischen, sah dies freilich anders aus. Hier wurde die Teilhabe von Juden an der nichtjüdischen Kultur vielfach zumindest blockiert. Auf Bescheidenheit und Unauffälligkeit wurde beispielsweise Samson Wertheimers Stiefsohn Isaak Nathan Oppenheimer zurückverwiesen, als er sich in Frankfurt am Main ein „steinernes Haus“ in Form eines vierstöckigen, von einem Wiener Architekten geplanten Barockgebäudes errichten wollte. Der Frankfurter Rat wies Oppenheimer in die Schranken, denn für die Judengasse wurden „der ansehnliche Frontispiz und andere gar sehr in die Augen fallende Zier allzu magnifice befunden“.[8]

Doch man wollte es *magnifice* haben, wenn alle anderen vergleichbarer wirtschaftlicher Macht es ebenfalls *magnifice* hatten. Man wollte prächtige Häuser und Synagogen, und wenn man sie realiter nicht haben konnte, dann wenigstens als Entwurf einer erstrebenswerten Möglichkeit. Und so waren in den barocken *Pesach Haggadot* die Vorbilder für den zukünftigen Tempel die Schlösser von Versailles oder Schönbrunn oder Kopenhagen. Und das himmlische Jerusalem lag vor den Sederfeiernden als etwas Ähnliches wie das Belvedere, als Palast des Prinzen Eugen, der seine Feldzüge in den Kriegen gegen das Osmanische Reich respektive im Spanischen Erbfolgekrieg nur mit massiver Hilfe eines Samson Wertheimer finanzieren konnte. Es war vielleicht die Möglichkeit, um die es in dieser Zeit erstmals zu gehen begann, sich das kulturelle Umfeld als lebbare Variante für sich selber vorzustellen, sich der Macht dieser Idee in einem ersten Schritt anzunähern, um sie in einem zweiten oder dritten Schritt vielleicht realisieren zu können. Man mag darin ein Prinzip Hoffnung erkennen, wie Yosef Hayim Yerushalmi es in seinem „Feld in Anatot" dargelegt hat, um „jüdische Hoffnung in ihrer kollektiven, historischen Dimension, Hoffnung angesichts historischer Niederlagen", die nicht nur Einzelne wie Isaak Oppenheimer, nach ihm auch sein Sohn Emanuel oder Wertheimer erlitten, sondern die ständige „bis 1948 andauernde existenzielle Situation der historischen Niederlage".[9]

Das Streben der jüdischen Hoffaktoren – spätestens ab der zweiten Generation – nach den äußeren Werten der Mehrheitsgesellschaft, das als „Wandel und Anpassung" formuliert wurde, musste sich nicht notwendigerweise *auf* dem Weg in die Moderne vollziehen, sondern konnte sich durchaus *mit* dem Weg in die Moderne entwickeln. Von traditionellen Vorstellungen weggehen mussten nicht nur sie, wenn sie den Weg in die neue Zeit mitmachen oder gar mitgestalten wollten, von Traditionalismen – wenn auch anders geprägten – mussten sich auch alle anderen, alle christlichen Kräfte lösen, wenn sie den Sprung in eine neue Ära schaffen wollten. Jeder, der den Weg in die Moderne mitging und mittrug, musste all jene Hindernisse ausräumen, mit der die eigene Gemeinschaft den Weg versperren zu müssen glaubte.

Dafür sei im Folgenden das Beispiel eines *Tas* angeführt[10]: Es handelt sich um ein silbernes, teilvergoldetes Toraschild in Form eines über drei Stufen zu erreichenden Toraschreins (Abb. 21). Im Mittel sind die Gebotstafeln mit dem Anfang der Zehn Gebote zu sehen. Umgeben sind sie von Wolken, durch die der Strahlenkranz der Sonne hervorbricht. Darunter wacht ein Löwe auf der quer-rechteckigen Ausnehmung für die auswechselbaren Feiertagsanzeiger. Als Zitat auf die Tempelsäulen „Jachin" und „Boaz" sind die

Abb. 21: Toraschild (Tas)

Säulen zu verstehen, die den Mittelteil flankieren. Im oberen Zentrum des Schildes erscheint – ebenfalls von Wolken- und Strahlenkranz umgeben – das Tetragramm, die Buchstaben des Gottesnamens. Der obere Teil ist in Form eines mit Glasflüssen besetzten Baldachins gestaltet, dessen herabfallende „Stoff"-Kaskaden den Seiten des Schildes ihre Form geben. Den oberen Abschluss bildet eine mit farbigen Glassteinen besetzte Spangenkrone.

Unbestreitbar ist der historische Wert dieses Kultgegenstandes, der sich aus der hebräischen Widmungsinschrift an der Basis, also auf den ‚Stufen' des Stückes, entdeckt. Die Inschrift lautet:

> Dies ist ein Geschenk der edlen Frau Zartel Cäcilie Königswarter zur Erinnerung an die Seele ihres geliebten Gatten Mosche Chaim Königswarter, sowie zum Andenken an ihre verstorbenen Eltern, R. Feivelman und Frau Ella Wertheimer seligen Andenkens im Jahre ‚Gedenkt seines Bundes auf ewig'.

Der Zahlenwert dieses Chronogramms ist 617, i. e. 1857.

Geht man dem Inhalt der Widmung genauer nach, so führt sie uns durch einen Teil des jüdischen Wien vom Anfang bis zum Ende des 19. Jahrhunderts; das *Tas* wird zum ‚Zeitzeugen': Die Stifterin des *Tas*, Cäcilie Königswarter, geborene Wertheimer aus Bayreuth, war die zweite Frau von Mosche Chaim, genannt Moritz Königswarter, zu dessen Andenken das Schild gestiftet wurde. Seine erste Gattin war die im Jahre 1811 achtundzwanzigjährig verstorbene Fanny Veronika, Tochter von David Wertheimer, einem Enkel des berühmten Faktoren am Wiener Hof Samson Wertheimer. Die wesentlich jüngere Cäcilie überlebte ihren aus einer böhmischen, nach Fürth übersiedelten Familie stammenden Mann Moritz Königswarter, der 1829 verstarb, um gute 30 Jahre. 1810 nach Wien gezogen, erhielt er sechs Jahre später für ein jährliches so genanntes „Schutzgeld" von 150 Gulden die Toleranz und 1822 Großhandelsbefugnis, womit er k.k. privilegierter Großhändler wurde. Religiös-observant, gehörte Moritz Königswarter zu dem Kreis jener Familien, die zäh und trickreich um die Errichtung eines öffentlichen und würdigen jüdischen Gotteshauses zu einer Zeit kämpften, als das Traumziel von einer offiziell anerkannten Kultusgemeinde noch in jahrzehntelanger Ferne lag. Moritz Königswarter zählte zu den Finanziers und Vorstehern des 1826 eingeweihten Stadttempels und unterzeichnete in dieser Funktion noch drei Monate vor seinem Tod die Bethaus-Statuten (Abb. 22).

Nach dem Ableben Moritz Königswarters führte sein aus Frankfurt zugezogener Neffe Jonas Königswarter, der Moritz' Tochter Josefa aus erster Ehe geheiratet hatte, die Geschäfte bzw. das Bankhaus Königswarter weiter. Jonas Königswarter konnte das Erbe seines Schwiegervaters erfolgreich ausbauen. Er gehörte dem Direktorium der Nordbahn ebenso an wie dem Direktorium der Oesterreichischen Nationalbank. 1860 wurde er angesichts seiner wirtschaftlichen Verdienste nobilitiert. Seine Aktivitäten für die Israelitische Kultusgemeinde gipfelten in der Wahl zum Präsidenten im Jahr 1868. Jonas' Sohn Moritz Freiherr von Königswarter leitete das Bankhaus der Familie bis zu seinem Tod 1893 weiter. In Wien war er besonders bekannt als unverzichtbarer Philantrop, der alle karitativen Zwecke großzügig unterstützte. Aufgrund seines politischen Engagements wurde er schließlich Mitglied des Herrenhauses.[11]

Im Bestand des Jüdischen Museums Wien befindet sich überdies ein Meïl (Abb. 23), ein Toramantel aus dem Jahr 1857,[12] ebenfalls gestiftet von Cäcilie Königswarter „zur Erinnerung an ihren geliebten Gatten Mosche Chaim Königswarter sowie an ihre Eltern [...]".[13] Da Widmungsinschrift und Stiftungsjahr des Mantels mit Inschrift und Jahr des Toraschildes ident sind,

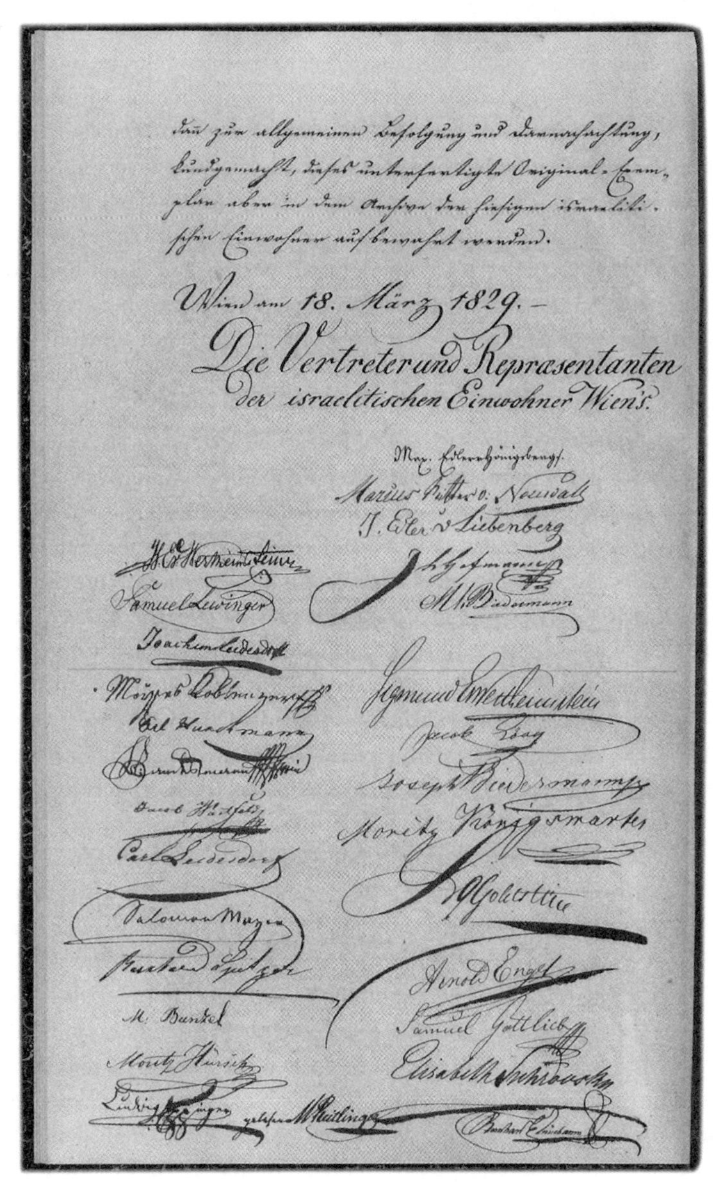

den zur allgemeinen Befolgung und Darnachachtung, kundgemacht, dieses unterfertigte Original-Exemplar aber in dem Archive der hiesigen israelitischen Einwohner aufbewahrt werden.

Wien am 18. März 1829. –

Die Vertreter und Repræsentanten der israelitischen Einwohner Wien's.

Marcus Ritter v. Neuwall

J. Edler v. Liebenberg

M. Biedermann

Samuel Lewinger

Joachim Leidesdorf

Sigmund Wertheimstein

Joseph Biedermann

Moritz Königswarter

Carl Leidesdorf

Salomon Mayer

Arnold Engel

M. Bunzel

Samuel Gottlieb

Abb. 22: Die Unterzeichner der „Statuten für das Bethaus der Israeliten in Wien“

ist evident, dass es sich um ein Set gehandelt haben muss, von dem eines Tages vielleicht sogar noch ein weiteres Stück (beispielsweise ein Torazeiger oder ein Toravorhang) auftauchen könnte. Der im Jüdischen Museum befindliche Meïl trägt eine alte eingeklebte Inventarnummer sowie eine neuere eingenähte.[14] Die Kultusgemeinde hat ihre Tempelbestände von Anfang an nach den einzelnen Tempeln inventarisiert und nach der Jahrhundertwende eine Revision dieser Bestände gemacht, wodurch sich eine Doppelnummerierung auf fast allen aus den großen Gotteshäusern stammenden Kultgegenständen findet. Aufgrund dieser Inventarnummern, die in den beiden Haupttempeln auf die Textilien aufgenäht und in das Silber eingraviert wurden, können wir also relativ sicher bestimmen, welche der uns übergebenen Objekte aus dem Stadttempel und welche aus dem Leopoldstädter Tempel kommen. Was den Königswarter-Meïl betrifft, so stammt er aus dem Leopoldstädter Tempel, denn die jüngere Inventarnummer 35 ist, bedenkt man das Stiftungsjahr 1857, zu niedrig, um aus dem Stadttempel zu sein. Der 30 Jahre zuvor gegründete Stadttempel hatte um diese Zeit natürlich schon ein Vielfaches an Stiftungen erhalten und stand mit seiner Inventarisierung bereits in den Hunderten. Überdies war der Leopoldstädter Tempel zum Zeitpunkt der Königswarter-Stiftung gerade erst eingeweiht worden, und die Annahme liegt auf der Hand, dass Cäcilie Königswarter im Andenken an ihren Gatten, der sich so viele Verdienste um die Gründung des Stadttempels erworben hatte, auch dem zweiten großen Gotteshaus in Wien die Reverenz ihrer Familie erweisen wollte. (Die Frage, wann das Königswarter-Set auseinander gerissen wurde, kann nicht beantwortet werden.)

Stifter und in den Stiftungsinschriften Erwähnte gehören zu den Nachkommen der Familie Wertheimer. Stammvater der weit verzweigten Familie Wertheimer und ihrer Deszendenten in Wien war Samson Wertheimer,[15] Angehöriger des kleinen, auf der Basis großen Risikos privilegierten Kreises der jüdischen Hoffaktoren. Diese wurden herangezogen, da die Mehrfronten-Kriegshandlungen des 17. und 18. Jahrhunderts die durch die Staatsfinanzen gegebenen Möglichkeiten bei weitem übertrafen und die jahrzehntelangen Kriege die Möglichkeiten des Wirtschaftsgefüges, das – während der ganzen absolutistischen Epoche – hauptsächlich auf persönlichen Beziehungen basierte, überdehnten. Die Aristokratie war zwar bereit, für ihre Kaiser und ihre Interessen zu kämpfen, doch immer seltener gewillt, die notwendigen Unsummen zu investieren. Daher sah man sich gezwungen, die staatliche Finanz zu einem wesentlichen Teil auf eine Hand voll Einzelprivilegierte und einzelprivilegierte Juden zu stützen, die dem Ärar mithilfe auswärtiger Beziehungen allein zwischen 1698 und 1709 rund 80 Millionen Gulden vorstrecken konnten.

Abb. 23: Toramantel (Meïl)

Am 2. Dezember 1684 kam Samson Wertheimer aus Worms nach Wien zu Samuel Oppenheimer. Im Laufe der Jahre konnte sich Wertheimer vom väterlichen Kompagnon emanzipieren. Seine Geschäfte bewegten sich in anderen, vorsichtigeren Bahnen als diejenigen Oppenheimers. Konsequent lehnte er wegen des hohen Risikos alle Naturalhandelsgeschäfte ab. Er betätigte sich hauptsächlich als Vermittler benötigter Kapitalien, als Bankier, als erfinderischer Geist, der durch das Siebenbürgener Salzregal oder die Monopolisierung des polnischen Salzhandels neue Geldquellen erschloss. Nach Oppenheimers Tod wurde er 1703 zum Oberhoffaktor ernannt.

Drei Kaisern – Leopold I., Joseph I. und Karl VI. – diente er mit außerordentlicher Effizienz. 1702 hatte er beim Ärar ein Guthaben von 6 Millionen Gulden. Bei seinem Tod im Jahre 1724 waren die Schulden nicht getilgt. Trotz der seinerzeit für eine jüdische Familie so mächtigen Position war auch sie vor herrscherlicher Willkür keineswegs sicher.

Wolf Wertheimer, gest. 1765, stammte aus Samson Wertheimers erster Ehe mit Frumet Brilin (siehe Abb. 24). Er war verehelicht mit Lea Oppenheimer. Ihr Sohn Isak heiratete Simelie Gomperz, womit die Wertheimers sich mit einer derjenigen Familien verschwägerten, die ein Jahrhundert später eine bedeutende Rolle im Wiener Geistesleben spielen sollten. Wolfs Schwester Chawa, gest. 1749, wurde mit Berusch Eskeles vermählt, dem bedeutenden mährischen Landesrabbiner, dessen Familie ein halbes Jahrhundert später mit den Arnsteins fusionierte und zur trendsetzenden Oberschicht in der Wiener Salonkultur gehörte. Aus der Ehe von Isaks Bruder Samuel (gest. 1786) mit Sarl Oppenheim ging Samson hervor, der Vater des nun als von Wertheimstein geadelten Josef (gest. 1811).

Ein Neffe Isaks, Salomon Wertheimer (1785–1835), ehelichte Marianne Oppenheimer; ihr Sohn Josef (1800–1887) wurde zum Ritter von Wertheimer erhoben. Der publizistisch tätige Kämpfer für die Emanzipation war für die jüdische Gemeinde in Wien eine zentrale Figur, der zweite Präsident der Wiener Kultusgemeinde, Gründer der philanthropischen Israelitischen Allianz in Wien, Initiator der ersten jüdischen „Kinder-Bewahranstalt", nachdem er bereits gemeinsam mit dem katholischen Geistlichen Lindner den allgemeinen ersten Kindergarten geschaffen hatte, Gründer des „Vereins zur Förderung der Handwerke unter den Israeliten", dessen Ziel es war, den Juden den Eintritt in Handwerksberufe zu ermöglichen und ihre historisch wie sozial bedingte Konzentration auf Handelsberufe aufzubrechen, womit er die Entstehung eines jüdischen Mittelstandes in Österreich forcierte – sicher ein ganz wichtiger Schritt im Modernisierungswillen des 19. Jahrhunderts.

Josef von Wertheimsteins Enkel Heinrich, gest. 1859, heiratete Louise Bie-

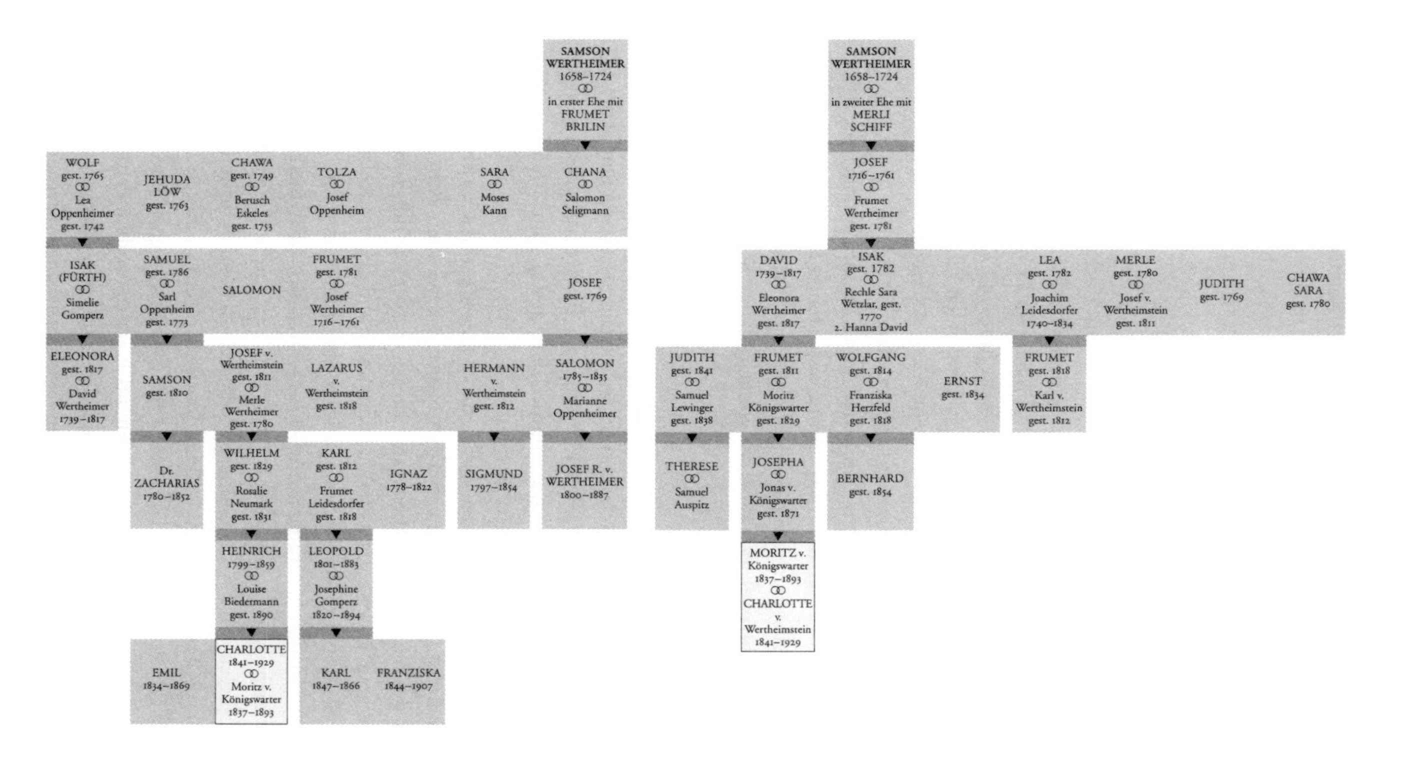

Abb. 24: Verwandtschaftstafel der Familien Wertheimer/Königswarter

dermann, Tochter eines der bedeutendsten Finanziers des Wiener Stadttempels in der Seitenstettengasse. Ihre gemeinsame Tochter Charlotte Sara von Wertheimstein (1841–1929) ehelichte den Bankier Moritz von Königswarter, der nicht nur zahlreiche karitative Stiftungen tätigte, sondern auch der Kunst und der Forschung verpflichtet war.

Sein Vater Jonas hatte bereits das Blindeninstitut auf der Hohen Warte gestiftet; dieser war wiederum ein Urenkel von Samson Wertheimer aus der Deszendenz der zweiten Ehe mit Merli Schiff. Frumet Fanny Veronika Wertheimer, Samsons Ururenkelin aus dieser Linie, hatte jenen Moritz (Namensgleichheit von Großvater und Enkel) von Königswarter geehelicht, der als einer der Repräsentanten der Wiener Judenheit 1826 die Bethaus-Statuten für den Stadttempel unterzeichnet hatte. Nach ihrem frühen Tod heiratete Moritz Königswarter deren Cousine Cäcilie Wertheimer, die das oben beschriebene *Tas* für den Leopoldstädter Tempel widmete.

Ein anderer Enkel Josef von Wertheimsteins war Leopold, gest. 1883, Prokurist des Wiener Bankhauses Rothschild, Hauptverantwortlicher für Rothschilds „Kaiser-Ferdinand-Nordbahn". Leopold von Wertheimstein war von 1853–1863 der erste Präsident der endlich offiziell gegründeten Israelitischen Kultusgemeinde Wien.[16]

Warum diese komplizierte, mühsam zu rekonstruierende Familiengeschichte? Wegen des oben geschilderten *Tas* für den Leopoldstädter Tempel. Der Wiener Leopoldstädter Tempel wurde aus Notwendigkeit gegründet, die Wiener Kultusgemeinde war um die Mitte des 19. Jahrhunderts enorm angewachsen, die Gläubigen fanden im Stadttempel keinen Platz mehr. Doch der Leopoldstädter Tempel war auch ein Gegengewicht zu jenem in der Seitenstettengasse, nach außen konnte er stolz und offen erkennbar sein. Die Zeit des reinen Innenlebens war vorüber. Er musste sich nicht mehr hinter einer geschlossenen Hausfassade verstecken wie der nur 30 Jahre vorher eingeweihte Stadttempel (Abb. 25). Er konnte nun und wollte Wiener Judentum präsentieren und demonstrieren. Er war die Öffentlichkeit, die Einzelpersonen wie Isaak Nathan Oppenheimer und der gesamten Wiener Judenschaft bis dato verwehrt geblieben war. Dieser Tempel in der Leopoldstadt, 1858 unter Vorsitz von Josef Wertheimer eingeweiht, war dabei keineswegs als der einer anderen Richtung konzipiert. – Im Gegenteil waren die Behörden wie die Kultusgemeinde wie auch der Rabbiner am Stadttempel, der mittlerweile auf die orthodoxen Bedürfnisse der Gemeinde eingegangene Isak Noa Mannheimer, sehr darauf bedacht, dass es zu keinerlei *Sektiererei*, wie es hieß, kam. Wien blieb eine Einheitsgemeinde. Aber doch war an diesem Tempel, der organisatorisch-administrativ zum Seitenstettentempel

Abb. 25: Außenansicht des Stadttempels in Wien I, Aufnahme um 1900

gehörte und den Vorstehern der Israelitischen Kultusgemeinde (IKG) unterstand, etwas anderes. Dieses „Andere" machte vor allem der hierher berufene Rabbiner Adolph Jellinek aus. Sein Bruder Hermann war 1848 standrechtlich als Revolutionär erschossen worden. Zwar versicherte Adolph, „daß der revolutionäre Geist in seiner Familie" nicht „erblich" sei,[17] doch war er auf seine Art für die Wiener Juden durchaus revolutionär: Er war Wissenschaftler mit profunder Bildung, er gründete Wiens Bet Hamidrasch, edierte selbst drei dicke Bände von ihm gesammelter Midraschim, holte Gelehrte nach Wien, und er mischte sich – zum Entsetzen der Konservativen – dauernd in Zeitfragen ein. Mit Adolph Jellinek entstand in Wien eine offenere, liberalere, wenn man so will ‚modernere' jüdische Schicht. Zur Einweihung seines Tempels hatten die Familien Wertheimer/Wertheimstein/Königswarter das prachtvolle *Tas* gewidmet. Drei Jahre später stifteten sie lieber wieder für den Stadttempel. 1860, im Jahr seiner Nobilitierung, schenkte Samson Wertheimers Ururexcl Jonas von Königswarter mit seiner Gattin anlässlich der Verehelichung seines Sohnes Moritz mit Samson Wertheimers Urururenkelin Charlotte von Wertheimstein dem Seitenstettentempel, an dem Mannheimer predigte, eine Pultdecke (Abb. 26)[18] mit der Inschrift: „Pflügt den Boden des Glaubens und sät Gerechtigkeit; es ist Zeit, sich Gott zuzuwenden. Dem Prediger Mannheimer leiht euer Ohr und hört ihm zu […]." Mannheimer – nicht Jellinek!

Jonas von Königswarter hatte als Individuum alles erreicht, was man nur erreichen konnte. Er hatte wirtschaftlichen Erfolg, seine Stellung in der Kultusgemeinde war unbestritten, sein soziales Ansehen in Wien durch die Nobilitierung überhaupt keine Frage mehr. Auch als Angehöriger des jüdischen Kollektivs hatte er reüssiert, schließlich konnte wenige Jahre zuvor die Israelitische Kultusgemeinde offiziell und behördlich gegründet werden. Und doch blieb er, in der zweiten Hälfte des 19. Jahrhunderts, dem traditionalistischen, konservativen Judentum treu: 1860 steht Samson Wertheimers Deszendenz in Wien also noch immer in jener Tradition des Judentums, die Samsons Leben mehr als 150 Jahre früher normiert hatte – natürlich 150 Jahre später, als jede andere Gesellschaftsgruppe auch eineinhalb Jahrhunderte Wandel hinter sich hatte.

Die Frage dieser Tagung nach einem Identitätswandel der jüdischen Hoffaktoren und einer daraus ableitbaren ‚Regel' kann aufgrund der vorgestellten Familie nicht postuliert werden. Sie ging unter Wahrung des eigenen Wertesystems den Weg, den die nichtjüdischen Familien auch gingen. Nun handelt es sich bei dem Beschriebenen nur um ein Segment jüdischer lokaler Geschichte anhand eines Teiles einer einzigen Familie. Aufgrund solch aus-

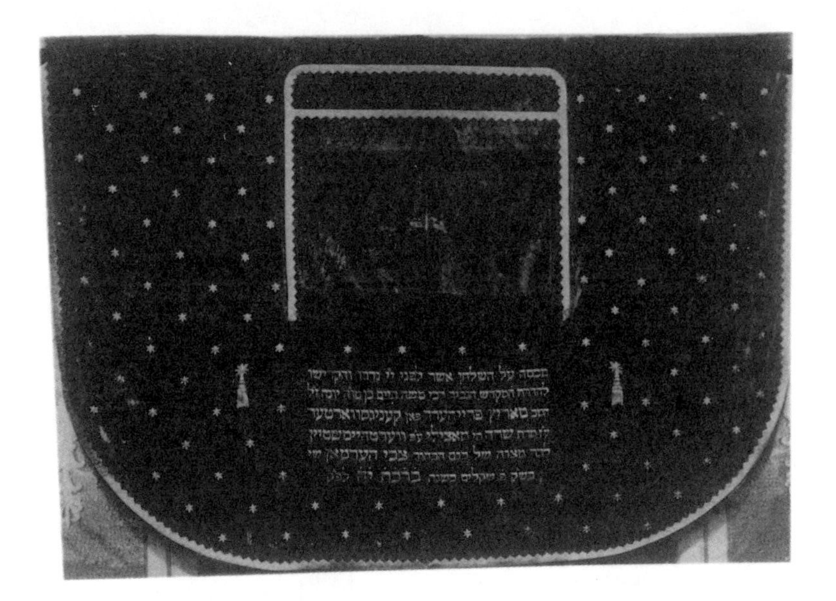

Abb. 26: Königswarter/Wertheimer-Pultdecke, historische Aufnahme um 1925

schnitthafter Untersuchung kann man sicher keine wissenschaftlich haltbaren Aussagen treffen außer vielleicht der, dass wir nicht nach Kategorisierbarkeiten suchen sollten.

Anmerkungen

1 Jacob Katz, *Aus dem Ghetto in die bürgerliche Gesellschaft. Jüdische Emanzipation 1770–1870*, Frankfurt a. M. 1986, S. 47.

2 Vgl. beispielsweise die von Aharon ben Benjamin Wolf Schreiber Herlingen 1751 in Wien illustrierte Haggada, Jerusalem, Israel-Museum, Ms. 181/9, fol. 3r.

3 Vgl. beispielsweise die von Mosche Löw ben Wolf aus Trebitsch 1716/17 angefertigte Haggada, Cincinnati, Hebrew Union College, Ms. 444/1, fol. 1v.

4 Vgl. beispielsweise die von Meschullam Simmel 1719 in Wien geschriebene und illustrierte Haggada, Jerusalem, Jewish National and University Library, Ms. Heb. 8° 5573, fol. 1r.

5 Vgl. beispielsweise die von Jakob ben Michael May Segal 1731 in Frankfurt vollendete Haggada, Faksimile Jüdisches Museum Frankfurt am Main, fol. 11r.

6 Vgl. beispielsweise Seder Tikkune Schabbat, London, British Library, Ms. Add. 8881, fol. 105v.

7 Zit. nach Bernhard Mandl, Beschreibung Wiens von einem jüdischen Touristen aus dem Jahre 1719, in: *Die Neuzeit* 39, 25. September 1896, S. 402 f., und *Die Neuzeit* 40, 2. Oktober 1896, S. 411 f.

8 Vgl. Isidor Kracauer, *Die Geschichte der Judengasse in Frankfurt am Main*, Sonder-

abdruck aus der Festschrift der Realschule der israelitischen Gemeinde (Philanthropin) zu Frankfurt am Main 1804–1904, Frankfurt/Main 1904, S. 357 f.

9 Yosef Hayim Yerushalmi, *Ein Feld in Anatot. Versuch über jüdische Geschichte*, Berlin 1993, S. 82 f.

10 Auktionskatalog Sotheby's Important Judaica, Tel Aviv, Oktober 1996, lot 259; heute: Jüdisches Museum Wien, Inv. Nr. 4032.

11 Zur Familiengeschichte vgl. Bernhard Wachstein, *Die Wiener Juden in Handel und Industrie nach den Protokollen des Nieder-Österr. Merkantil- und Wechselgerichtes*, Wien 1934, S. 78 f.

12 Jüdisches Museum Wien, Slg. IKG, Inv. Nr. 1790.

13 Die hebräische Widmungsinschrift auf dem *Meil* ist wörtlich dieselbe wie die auf dem vorher beschriebenen *Tas*.

14 Nr. 35 respektive Nr. 124. Die Doppelnummerierung geht auf die Re-Inventarisierung im Leopoldstädter Tempel zurück.

15 Zur Person vgl. David Kaufmann, *Samson Wertheimer – der Oberhoffaktor und Landesrabbiner (1658–1724) und seine Kinder*, Wien 1888; Bernhard Wachstein, *Die Inschriften des alten Judenfriedhofs in Wien, 2. Teil 1696–1783*, Wien/Leipzig 1917, Nr. 765; Hans Tietze, *Die Juden Wiens*, Repr. d. Ausg. 1933, Wien 1987, S. 89 ff.; Nikolaus Vielmetti, Die Judengasse von Eisenstadt und das Wertheimerhaus, in: Kurt Schubert (Hg.), *Das österreichische jüdische Museum*, Eisenstadt 1988, S. 55–64.

16 Zur Familiengeschichte vgl. Robert A. Kann (Hg.), *Briefe an, von und um Josephine von Wertheimstein*, Wien 1981; Nikolaus Vielmetti, Kat. Nr. 107B u. 108, in: Klaus Lohrmann (Hg.), *1000 Jahre österreichisches Judentum. Ausstellungskatalog*, Eisenstadt 1982.

17 Zit. nach Ruth Burstyn, Die Geschichte des Leopoldstädter Tempels in Wien 1858–1938, in: *Kairos* 1986, H. 3–4, S. 228–249, hier S. 235.

18 Jüdisches Museum Wien, Slg. IKG, Inv. Nr. 2989.

Court Jews, Tradition and Modernity

Steven Lowenstein

This article will deal with the issues of tradition and modernity in cultural rather than political or economic terms. In this context we are really speaking about the cultural transition from *Jewish* tradition towards a *German* or *European* modernity. In many ways this is using the term as a synonym for acculturation (Annäherung) and assimilation of groups of Jews to their non-Jewish surroundings.

The process of transformation, which will be analyzed here, is a complex one, consisting of many different stages. We can construct the following stages, even though, in fact, they often overlap. First there is a stage of outward change in appearance and lifestyle. Some Court Jews began to trim their beards, dress in up-to-date fashion, and live in opulent houses. At this stage there is generally no open break with tradition. Along with these changes in lifestyle came the tendency to give the children a new form of education which included secular studies. This brought on a second stage in which ideas and values began to change under the influence of European culture. The Western-educated individual may no longer have had the unquestioned respect for traditional Jewish beliefs and learning as did earlier generations. With a new system of values, which now saw European culture as superior to Jewish tradition (the reverse of what earlier generations had believed), the stage was set for the next step, which was the progressive abandonment of Jewish religious restrictions and rituals. Observance of the Sabbath, dietary laws, and other traditions began to decline. The final and most extreme stage, reached only in a minority of cases, was the complete abandonment of Judaism through conversion to Christianity.

When we look at the behavior of the Jewish financial elite with regard to this schematic system of stages, it becomes clear that, with some notable exceptions, the more extreme stages are found only after 1750, whereas traces of the earlier stages can be noticed almost a hundred years earlier. Pressures for outward accommodation were present as soon as Jews began to take part in court life, and were directly related to the role of the Court Jew. On the other hand, influences for the outright rejection of tradition were brought about by the Enlightenment and by the early proposals for political Emancipation, forces not immediately related to this role. But even within each generation the Court Jews were far from being a monolithic group. Even in the same family some individuals resisted change while others initiated it. Frequently, a distinction can be made between the first generation, which grew up within the tradition and acquired great wealth, their children who were brought up wealthy and with a secular education, and later generations in which fortunes were often lost and conversion to Christianity became more common.

In the 17th and early 18th century, a considerable number of Court Jews were also rabbinic scholars or even communal rabbis. An even larger number helped underwrite the study of Torah by individuals and also established houses of study and worship. The *Klausen* created by Behrend Lehmann in Halberstadt, and by Lemle Moses Reinganum in Mannheim around 1700 can be taken as examples.[1] Pious gifts for institutions of learning continued to be made well into the late 18th century, as we will see, and at least one Court Jew, Herz Samson of Braunschweig, was a district rabbi until his death in 1794.[2]

The adoption of aspects of an aristocratic non-Jewish lifestyle were accepted by many traditional Jews as part of the role of the Court Jew who had to fit into the life at court to fulfill his obligations. Because the Jews at court also functioned as *shtadlanim* [communal advocates], communities allowed them to compromise Jewish traditional habits with regard to dress, language, and mixing of the sexes because it could potentially protect the Jewish community. In a letter to Eisik Landau in January 1745, Wolf Wertheimer tells him that "since your Reverence being without a beard is allowed to enter everywhere, you can address the Queen herself when she enters or leaves the chapel," and thus help in the campaign to reverse her expulsion of Jews from Prague.[3] Although many traditional Jews did not object to exceptions from traditional behavior for the greater good, Britta Waßmuth's article in this volume shows that, even in the 1780s, Mayer Elias refused to follow the request of Kurfürst Karl Theodor that he cut off his beard.[4] On the other hand, we hear of Court Jews like Wolf Wertheimer engaging in the aristocratic but very "unJewish" sport of hunting as early as the 1720s.[5] This pressure to conform to aristocratic lifestyles affected all those Jews who actually lived at court, but, as we will soon see, not all of the persons we label as Court Jews were actually present there. Many "Court Jews" had only business relations with government and never or rarely spent time at a princely court.

The aristocratic habits and attitudes, which some Court Jews learned at the court, entered their private life as well. The display of their wealth and status showed itself both inside and outside the Jewish community. They built mansions for themselves and beautiful synagogues for the community, donated magnificent objects to the synagogue and collected secular art at home. This double orientation, both towards tradition and towards more modern pursuits was found not only in the early 18th century but continued in late 18th century Germany as well. The elite families of Berlin who had gained fabulous wealth in the coin manipulations of the Seven Years War distinguished themselves in both types of activity. Both Veitel Heine Ephraim and his son Zacharias founded their own *Beth Hamidrash* for Torah study. Most of the Berlin elite founded their own private synagogue the endowments of which continued long after the persons' death. The Isaac-Fliess synagogue continued to exist even after almost all the family members had converted to Christianity, and the Lipmann Tausk synagogue continued to function as an Orthodox synagogue until the 1930s. Daniel Itzig donated ritual objects to the Berlin synagogue up until the last decade of his life in the 1790s.[6]

These same men built mansions for themselves in Berlin, which they decorated with statues, gardens, and fountains. Members of their families established modern secular libraries and art collections, which even included a few Christian religious works. Yet Daniel Itzig also had a decorated chamber built into his house as a *sukka* [Laubhütte], and Ephraim even tried to get Frederick the Great to enforce a law requiring married Jewish men to wear beards.[7] They still observed Jewish law even while they gave their children a secular education and supported the work of the *Haskala*.

The connection between the wealthy financial elite and the Jewish Enlightenment in Berlin and elsewhere is worth careful investigation. The Jewish upper class in Berlin played a vital role in making Berlin the center of the *Haskala*, but they did not themselves create it. Except for David Friedländer, the son-in-law of Daniel Itzig, no major Enlightenment figure came from the elite families. The wealthy served as sponsors and as protectors, but not as innovative thinkers. Some of them simultaneously donated large sums for traditional purposes at the same time as they helped underwrite the *Haskala*.

After an abortive attempt by Veitel Ephraim and Daniel Itzig in 1761 to open a Jewish school which would teach secular subjects,[8] the pioneering Jüdische Freischule was finally opened two decades later under the direction of Itzig's son and son-in-law. The school issued the first modern textbook for Jewish children and published virtually all of the Hebrew language Enlightenment books in Berlin.[9] Members of the Berlin Jewish elite subscribed to the new Enlightenment books far out of proportion to their numbers, they hired *Haskala* intellectuals as tutors and bookkeepers, and they used their positions as communal elders to protect and encourage the *Haskala*.[10] Their children were active in the first modernist Hebrew journal *Hame-*

assef, founded in 1783, and in the radical society of Jewish bachelors, the "Gesellschaft der Freunde".[11] Despite the elite's massive role in making the Jewish Enlightenment possible, some modernist intellectuals criticized the members of the elite for being interested only in external rather than true intellectual change.[12]

Whereas the first generation of Jewish financiers after the Seven Years War was still observant of Jewish rituals, their children began to fall away from these practices. This abandonment of ritual was very different from the 'rebellion' against traditional norms said to be exemplified by Wolf Wertheimer in Vienna in 1714 and Munich in 1728, when he built his *sukka* in a public place.[13] Wertheimer was still practicing the traditional ritual; the newer generation was dropping the practices altogether. In 1783 the artist Daniel Chodowiecki wrote that in Berlin only the poor were Orthodox but that the wealthy did business on the Sabbath and ate non-kosher food.[14] A kosher meat tax list from the early 19th century shows that many members of the wealthy classes were no longer observing the dietary laws.[15] In Berlin the abandonment of ritual practices began in the last quarter of the 18th century and in most other places it happened even later. The one clear case, which we know is much earlier, is that of Joseph Suess Oppenheimer, the famous or infamous "Jud Suess" of Stuttgart whose violation of the Sabbath and *kashruth*, whose religious skepticism and Christian mistresses date back to the 1730s.[16] "Jud Suess" and his family turn out to be very atypical of the Court Jews as a type, especially in this early period.

The phenomenon of conversion to Christianity, the most extreme abandonment of Jewish tradition, is generally not encountered until the 1770s. There were a few exceptional cases, one of which involved the brothers of the atypical Joseph Suess Oppenheimer, and another one of which involved the son of the Court Jew of Braunschweig in 1752 but ended in his repentance and return to Judaism.[17] Although the circles of the Court Jews were not the only social group from which the converts were recruited, they were conspicuous among the converts of the last quarter of the 18th and first decades of the 19th century. We find many converts among the children of the Court Jew Alexander David in Braunschweig and of the coin millionaire Moses Isaac-Fliess in Berlin.[18] In most cases, however, conversion was a phenomenon found in the third and fourth generation of the wealthy families. At least 24 of Daniel Itzig's grandchildren converted to Protestantism as against only 8 known to have remained Jewish. The majority of Veitel Heine Ephraim's great-grandchildren also converted. These numbers differ greatly from the mere 7 % of the overall Berlin Jewish population that converted during the so-called "Taufepidemie".[19]

Although in most cases the connection between Court Jewish families and the ideological movements for modernization of the Jews was indirect, there are two cases of members of such families who directly intervened in the movement to change Jewish tradition. These are David Friedländer, whom we have already mentioned, and Israel Jacobson. Of the two, Friedländer was more radical and more of an intellectual; he authored numerous articles and pamphlets criticizing Jewish tradition, describing conditions in the Jewish community and calling for reforms in Jewish legal status and religion.[20] On the latter two points, political emancipation and religious Reform, Jacobson showed many points of similarity to Friedländer. Both were the sons-in-law of important Court Jews, Daniel Itzig of Berlin and Herz Samson of Braunschweig respectively.

A comparison of Jacobson and his father-in-law Herz Samson shows opposite views on modernization, although both shared an interest in educational projects for the Jewish poor. Herz Samson was not only the Kammeragent of the Duke of Braunschweig but also the unpaid chief rabbi of the territory. His brother Philipp Samson in Wolfenbüttel founded the Samson Talmud school there in 1786. This school followed tradition in the extreme. The boys arose at 4 a.m. in the summer to study Talmud before the morning services at 6:30, which were attended by Philipp Samson and his house rabbi. On Thursday evening they continued to study until midnight. As long as Rabbi Herz Samson was alive, there were never any vacations.[21]

Israel Jacobson, born in Halberstadt in 1768, married the daughter of Herz Samson when he was 18 years old. He was one of the wealthiest of the Jewish court financiers and a thoroughgoing modernist. In 1801, he founded the Jewish school in Seesen for the upkeep of which he paid 9000 Taler a year. It soon counted 100 students, 29 of them Christians, and employed both Christian and Jewish teachers. Not only did the school teach secular subjects but it also introduced religious innovations. In 1806 Jacobson and his brother-in-law Isaac Herz Samson also transformed the Wolfenbüttel Talmud academy into a modern Jewish school with a curriculum emphasizing secular subjects.[22]

The Napoleonic invasion, and the incorporation of Braunschweig into the new kingdom of Westphalia, gave Jacobson wider scope for his innovations. Napoleon's brother Jérôme who became king of Westphalia depended heavily on Jacobson's financial activities and appointed him president of the Jewish consistory he created in his kingdom. Under Jacobson's supervision, the consistory introduced numerous religious innovations. Among these were confirmations for boys and girls, regulations for decorum in the synagogue, and a loosening of the Passover dietary laws. In his school in Seesen, Jacobson inaugurated the world's first Reform temple in 1810.[23] He also used his financial and political influence to improve the political status of the Jews in many states including Prussia. After the fall of Napoleon and the collapse of the consistory, Jacobson moved to Berlin where he was one of the initiators of the Reform temple. Many consider him the founder of the Reform movement.[24]

The relationship between the Court Jews and the Emancipation of the German Jews was ambivalent. Some of them, like Jacobson and Friedländer, worked actively for the achievement of total Emancipation. On the other hand, a large number had always benefited from individual and family privileges, which separated their lot from the Jewish masses. Even during the campaign for Emancipation, the members of the Itzig family accepted naturalization for themselves alone in 1791, and other elite families also tried to gain special privileges which would have left the majority of Jews in their old status.[25] Political Emancipation, along with the destruction of many of the small German states during the Napoleonic period, as well as the creation of a more institutionalized banking and exchange system, was among the factors which ended the phenomenon of the Court Jew in Germany.

To sum up the relationship of the Court Jews to modernization, we have to ask several questions: Were they more likely to abandon tradition and embrace modernity than other Jews? Was this difference related to their wealth alone or specifically to their role of Court Jews? Was their importance based on their greater modernity or their greater influence? With regard to the tendencies of Court Jews to either support tradition or to move away from it, there are examples on both sides. The furthering of the old learning by some, contrasts with the support of the Enlightenment by others, and quite a few Court Jews tried to aid both tendencies. Several of the cases discussed in this volume show that even the same individual could take contradictory traditional and modernist positions at the same time.[26] Although the traditional tendency was stronger in the early 18th century while the modernist standpoint was more common in the later part of the century, such traditionalists as Herz Samson can be found in the later period, too. The one aspect in which modernity and the role of the Court Jew were clearly connected had to do with outward appearance, aristocratic manners and habits of display. Compromises with tradition in these aspects were often a concession to the position itself. In the more radical breaks with tradition found after about 1770 – abandonment of ritual practice, support for the Enlightenment, conversion – the Court Jews were influenced by trends in Jewish society which they did not create themselves, but which may have been encouraged by the fact that many gave their children a secular education.

In my research on Berlin, I found a greater tendency among very wealthy families to convert, abandon *kashruth*, subscribe to *Haskala* publications, and support Reform Judaism.[27] I did not differentiate between persons from families involved in court finance and those whose wealth originated in manufacturing or commerce. The fate of the descendents of the coin millionaires of the Seven Years War would seem to show that those involved in court finance were particularly prone to modernist activity and eventual conversion. In conversion records bankers are over-represented proportionately in comparison to those listed as merchants.[28] The specific relationship to court finance, though, does not seem to be as clear as the more overall association between wealth and modernism.

Perhaps the most important link between modernity and the Court Jews is not the result of the greater *tendency* of Court Jews to be modernists as it is the result of the greater *influence* of Court Jews in the community. Just as in the early 18th century (and in the case of the Samsons even later), Court Jewish families used their power in the community and their charitable contributions to strengthen traditional institutions of learning and worship, some such families in the later period used the same influence to encourage modern education, Enlightenment publications and early Reform temples. When David Friedländer, Daniel Itzig, or Israel Jacobson supported such activities, it had much more impact than when an intellectual or lay person of limited means did so. The Court financiers were not hesitant to use their influence, and when they did so on behalf of modernity, they made possible changes, which might not otherwise have been able to overcome the resistance of rabbis and the poor masses.

Although we often treat the Court Jews as if they were a homogeneous group, further analysis of the phenomenon of the Court Jew in Germany will have to take into account the differences within the group. Among the aspects which differentiated various groups of Court Jews from each other, are the following: 1) Some Court Jews actually lived at or near the court, while others merely did business with or on behalf of a court while living somewhere else.[29] It would be worthwhile studying whether, as one would suspect, those financiers actually spending substantial time in attendance at court were more prone to Westernization than those who did not. 2) Similarly, some of the Court Jews were isolated as the only Jews in their community, or as part of a small group of exceptional Jews in a town where most Jews had been expelled. This was the case of Court Jews in Vienna, Munich and Stuttgart in the 18th century. Were such Jews more likely to acculturate than Court Jews living in substantial Jewish communities, like Berlin, Mannheim, Bonn, Hechingen or Kriegshaber near Augsburg? 3) It would be worthwhile to investigate whether it is possible to distinguish between a more modern Court Jew in the mainly Protestant areas of Northern Germany and a more traditional type in mainly Catholic Southern Germany. We know that the first Jewish communities to be influenced by the *Haskala* were in the North, and yet we could also point to Joseph Süss Oppenheimer in Stuttgart in the South as a very early example of an 'assimilated' Court Jew. 4) In general, scholars tend to distinguish between an early stage of Court Jews who were more attached to traditional Judaism and a later stage who were more susceptible both to the Jewish Enlightenment and to intermarriage and assimilation. The concept of early and later Court Jews is both a relative and an absolute one. Those who lived in the late 18th century were under more modernizing influences than those who lived earlier. Yet regardless of the chronological age in which they lived, the first generation to become wealthy tended to be more traditional than the generations which grew up in wealthy financier families and were more adept at spending the money than making it. It would be interesting to assess whether generational succession or absolute chronology had a greater influence. 5) There was undoubtedly a considerable difference between Court Jews living in an urban setting like Vienna, Berlin or Mannheim and those living in small towns or villages like Hechingen, Kriegshaber or Hohenems. 6) Also worth exploring is whether there was a difference between Court Jews serving large and powerful states like Prussia and Austria, those serving medium sized courts like those in Braunschweig, Hannover or Württemberg, and those serving the courts of tiny principalities, duchies and imperial knights. Certainly the Court Jews of the smallest states were far from being as wealthy as those who served the larger ones. They probably were under less influence from German high culture as well. This is another question worth analyzing systematically.

Much has been written about the role and the importance of Court Jews in the financing of governments in Germany and in helping strengthen the forces of absolutism. Comparative studies with other countries, in which the role of the court financier was not associated with the Jews, might shed a great deal of light on what was particular to the Jewish connection and what was not. The financiers of 18th century France, for instance, are a group which has been the subject of much study. It would be worthwhile to make direct comparisons between the German Court Jews and the French farmers-general, financiers and court bankers. Were the French financiers as much the target of popular dislike as the Court Jews? Did they have as important a role in the rise of absolutism? Were their financial methods similar or different? Did religious minorities like the Protestants play a role in France parallel to the Jews in Germany?[30]

After 1815, the phenomenon of the Court Jew no longer existed in its original form. Yet there were some families, most notably the Rothschilds and the Hirsch auf Gereuth family, who accumulated fabulous wealth through government finance and who combined this huge wealth with influence on the Jewish community. The philanthropic projects of these two families covered a multitude of areas, only a few of which can be seen in terms of the tradition-modernity contrast. Both families, but especially the Hirsches, funded schools to bring Western education to the Jews of Eastern Europe and the Mediterranean. The Rothschilds, especially the Frankfurt Rothschilds, however, also had an important traditional side. The separatist Orthodox community of Frankfurt owed much of its institutional success to the support of the Rothschilds, especially the pious Baron Willy von Rothschild.[31] A similar influence on behalf of tradition was exercised by the metal manufacturing Hirsch family in Halberstadt.[32] As in the previous centuries, Jewish financial magnates could use their influence both for the support of tradition and for change of those traditions. Although we can agree that some members of Court Jewish circles had a very important role in the success of such modern trends as the Jewish Enlightenment and Reform Judaism, the connection between modernity and the Court Jews still needs much more exploration. A one-to-one correspondence between Court Jewish influence and the spread of modernity and acculturation within the Jewish community certainly did not exist.

Footnotes

1 See Lucia Raspe, Individueller Ruhm und kollektiver Nutzen – Berend Lehmann als Mäzen, in this volume, for a detailed discussion and comparison between the Halberstadt and Mannheim *Klausen,* as well as a discussion of other similar establishments. See also the article "Klaus", in: *Jüdisches Lexikon*, vol. 3, Berlin 1929, pp. 731–732, as well as Selma Stern, *The Court Jew. A Contribution to the History of the Period of Absolutism in Central Europe*, Philadelphia 1950, pp. 223–224. A *Beth Hamidrash* was also funded by the Kaulla family in Hechingen as late as 1803, see Kerstin Hebell, Madame Kaulla und ihr Clan – Das Kleinterritorium als individuelle Nische und ökonomisches Sprungbrett, p. 339 in this volume.

2 Jacob R. Marcus, *Israel Jacobson, the founder of the Reform Movement in Judaism*, Cincinnati 1972, p. 137, note 2.

3 S.H. Lieben, Briefe von 1744–1748 über die Austreibung der Juden aus Prag, in: *Jahrbuch der Gesellschaft für Gechichte der Juden in der Czechoslovakischen Republik* 4 (1932), pp. 353–481. The passage in question on pp. 396–397 reads "und besonders m.k. hat Gottlob kein Bart, wird überall hingelassen [...]".

4 Britta Wassmuth, Die Familien May und Mayer in Mannheim, p. 265 f. in this volume.

5 J. Friedrich Battenberg, Ein Hofjude im Schatten seines Vaters. Wolf Wertheimer

zwischen Wittelsbach und Habsburg, p. 245 f. in this volume, quoting DAVID KAUFMANN, *Samson Wertheimer, der Oberhoffaktor und Landesrabbiner (1658–1724) und seine Kinder*, Wien 1885, Urkundliches, pp. 97 ff.

6 On the Ephraim study houses see STEVEN M. LOWENSTEIN, *The Berlin Jewish Community: Enlightenment, Family and Crisis, 1770–1830*, New York/Oxford 1994, p. 63; on the Lipmann Tausk synagogue see MAX MORDECHAI SINASOHN, *Die Berliner Privatsynagogen und ihre Rabbiner 1671–1971*, Jerusalem 1971, pp. 23–26. On the donations by Daniel Itzig see JOSEPH MEISL (ed.), *Pinkas Kehillat Berlin* [Protokollbuch der jüdischen Gemeinde Berlin], Jerusalem 1962, § 344 dating from 1794, pp. 398–399.

7 See LOWENSTEIN, *Berlin Jewish Community* (see note 6), pp. 53, 21; FRIEDRICH NICOLAI, *Beschreibung der Königlichen Residenzstädte Berlin und Potsdam, aller daselbst befindlichen Merkwürdigkeiten und der umliegender Gegend*, Berlin 1786, p. 852; LEISER LANDSHUTH, Veitel Heine Ephraim als Anwalt des Judenbarts (written 1872), ed. by Moritz Stern, in: MORITZ STERN, *Beiträge zur Geschichte der Juden in Berlin*, Bd. 1, Berlin 1909, pp. 3–16.

8 LOWENSTEIN, *Berlin Jewish Community* (see note 6), p. 52; LUDWIG GEIGER, *Geschichte der Juden in Berlin,* vol. 1, p. 84; vol. 2, pp. 134–136; SELMA STERN, *Der Preußische Staat und die Juden,* vol. 3, part 2, Tübingen 1971, pp. 345–348, 350, 356–361.

9 LOWENSTEIN, *Berlin Jewish Community* (see note 6), pp. 28, 37–38, 52, 97.

10 LOWENSTEIN, *Berlin Jewish Community* (see note 6), pp. 39–40, 207 note 33; ALEXANDER ALTMANN, *Moses Mendelssohn: A Biographical Study,* [o.O.] University of Alabama Press, 1973, pp. 483–484. Of the 76 persons assessed above 4 Taler periodic tax between 1776–1789 – the wealthiest Jews in the city – 60 subscribed to at least one of the following 7 Haskala works: Mendelssohn's Bible translation, *Hameassef,* Saul Berlin's *Besamim Rosh*, *Emunot Vede'ot*, Isaac Satanov's *Mishle Asaf, Sefer Hamidot* and *Yesod Olam*. Of those assessed under 2 Taler only 62 of 356 subscribed to any of the works.

11 Of 76 paying over 4 Taler, 23 subscribed to *Hameassef.* Of 433 paying less than 4 Taler, only 12 subscribed. Among the 127 men who joined the *Gesellschaft der Freunde* in its first year of existence (1792), 99 joined in Berlin. Of these, 9 were descendents of the three coin millionaire families Itzig, Ephraim and Isaac-Fliess (Benjamin Fliess, Moses Friedländer, Benoni Friedländer, M. C. D. Meyer, G. B. Meyer, Heinrich Fliess Bellecourt, J. B. Itzig, M.B. Itzig, Julius Eduard Hitzig) and 3 others were children of other very wealthy banking families (Heinrich M. Liepmann, Louis Delmar, A.H. Bendemann). Joseph and Abraham Mendelssohn, the sons of Moses Mendelssohn, were also members and later became wealthy bankers. Several of the early members from other cities were also members of financially elite families (the Cohens of Amsterdam, the Friedländers of Königsberg). Yet the members of elite families were still only a relatively small proportion of the membership, which was partly due to the conscious policy of the club *to exclude* married persons, out of fear of being overwhelmed by elite members who would harm the spirit of equality within the Gesellschaft; see LOWENSTEIN, *Berlin Jewish Community* (see note 6), p. 41.

12 Criticisms of the wealthy by Moses Mendelssohn are quoted in ALTMANN, *Moses Mendelssohn* (see note 10), pp. 20, 97–98; LAZARUS BENDAVID, *Etwas zur Characteristick der Juden*, Leipzig 1793, pp. 34–35, states that the influence of the wealthy caused the Enlightenment to become superficial and external. See also LOWENSTEIN, *Berlin Jewish Community* (see note 6), p. 41.

13 BATTENBERG, Ein Hofjude im Schatten seines Vaters (see note 5), pp. 246 f.

14 Daniel Chodowiecki quoted in MICHAEL MEYER, *The Origin of the Modern Jew. Jewish Identity and European Culture in Germany, 1749–1824*, Detroit 1967, p. 40.

15 LOWENSTEIN, *Berlin Jewish Community* (see note 6), p. 100. The original kosher meat

tax list from about 1814 is found in the Central Archives for the History of the Jewish People (CAHJP), P 17–466, pp. 47–66. Of the 48 richest taxpayers in Berlin (paying over 100 Taler), only 22 are listed as paying the kosher meat tax (45,8 %). In the more modest 51–100 Taler range 35 of 60 (58,3 %) paid the tax. (Among taxpayers under 50 Taler, the majority (112 of 208 or 53,8 %) also did not pay the tax, but in this case financial considerations may have played a role in addition to religious ones. Some may not have afforded to buy enough meat to be taxed even though they kept kosher.)

16 STERN, *The Court Jew* (see note 1), pp. 73, 238, 240.

17 Philip Alexander David applied for baptism in Helmstedt in 1752. He later returned to Judaism in Amsterdam and settled in Altona. A younger half-brother did convert, but this was only in 1777, a quarter of a century later; see ROTRAUD RIES, Between Two Cultures: Identity Crises within the Families of 18th Century Court Jews, in: *Jewish Studies* 39 (1999), pp. 11*–22*, p. 18* ff.; HANS-HEINRICH EBELING, *Die Juden in Braunschweig. Rechts-, Sozial- und Wirtschaftsgeschichte von den Anfängen der Jüdischen Gemeinde bis zur Emanzipation (1282–1848)*, Braunschweig 1991, pp. 172–175.

18 On the conversion of the descendants of Moses Isaac-Fliess, see Lowenstein, *Berlin Jewish Community* (see note 6), pp. 93, 153, 167, 207 note 8, 230 note 15, 247 notes 23 and 26, and 261 note 6, as well as Warren I. Cohn, The Moses Isaac family Trust. Its History and Significance, in: *Leo Baeck Institute Year Book* 18 (1973), pp. 267–279.

19 LOWENSTEIN, *Berlin Jewish Community* (see note 6), pp. 153, 167, 250 note 39, 261–262 note 6, 247 note 26, 121–122, 124, 188, 245 notes 11 and 13, and STEVEN LOWENSTEIN, Jewish Upper Crust and Berlin Jewish Enlightenment – the Family of Daniel Itzig, in: FRANCES MALINO/DAVID SORKIN (eds.), *From East and West: Jews in a Changing Europe, 1750–1850*, Oxford 1990, pp. 182–201.

20 See MEYER, *Origins of the Modern Jew* (see note 14), pp. 57–84; and STEVEN LOWENSTEIN, The Jewishness of David Friedländer and the Crisis of Berlin Jewry (Braun Lecture Nr. 3), Bar Ilan University 1994. Among the publications of FRIEDLÄNDER on these subjects are: *Akten-Stücke die Reform der jüdischen Kolonieen in den preussischen Staaten betreffend*, Berlin 1793; *Ueber die durch die neue Organisation der Judenschaften in den preussischen Staaten notwendig gewordene Umbildung*, Berlin 1812; and *Ueber die Verbesserung der Israeliten im Königreich Pohlen. Ein von der Regierung daselbst im Jahre 1816 abgefordertes Gutachten*, Berlin 1819.

21 Memoirs of Samuel Meyer Ehrenberg in Leo Baeck Institute archives, New York, C 81, pp. 11–15, partially reprinted in MONIKA RICHARZ, *Jüdisches Leben in Deutschland, vol. 1: Selbstzeugnisse zur Sozialgeschichte 1780–1871*, Stuttgart 1976, pp. 343–344.

22 MARCUS, *Israel Jacobson* (see note 2), pp. 15–17, 23–24, 27, 86, 138 note 13.

23 Ibid., pp. 52–106.

24 Ibid., pp. 107–114; LOWENSTEIN, *Berlin Jewish Community* (see note 6), pp. 136–138; MICHAEL MEYER, *Response to Modernity. A History of the Reform Movement in Judaism*, New York/Oxford 1988, pp. 30–43, 45–46.

25 See LOWENSTEIN, *Berlin Jewish Community* (see note 6), pp. 81, 224–225 note 15. A list of those members of the Itzig family who were naturalized in 1791 appears in JACOB JACOBSON, *Die Judenbürgerbücher der Stadt Berlin*, Berlin 1962, pp. 51–54. The Ephraims of Berlin and the Friedländers of Königsberg applied unsuccessfully for naturalization after it was granted to the Itzigs. The naturalization of the Jacobsons in 1804 and 1805 was granted by the government of Braunschweig (MARCUS, *Israel Jacobson* (see note 2), p. 26, 139 note 18).

26 Of the examples of contradictory behavior in families or individuals given in this volume we can cite the following cases: Whereas Mayer Elias refused to cut off his beard, his sister converted to Catholicism (WASSMUTH, Die Familien May und Mayer in Mannheim (see note 4), p. 265 f.). In Hohenems Judith Levi tells her children not to

become "neumodisch", and yet she wore contemporary clothing and her husband was beardless. His library was full of Enlightenment books (EVA GRABHERR, Hofjuden auf dem Lande und das Projekt der Moderne, p. 216 in this volume); Mme Kaulla's husband was very pious and studied Torah all the time. On her trips she was accompanied by a private rabbi and a *shochet,* and her brother received the title of rabbi. On the other hand, her siblings received a German education, the family gave charity to both Jews and Christians and Madame Kaulla's son was a horse connoisseur and rider (HEBELL, Madame Kaulla und ihr Clan, pp. 334–339). Reference has also been made to the difference between two sons of the Hanover Court Jew Michael David. Salomon Michael David was a traditionalist, while his brother Meyer Michael David was a follower of the Enlightenment (MARTINA STREHLEN, Spuren der Realität in der Erinnerung? Zu Grabsteininschriften und Memorbucheinträgen für Hofjuden, pp. 184 ff. in this volume). Saul Wahl was an alchemist and a Rosicrucian and yet was described as Orthodox in belief and practice (DIETER BLINN, 'Man will ja nichts als Ihnen zu dienen, und das bisgen Ehre' – Die Hofjuden Herz und Saul Wahl im Fürstentum Pfalz-Zweibrücken, p. 312, 318 f. in this volume.

27 See LOWENSTEIN, *Berlin Jewish Community* (see note 6), pp. 124–125, 167, 246 note 1, 247 note 26, 249–250 note 37.

28 Because there were many more Jewish merchants than Jewish bankers, the actual number of merchants who converted was larger than the number of bankers who converted. However, the percentage of bankers who converted was much higher than the percentage among merchants. Between 1800 and 1829, of the 165 Jewish adults baptized in Berlin who were known to have been born in Berlin and whose occupation was known, 19–28 % were bankers, a proportion far in excess of the percentage of bankers in the Jewish population. Another indication, which may show that those in circles close to the court were more likely to convert, involves political status before the Emancipation. The higher the political status the higher the incidence of conversion. Among the 189 people (and their children) who held a Generalprivileg (generally people who served the Prussian economy in a major way, although not necessarily Court Jews in the strictest sense), 42,3 % either converted themselves or had children who converted. Among those in the status of Ordinarius (ordinarily protected with the right for one or two children to inherit the right) the percentage of conversion of themselves and children was 14,6 %, among Extraordinarii (those with personal but not hereditary residence rights) only 12,8 %, and among Publique Bediente (employees of the Jewish community) only 6,9 %; see LOWENSTEIN, *Berlin Jewish Community* (see note 6), pp. 124, 126, 128, 250 note 40.

29 Some cases of 'Court Jews' not living at court mentioned in studies in this volume are those in Lippe discussed in DINA VAN FAASSEN, 'Hier ist ein kleiner Ort und eine kleine Gegend' – Hofjuden in Lippe, in this volume, which show the Court Jews doing various types of business, not just within the court, but also through supplying the army. They were not in continuous service and had no "Immediatbeziehung" to the ruler but only to the administration and chancellor. The Court Jews discussed by EVA GRABHERR's article in this volume lived in Hohenems, far from the Austrian court, which they served.

30 A general introduction to the subject of government financiers in 18th century France is found in YVES DURAND, *Les Fermiers Generaux au xviiie siecle*, Paris 1971; a study of the role of Protestants in French finance in the same period is HERBERT LÜTHY, *La banque protestante en France, de la revocation de l'Edit de Nantes a la Revolution*, 2 vols., Paris 1959–61.

31 MORDECHAI BREUER, *Jüdische Orthodoxie im deutschen Reich 1871–1914. Sozialgeschichte einer religiösen Minderheit*, Frankfurt 1986, pp. 39, 202, 205, 209, 213.

32 Ibid., p. 202, 204–206, 210, 212, 214. See also the memoirs of Henriette Hirsch nee Hildesheimer in MONIKA RICHARZ, *Jüdisches Leben in Deutschland, vol. 2: Selbstzeugnisse zur Sozialgeschichte im Kaiserreich*, Stuttgart 1979, pp. 77–86, especially pp. 79–80.

Fritz Backhaus, geb. 1957, Studium von Geschichte und Latein in Marburg, Kustos am Jüdischen Museum Frankfurt am Main. Forschungsgebiet: deutsch-jüdische Geschichte vom Spätmittelalter bis zum 20. Jahrhundert.

J. Friedrich Battenberg, geb. 1946, Dr. iur. utr. Universität Frankfurt a. M. 1973, Habilitation an der Technischen Hochschule Darmstadt 1984; Leiter des Hessischen Staatsarchivs Darmstadt, zugleich außerplanmäßiger Professor für Mittelalterliche und Neuere Geschichte an der Technischen Universität Darmstadt. Forschungsgebiete: Rechts- und Sozialgeschichte der Juden, besonders in der Frühen Neuzeit, Geschichte der Gerichtsbarkeit im vormodernen Heiligen Römischen Reich.

Dieter Blinn, geb. 1956, Studium der Geschichte und Germanistik an der Universität des Saarlandes in Saarbrücken, Studienrat an der Berufsbildenden Schule in Simmern/Hunsrück; Forschungen zur pfälzisch- und saarpfälzisch-jüdischen Geschichte.

Natalie Burkhardt, geb. 1968, Studium für das Lehramt am Gymnasium in den Fächern Geschichte und Chemie an der Technischen Universität Darmstadt; Doktorandin und seit 2002 Referendarin im Schuldienst des Landes Hessen; Forschungsschwerpunkte: deutsch-jüdische Geschichte am Ende des 18. Jahrhunderts, Wirtschaftsgeschichte.

Richard I. Cohen, geb. 1946 in Montreal; Ph. D. 1981 an der Hebräischen Universität Jerusalem; seit 1998 Inhaber des „Paulette und Claude Kelman Lehrstuhls für French Jewry Studies“ an der Hebräischen Universität von Jerusalem; Forschungsschwerpunkte auf dem Gebiet der modernen französischen wie französisch-jüdischen Geschichte und im Bereich der jüdischen Kunst- und Kulturgeschichte seit der Frühen Neuzeit.

Jörg Deventer, geb. 1961, Dr. phil. Hamburg 1995; Privatdozent im Fach Neuere Geschichte an der Universität Hamburg; Wiss. Mitarbeiter am Geisteswissenschaftlichen Zentrum Geschichte und Kultur Ostmitteleuropas in Leipzig. Forschungsschwerpunkte: deutsch-jüdische Geschichte in der Frühen Neuzeit, Reformation und Konfessionalisierung, schlesische Landesgeschichte.

Dina van Faassen, geb. 1960, Studium der Neueren Geschichte, Kunstgeschichte, Erziehungswissenschaft und Klassischen Archäologie in Münster, Magister Artium; wissenschaftliche Mitarbeiterin für das Paderborner Kreismuseum Wewelsburg. Forschungsschwerpunkte: Wirtschafts- und Landwirtschaftsgeschichte, Geschichte von Randgruppen und Unterschichten, jüdische Geschichte für Lippe und Paderborn von der Frühen Neuzeit bis zum Ende des 19. Jahrhunderts.

Rainer Gömmel, geb. 1944, Studium der Volkswirtschaftslehre in Erlangen-Nürnberg, Dr. rer. pol. 1977, Habilitation im Fach Wirtschaftsgeschichte, Regensburg 1984; seit 1990 Inhaber des Lehrstuhls für Wirtschaftsgeschichte an der Universität Regensburg. Forschungsschwerpunkte: Unternehmensgeschichte, Wirtschaftssysteme, Dogmengeschichte.

Eva Grabherr, geb. 1963, Studium der Geschichte an der Universität Wien und der jüdischen Geschichte am Department of Hebrew and Jewish Studies des University College London; 1990–1996 Leiterin des Jüdischen Museums Hohenems; 1997–2002 Doktorandin am University College London mit einer mikrogeschichtlichen Studie zur jüdischen Akkulturation um 1800 in Hohenems.

Kerstin Hebell, geb. 1967, Studium der Neueren und Mittelalterlichen Geschichte sowie der Politikwissenschaften an der TU Darmstadt; studentische Mitarbeiterin im Hofjuden-Projekt von 1994–99.

Felicitas Heimann-Jelinek, geb. 1954, Dr. phil. 1982 in Wien; seit 1984 im Ausstellungsbereich tätig, seit 1993 Chef-Kuratorin am Jüdischen Museum der Stadt Wien, seit WS 2000/01 Lehrauftrag an der Hochschule für jüdische Studien in Heidelberg für den Fachbereich „Jüdische Kunst". Arbeitsschwerpunkte: kulturgeschichtliche und religionsgeschichtliche Ausstellungen; jüdische Kunst und Identität.

Deborah Hertz, geb. 1949, Ph. D. an der University of Minnesota 1979, Professorin für Geschichte am Sarah Lawrence College in Bronxville, New York, und Visiting Associate Professor an der Universität Tel Aviv, Israel. Forschungsthemen: deutsch-jüdische Sozialgeschichte, Geschichte jüdischer Frauen in Deutschland und darüber hinaus.

Thekla Keuck, geb. 1970, Studium der Mittleren und Neueren Geschichte, Deutschen Philologie und Osteuropäischen Geschichte in Köln, Magister Artium; wiss. Projekt-Mitarbeiterin und Doktorandin an der Universität Köln. Forschungsgebiet: Sozial- und Kulturgeschichte der Juden im 18. und 19. Jahrhundert.

Birgit Klein, geb. 1961, Dr. phil. Duisburg 1998; 1993–1998 wiss. Mitarbeiterin im Fach Judaistik/Jüdische Studien an den Universitäten Berlin (FU) und Duisburg; 1998–2001 Mitarbeiterin im deutsch-israelischen DFG-Projekt Germania Judaica IV an der Universität Duisburg; seit 2001 Lise-

Meitner-Habilitationsstipendiatin des Landes NRW. Forschungsschwerpunkte: Geschlechter-, Sozial- und Kulturgeschichte der Juden in Aschkenas in Mittelalter und Frühneuzeit.

Wilhelm Kreutz, geb. 1950, Dr. phil. Mannheim 1982, seit 1992 Privatdozent der Neueren Geschichte an der Universität Mannheim, vorübergehende Forschungs- und Lehrtätigkeit an den Universitäten Rostock und Darmstadt; Forschungsschwerpunkte: deutsch-jüdische Geschichte des 18. und 19. Jahrhunderts, Juden im napoleonischen Kaiserreich, Juden in der Pfalz und in Mecklenburg.

Steven Lowenstein, geb. 1945, Ph. D. Princeton University 1972; seit 1979 Professor of Jewish History an der University of Judaism, Los Angeles. Forschungsgebiete: deutsch-jüdische Sozial- und Kulturgeschichte, jüdische Volkskunde, jiddische Sprache.

Lucia Raspe, geb. 1965, Studium der Judaistik und Nordamerikastudien in Tübingen, Chapel Hill (North Carolina), Berlin und Jerusalem; wiss. Mitarbeiterin im Hofjuden-Projekt; seit 1998 wiss. Mitarbeiterin am Seminar für Judaistik der Universität Frankfurt a. M.; Dissertationsvorhaben zur jüdischen Hagiographie des ausgehenden Mittelalters.

Rotraud Ries, geb. 1956, Dr. phil. Münster 1990; seit 1994 wiss. Mitarbeiterin an den Universitäten Darmstadt, Duisburg und Düsseldorf; Lehrtätigkeit an der Universität Bielefeld. Forschungsschwerpunkte: deutsch-jüdische Geschichte vom Mittelalter bis ins 19. Jahrhundert, jüdische Stadt- und Regionalgeschichte, Sozial- und Kulturgeschichte der Juden in der Frühen Neuzeit.

Gabriela Schlick, geb. 1966, arbeitet an einer Dissertation zur Alltags- und Beziehungsgeschichte der Frankfurter Juden im 18. Jahrhundert am Beispiel der Wechselmakler. Freie Historikerin. Zusammenarbeit u. a. mit dem Jüdischen Museum Frankfurt a. M., dem Institut für Stadtgeschichte Frankfurt a. M., Stattreisen e. V. sowie Lehrtätigkeit an der Jüdischen Volkshochschule Frankfurt a. M.; Forschungsschwerpunkt: deutsch-jüdische Geschichte der Frühen Neuzeit und des 19. Jahrhunderts, Stadt- und Regionalgeschichte.

Michael Schmidt, geb. 1952, Studium der Germanistik, Geschichte, Sinologie und Philosophie in Göttingen, wissenschaftliche Wanderjahre u. a. am Zentrum für Antisemitismusforschung in Berlin. Seit 1994 Professor für deutsche Philologie an der Universität Tromsø, Literatur- und Kulturgeschichte seit der Aufklärung, derzeitiger Arbeitsschwerpunkt: Dilettantismus.

Martina Strehlen, geb. 1963, Studium der Judaistik, Islamwissenschaft und Bibliothekswissenschaft in Köln, Jerusalem und Berlin; Projekte zur

Erfassung jüdischer Grabinschriften am Landesamt für Denkmalpflege Rheinland-Pfalz (1992–99) und am Landesdenkmalamt Baden-Württemberg (seit 1999); Forschungsschwerpunkt: Epigraphik, deutsch-jüdische Sozial- und Kulturgeschichte.

MICHAEL STUDEMUND-HALÉVY, geb. 1948, Studium der Linguistik, Romanistik und Orientalistik in Bukarest, Lausanne, Lissabon; Publizist und Übersetzer, freier Mitarbeiter am Institut für die Geschichte der deutschen Juden, Hamburg; Lehrbeauftragter für Judezmo am Ibero-Amerikanischen Forschungszentrum der Universität Hamburg. Publikationsschwerpunkte: Judenspanisch, Marranen-Diaspora, Sefarden in Hamburg.

HILTRUD WALLENBORN, geb. 1967, Dr. phil. Potsdam 2002; seit 1997 wissenschaftliche Mitarbeiterin am Moses-Mendelssohn-Zentrum für europäisch-jüdische Studien; Lehrtätigkeit an der Universität Potsdam. Forschungsschwerpunkte: sefardisches Judentum, Geschichte der Juden in Mittelalter und Früher Neuzeit.

BRITTA WASSMUTH, geb. 1971, Studium der Neueren Geschichte, Mittelalterlichen Geschichte und Sportwissenschaften an der Technischen Universität Darmstadt, Doktorandin mit einem Dissertationsvorhaben zur jüdischen Oberschicht in Mannheim im 18. Jahrhundert.

REGISTER

ABBILDUNGSNACHWEIS

Schutzumschlag: Stadtarchiv Stuttgart
Abb. 1: Collection, The Israel Museum, Jerusalem
Abb. 2: Universitäts- und Landesbibliothek Bonn
Abb. 3: Germanisches Nationalmuseum, Nürnberg
Abb. 4: Privatbesitz
Abb. 5: Stadtarchiv Halberstadt, Bestand Bauakten, Archivsignatur 2/488a
Abb. 6: Collection, The Israel Museum, Jerusalem. Photo © The Israel Museum, Jerusalem
Abb. 7: Collection, The Israel Museum, Jerusalem. Photo © The Israel Museum, Jerusalem
Abb. 8: Österreichisches Staatsarchiv, Finanz- und Hofkammerarchiv (Hofkammerarchiv Kartensammlung Ra 927/7)
Abb. 9 u. 10: Peter Schulze
Abb. 11: Rheinisches Bildarchiv der Stadt Köln
Abb. 12: in: Jutta Dick, Marina Sassenberg (Hrsg.), Wegweiser durch das jüdische Sachsen-Anhalt, Potsdam 1998 (und dort: Pierre Saville, Le Juif du Court, Paris 1970, Tafel XXVII).
Abb. 13: Lucia Raspe
Abb. 14: Vorarlberger Landesmuseum, Bregenz
Abb. 15 u. 16: Britta Waßmuth
Abb. 17: Aquarell von Richard Dighton (1830), Foto: Jüdisches Museum Frankfurt a. M.
Abb. 18: Dieter Blinn
Abb. 19: Bayerisches Hauptstaatsarchiv
Abb. 20: Landesdenkmalamt Baden-Württemberg (Martina Strehlen)
Abb. 21, 22, 23, 25 u. 26: Jüdisches Museum Wien (Inv. Nr. 4032, 3987, 1790, 5228/16, 422)
Abb. 24: Felicitas Heimann-Jelinek